AF238126

La encomienda de gestión

Entre la eficacia administrativa y la contratación pública

MARC VILALTA REIXACH

Universitat Oberta de Catalunya (UOC)

La encomienda de gestión

Entre la eficacia administrativa y la contratación pública

Prólogo
JOAQUÍN TORNOS MAS

THOMSON REUTERS
ARANZADI

Primera edición, 2012

«La edición de esta obra ha contado con la financiación del contrato-programa del Grupo de investigación "Derecho Administrativo" de la Universidad de Barcelona que dirige el Dr. Tomàs Font i Llovet, así como del proyecto de investigación del Ministerio de Educación y Ciencia "La reforma de los gobiernos locales y el fortalecimiento de la autonomía local" (DER2009-14265-C02-01), del que es investigador principal el Dr. Alfredo Galán Galán».

El editor no se hace responsable de las opiniones recogidas, comentarios y manifestaciones vertidas por los autores. La presente obra recoge exclusivamente la opinión de su autor como manifestación de su derecho de libertad de expresión.

Cualquier forma de reproducción, distribución, comunicación pública o transformación de esta obra solo puede ser realizada con la autorización de sus titulares, salvo excepción prevista por la ley. Diríjase a CEDRO (Centro Español de Derechos Reprográficos) si necesita fotocopiar o escanear algún fragmento de esta obra (*www.conlicencia.com*; 91 702 19 70 / 93 272 04 45).

Thomson Reuters y el logotipo de Thomson Reuters son marcas de Thomson Reuters

Aranzadi es una marca de Thomson Reuters (Legal) Limited

© 2012 [Thomson Reuters (Legal) Limited / Marc Vilalta Reixach]
Editorial Aranzadi, SA
Camino de Galar, 15
31190 Cizur Menor (Navarra)
ISBN: 978-84-9014-075-8
Depósito Legal: NA 1127/2012
Printed in Spain. Impreso en España
Fotocomposición: Editorial Aranzadi, SA
Impresión: Rodona Industria Gráfica, SL
Polígono Agustinos, Calle A, Nave D-11
31013 - Pamplona

«Qualsevol explicació o raonament que ho expliqui tot tan fàcilment té alguna trampa amagada en algun lloc. [...] Algú va dir una vegada que si una cosa queda explicada amb un sol llibre, no val la pena que l'expliquin»

MURAKAMI, Haruki: El meu amor Sputnik,
Ed. Empúries, Barcelona 2009, p. 67
Als meus pares

SUMARIO

Abreviaturas

AAVV	=	Varios autores
Ap.	=	Apartado
Art.	=	Artículo
ATC	=	Auto del Tribunal Constitucional
BOA	=	Boletín Oficial de Aragón
BOAM	=	Boletín Oficial del Ayuntamiento de Madrid
BOC	=	Boletín Oficial de Canarias
BOCyL	=	Boletín Oficial de Castilla y León
BOCM	=	Boletín Oficial de la Comunidad de Madrid
BOE	=	Boletín Oficial del Estado
BOIB	=	Boletín Oficial de les Illes Balears
BOP-León	=	Boletín Oficial de la Provincia de León
Cap.	=	Capítulo
CE	=	Constitución española de 1978
CEAL	=	Carta Europea de la Autonomía Local, hecha en Estrasburgo el 15 de octubre de 1985
Cfr.	=	Confrontar
CI	=	Constitución italiana de 1947
Coord.	=	Coordinador
Dir.	=	Director
DOGC	=	Diario Oficial de la Generalitat de Cataluña
DOGV	=	Diario Oficial de la Generalitat Valenciana
EAA	=	Estatuto de Autonomía de Aragón, Ley Orgánica 5/2007, de 20 de abril
EAAnd	=	Estatuto de Autonomía de Andalucía, Ley Orgánica 2/2007, de 19 de marzo
EAC	=	Estatuto de Autonomía de Cataluña, Ley Orgánica 6/2006, de 19 de julio, de reforma del Estatuto de Autonomía de Cataluña
EACV	=	Estatuto de Autonomía de la Comunidad Valenciana, Ley Orgánica 5/1982, de 1 de julio, modificada por la Ley Orgánica 1/2006, de 10 de abril

Ed.	=	Editorial
EAIB	=	Estatuto de Autonomía de las Illes Balears, Ley Orgánica 2/1983, de 25 de febrero, modificada por la Ley Orgánica 1/2007, de 28 de febrero
FEMP	=	Federación Española de Municipios y Provincias
FJ	=	Fundamento Jurídico
INAP	=	Instituto Nacional de Administración Pública
LAJAnd.	=	Ley 9/2007, de 22 de octubre, de la Administración de la Junta de Andalucía
LBRL	=	Ley 7/1985, de 2 de abril, de Bases del Régimen Local
LCAP	=	Ley 13/1995, de 18 de mayo, de Contratos de las Administraciones Públicas
LCSP	=	Ley 30/2007, de 30 de octubre, de Contratos del Sector Público
LJCA	=	Ley 29/1998, de 13 de julio, reguladora de la Jurisdicción Contencioso-Administrativa
LMRLC	=	Decreto Legislativo 2/2003, de 28 de abril, por el que se aprueba el Texto Refundido de la Ley Municipal y de Régimen Local de Cataluña
LOFAGE	=	Ley 6/1997, de 14 de abril, de Organización y Funcionamiento de la Administración General del Estado
LOU	=	Ley Orgánica 6/2001, de 21 de diciembre, de Universidades
LPA	=	Ley 12/1983, de 14 de octubre, del Proceso Autonómico
LRJCat	=	Ley 26/2010, de 3 de agosto, de Régimen Jurídico y Procedimiento de las Administraciones Públicas de Cataluña
LRJPAC	=	Ley 30/1992, de 26 de noviembre, del Régimen Jurídico de las Administraciones Públicas y del Procedimiento Administrativo Común
Núm.	=	Número
Ob. Cit.	=	Obra citada
P.	=	Página
ROF	=	Real Decreto 2568/1986, de 28 de noviembre, por el que se aprueba el Reglamento de Organización, Funcionamiento y Régimen Jurídico de las Entidades Locales
Sig.(s)	=	Siguiente(s)
STC	=	Sentencia del Tribunal Constitucional
STS	=	Sentencia del Tribunal Supremo

STSJ	=	Sentencia del Tribunal Superior de Justicia
TC	=	Tribunal Constitucional
TFUE	=	Tratado de Funcionamiento de la Unión Europea
TUE	=	Tratado de la Unión Europea
TRLCAP	=	Real Decreto Legislativo 2/2000, de 16 de junio, por el que se aprueba el Texto refundido de la Ley de Contratos de las Administraciones Públicas
TRLRHL	=	Real Decreto Legislativo 2/2004, de 5 de marzo, por el que se aprueba el Texto Refundido de la Ley Reguladora de las Haciendas Locales
TRRL	=	Real Decreto Legislativo 781/1986, de 18 de abril, por el que se aprueba el Texto Refundido de las Disposiciones Legales Vigentes en materia de Régimen Local
TRLCSP	=	Real Decreto Legislativo 3/2011, de 14 de noviembre, por el que se aprueba el Texto Refundido de la Ley de Contratos del Sector Público
TS	=	Tribunal Supremo
TSJ	=	Tribunal Superior de Justicia
Vol.	=	Volumen

Prólogo

El libro de Marc Vilalta Reixach que tengo la satisfacción de prologar nos ofrece un completo estudio de una institución de gran relevancia práctica en la organización administrativa, la encomienda de gestión. El estudio realizado es oportuno, ya que tras este concepto jurídico se suelen integrar realidades diversas, sin que, por lo general, los trabajos que se han dedicado a esta institución atiendan a su directa relación con la institución contractual.

Marc Vilalta, joven pero ya fino jurista, identifica la razón de ser de esta institución, la separa de otras técnicas jurídicas similares pero diversas, expone con precisión sus elementos esenciales y la pone en conexión con la institución contractual, hoy dominada por las reglas del derecho comunitario.

El resultado final es un trabajo profundo, bien expuesto y con propuestas interpretativas convincentes sobre una cuestión que puede parecer menor, pero que es de gran relevancia práctica en materia de organización administrativa. El lector podrá comprobarlo.

Todo el libro está dominado por una idea fuerza: la encomienda de gestión es una técnica organizativa al servicio del principio constitucional de eficacia articulado a través de la colaboración *inter* e *intra* administrativa.

De esta forma se nos llama la atención sobre la necesidad de contemplar la organización de las administraciones públicas como un conjunto de aparatos serviciales que forman parte de un sistema unitario, por lo que, sin perjuicio de la distribución de ámbitos competenciales y responsabilidades entre los distintos niveles subjetivos y orgánicos, todos ellos deben colaborar para lograr la mayor eficacia posible en el ejercicio de sus respectivos cometidos.

Esta idea me parece importante. En el Estado conviven diversas administraciones y dentro de ellas una pluralidad de órganos. Esta diversidad orgánica se traduce en un reparto de competencias. A cada administración, y a cada órgano, se asignan unos poderes de actuación (competencias) cuya respectiva atribución debe llevarse a cabo atendiendo a criterios de racionalidad y democracia. A cada nivel administrativo se deberían asignar las competencias que mejor puede gestionar por razón de su dimensión territorial y de sus ingresos, tratando además en la medida de lo posible de acercar los niveles de decisión y prestación de servicios a los ciudadanos afectados. Esta es la idea que subyace en el principio de subsidiariedad. Luego, dentro de cada administración, se actuará a través de los órganos o entes instrumentales propios en razón principalmente de su especialidad material.

En los últimos tiempos, a mi juicio, la asignación de competencias entre los diversos niveles territoriales ha estado dominada esencialmente por el interés de cada nivel territorial por asumir la mayor cota de poder posible (el mayor número de competencias funcionales y materiales), apelando para ello al principio de autonomía. La racionalidad resultante era un tema secundario. Así, por ejemplo, la misma diferencia real entre entes territoriales jurídicamente uniformes no se ha tenido en cuenta en el momento de atribuir las competencias.

Este hecho se ha traducido en la aparición de problemas en el momento de tener que ejercer las respectivas competencias, pues no siempre el ente u órgano competente dispone de los medios materiales y técnicos para llevar a cabo la tarea asignada. La rigidez del sistema de atribución competencial (la competencia debe ser ejercida por quien la tiene atribuida, la competencia es un elemento de validez de la resolución así como de identificación de las responsabilidades) dificulta la solución al problema apuntado. Sólo a través de una respuesta formal que tenga amparo legal será posible alterar el ejercicio de unas competencias que resultan a veces disfuncionales.

Aquí surge con fuerza la encomienda de gestión, como mecanismo que, sin alterar la asignación de competencias (y por ello la responsabilidad de su titular), permite lograr un ejercicio eficaz del poder atribuido, recurriendo para ello a la colaboración de los aparatos administrativos de otras administraciones o de otros órganos que sí disponen de los medios materiales para llevar a cabo este cometido.

Los principios de eficacia y colaboración adquieren de este modo toda su fuerza, como principios que determinan la actuación de todas las administraciones en el ejercicio de la propia competencia y en auxilio de las competencias de otros órganos o administraciones. En última instancia, y este es el dato a mi juicio dominante en toda esta reflexión, el centro de las construcciones jurídicas en materia de organización debe ser la creación de un sistema que permita la mejor satisfacción de los derechos e intereses de los ciudadanos. Y si este sistema es imperfecto, la encomienda de gestión puede corregir los defectos.

A partir de este razonamiento Marc Vilalta construye el concepto de encomienda de gestión, como un negocio bilateral, voluntario, que altera el ejercicio de la competencia por razones de eficacia o cuando el ente encomendante no posee los medios materiales para llevar a efecto su propia competencia.

Fijado el concepto, es posible diferenciarlo de otras instituciones organizativas que responden al mismo problema de fondo antes expuesto, pero que tratan de solucionarlo con medios más complejos. Así, la reordenación competencial a través de la delegación o avocación de competencias, o la redistribución normativa del sistema de asignación competencial.

Una vez fijado el concepto y la razón que justifica la creación de la figura de la encomienda de gestión, el libro encara de forma segura y precisa la tarea de exponer su régimen jurídico, régimen que tiene su regulación básica en el artículo 15 de la Ley 30/1992 (desarrollado de forma desigual por algunas leyes autonómicas de régimen jurídico y procedimiento administrativo de las que nos da cumplida cuenta el libro que prologamos).

Destaca en este punto el análisis de las figuras del encomendante y el encomendado. Por lo que se refiere al encomendado se justifica la negativa a que las entidades privadas puedan recibir la encomienda, ya que se insiste en la idea de que la encomienda se circunscribe a las relaciones *supra* e *inter* administrativas, sin acudir a terceros externos. En este punto se avanza ya la distinción con los contratos *in house*, que sí admiten la relación con entidades privadas totalmente dependientes de una administración pública.

Otros aspectos analizados son el ámbito objetivo de la encomienda, la formalización (acuerdo o convenio), los efectos, y el control de lo realizado por el encomendado y la retribución que debe satisfacer el encomendante.

El libro se cierra con unas consideraciones de especial interés al poner en conexión la encomienda de gestión, como técnica organizativa, con la figura del contrato y su regulación actual por el derecho comunitario. En el desarrollo de este capítulo final el autor parte de hecho de la siguiente pregunta: si la encomienda de gestión es un negocio jurídico bilateral por el que se acuerda el ejercicio de una actividad material a cambio de una remuneración y si el encomendante es, en todo caso, una administración pública ¿está sujeto este negocio contractual a la Ley de contratos del sector público?

La respuesta a la pregunta es de nuevo matizada y fundada. No habrá contrato si la encomienda es intraadministrativa pues no hay alteridad en la relación jurídica. Sí hay contrato, en cambio, cuando la encomienda se lleva a cabo entre entes diversos. Pero en este caso la encomienda puede quedar excluida de la Ley de contratos del sector público por lo dispuesto en su artículo 4.1 n), al tratarse de contratos *in house providing*, de respuestas organizativas que no responden a la búsqueda externa de la provisión de medios materiales para el ejercicio de las propias funciones. Pero llegados a este punto Marc Vilalta advierte, primer no obstante, que la figura del *in house providing*, a partir de la Sentencia Teckal de 1999, requiere que el encomendando esté controlado por el encomendante y que realice para este la principal parte de su actividad, lo que no ocurrirá en los casos de encomiendas entre entes territoriales. Por tanto, estas encomiendas sí estarán, en principio, sujetas a la Ley de contratos del sector público.

Pero tras este excurso, Marc Vilalta nos añade un último «no obstante» que de forma brillante y con suspense nos coloca en las conclusiones, para justificar también la exclusión de estas encomiendas de gestión del régimen de la Ley de contratos del sector público aplicando su artículo 4.1 c). Para ello recupera el elemento funcional de la encomienda, la eficacia como principio constitucional que debe imponerse en la organización del sistema de las administraciones públicas, para argumentar la no aplicación de la Ley de contratos en aquellos convenios o acuerdos interadministrativos que incluyan encomiendas que respondan a una finalidad de mejora de la eficacia de las administraciones públicas y no supongan objetivamente una relación contractual.

Tras el comentario de la obra, unas palabras sobre su autor. Marc Vilalta Reixach forma parte de una nueva generación de brillantes profesores universitarios que han decidido iniciar su carrera profesional en el seno de la Universidad, a pesar que esta Universidad no les ampara en la forma que se merecen ni les ofrece posibilidades seguras de progresión en razón de sus propios méritos.

Alumno brillante se ha formado en diversas universidades extranjeras y ahora trata de llevar a cabo su tarea docente e investigadora en la Universidad española. Con este libro, que tiene su origen en su tesis doctoral, presenta sus credenciales ante la academia y ofrece a los estudiosos del derecho administrativo un estudio de gran calidad e indudable interés. Nos felicitamos por ello y le deseamos la suerte que se merece en el complejo, pero apasionante, camino que ha iniciado.

Joaquín Tornos Mas

Catedrático de derecho administrativo

Universidad de Barcelona.

Introducción: delimitación del objeto de estudio

La reciente evolución de nuestro sistema jurídico-administrativo ha sido ciertamente destacable. Lo ha sido, en primer lugar, desde un punto de vista *funcional*, puesto que la actividad administrativa ha visto ampliar su ámbito de actuación a nuevas realidades sociales antes desconocidas, viéndose abocada a una prestación masiva de servicios públicos. Pero también lo ha sido desde un punto de vista *organizativo*, a partir, sobretodo, del nuevo contexto institucional de pluralismo político instaurado por la Constitución de 1978.

En este sentido, ante el complejo sistema de administraciones públicas instaurado en España, las relaciones interadministrativas han ido cobrando una relevancia cada vez más importante, dando lugar a que los vínculos entre las distintas instancias de gobierno y administración territorial no se construyan ya únicamente sobre la base de conceptos como jerarquía, tutela o control, sino dando paso también a otros como colaboración, subsidiariedad o capacidad de gestión. Técnicas cuyo objetivo no es otro que lograr la coherencia de la actuación pública, en la lógica de los principios de racionalidad y eficacia administrativa.

Es precisamente en este punto donde debemos situar nuestro objeto de estudio, puesto que este trabajo pretende centrarse específicamente en uno de los mecanismos que nuestro ordenamiento jurídico prevé para garantizar la eficacia de la actuación pública y para dar cumplimiento al deber general de colaboración administrativa consustancial a nuestro propio modelo de organización territorial. Este mecanismo no es otro que la llamada *encomienda de gestión*.

La encomienda de gestión, como veremos posteriormente con más detalle, aparece regulada con carácter básico en el artículo 15 de la Ley 30/1992, de 26 de noviembre, de Régimen Jurídico de las Administraciones Públicas y del Procedimiento Administrativo Común (en adelante LRJPAC), en el que se prevé que «la realización de actividades de carácter material, técnico o de servicios de la competencia de los órganos administrativos o de las Entidades de derecho público podrá ser encomendada a otros órganos o entidades de la misma o distinta administración por razones de eficacia o cuando no se posean los medios técnicos idóneos para su desempeño» (art.15.1 LRJPAC). De este modo, la encomienda de gestión ha venido configurándose como un mecanismo racionalizador del ejercicio de las competencias administrativas, que ha permitido hacer compatible la irrenunciabilidad de las competencias que tienen atribuidas como propias las diferentes entidades públicas con la carencia de los medios materiales adecuados para su ejercicio o para conseguir una mayor eficacia en su gestión[1].

Sin embargo, a pesar de la amplia utilización de esta técnica administrativa, el análisis de su concreto régimen jurídico presenta aún algunas lagunas importantes. En efecto, la parca y no muy satisfactoria regulación que caracteriza esta figura, ha hecho que la simple determinación de las entidades públicas que pueden hacer uso de esta figura o la delimitación de su ámbito objetivo sean hoy día cuestiones abiertas, susceptibles de interpretaciones y aplicaciones prácticas muy diversas. Situación de indeterminación que se agrava aún más por la escasa atención doctrinal que, con carácter general, ha suscitado esta figura[2]. Es por ello que uno de los objetivos inmediatos de nuestro trabajo será intentar ofrecer un tratamiento sistemático del régimen jurídico de la encomienda de gestión, al efecto de clarificar los elementos definidores de esta figura.

Pero al mismo tiempo, como sucede en muchos otros ámbitos de nuestro ordenamiento jurídico, el imparable desarrollo del proceso de

---

1. FERNÁNDEZ FARRERES, Germán: «La delegación de competencias y la encomienda de gestión», en *Anuario de Gobierno Local 1997*, Institut de Dret Públic –Marcial Pons– Diputació de Barcelona, Barcelona 1998, p. 148.
2. A la vista de los numerosos y excelentes trabajos publicados últimamente sobre las encomiendas de gestión realizadas a los entes instrumentales de las diferentes administraciones públicas y sobre la utilización de los llamados *medios propios o servicios técnicos*, esta afirmación podría parecer completamente equivocada. No obstante, estos estudios se centran en aspectos muy concretos de su régimen jurídico, dejando de lado una caracterización más general de esta figura. Aún así, es posible encontrar también algunas notables excepciones como, por ejemplo, HERNANDO OREJANA, Luis Carlos: *La encomienda de gestión*, Colegio Universitario de Segovia, 1998, MESEGUER YEBRA, Joaquín: «La encomienda de gestión como técnica de modulación competencial interorgánica. Régimen jurídico y aplicación práctica: virtudes y defectos», en *Revista Galega de Administración Pública* (REGAP), núm. 38, Septiembre-Diciembre 2004, p. 123-143; SÁNCHEZ SÁEZ, Antonio José: «Algunas reflexiones sobre la encomienda de gestión como instrumento racionalizador del ejercicio de las competencias administrativas», en *Revista Andaluza de Administración Pública*, núm. 53, 2004, p. 227-265 o PASCUAL GARCÍA, José: *Las encomiendas de gestión a la luz de la Ley de Contratos del Sector Público*, Boletín Oficial del Estado, Estudios Jurídicos núm. 13, Madrid 2010.

integración europea y, en especial, de la consecución del mercado común, entendido éste como la creación de un espacio económico sin fronteras en unas condiciones análogas a las existentes en el mercado interno de los estados, ha venido a sumar nuevas dudas acerca de la correcta aplicación de esta figura en un contexto económico europeo caracterizado por la supresión de los obstáculos a la libre circulación de mercancías, personas, servicios y capitales.

En efecto, la inexcusable sujeción de la normativa española a las libertades comunitarias previstas en el Tratado de la Unión Europea (en adelante, TUE) y en el Tratado de Funcionamiento de la Unión Europea (en adelante, TFUE), de forma particular, a los principios de no discriminación, publicidad y transparencia derivados de ellas, nos plantea la necesidad de examinar la compatibilidad de la regulación legal vigente de la encomienda de gestión, como mecanismo relacional entre administraciones públicas con un importante contenido económico, con la normativa europea, dirigida a la consecución de un mercado interior en la Unión Europea. Y es que, como fácilmente puede deducirse, la posible conceptualización de la encomienda de gestión como un mecanismo de adjudicación directa de determinadas actuaciones administrativas a otra entidad pública podría chocar con la exigencia comunitaria de un mercado competitivo en el que todos los proveedores, contratistas o prestadores de servicios de la Unión sean tratados en pie de igualdad, independientemente de su naturaleza pública o privada o de su nacionalidad.

Desde esta perspectiva, nuestra exposición pretende también llevar a cabo no sólo un estudio del régimen jurídico de la encomienda de gestión, sino también, y especialmente, un análisis completo y detallado de su tratamiento contractual, al efecto de poder dar una respuesta, lo más concreta posible, a las siguientes preguntas: ¿Pueden las administraciones públicas españolas encomendar directamente la realización de una determinada actividad material, técnica o de servicios a otra entidad pública? Y, en caso afirmativo, ¿a qué régimen jurídico debe someterse dicho encargo?

En nuestra opinión, a diferencia de lo pudiera parecer, la respuesta a los interrogantes planteados no resulta nada fácil pues, como decíamos, junto a la regulación legal vigente en nuestro ordenamiento jurídico coexisten un conjunto muy amplio de conceptos y principios jurídicos de ámbito europeo, de creación legal y jurisprudencial, que modulan de forma muy importante el tradicional entendimiento de la figura de la encomienda de gestión como un mero mecanismo de cooperación entre administraciones públicas. En todo caso, a lo largo de nuestra exposición intentaremos demostrar como, a pesar de que la encomienda de gestión se nos presenta como un negocio jurídico de carácter contractual –en el sentido de que puede configurarse teóricamente como un acuerdo de voluntades entre dos sujetos distintos a través del cual se persigue el establecimiento de una relación obligatoria entre ellos– existen también razones o argumentos que justificarían un tratamiento contractual singular para esta figura. Aunque la encomienda de gestión pueda definirse como un verdadero *contrato público* a efectos del vigente Texto refundido de la Ley de Contratos del Sector Público, su fundamento en la lógica de la eficacia de la actuación administrativa y en la colaboración entre los diferentes niveles de gobierno y administración existentes en nuestro ordenamiento podría conducirnos a excluir esta institución del marco general de las reglas de la contratación pública.

En definitiva, intentaremos poner de relieve como la debida aplicación del Derecho de la Unión Europea está afectando también a ámbitos de actuación para los que, en principio, no había sido prevista, como el de la organización institucional propia de cada Estado y también el de las formas de relación entre los sujetos administrativos. Debiéndose conjugar entonces la necesidad de garantizar el respeto a las normas de dicho ordenamiento supraestatal con las exigencias derivadas del buen funcionamiento de nuestro sistema de administraciones públicas.

Para ello, al efecto de garantizar una clara exposición de nuestros posicionamientos pero también para poder analizar en profundidad las dudas planteadas y poder llegar a formular unas conclusiones finales sobre ellas, hemos creído conveniente organizar nuestro trabajo a través de cuatro capítulos diferenciados:

A) En el primero de ellos se pretende realizar una aproximación al fundamento constitucional de la encomienda de gestión, que, en nuestra opinión, debe buscarse en la necesidad de asegurar la eficacia de la actuación de la Administración Pública. Eficacia que, en este caso, se concreta en dos elementos diferenciados: el principio de colaboración administrativa y la potestad de autoorganización que se reconoce a determinados sujetos públicos.

Ciertamente, la Constitución española de 1978 no articula un sistema acabado de relaciones entre los distintos niveles territoriales de gobierno en nuestro país, ni tampoco una regulación general de las relaciones entre las diferentes administraciones públicas. Sin embargo, como avanzábamos y de acuerdo con la jurisprudencia constitucional, el texto constitucional sí que contiene elementos suficientes para perfilar un Estado Autonómico de tipo cooperativo, debiéndose de prever entonces los mecanismos concretos que sean adecuados para llevarla a cabo.

Igualmente, la autonomía que se reconoce a los distintos entes territoriales en los que se organiza el Estado les supone la necesaria atribución de aquellas potestades públicas sin las cuales no es posible hablar de una actuación autónoma. Entre ellas, la potestad de organizar su estructura de gobierno y administración y el modo de prestación de los servicios públicos adquiere una especial relevancia.

B) En segundo lugar, partiendo de las consideraciones hechas en el capítulo anterior, nos corresponderá centrarnos en el estudio del régimen jurídico de la encomienda de gestión, en especial de aquellos aspectos relativos a su ámbito objetivo y subjetivo.

En este capítulo, pues, cobrará particular importancia la determinación de qué tipo de entidades u órganos administrativos pueden hacer uso de la encomienda de gestión, así como aquellos que pueden ser sujetos pasivos de la misma. Poniéndose rápidamente de relieve que no es posible hablar de un único tipo de encomienda de gestión, con un único régimen jurídico general y uniforme, sino que en nuestro Derecho coexisten diferentes formas de encomienda de gestión, cada una con sus particularidades y necesitadas, por lo tanto, de un tratamiento específico y diferenciado.

Asimismo, en este capítulo nos ocuparemos también de detallar cuales son los principales efectos jurídicos derivados de la formalización de la relación de encomienda, sus presupuestos habilitantes y los requisitos formales que nuestro ordenamiento jurídico exige, con carácter previo, para dotar de eficacia a dicho acuerdo.

C) Una vez expuestos los principales rasgos del régimen jurídico de la encomienda de gestión, nos interesará analizar un aspecto concreto del mismo: el relativo a su naturaleza jurídica y su posible tratamiento contractual a efectos del Texto refundido de la Ley de Contratos del Sector Público.

Como veremos más adelante, el Tribunal de Justicia de la Unión Europea, mediante la Sentencia de 13 de enero de 2005, asunto C-84/03, *Comisión europea / Reino de España*, ha puesto de relieve el posible carácter contractual que debe reconocerse a determinados convenios celebrados entre administraciones públicas y, con ello, la necesidad de someterlos a la legislación aplicable a los contratos públicos. De ahí que en este tercer capítulo, a la luz de los principios legales y jurisprudenciales europeos, será necesario examinar si la figura de la encomienda de gestión prevista en el artículo 15 de la LRJPAC puede conceptuarse como un verdadero «contrato público» a efectos de las Directivas europeas sobre contratación. Debiendo determinar, posteriormente y en caso de respuesta afirmativa, cuál sería su régimen jurídico particular; teniendo presente, sobretodo, la nueva regulación española de los contratos del sector público prevista en el Real Decreto Legislativo 3/2011, de 14 de noviembre, por el que se aprueba el Texto Refundido de la Ley de Contratos del Sector Público (en adelante TRLCSP).

D) Finalmente, el cuarto y último capítulo de nuestro trabajo tiene por objeto presentar las conclusiones finales que, como veremos en ese momento, ponen especial atención en la aparente contradicción que existe entre la visión de la encomienda de gestión como un instrumento de carácter organizativo dirigido a asegurar la eficacia en la actuación pública mediante la colaboración administrativa y su tratamiento contractual a efectos del TRLCSP; debiendo de subrayar, como decíamos, la posible incidencia o afectación del Derecho europeo respecto de ámbitos, hasta ahora, considerados exclusivamente internos.

La publicación de este libro tiene su origen en la tesis doctoral que, con el título «La encomienda de gestión y los mecanismos de colaboración administrativa», defendí en la Facultad de Derecho de la Universidad de Barcelona el pasado 18 de noviembre de 2011. En este sentido, me gustaría dedicar unas breves líneas para agradecer a todas las personas que, de una forma u otra, me han acompañado durante el largo proceso de elaboración de este trabajo y que han hecho posible su publicación.

En primer lugar, quisiera dar las gracias a los profesores Luis MARTÍN REBOLLO, Luis ORTEGA ÁLVAREZ y Luciano VANDELLI que formaron parte del tribunal que juzgó la tesis doctoral, atribuyéndole la máxima calificación de Excelente «cum laude» por unanimidad. A todos ellos agradezco que aceptaran, en su día, la invitación para formar parte del tribunal, así como la atenta lectura del trabajo y sus acertadas sugerencias, algunas de las cuales he intentado plasmar en su revisión previa a la publicación.

Junto a ellos, debo hacer mención a la inestimable ayuda y amistad que me han ofrecido en todo momento tanto los compañeros del Departamento de Derecho Administrativo y Derecho Procesal de la Universidad de Barcelona, como del Instituto de Derecho Público y de los Estudios de Derecho y Ciencia Política de la Universidad Oberta de Cataluña (UOC). En este sentido, me gustaría hacer constar especialmente mi gratitud a los profesores Ricard GRACIA RETORTILLO, Francesc RODRÍGUEZ PONTÓN, David MOYA MALAPEIRA, Mariola RODRÍGUEZ FONT y Agustí CERRILLO I MARTÍNEZ.

Por otro lado, no puedo dejar de agradecer muy sinceramente el magisterio y calidad humana de los codirectores de la tesis, los profesores Tomàs FONT I LLOVET y Alfredo GALÁN GALÁN. No sólo porque sin sus enseñanzas, paciencia y dedicación este trabajo no hubiera sido posible, sino también, y mucho más importante, por la enorme confianza y afecto mostrados durante todo este tiempo.

Finalmente, y de un modo muy especial, me gustaría dar las gracias a mis padres y hermanos, por el constante apoyo y estima de todos estos años. A ellos va dedicado personalmente este libro.

Capítulo I

Concepto y marco normativo de la encomienda de gestión

El punto de partida de nuestra exposición sobre la encomienda de gestión se sitúa en la definición de su concepto y en el estudio de su concreto marco normativo. En nuestra opinión, una reflexión inicial sobre estas cuestiones nos puede resultar muy útil para ubicar adecuadamente esta figura y así, posteriormente, poder analizar mejor su específico régimen jurídico; a la vez que nos ayudará también a tener una visión más amplia en la resolución de algunos de los aspectos problemáticos que, más adelante, deberemos afrontar.

1. APROXIMACIÓN AL CONCEPTO DE LA ENCOMIENDA DE GESTIÓN

No se trata en este momento inicial de realizar un examen completo y exhaustivo de todos los elementos que conforman la figura de la encomienda de gestión –cuestión que abordaremos más detalladamente en la segunda parte de nuestra exposición– sino simplemente de enunciar descriptivamente qué entendemos por *encomienda de gestión*. Y es que cuando utilizamos esta expresión en el ámbito administrativo nos estamos refiriendo a una institución jurídica concreta, con una regulación propia y con la que se pretende el cumplimiento de unas determinadas finalidades públicas, en el marco de nuestro modelo social y político de Estado.

Sin embargo, el hecho de que el término *encomienda* sea un vocablo ampliamente utilizado en nuestro ordenamiento y que con él pueda aludirse a realidades jurídicas muy diversas[3], ha dificultado notablemente

---

3. Por ejemplo, además de la encomienda de gestión prevista en el ámbito jurídico-administrativo, este término se utiliza también, entre otros, para designar determinadas condecoraciones honoríficas, como la Encomienda prevista en el artículo 2 del

el estudio de la figura de la encomienda de gestión, la cual, con frecuencia, aparece designando fenómenos jurídicos que, en rigor, poco tienen que ver con dicha institución administrativa. De ahí que consideremos oportuno comenzar nuestro trabajo delimitando a grandes rasgos sus contornos y fijando aquellos elementos que, en nuestra opinión, caracterizarían esta figura.

En primer lugar, debemos señalar que ni nuestro texto constitucional, ni tampoco los diferentes estatutos de autonomía, han previsto de forma expresa ninguna definición de la figura de la encomienda de gestión, de manera que para poder determinar su significado actual debemos acudir al ámbito legislativo ordinario y, en concreto, a la Ley 30/1992, de 26 de noviembre, de Régimen Jurídico de las Administraciones Públicas y del Procedimiento Administrativo Común. Esta norma nos ofrece una definición general de esta figura, estableciendo, con carácter básico, su ámbito de aplicación y los principales requisitos de su ejercicio, expresándose del modo siguiente:

«Artículo 15. Encomienda de gestión.

1. La realización de actividades de carácter material, técnico o de servicios de la competencia de los órganos administrativos o de las Entidades de derecho público podrá ser encomendada a otros órganos o Entidades de la misma o de distinta Administración, por razones de eficacia o cuando no se posean los medios técnicos idóneos para su desempeño.

2. La encomienda de gestión no supone cesión de titularidad de la competencia ni de los elementos sustantivos de su ejercicio, siendo responsabilidad del órgano o Entidad encomendante dictar cuantos actos o resoluciones de carácter jurídico den soporte o en los que se integre la concreta actividad material objeto de encomienda.

3. La encomienda de gestión entre órganos administrativos o Entidades de derecho público pertenecientes a la misma Administración deberá formalizarse en los términos que establezca su normativa propia y, en su defecto, por acuerdo expreso de los órganos o Entidades intervinientes. En todo caso el instrumento de formalización de la encomienda de gestión y su resolución deberá ser publicado, para su eficacia en el Diario Oficial correspondiente. Cada Administración podrá regular los requisitos necesarios para la validez de tales acuerdos que incluirán, al menos, expresa mención de la actividad o actividades a las que afecten, el plazo de vigencia y la naturaleza y alcance de la gestión encomendada.

Real Decreto 223/1994, de 14 de febrero, por el que se aprueba el Reglamento de la Real y Militar Orden de San Hermenegildo, o para identificar algunos de los servicios postales incluidos en el Convenio de Buenos Aires de 14 de octubre de 1960, de Unión Postal de las Américas y España.

4. Cuando la encomienda de gestión se realice entre órganos y Entidades de distintas Administraciones se formalizará mediante firma del correspondiente convenio entre ellas, salvo en el supuesto de la gestión ordinaria de los servicios de las Comunidades Autónomas por las Diputaciones Provinciales o en su caso Cabildos o Consejos insulares, que se regirá por la legislación de Régimen Local.

5. El régimen jurídico de la encomienda de gestión que se regula en este artículo no será de aplicación cuando la realización de las actividades enumeradas en el apartado primero haya de recaer sobre personas físicas o jurídicas sujetas a derecho privado, ajustándose entonces, en lo que proceda, a la legislación correspondiente de contratos del Estado, sin que puedan encomendarse a personas o Entidades de esta naturaleza actividades que, según la legislación vigente, hayan de realizarse con sujeción al derecho administrativo».

Es a partir de la lectura de este precepto de la LRJPAC que debemos intentar deducir los principales rasgos definitorios de la *encomienda de gestión* vigente en nuestro ordenamiento jurídico. En este sentido, entendemos que la caracterización de esta figura podría articularse en atención a tres elementos diferentes: su ámbito subjetivo, su ámbito objetivo y su naturaleza jurídica.

1.1. ELEMENTO SUBJETIVO

En primer lugar, la encomienda de gestión presupone necesariamente el establecimiento de una relación jurídica entre dos sujetos[4]: el *encomendado* y el *encomendante*. En efecto, el artículo 15 de la LRJPAC ha configurado la encomienda de gestión como un mecanismo relacional, de carácter bilateral, a través del cual se atribuye a un determinado órgano u entidad (al que denominaremos *encomendado*) la realización de actuaciones materiales concretas de la competencia de otro (al que designamos como *encomendante*).

Determinar en este momento inicial qué sujetos están específicamente legitimados para hacer uso de esta figura resulta complejo puesto que la LRJPAC se expresa en términos muy amplios y poco precisos, lo que ha dado lugar a disparidad de interpretaciones sobre su ámbito subjetivo de aplicación y, en concreto, a su posible extensión a las perso-

---

4.   En este momento, y como recordaremos también más adelante, utilizamos el término «sujetos» en un sentido amplio, para referirnos genéricamente a las diferentes partes que componen una determinada relación obligatoria, pero sin que dicha expresión deba de entenderse necesariamente como sinónimo de personificación jurídica.

nas jurídicas sujetas al Derecho Privado[5]. Es por ello que el estudio específico de esta cuestión lo abordaremos con mayor detalle en el *Capítulo III*, indicando ahora simplemente que la LRJPAC sí que nos permite distinguir diferentes tipos de encomienda de gestión en función de los sujetos que participan en ella.

Así, en primer lugar, podemos diferenciar aquella encomienda que se realiza entre órganos administrativos (y que llamaremos encomienda de gestión *interorgánica*) de aquélla que se realiza entre personas jurídicas distintas (a la que nos referiremos como encomienda de gestión *intersubjetiva*). Pero, al mismo tiempo, y en función de la adscripción orgánica de las partes intervinientes en la relación, podemos hablar también de la encomienda de gestión *intraadministrativa*, que es aquélla que se produce en el seno de una misma administración pública (ya sea entre órganos o entidades pertenecientes a una misma estructura organizativa), o de la encomienda de gestión *interadministrativa*, cuando se formaliza entre órganos o entidades adscritas a dos administraciones públicas diferenciadas.

1.2. ELEMENTO OBJETIVO

En segundo lugar, la encomienda de gestión se define también por su objeto, es decir, por su contenido obligacional. Partiendo nuevamente de la regulación prevista en la LRJPAC, podemos afirmar que la encomienda de gestión supone el establecimiento de una relación jurídica a través de la cual el encomendado se compromete a realizar una determinada actuación material por encargo de otro, sin que ello suponga alteración de la titularidad de las competencias asignadas a los diferentes entes públicos ni tampoco de los elementos sustantivos de su ejercicio (art. 15.2 LRJPAC). Más adelante nos ocuparemos de analizar más detalladamente el significado concreto de todas estas previsiones, pero queremos ahora destacar el hecho de que la encomienda de gestión no supone ninguna modificación del orden objetivo de competencias, puesto que el encomendado asume simplemente la ejecución material de una determinada actividad administrativa ajena, por cuenta y bajo la responsabilidad del sujeto encomendante.

Por lo demás, la mencionada amplitud con la que se expresa la

---

5. En este sentido, por ejemplo, Ávila Orive, José Luis: *Los convenios de colaboración excluidos de la Ley de Contratos de las Administraciones Públicas*, Ed. Civitas, Madrid 2002, p. 103-123 o Garrido Falla, Fernando y Fernández Pastrana, José Mª: *Régimen Jurídico y Procedimiento de las Administraciones Públicas (Un estudio de las Leyes 30/1992 y 4/1999)*, Ed. Civitas, tercera edición, Madrid 2000, p. 98-99.

LRJPAC a la hora de fijar el ámbito objetivo de la encomienda de gestión –permitiendo encomendar la realización de cualesquiera «actividades de carácter material, técnico o de servicios de la competencia de los órganos administrativos o de las Entidades de derecho público» (art. 15.1 LRJPAC)– facilita que el posible objeto de este encargo pueda ser realmente muy variado, pudiendo llegar a incluir no sólo actividades de carácter burocrático, sino también actividades con un evidente contenido económico. Y es que, como veremos más adelante, en muchas ocasiones se trata de actuaciones cuya gestión no sólo podría ser asumida por la propia organización administrativa, sino que, al encajar perfectamente dentro de algunos de los tipos contractuales previstos en nuestro ordenamiento jurídico, podría ser incluso susceptible de explotación por empresarios particulares.

Sin embargo, nos interesa destacar en este punto que la LRJPAC sí que añade una importante limitación al objeto de la encomienda de gestión, al afirmarse que, en todo caso, será responsabilidad del órgano o entidad encomendante dictar cuantos actos o resoluciones jurídicos den soporte o en los que se integre la actividad material objeto de encomienda (art. 15.2 LRJPAC). De este modo se subraya el carácter instrumental con el que se configura la encomienda de gestión, cuyo objeto deberá limitarse a tareas de carácter eminentemente material, que no impliquen la transferencia de potestades de carácter resolutorio. Esta limitación objetiva constituye, seguramente, uno de los aspectos más característicos de la encomienda de gestión y nos permitirá más adelante diferenciar esta figura de otras técnicas translativas del ejercicio de competencias administrativas entre órganos u entes públicos actualmente vigentes como la delegación de competencias (art. 13 LRJPAC), la avocación (art. 14 LRJPAC) o la delegación de firma (art. 16 LRJPAC), en las que no se prevén tales cautelas.

1.3. NATURALEZA JURÍDICA

El examen de la naturaleza jurídica de la encomienda de gestión es, probablemente, una de las cuestiones más complejas que tendremos que afrontar en el desarrollo de este trabajo y es que, como venimos afirmando, la amplitud con la que se define legalmente esta figura hace ciertamente difícil poder deslindar *a priori* su correcta calificación jurídica. Hasta el punto que incluso la doctrina jurídica más especializada ha sido incapaz de conceptualizar la encomienda de gestión de una forma unívoca, planteándose hipótesis muy diversas[6]. No obstante, sin

---

6. En este sentido, se ha planteado desde la consideración de la encomienda como un instrumento de gestión directa de las propias competencias en ORTEGA ÁLVAREZ, Luis:

perjuicio de lo que más adelante añadiremos, entendemos que partiendo nuevamente de la regulación general de la encomienda de gestión prevista en el artículo 15 de la LRJPAC podemos deducir ya algunas indicaciones elementales que, al menos inicialmente, pueden ayudarnos a caracterizar esta concreta figura administrativa.

En primer lugar, tal y como hemos apuntado, la encomienda de gestión no supone alteración de la titularidad de las competencias asignadas a los diferentes entes públicos ni tampoco de los elementos sustantivos de su ejercicio (art. 15.2 LRJPAC). Por lo que a través de la relación de encomienda sólo se conferiría a otro sujeto el título habilitante necesario para llevar a cabo un encargo material determinado en un ámbito de actuación que inicialmente le estaría vetado por corresponder a la competencia de otra administración pública. Dicho título habilitante no se configuraría como una mera declaración de intenciones en el marco de la colaboración entre administraciones públicas, o un pacto de carácter político, sino como el nexo causal que determinaría el surgimiento de una nueva posición jurídica para cada una de las partes intervinientes.

En segundo lugar, es necesario destacar también que, tal y como prevé el artículo 15.1 LRJPAC, la atribución de funciones que supone la figura de la encomienda debe justificarse en la finalidad de mejorar la eficacia en su gestión o en la ausencia de los medios técnicos idóneos necesarios para su correcto desarrollo. Por lo que, al menos teóricamente, la utilización de esta institución no puede resultar completamente libre por parte de la administración pública encomendante, sino que, como veremos, deberá fundamentarse estrictamente en la concurrencia de unas determinadas circunstancias organizativas o materiales.

Muy ligado con las anteriores afirmaciones, parecería también que la relación jurídica que se entabla a través de la encomienda de gestión se fundamentaría en el libre acuerdo entre las partes interesadas. El pro-

---

«Órganos de las Administraciones Públicas», en LEGUINA VILLA, Jesús y SÁNCHEZ MORÓN, Miguel (Dir.): *La nueva Ley de Régimen Jurídico de las Administraciones Públicas y del Procedimiento Administrativo Común*, Ed. Tecnos, Madrid, 1993, p. 77; hasta su equiparación con los exhortos judiciales en VÁZQUEZ IRAZUBIETA, Carlos: *Procedimiento Administrativo Común: Comentarios a la Ley 30/1992, de 26 de noviembre, de Régimen Jurídico de las Administraciones Públicas y del Procedimiento Administrativo Común*, EDERSA, Madrid 1993, p. 49; citado por HERNANDO OREJANA, Luis Carlos: *La encomienda de gestión, op. cit.*, p. 127; o también como un supuesto que podría encuadrarse dentro de la categoría genérica del mandato jurídico-público en GALLEGO ANABITARTE, Alfredo: *Conceptos y principios fundamentales del Derecho de Organización*, Ed. Marcial Pons, Madrid 2001, p. 63 y 105 y sigs.

pio artículo 15 de la LRJPAC así nos lo indica, al prever que la encomienda se formalizará o bien por *acuerdo expreso* de los órganos o entidades intervinientes, o bien mediante la firma del correspondiente *convenio*
entre ellos; términos –*acuerdo* y *convenio*– que nos remiten inequívocamente a supuestos de libre concurrencia de voluntades. De hecho, la
voluntariedad de la relación de encomienda constituye, como desarrollaremos más adelante, uno de los aspectos más importantes y también
más problemáticos de esta figura. En efecto, el carácter consensual con
el que se configuraría la encomienda de gestión, aunque, por un lado,
nos permitiría diferenciarla fácilmente de otras figuras jurídicas translativas de la competencia similares pero formalizadas legislativamente
–como, por ejemplo, algunos supuestos de delegación de competencias
(art. 150.2 CE o art. 27.3 LBRL)– o que se imponen de forma obligatoria
e unilateral por una de las partes intervinientes –como sucede en los
supuestos de avocación (art. 14 LRJPAC) o delegación de firma (art.
16 LRJPAC)–, constituye también, por el otro, uno de los puntos más
discutidos de esta institución y de donde pueden surgir algunas de las
dudas más relevantes acerca de su concreta naturaleza jurídica.

En cualquier caso, más allá de esbozar algunos rasgos característicos de la encomienda de gestión, todas estas consideraciones iniciales
nos sirven ahora para proponer una primera calificación jurídica para
esta figura, pudiendo considerarla como una técnica de carácter o naturaleza contractual[7]. El hecho de que, desde un punto de vista genérico,
podamos afirmar que en su formación concurren las voluntades de dos
partes formalmente diferenciadas (encomendante y encomendado), dirigidas a la determinación del contenido de una relación jurídica de carác-

---

7. En este caso nos referimos a un concepto formal de contrato, como un supraconcepto
jurídico aplicable a todos los campos del Derecho, que puede englobar –recordando
la definición del profesor Díez-Picazo– «todo negocio jurídico bilateral cuyos efectos
consisten en constituir, modificar o extinguir una determinada relación jurídica».
Díez-Picazo, Luís: *Fundamentos de Derecho Civil Patrimonial*, volumen I, Ed. Civitas,
quinta edición, Madrid 1996, p. 76.
En términos parecidos, se expresan otros muchos autores, como por ejemplo, Puig
Brutau quién afirma que el término *contrato* puede emplearse en un sentido amplio
para designar a todo acuerdo de voluntades mediante el cual se crean, modifican o
extinguen relaciones obligatorias. Puig Brutau, José: *Fundamentos de Derecho Civil*,
tomo II, volumen I, decimotercera edición, Ed. Bosch, Barcelona 1988, p. 9. En el
ámbito jurídico-administrativo García de Enterría y Fernández Rodríguez se han referido también a esta noción genérica de contrato como acuerdo de dos o más voluntades en vista a la creación de un vínculo jurídico. García de Enterría, Eduardo y
Fernández Rodríguez, Tomás Ramón: *Curso de Derecho Administrativo I*, Ed. Civitas,
undécima edición, Madrid 2002, p. 672-673.

ter obligatorio entre ellos, define, a nuestro entender, a este negocio jurídico y lo conduce hacia la categoría de los acuerdos contractuales[8].

Sin embargo, la naturaleza contractual con la que definimos esta institución no debe ocultarnos otro de los rasgos característicos sobre los que se ha venido construyendo su régimen jurídico (y que, en buena parte, explicaría también el porqué de su amplia utilización): su formalización al margen de los procedimientos de adjudicación y de selección de los contratistas que rigen en el ámbito de la contratación pública.

A pesar de que resulta difícil encontrar una justificación normativa clara en este sentido, parecería que la encomienda de gestión se configura por la LRJPAC como una forma de gestionar directamente las propias competencias, valiéndose de los medios materiales y personales de otro órgano o entidad pública, y sin acudir a las técnicas contractuales. Mediante la encomienda de gestión se permitiría canalizar la realización de determinadas actividades estrictamente materiales sin los inconve-

---

8. Son muchos los autores que al analizar la figura de la encomienda de gestión se han referido expresamente a su carácter contractual. Por ejemplo, GONZÁLEZ PÉREZ y GONZÁLEZ NAVARRO consideran este elemento como característico de la encomienda de gestión, definiéndola como una relación jurídica de carácter bilateral que, por su implícito contenido económico, es, además, contractual. GONZÁLEZ PÉREZ, Jesús y GONZÁLEZ NAVARRO, Francisco: *Comentarios a la Ley de Régimen Jurídico de las Administraciones Públicas y del Procedimientos Administrativo Común*, volumen I, Ed. Thomson-Civitas, cuarta edición, Navarra 2007, p. 761. AMOEDO SOUTO, en el mismo sentido, considera que la encomienda de gestión del artículo 15 de la LRJPAC es un negocio jurídico traslaticio, de carácter sinalagmático. AMOEDO SOUTO, Carlos: «El nuevo régimen jurídico de la encomienda de ejecución y su repercusión sobre la configuración de los entes instrumentales de las Administraciones Públicas», en *Revista de Administración Pública*, núm. 170, mayo-agosto 2006, p. 271. Y, en términos parecidos, podríamos citar a otros muchos como, por ejemplo, FERNÁNDEZ FARRERES, Germán: «Las encomiendas de gestión» en TORNOS MAS, Joaquín (Dir.): *Informe Comunidades Autónomas 1995*, volumen I, Institut de Dret Públic, Barcelona 1996, p. 674; HERNANDO OREJANA, Luis Carlos: *La encomienda de gestión, op. cit.*, p. 138 o BERNAL BLAY, Miguel Ángel: «Las encomiendas de gestión excluidas del ámbito de aplicación de la Ley de Contratos de las Administraciones Públicas. Una propuesta de interpretación del artículo 3.1. letra l) del TRLCAP», en *Civitas. Revista Española de Derecho Administrativo*, núm. 127, enero-mayo 2006, p. 89.
   Sin embargo, es también cierto que podemos encontrar otros autores que se han expresado en contra de este carácter contractual, como por ejemplo, SÁNCHEZ SÁEZ, Antonio José: «Algunas reflexiones sobre la encomienda de gestión como instrumento racionalizador del ejercicio de las competencias administrativas», *op. cit.*, p. 241. Si bien, como veremos más adelante, en este caso no se niega realmente que la encomienda de gestión se configure como un negocio jurídico de carácter bilateral, sino que se entiende que ésta carece de uno de los elementos esenciales a los contratos –el nexo causal entre las partes– por lo que, en consecuencia, no podría calificarse correctamente como tal. Más adelante deberemos hacer referencia nuevamente a este elemento.

nientes y el rigor de los procedimientos de contratación pública[9]. Y es que, cuando la encomienda recae sobre órganos o entidades de la misma administración pública (art. 15.3 LRJPAC), se entendería que la relación de jerarquía o dependencia que normalmente existe en el seno de una misma organización administrativa modularía la naturaleza jurídica de esta figura, impidiendo que pudiera ser calificada como un contrato. A su vez, cuando la encomienda de gestión se formaliza entre administraciones públicas distintas (art. 15.4 LRJPAC), el hecho de que ésta se fundamente en una relación convencional y de carácter *intuitu personae*, entre dos entidades jurídico-públicas dirigidas a la consecución de unos intereses generales comunes, llevaría también a excluir la aplicación a estos supuestos de las reglas ordinarias de la contratación pública, interpretando que, en cierto modo, nos encontramos con una forma de autogestionar las necesidades que se generan en el seno de la organización administrativa, ajena a los principios de igualdad, publicidad, transparencia y libre concurrencia que caracterizarían la contratación de las administraciones públicas con los particulares[10].

Aparentemente, ésta es la idea que se desprende del artículo 15.5

---

9. Busquets López, Miguel Ángel y Castro Raimóndez, Javier: «Algunas conclusiones sobre la naturaleza y régimen jurídico de las encomiendas o encargos de gestión a medios propios a que se refieren los artículos 4.1 n) y 24 de la Ley 30/2007, de 30 de octubre, de Contratos del Sector Público», en *Auditoría Pública*, núm. 51, septiembre 2010, p. 72.

10. En este punto debemos recordar algunas de las ideas apuntadas por Huergo Lora sobre la *regla del contratista interpuesto*. Dicho autor, al analizar la colaboración preferente de nuestras administraciones con las empresas publicas, afirma que la libertad de empresa garantizada en nuestro texto constitucional no incluye preceptivamente un deber de los poderes públicos de garantizar un determinado mercado a los empresarios privados o un nivel de contratación. Al contrario, pues la CE ampara con normalidad que la Administración pueda autoabastecerse a través de sus propios medios. Huergo Lora, Alejandro: «La libertad de empresa y la colaboración preferente de las Administraciones con empresas públicas», en *Revista de Administración Pública*, núm. 154, enero-abril 2001, p. 161. Sobre la encomienda de gestión como un instrumento de gestión directa de las funciones administrativas, Ortega Álvarez, Luis: «Órganos de las Administraciones Públicas», *op. cit.*, p. 77-78. Algunas referencias ulteriores al tratamiento contractual de la encomienda de gestión pueden verse también en, entre otros, Sánchez Sáez, Antonio José: «Algunas reflexiones sobre la encomienda de gestión como instrumento racionalizador del ejercicio de las competencias administrativas», *op. cit.*, p. 241-242; Rodríguez de Santiago, José María: *Los convenios entre Administraciones Públicas*, Ed. Marcial Pons, Madrid 1997, p. 101 y 339-340; Ávila Orive, José Luis: *Los convenios de colaboración excluidos de la Ley de Contratos de las Administraciones Públicas, op. cit.*, p. 158-176 o Bernal Blay, Miguel Ángel: «Las encomiendas de gestión excluidas del ámbito de aplicación de la Ley de Contratos de las Administraciones Públicas. Una propuesta de interpretación del artículo 3.1. letra l) del TRLCAP», en *Civitas. Revista Española de Derecho Administrativo, op. cit.*, p. 77-99.

de la propia LRJPAC (*a sensu contrario*), en cuanto remite la regulación de la encomienda de gestión a la legislación contractual únicamente cuando la realización de las actividades materiales, técnicas o de servicios de la competencia de las administraciones públicas sale de la colaboración entre entidades públicas y quiere encomendarse a personas sujetas al Derecho Privado –que operan en el mercado en concurrencia con los particulares–. Pero, sobretodo, ésta es también la interpretación que vino a confirmarse posteriormente con la aprobación de la Ley 13/1995, de 18 de mayo, de Contratos de las Administraciones Públicas (en adelante, LCAP), que excluía de forma expresa de su ámbito de aplicación, los convenios de colaboración que celebrara la Administración General del Estado con la Seguridad Social, las Comunidades Autónomas, las entidades locales, sus respectivos organismos autónomos y las restantes entidades públicas o cualquiera de ellos entre sí [art. 3.1 c) LCAP][11].

Aunque sin mencionarlos específicamente, la enorme amplitud con la que se expresaba dicho precepto, que abarcaba cualquier relación convencional entre entidades públicas, cualesquiera que fueran su objeto o naturaleza, permitía amparar también a aquellos supuestos en que una administración encomendaba a otra entidad pública la gestión de determinadas actividades materiales, técnicas o de servicios en los términos del artículo 15 de la LRJPAC[12]. Por lo que, en definitiva, la formalización de las encomiendas de gestión quedaba al margen de las reglas ordinarias de la contratación pública, remitiéndose por completo a lo previsto por sus normas especiales.

Sin embargo, como mencionábamos en nuestra *Introducción*, la influencia del Derecho europeo en esta materia obliga a un completo replanteamiento de esta figura. La preeminencia del mercado y de la libre

---

11. A su vez, dicho precepto encuentra su antecedente más inmediato en el artículo 2.4 de la Ley de Contratos del Estado de 1965 (en la redacción dada por la Ley 5/1973, de 17 de marzo), que, entre otros aspectos, excluía también de su ámbito de aplicación todos los convenios de cooperación que celebrara la Administración del Estado con las corporaciones locales u otros entes de derecho público.

12. Hay que añadir que la completa exclusión de los convenios de colaboración entre entidades públicas de nuestra legislación contractual se ha mantenido prácticamente invariable a lo largo de todos estos años, reproduciéndose la misma redacción por parte del Real Decreto 2/2000, de 16 de junio, por el que se aprobó el Texto refundido de la Ley de Contratos de las Administraciones Públicas (en adelante, TRLACP). No obstante, como veremos más adelante, esta cuestión fue objeto de crítica por parte del TJUE que, en su ya citada Sentencia de 13 de enero de 2005, asunto C-84/03, *Comisión de las Comunidades Europeas/Reino de España*, declaró dicha exclusión contraria a las Directivas europeas.

competencia que caracterizan el sistema económico establecido por el Tratado de la Unión Europea nos lleva necesariamente a cuestionar si resulta aún posible seguir entendiendo la encomienda de gestión como un ámbito completamente excluido de la aplicación de las normas sobre contratación administrativa. Los profundos cambios que el Derecho de la Unión Europea ha introducido en la interpretación habitual de nuestra legislación contractual exigen un nuevo estudio de esta figura que, como podemos observar, se mueve en la estrecha frontera que separa la libertad organizativa de la Administración Pública y la idea de contrato. Por lo que dejaremos ahora simplemente apuntadas estas ideas para retomarlas posteriormente en el *Capítulo III*, en el que analizaremos específicamente la naturaleza contractual de la encomienda de gestión y, en su caso, la incidencia que las previsiones del vigente Texto refundido de la Ley de Contratos del Sector Público, pudiera tener sobre su régimen jurídico.

Más allá de estas dos breves notas iniciales, resulta complejo ahora poder profundizar más en la naturaleza jurídica de la encomienda de gestión. No obstante, es importante retener las anteriores consideraciones por cuanto el carácter negocial y voluntario con el que hemos definido la encomienda de gestión sí que puede servirnos en este momento para delimitar en negativo esta figura, dejando fuera de nuestro concepto de encomienda aquellos supuestos en que es una ley la que atribuye o impone directamente a un determinado órgano u entidad el ejercicio de ciertas competencias o la realización de otras actividades de carácter material. Y es que, como ha señalado Rebollo Puig, en los supuestos en los que es el propio ordenamiento jurídico el que atribuye directamente la responsabilidad sobre un determinado sector de la actividad administrativa a otra entidad no nos encontramos ante un supuesto de encomienda de gestión, sino en un caso prototípico de descentralización funcional[13]. En éstos se parte de una genérica atribución de

---

13. Rebollo Puig, Manuel: «Los entes institucionales de la Junta de Andalucía y su utilización como medio propio», en *Revista de Administración Pública*, núm. 161, mayo-agosto 2003, p. 376. En el mismo sentido se expresan, por ejemplo, la Junta Consultiva de Contratación Administrativa de la Administración General del Estado en su Informe 10/2010, de 23 de julio, en el que se concluye que la atribución de competencias para la gestión de servicios propios de las entidades locales a un consorcio creado por varias de ellas para este fin mediante el acto constitutivo de dicho consorcio es título suficiente para su ejercicio, sin que sea necesario otro acto concreto de encomienda de gestión del mismo; y el Tribunal Supremo en la Sentencia de la Sala de lo Contencioso 534/2009, de 17 de febrero (Núm. recurso 910/2005, ponente: Sr. Octavio Juan Herrero Pina), en la que se afirma que la encomienda de gestión del artículo 15 de la LRJPAC no ampara la creación de una entidad con fundamento en la atribución de determinadas competencias materiales como propias (FJ 3).

competencias o tareas y, a partir de ahí, la entidad receptora las desarrolla en la forma que estime conveniente, de modo que no es que dicha entidad actúe por un encargo de la administración responsable de la ejecución de una determinada actuación material, sino que ocupa, a todos los efectos, el papel y lugar de dicha administración, asumiendo, no sólo la ejecución material, sino la competencia en cuestión.

1.4. RECAPITULACIÓN: DEFINICIÓN DE LA ENCOMIENDA DE GESTIÓN

Llegados a este punto, resulta conveniente recapitular las ideas que hemos ido aportando en los apartados precedentes, concluyendo con una primera definición de la encomienda de gestión. En nuestra opinión, la encomienda de gestión sería aquel instrumento jurídico a través del cual un órgano administrativo u entidad de derecho público encarga a un tercero, por razones de eficacia o idoneidad técnica, la realización de determinadas actividades materiales de su competencia, sin que ello suponga la transferencia de su titularidad ni de los elementos sustantivos de su ejercicio; actuando el encomendado por cuenta y bajo la responsabilidad de la entidad encomendante.

Obviamente, somos conscientes de que esta aproximación al concepto de la encomienda de gestión es demasiado general e imprecisa, y deja sin determinar muchos de los aspectos esenciales de su régimen jurídico. Sin embargo, sí que nos permite fijar ya una noción inicial de la encomienda de gestión que nos servirá de punto de referencia en nuestra exposición y que intentaremos ir precisando con más rigor a lo largo de nuestro trabajo, diferenciándola de otras instituciones jurídicas similares.

2. MARCO NORMATIVO DE LA ENCOMIENDA DE GESTIÓN

Una vez sentado un concepto inicial de la encomienda de gestión a partir del cual desarrollar nuestra exposición, debemos pasar ahora a identificar las normas que desarrollan su específico régimen jurídico; teniendo presente, no obstante, que la determinación del marco normativo en el que situar a la encomienda de gestión no resulta tampoco una tarea nada fácil. A pesar de que su regulación básica se prevé actualmente en el ya citado artículo 15 de la Ley 30/1992, de 26 de noviembre, a lo largo de nuestro ordenamiento jurídico podemos encontrar otras muchas referencias a esta figura, las cuales, al menos aparentemente, no siempre encajan de un modo correcto con la regulación de la LRJPAC, creándose, de esta manera, duplicidades y contradicciones difíciles de afrontar.

Es por ello que creemos oportuno empezar este epígrafe con una breve reflexión sobre el fundamento constitucional de la encomienda de gestión, al efecto de destacar que, aunque la Constitución no regula de un modo singular esta figura, sí que prevé algunos principios generales sobre nuestro modelo de Administración Pública que pueden orientarnos sobre su justificación y sobre cuáles son los presupuestos esenciales que deben inspirar su ejercicio.

2.1. EL PRINCIPIO DE EFICACIA COMO FUNDAMENTO CONSTITUCIONAL DE LA ENCOMIENDA DE GESTIÓN

Como se ha señalado en muchas ocasiones, la definición constitucional de nuestro Estado como un Estado social y democrático de derecho (art. 1.1 CE) supuso una profunda transformación del sistema de funcionamiento y organización del poder público. La nueva Constitución exigía a los diferentes niveles de gobierno y administración en que se estructuraba la división territorial del Estado, no sólo la sumisión plena a la Ley y al Derecho, sino también una intervención permanente en la realidad social y económica, al efecto de adoptar todas aquellas medidas necesarias para garantizar la libertad y la igualdad del individuo.

De este modo, y aún sin poder entrar a analizar con más detenimiento los principios estructurales de la Constitución española y sus implicaciones jurídicas, sí que podemos afirmar que el Estado español se convirtió en un Estado fundamentalmente administrativo, cuyo centro de gravedad radica en la ejecución de las políticas públicas formalizadas legislativamente[14]. En efecto, el texto constitucional consagra el carácter instrumental de la Administración Pública, que se convierte en un ente prestacional, un mecanismo básico de intervención de los Poderes Públicos en la sociedad, participando decisivamente en la ordenación de la economía y asegurando a los ciudadanos aquellos servicios que se consideran esenciales[15]. No obstante, y en consonancia con este

---

14. Parejo Alfonso, Luciano: «El Estado social administrativo: algunas reflexiones sobre la crisis de las prestaciones y los servicios públicos», en *Revista de Administración Pública*, núm. 153, Septiembre-diciembre 2000, p. 220.

15. Como se ha afirmado, en la Administración Pública del Estado Social la función estatal ya no es únicamente la de intervenir limitativamente en ámbitos de la libertad o la propiedad del ciudadano, sino al contrario, la de proporcionar servicios al individuo. Rodríguez de Santiago, José María: *La Administración del Estado Social*, Ed. Marcial Pons, Madrid 2007, p. 93.

papel central y su vocación de servicio a los intereses generales, la Constitución en su Título IV (*Del Gobierno y de la Administración*) impone también a la Administración Pública una serie de condicionantes que, a la vez que pretenden asegurar el respeto a los valores superiores de nuestro ordenamiento jurídico, modulan por completo el conjunto del sistema jurídico-administrativo. Así, el artículo 103.1 la Constitución afirma que «la Administración sirve con objetividad los intereses generales y actúa de acuerdo con los principios de eficacia, jerarquía, descentralización, desconcentración y coordinación, con sometimiento pleno a la Ley y al Derecho».

Entre los diferentes postulados generales que la Constitución impone al conjunto de administraciones públicas nos interesa ahora hacer especial referencia solamente a uno de ellos, el *principio de eficacia*. En nuestra opinión, la encomienda de gestión –que constituye el objeto de nuestro trabajo– se nos presenta como una herramienta dirigida, principalmente, a mejorar la organización y el funcionamiento de la gestión administrativa ordinaria; de ahí que entendemos que dicha institución guarda una especial relación con este principio constitucional.

La importancia de la exigencia de una actuación eficaz de la Administración Pública ha sido puesta de relieve no sólo por la doctrina[16], sino también por el propio Tribunal Constitucional quien, entre otras, en la Sentencia núm. 179/1989, de 2 de noviembre (Ponente: Sr. Álvaro Rodríguez Bereijo), ha subrayado que una de las consecuencias lógicas de la proclamación de España como un Estado social y democrático de Derecho debe ser, sin duda, la plasmación real de sus valores en una organización pública que, legitimada democráticamente, asegure la eficacia en la resolución de los conflictos sociales y la satisfacción de las necesidades de la colectividad. Siendo necesario para ello garantizar la existencia de unas administraciones públicas capaces de cumplir con los valores y los principios consagrados constitucionalmente (FJ 3). La eficacia a la que se alude no puede configurarse como un simple giro terminológico con el que se pretende poner énfasis en la realización de determinadas actividades, sino que se configura como un principio

---

16. Pueden verse, entre muchos otros, Parejo Alfonso, Luciano: *Eficacia y Administración. Tres Estudios*, Instituto Nacional de Administración Pública-Boletín Oficial del Estado, Madrid 1995; López González, Enrique: «Una aproximación de la Ciencia de la Administración al análisis conceptual del principio de eficacia como guía reacción de la Administración Pública», en *Documentación Administrativa*, núm. 218-219, 1989, p. 67-96 o Ortega Álvarez, Luís: «El reto dogmático del principio de eficacia», en *Revista de Administración Pública*, núm. 133, 1994, p. 7-16.

constitucional esencial dirigido a asegurar el cumplimiento o la realización efectiva del orden material de valores previsto en nuestro texto constitucional.

En este sentido, la consideración de las finalidades de servicio al interés general que se persiguen pasa a ser un elemento primordial en la ordenación del ámbito de actuación administrativo, configurando la eficacia como una calidad o atributo general predicable de cada una de las administraciones públicas singularmente consideradas, pero también de todas las organizaciones públicas en su conjunto. Desde esta perspectiva, podemos identificar un doble ámbito de aplicación de dicho principio:

1) En primer lugar, la eficacia tendría una dimensión individual, como criterio determinante para la organización de cada una de las diferentes personas jurídico-públicas. Por lo tanto, la eficacia se referiría inicialmente a una cualidad subjetiva: la idoneidad de cada una de las entidades en las que se estructura nuestro ordenamiento para cumplir los fines asignados por el ordenamiento a través de su propia actuación[17].

Entre otros aspectos, ello exigiría dotar a las administraciones no sólo de los medios materiales y de las potestades necesarias para el cumplimiento de sus finalidades, sino también de la posibilidad de determinar su propia organización, en el marco del sometimiento a la Ley, al efecto de que ésta se adecue de un modo racional al cumplimiento de sus objetivos.

2) Y, en segundo lugar, como poníamos de relieve, el principio de eficacia supondría también una exigencia de funcionamiento del conjunto de administraciones públicas. A pesar de su pluralidad y diversidad, como ha señalado la doctrina constitucional, la Administración Pública debe actuar como un sistema coherente y ordenado, dirigido a la satisfacción de las finalidades de interés general que les han sido atribuidas (STC núm. 27/1987, de 27 de febrero, ponente: Sra. Gloria Begué Cantón, FJ 2).

La eficacia se configura así como una carga para la Administración en cuanto instrumento al servicio del interés general, que implica asegurar no sólo la mera actuación positiva de sus funciones, sino también una condición de calidad, es decir, un resultado coherente y efectivo. Como se ha afirmado, el Estado es

---

17. PAREJO ALFONSO, Luciano: *Eficacia y Administración, Tres Estudios, op. cit.*, p. 105.

más que la mera suma o yuxtaposición de las partes que lo integran. Hay en él coherencia, por lo que puede decirse que es el resultado de un proceso de integración, el resultado del funcionamiento de una estructura organizada para conseguir la unidad[18].

La formulación constitucional de este principio ha hecho patente la necesidad de revisar y actualizar las herramientas a disposición de la Administración Pública. La tan denunciada saturación de la organización administrativa, así como el desequilibrio existente entre la complejidad y diversidad de los servicios a prestar por los diferentes entes públicos y los escasos recursos de que se dispone para ello, han servido de estímulo al legislador para iniciar procesos de reforma y modernización de la administración pública, que han llevado a la introducción de nuevos mecanismos jurídicos que deberían permitir su mejor adecuación a las nuevas exigencias derivadas del modelo de Estado establecido por la Constitución.

En nuestra opinión, la figura de la encomienda de gestión surge con esta específica finalidad. Su configuración normativa como un instrumento dirigido a racionalizar la excesiva rigidez del ejercicio de las competencias administrativas puede contribuir a hacer efectivo el valor de la eficacia, facilitando el correcto cumplimiento de los fines de interés general que se atribuyen a la Administración Pública en su conjunto. En este sentido, y para confirmar dicha hipótesis, podemos tomar en consideración la encomienda de gestión desde las dos dimensiones a las que nos referíamos anteriormente, para analizar como ésta se concibe no sólo como un mecanismo de carácter organizativo, sino que responde también a la idea de asegurar el buen resultado de la acción administrativa, mediante la necesaria colaboración entre diferentes entidades públicas.

2.1.1. La encomienda de gestión desde el punto de vista de la organización administrativa

La reciente evolución de nuestro sistema administrativo y su creciente complejidad han puesto claramente de relieve la importancia que, desde el punto de vista jurídico, tiene una correcta estructuración de la organización administrativa, en cuanto presupuesto básico y esencial de toda la actuación pública. En efecto, como se ha ocupado de señalar la

---

18. GONZÁLEZ ENCINAR, José Juan: *El Estado unitario-federal*, Ed. Tecnos, Temas clave de la Constitución española, Madrid 1985, p. 130.

ciencia económica, cualesquiera que sean los fines u objetivos atribuidos a una determinada organización, es evidente que los factores organizativos y de gestión se configuran siempre como elementos decisivos para asegurar su eficaz cumplimiento[19].

Consciente de ello, la propia Constitución presta una especial atención a esta dimensión organizativa, al efecto de asegurar la existencia de unas administraciones públicas capaces de cumplir con los valores y principios consagrados constitucionalmente y, muy especialmente, con los fines sociales del Estado (art. 1.1 CE). Así, junto a la creación de toda una serie de estructuras administrativas básicas, nuestro texto constitucional, tal y como ha declarado el máximo interprete constitucional, reconoce también, aunque sea de forma implícita, a los diferentes entes públicos en los que se organiza territorialmente nuestro Estado una potestad autoorganizatoria, que les permite fijar, en el marco de la Constitución y las leyes, aquellas estructuras organizativas que se consideren más eficaces para el cumplimiento de las finalidades públicas que tienen asignadas[20].

El reconocimiento de esta potestad de autoorganización queda vinculada directamente con la idea de autogobierno, llegándose a afirmar que la capacidad de las diferentes entidades públicas de dotarse de la organización que les resulte más adecuada para la gestión eficaz de sus respectivos intereses constituye no sólo un *prius* sino, a la vez, un atributo lógico del propio concepto de autonomía.[21]. En este caso, como en

---

19. Sobre estas cuestiones pueden verse, por ejemplo, MORALES GUTIÉRREZ, Alfonso Carlos: *Análisis y diseño de sistemas organizativos*, Ed. Civitas, Madrid 2004 o MINTZBERG, Henry: *La estructuración de las organizaciones*, Ed. Ariel, octava reimpresión, Barcelona 2005. Asimismo, podemos citar RAMIÓ, Carles y BALLART, Xavier: *Lecturas de Teoría de la Organización*, Ministerio de Administraciones Públicas, Madrid 1993, en la que, a través de dos volúmenes, se recogen diferentes artículos de autores nacionales y extranjeros en los que se pone de relieve la importancia de la teoría de la organización a la hora de garantizar la eficacia de su funcionamiento.

20. Véase, por ejemplo, la Sentencia del Tribunal Constitucional núm. 27/1987, de 27 de febrero, ponente: Sra. Gloria Begué Cantón (FJ 2) o la Sentencia del mismo Tribunal núm. 214/1989, de 2 de diciembre, ponente: Sr. José Luis de los Mozos y de los Mozos, (FJ 6). En términos parecidos, RODRÍGUEZ DE SANTIAGO considera también la creación de unas estructuras organizativas y procedimentales que permitan la adecuada realización de los fines sociales del Estado como un principio formal derivado directamente de nuestra definición constitucional del modelo de Estado (art. 1.1 CE). RODRÍGUEZ DE SANTIAGO, José María: *La Administración del Estado Social, op. cit.*, p. 129.

21. MARTÍN MATEO, Ramón: «El Gobierno municipal» en *Revista de Estudios de la Administración Local y Autonómica*, núm. 227, 1985, p. 425. Por su parte, refiriéndose también específicamente a los entes locales, FERNÁNDEZ FARRERES afirma que la autoorganización «se presenta como un aspecto consustancial a la autonomía, es decir como una

el anterior, la doctrina y la jurisprudencia han identificado también dos ámbitos fundamentales en los que se concretaría el ejercicio de esta potestad de autoorganización[22]:

1) En primer lugar, una *potestad organizativa interna*, que se concreta no sólo en la capacidad de crear, modificar o suprimir, en el marco de las Constitución y las leyes, los diferentes órganos administrativos, sino también la posibilidad de crear otras personas jurídicas que se situarían en el ámbito de la administración pública correspondiente y que constituyen, en sentido amplio, su Administración Instrumental.

2) Y, en segundo lugar, una *potestad organizativa externa*, o interadministrativa, que trasciende el campo de influencia de la sola administración pública interesada para adentrarse en la esfera de actuación de otras administraciones públicas. Por lo tanto, como ha destacado PAREJO ALFONSO, la potestad de autoorganización comprendería no sólo el poder de determinar y configurar su estructura de gobierno y administración, tanto directa como indirecta o instrumental, sino también la posibilidad de articular la intervención pública en la vida económica y codeterminar, junto con otras administraciones, las estructuras derivadas de la cooperación en el ámbito de las tareas comunes o compartidas[23].

---

materia típica que necesariamente queda remitida al ámbito de las decisiones propias y autónomas». FERNÁNDEZ FARRERES, Germán: «La potestad local de autoorganización: contenido y límites», en MUÑOZ MACHADO, Santiago (Dir.): *Tratado de Derecho Municipal*, volumen I, Ed. Thomson-Civitas, Madrid 2003, p. 1068.
En el mismo sentido, MUÑOZ MACHADO, Santiago: *Derecho Público de las Comunidades Autónomas*, volumen II, Ed. Civitas, Madrid 1982, p. 67 y CARRO FERNÁNDEZ-VALMAYOR, José Luis: «Autoorganización autonómica y entidades locales», en *Revista de Estudios de la Administración Local y Autonómica* (REALA), núm. 270, abril-junio 1996, p. 309.

22. PAREJO ALFONSO, Luciano: «La potestad de autoorganización de la Administración Local», en *Documentación Administrativa*, núm. 228, Octubre-diciembre, 1991, p. 15-16; y LLISET CANELLES, Annabel: «Incidencia de la figura de los convenios de cooperación interadministrativa en la teoría de las formas de gestión de los servicios públicos», en *El Consultor de los Ayuntamientos y de los Juzgados*, núm. 11, Junio 1997, p. 1620.

23. PAREJO ALFONSO, Luciano: «La potestad de autoorganización de la Administración Local» en *Documentación Administrativa*, núm. 228, octubre-diciembre 1991, p. 15-16. Por su parte, FONT I LLOVET afirma: «[...] la Carta Europea da cobertura a una interpretación de la potestad de autoorganización municipal –específica expresión de la capacidad ordenadora y reguladora– con una decidida proyección de su contenido relacional externo, puesto que la capacidad de ordenar una parte importante de los asuntos público no debe encontrar limitaciones instrumentales en los medios organizativos, restringiéndose a los internos; antes al contrario, autonomía y autoorganización incluyen la necesaria proyección exterior mediante las relaciones de coo-

Estas dos dimensiones organizativas se encuentran plenamente presentes en la figura de la encomienda de gestión regulada en la LRJPAC. En efecto, con la encomienda de gestión se pretende facilitar el cumplimiento de los objetivos de interés general que nuestro ordenamiento atribuye a las diferentes administraciones públicas, sin necesidad de crear para ello nuevas estructuras orgánicas ni realizar costosos traspasos de personal o recursos materiales. La encomienda de gestión se nos presenta como un instrumento que permite, en supuestos puntuales de falta de medios técnicos o de capacidad de gestión, una mejor utilización de los elementos orgánicos y funcionales que integran el conjunto del sistema administrativo, introduciendo correcciones en la distribución competencial que permitan dotar de mayor eficacia el funcionamiento del sector público en su conjunto. Mediante la encomienda a los medios propios de otra entidad pública no sólo se garantiza un correcto ejercicio de las competencias administrativas sino que, además, se racionaliza la utilización de los diferentes recursos públicos.

Desde este punto de vista, las ventajas para el sistema son evidentes, tanto para los ciudadanos –que deben poder constatar, ya sea de forma directa o indirecta, una mejoría en el normal funcionamiento de los servicios administrativos– como para el Poder Público –que, como decíamos, obtiene así un mejor rendimiento de los medios materiales y humanos que integran el conjunto de la organización administrativa–. No obstante, debemos tener también presente que, a pesar de que podamos considerar la encomienda de gestión como un mecanismo muy útil para racionalizar el ejercicio de las competencias administrativas, su utilización comporta también algunos riesgos, ligados tanto a la necesidad de asegurar la correcta articulación entre las dos partes intervinientes en la relación –por ejemplo, en lo que se refiere al imprescindible régimen de responsabilidad o control sobre el desarrollo de la actividad material objeto de encomienda– como al hecho de que, como veremos más adelante, su formalización puede suponer una restricción a la libre competencia y al mercado, puesto que mediante la atribución de la realización de una determinada tarea a otra entidad pública se estaría limi-

---

peración con otros entes locales y sus propios medios instrumentales». FONT I LLOVET, Tomàs: «La reconstrucción jurídica de la autonomía local: el gobierno local y la reforma de los estatutos» en *Anuario de Gobierno Local 2003*, Ed. Fundación Democracia y Gobierno Local-Instituto de Derecho Público, Barcelona 2004, p. 33. En el mismo sentido, FONT I LLOVET, Tomàs: «La diversificación de la potestad normativa: la autonomía municipal y la autoadministración corporativa», en *Derecho Privado y Constitución*, núm. 17, 2003, p. 264-265.

tando, siquiera de forma indirecta, las expectativas de los empresarios privados de contratar con la Administración Pública.

De ahí que, como desarrollaremos más adelante, para evitar dichos peligros o para garantizar una utilización responsable de esta institución debamos de concluir también afirmando que la funcionalidad de la encomienda de gestión debe de ser, necesariamente, limitada y, sobretodo, justificada por la concurrencia efectiva de unas circunstancias concretas previstas por el propio artículo 15 de la LRJPAC, que giran alrededor de la eficacia o la carencia de los medios necesarios para el adecuado ejercicio de las competencias y que, por ello, explicarían también la modulación a la aplicación del principio de irrenunciabilidad de las competencias que supone la encomienda de gestión (art. 12.1 LRJPAC).

2.1.2. La encomienda de gestión como instrumento al servicio de la colaboración administrativa

Una constante en la doctrina administrativista española ha sido la consideración de que la satisfacción del interés general no puede asumirse por las distintas entidades públicas territoriales de una forma totalmente autónoma e independiente. El carácter plural de nuestra organización territorial –se ha apuntado– exige necesariamente el establecimiento de mecanismos de colaboración que, además de contribuir a dotar de unidad al sistema, garanticen una gestión eficaz de dichos intereses por parte de los distintos niveles de gobierno y administración[24]. Y así lo ha entendido también el propio Tribunal Constitucional cuando, por ejemplo, en la citada Sentencia núm. 27/1987, de 27 de febrero (Ponente: Sra. Gloria Begué Cantón) afirma que la unidad del sistema en su conjunto y el principio constitucional de eficacia fundamentan la existencia de un criterio general de actuación de los poderes públicos basado en la idea de la colaboración, que se

---

24. Esta idea de vinculación directa entre la eficacia y las relaciones administrativas ha sido puesta de relieve, entre muchos otros, por RIVERO YSERN, Enrique: «Las relaciones interadministrativas», en *Revista de Administración Pública*, núm. 80, mayo-agosto 1976, p. 41. Más recientemente, se han referido también a ella MORELL OCAÑA, Luis: «Una teoría de la cooperación», en *Documentación Administrativa*, núm. 240, octubre-diciembre 1994, p. 52-53; MENÉNDEZ REXACH, Ángel: «La cooperación, ¿un concepto jurídico?», en *Documentación Administrativa*, núm. 240, octubre-diciembre, 1994, p. 16-17, MARTÍN HUERTA, Pablo: *Los convenios interadministrativos*, Instituto Nacional de Administración Pública, Madrid, 2000, p. 27; FERNÁNDEZ ALLÉS, José Joaquín: «Bases para una teoría constitucional española sobre relaciones intergubernamentales», en *Revista Española de Derecho Constitucional*, núm. 72, septiembre-diciembre 2004, p. 63-64 o GONZÁLEZ-ANTÓN ÁLVAREZ, Carlos: *Los convenios interadministrativos de los entes locales*, Ed. Montecorvo, Madrid 2002, p. 34.

configura como un elemento consustancial a la estructura compuesta de nuestro Estado de las Autonomías o cuando en la Sentencia núm. 64/1982, de 4 de noviembre (Ponente: Sr. Ángel Latorre Segura) insiste que una adecuada colaboración entre la pluralidad de entes públicos que conforman la organización territorial del Estado «[...] es necesaria para el buen funcionamiento de un Estado de las Autonomías, incluso al margen de la distribución constitucional y estatutaria de competencias» (FJ 8)[25].

En este sentido, tras la aprobación de nuestro texto constitucional, se puso rápidamente de relieve la necesidad de introducir en nuestro ordenamiento pautas y mecanismos concretos que, como un tercer pilar (junto a la determinación constitucional de competencias y los principios de unidad y autonomía), pudieran orientar las relaciones que necesariamente debían establecerse entre las diferentes instancias públicas en el ejercicio de sus competencias, asegurando así la coherencia y eficacia del sistema. Objetivos, por otra parte, difícilmente posibles sin el establecimiento de un sistema relacional administrativo[26]. No obstante, la ausencia de determinaciones constitucionales específicas que previeran un marco general y estable a partir del cual ordenar las relaciones entre los diferentes niveles de gobierno y administración ha supuesto que la determinación concreta del contenido de este principio general de colaboración no resulte tampoco una tarea nada fácil[27].

---

25. En este punto, hay que matizar que la denominación de este principio constitucional no es del todo pacífica en nuestra doctrina, pues algunos autores se refieren a éste como *principio de cooperación*. Sin embargo, podemos entender que, a pesar de la discordancia, nos encontramos ante una mera cuestión semántica pues, coincidiendo con CARBALLEIRA RIVERA, en ambos casos y con ambos términos, nos estaríamos refiriendo simplemente a un principio básico de actuación administrativa, que exige la necesaria interrelación entre los distintos entes públicos territoriales existentes en nuestro ordenamiento jurídico, por lo que, en este punto, podría resultar indiferente hablar de cooperación o colaboración (incluso, añade esta autora, coordinación). Aún así, para diferenciar correctamente este principio general de las concretas técnicas jurídicas a través de las que se plasma (y que, posteriormente, denominaremos técnicas de cooperación y coordinación), consideramos más adecuado mantener la denominación de principio de colaboración. CARBALLEIRA RIVERA, Mª Teresa: «La cooperación interadministrativa en la LBRL», en *Revista de Estudios de la Administración Local y Autonómica*, núm. 257, enero-marzo 1993, p. 52-53.

26. En este sentido, por ejemplo y entre muchos otros, podemos citar al profesor Eduardo GARCÍA DE ENTERRÍA que tempranamente subrayaba ya la oportunidad de emprender la construcción del Estado de las Autonomías a través de mecanismos colaborativos. GARCÍA DE ENTERRÍA, Eduardo: «Estudio preliminar», en GARCÍA DE ENTERRÍA, Eduardo (Coord.): *La distribución de competencias económicas entre el poder central y las autonomías territoriales en el Derecho comparado y en la Constitución española*, Instituto de Estudios Económicos, Madrid 1980, p. 26.

27. Sin que, por otra parte, la jurisprudencia del Tribunal Constitucional haya contri-

Sin poder entrar ahora a desarrollar esta cuestión, podemos afirmar que, tomando como referencia el concepto de lealtad federal (o *Bundestreue*) acuñado en el sistema constitucional alemán y que en las últimas décadas ha actuado como criterio ordenador de las relaciones que se establecen entre las diferentes instancias públicas en el ejercicio de sus competencias en dicho ordenamiento jurídico[28], la doctrina y la jurisprudencia han identificado una doble dimensión del deber constitucional de colaboración:

1) *Dimensión negativa:* en primer lugar, se afirma que el principio de colaboración exige el respeto de los ámbitos competenciales propios de los distintos poderes públicos. Tal y como se afirma en la Sentencia del Tribunal Constitucional núm. 46/1990, de 15 de marzo (Ponente: Sr. Vicente Gimeno Sendra), la vinculación de los poderes públicos a la Constitución y al resto del ordenamiento jurídico implica un deber de lealtad de todos ellos en el ejercicio de sus propias competencias, de modo que no se obstaculice el ejercicio de las competencias ajenas (FJ 4).

2) *Dimensión positiva:* junto con la anterior, el principio general de colaboración tiene también una dimensión positiva que, según ha expresado el Tribunal Constitucional, implica una actitud constructiva hacia las restantes entidades públicas que, cuando resulte necesario, les permita hacer viable y efectivo el ejercicio de sus competencias (STC núm. 180/1985, de 4 de julio, ponente: Sr. Francisco Rubio Llorente, FJ 2). Por lo que podemos afirmar, desde un punto de vista amplio, que dicho principio supone el nacimiento de un deber de auxilio recíproco o asistencia activa

---

buido en este punto a formular una doctrina general sobre su contenido esencial, puesto que, como se ha afirmado, la doctrina constitucional en esta materia «ha sido puntual y dispersa, materializada en una serie de referencias breves y casi de pasada». CRUZ VILLALÓN, Pedro: «La doctrina constitucional sobre el principio de cooperación», en CANO BUESO, Juan (Coord.): *Comunidades Autónomas y instrumentos de cooperación interterritorial*, Parlamento de Andalucía-Ed. Tecnos, Madrid 1990, p. 119. Sobre la evolución de la jurisprudencia constitucional en esta materia puede verse FERNÁNDEZ FARRERES, Germán: *La contribución del Tribunal Constitucional al Estado autonómico*, Ed. Iustel, Madrid 2005, p. 345-367 o DE MARCOS, Ana: «Jurisprudencia constitucional sobre el principio de colaboración», en *Documentación Administrativa*, núm. 240, octubre-diciembre 1994, p. 265-351.

28. Entre otros, MENÉNDEZ REXACH, Ángel: «La cooperación, ¿un concepto jurídico?», *op. cit.*, p. 22 y ALBERTÍ ROVIRA, Enoch: «Relaciones entre las Administraciones Públicas», en LEGUINA VILLA, Jesús y SÁNCHEZ MORÓN, Miguel (Dir.): *La nueva Ley de Régimen Jurídico de las Administraciones Públicas y del Procedimiento Administrativo Común*, Ed. Tecnos, Madrid 1993, p. 42.

que debe presidir las relaciones entre las distintas entidades públicas.

Con ello, podríamos entender que nuestro texto constitucional configuraría un verdadero *sistema administrativo* conformado no sólo, desde un punto de vista estático, por cada una de las diferentes administraciones públicas que lo componen, con sus respectivas divisiones competenciales; sino que ampararía también una dimensión dinámica, que implica que, para dotar a este sistema de la necesaria coherencia y poder dar respuesta a la complejidad de la gestión pública actual, todos los elementos que lo forman deben de estar recíprocamente unidos por alguna forma de interacción[29]. La Administración Pública no es sino un sistema complejo y ordenado de piezas separadas dirigido conjuntamente a la satisfacción eficaz de unas mismas finalidades de interés general (art. 103.1 CE). Por lo que dicho sistema administrativo sólo tiene sentido desde su consideración global y unitaria.

Ahora bien, más allá de este planteamiento general, la concreción de los mecanismos jurídicos a través de los cuales articular las relaciones

---

29. Se ha referido también a la doble dimensión (estática y dinámica) que integra la noción de sistema GALÁN GALÁN cuando, al analizar la Ley catalana 26/2010, de 3 de agosto, de Régimen Jurídico y Procedimiento de las Administraciones Públicas de Cataluña, llega a la conclusión de la existencia en dicha Comunidad Autónoma de un verdadero «sistema de administraciones públicas catalanas». GALÁN GALÁN, Alfredo: «El sistema de administraciones públicas de Cataluña», en TORNOS MAS, Joaquín (Coord.): *Comentarios a la Ley 26/2010, de 3 de agosto, de Régimen Jurídico y Procedimiento de las Administraciones Públicas de Cataluña*, Ed. Iustel, Madrid 2012, p. 135-189.
Al mismo tiempo, la idea de «continuum administrativo», de sistema de conjunto que engloba a todas las administraciones públicas, ha sido destacada por otros muchos autores, como FONT I LLOVET quien, al analizar algunas de las principales características que definen la situación actual de nuestro sistema administrativo, insiste en la necesidad de profundizar aún más en el establecimiento de un verdadero *sistema de administraciones públicas* en el que éstas no puedan verse solamente como piezas sueltas o desencajadas sino como partes de un todo, relacionadas entre sí que. Lo que, como acertadamente pone de relieve dicho autor, permitiría incrementar su eficacia ante los ciudadanos. FONT I LLOVET, Tomàs: «La administración plural. Caracteres generales del régimen de las Administraciones Públicas», en TORNOS MAS, Joaquín (Coord.): *Administración Pública y procedimiento administrativo. Comentarios a la Ley 30/1992*, Departamento de Derecho Administrativo y Derecho Procesal. Universidad de Barcelona-Ed. Bosch, Barcelona 1994, p. 58-61.
En términos similares, GONZÁLEZ NAVARRO y GONZÁLEZ PÉREZ hacen también referencia a la naturaleza sistémica de nuestra forma de organización territorial, afirmando que nuestro Estado no es más que «la unidad de una pluralidad, o sea, una totalidad organizada». GONZÁLEZ PÉREZ, Jesús y GONZÁLEZ NAVARRO, Francisco: *Comentarios a la Ley de Régimen Jurídico de las Administraciones Públicas y del Procedimientos Administrativo Común, op. cit.*, p. 467-468.

entre los diferentes órganos y entidades administrativas es una tarea que la Constitución no asume de forma expresa, remitiéndose al legislador competente. Así, partiendo de la distribución de competencias prevista en el artículo 149.1.18 CE, ha sido el legislador básico estatal, a través de la citada Ley de Régimen Jurídico de las Administraciones Públicas y del Procedimiento Administrativo de 1992, el que se ha ocupado de ordenar, con carácter general y sistemático, el complejo universo de las relaciones entre las distintas administraciones públicas, las cuales, con la notable excepción de la Ley de Bases de Régimen Local de 1985, habían tenido hasta entonces una regulación fragmentaria y sectorial[30].

Sin podernos detener ahora en analizar en detalle todas las aportaciones que introdujo la LRJPAC, nos interesa simplemente señalar que esta Ley, de forma coherente con la interpretación realizada por el Tribunal Constitucional, sitúa a la colaboración entre las diferentes entidades públicas en el centro del sistema jurídico-administrativo. La propia Exposición de Motivos de la LRJPAC apunta en esta dirección, al considerar la colaboración institucional como un elemento indispensable para el funcionamiento del conjunto de administraciones públicas. A tal efecto, la Ley dedica numerosos preceptos a concretar el alcance de dicho principio, previendo un conjunto de deberes y mecanismos, tanto de carácter cooperativo como de carácter coordinador, que tienen por finalidad asegurar en todo momento la coherencia de la actuación de las administraciones públicas, evitando la excesiva fragmentación del complejo organizativo público[31]. Y es precisamente en este punto donde, nuevamente, debemos situar la encomienda de gestión.

---

30. Sobre la interpretación constitucional del título competencial previsto en el artículo 149.1.18 de la Constitución («Régimen jurídico de las administraciones públicas»), especialmente en relación con la inclusión en éste de la competencia estatal para regular las relaciones entre las diferentes administraciones públicas, pueden verse, entre otras, la STC núm. 32/1981, de 28 de julio, FJ 5 (Ponente: Sr. Francisco Rubio Llorente); o la STC 76/1983, de 5 de agosto, FJ 18 (Ponente: Sra. Gloria Begué Cantón).

31. Tradicionalmente, la distinción respecto a los diferentes mecanismos para hacer efectivo el deber general de colaboración se ha articulado en torno a las notas de voluntariedad e igualdad de las partes que caracterizaría a la *cooperación* frente a los mecanismos de carácter *coordinador* que conllevarían un cierto poder de dirección, consecuencia de la posición de superioridad en que se encuentra el sujeto que coordina respecto al coordinado.
Sin embargo, la doctrina ha puesto de relieve la fragilidad de dicha distinción y la imprecisión de nuestro Derecho Público en esta materia. Así, se afirma que, desde el momento en que la cooperación se configura como un deber genérico, resulta imposible lógico-jurídicamente que las manifestaciones de éste dependan de la voluntad o arbitrio de las partes, pues ello equivaldría a negar la existencia de dicho deber genérico. A tal efecto podemos citar, entre otros, MENÉNDEZ REXACH, Ángel:

Si retomamos la definición de esta figura que planteábamos al inicio de nuestra exposición, nos daremos cuenta de como el artículo 15 de la LRJPAC configura a la encomienda de gestión como una herramienta dirigida principalmente a facilitar el adecuado cumplimiento de las responsabilidades administrativas, permitiendo reconducir la actividad pública, en supuestos de ausencia de los medios técnicos necesarios o capacidad de gestión, a la consecución eficaz de unos objetivos generales y comunes, pero sin alterar la titularidad de las competencias propias. Efectivamente, el hecho de que a través de la encomienda se permita solicitar asistencia para la ejecución de las propias competencias cuando éstas no puedan llevarse a cabo por razones materiales o de eficacia, nos facilita, en nuestra opinión, su concepción como una clara manifestación del deber de auxilio mutuo entre administraciones públicas que se desprende del principio constitucional de colaboración. De este modo, con la encomienda de gestión se permitiría superar el rígido principio de separación de competencias, haciendo posible no sólo lograr una acción pública coherente y unitaria sino, sobretodo, permitiendo dar cumplimiento a los objetivos de interés general que la Constitución asigna al conjunto del sistema administrativo (art. 103.1 CE).

Precisamente, esta manifestación de la encomienda de gestión como instrumento al servicio de la colaboración administrativa ha sido subrayada por la Sala de lo Contencioso-Administrativo de nuestro Tribunal Supremo, por ejemplo, en la Sentencia de 20 de febrero de 2009 (Ponente: Sr. Ángel Aguallo Avilés, núm. recurso 4480/2006), en la que se afirma expresamente que dentro de las formas de cooperación entre administraciones públicas previstas por nuestro ordenamiento jurídico puede incluirse la figura de la encomienda de gestión regulada en el artículo 15 de la LRJPAC (FJ 7).

Por lo demás, el carácter negocial y voluntario sobre el que parece construirse el régimen jurídico de la encomienda de gestión es otro de los elementos que nos ayudan también a situar esta figura dentro del ámbito general de la colaboración administrativa, porque, como se ha señalado, la colaboración por antonomasia entre dos entes públicos es

---

«La cooperación, ¿un concepto jurídico?», *op. cit.*, p. 20 y Parejo Alfonso, Luciano: «Notas para una construcción dogmática de las relaciones interadministrativas», en *Revista de Administración Pública*, núm. 174, septiembre-diciembre 2007, p. 182. Por otro lado, la doctrina ha identificado también algunos supuestos en que la cooperación administrativa viene impuesta directamente por la Ley, constituyendo su incumplimiento una infracción legal. En estos casos, al imponerse directamente por el ordenamiento jurídico, estaríamos más bien ante un supuesto de cooperación forzosa. Morell Ocaña, Luis: «Una teoría de la cooperación», *op. cit.*, p. 65-70.

aquélla que se concreta en un acuerdo de voluntades libremente expresado[32]. Si, como dijimos, una de las características esenciales que prevé la LRJPAC al regular la encomienda de gestión, tanto entre órganos como entidades pertenecientes a las mismas o diferentes administraciones públicas, es su formalización mediante el correspondiente acuerdo o convenio (por lo tanto, con ausencia de coacción u obligación por una de las partes), se nos pone en evidencia que esta figura se incardina en el marco general del principio de colaboración. Es verdad que, como ya hemos apuntado y como veremos más adelante, en las encomiendas de gestión *interorgánicas* este elemento de voluntariedad puede ponerse en cuestión, pero incluso en este caso, la encomienda puede verse como una plasmación práctica del deber que la Ley impone a los órganos integrantes de una misma organización administrativa de cooperar en el ejercicio de sus competencias (art. 18 LRJPAC).

En conclusión, podemos afirmar que nuestro ordenamiento constitucional ampara con total naturalidad la creación de la figura de la encomienda de gestión. Tanto la vertiente organizativa pública de la encomienda como su carácter de mecanismo al servicio de la colaboración administrativa nos sirven para justificar la existencia de esta institución en nuestro sistema institucional. No obstante, más allá de situarnos la encomienda de gestión en un determinado contexto, estas previsiones constitucionales no nos sirven para concretar su particular régimen jurídico. La Constitución, como afirmábamos, no regula directamente la encomienda de gestión, por lo que, para completar dicho régimen jurídico, debemos dar un paso más y acudir a otras disposiciones normativas que se refieren específicamente a esta institución.

2.2. LA REGULACIÓN ESPECÍFICA DE LA ENCOMIENDA DE GESTIÓN

Como hemos visto anteriormente, la regulación de la encomienda de gestión se contiene actualmente en el artículo 15 de la Ley 30/1992, de 26 de noviembre, de Régimen Jurídico de las Administraciones Públicas y del Procedimiento Administrativo Común, que nos define esta figura, señalándonos también sus elementos esenciales. Por lo que nuestra exposición necesariamente deberá centrarse en el estudio de este precepto concreto. Sin embargo, la determinación del régimen jurídico específico aplicable a la encomienda de gestión no se agota solamente

---

32. Véase, por ejemplo, PARADA VÁZQUEZ, Ramón: *Régimen Jurídico de las Administraciones Públicas y Procedimiento Administrativo Común (Estudio, comentarios y texto de la Ley 30/1992, de 26 de noviembre)*, Ed. Marcial Pons, segunda edición, Madrid 1999, p. 94 o MARTÍN HUERTA, Pablo: *Los convenios interadministrativos, op. cit.*, p. 31.

con dicha regulación sino que para completar nuestro análisis tendremos que hacer también referencia a otras muchas normas administrativas, tanto estatales como autonómicas, que, aunque no siempre de forma directa, se refieren también a esta figura.

Ciertamente, en el caso de la encomienda de gestión (o, en general, en relación con los mecanismos de transferencia de funciones entre entidades públicas previstos en nuestro ámbito jurídico-administrativo) nos encontramos en uno de esos supuestos en que la complejidad y dimensión del ordenamiento es tal que el mero hecho de determinar la legislación aplicable al caso concreto resulta ya una tarea agotadora[33]. Una posible explicación a todo ello se deba, quizá, a que, aunque la introducción de la encomienda de gestión se ha considerado como una de las principales aportaciones del Título II de la LRJPAC[34], si nos fijamos con atención podremos comprobar como ésta no resulta una figura completamente ajena o desconocida a nuestro ordenamiento. Más allá de su denominación y la regulación concreta prevista en la Ley 30/1992, de 26 de noviembre –que, en efecto, sí que constituyen una novedad importante– la actual encomienda de gestión puede verse como una derivación o tecnificación de otras instituciones jurídicas similares que habían sido ya previstas tradicionalmente en el Derecho público español; o incluso una adaptación de experiencias normativas parecidas previstas en algunos de los países de nuestro entorno geográfico y cultural más próximo. Instituciones que, con el tiempo, se han ido superponiendo, confundiéndose en categorías no siempre utilizadas correctamente y que han ido diluyendo la necesaria coherencia y claridad de nuestro ordenamiento jurídico.

---

33. González Navarro se refiere también a dicha circunstancia al analizar la regulación vigente de la delegación intersubjetiva. Así, ante las aparentes incompatibilidades entre la LRJPAC y la LOFAGE en esta materia, afirma: «¿Qué es lo que esta pasando aquí? Sencillamente: no sabemos dónde andamos, estamos perdidos en un ordenamiento cuyas claves de intelección se van haciendo cada vez más confusas como resultado de una legislación que no respeta las reglas elementales de funcionamiento de un ordenamiento jurídico». González Navarro, Francisco: «De la delegación, avocación y sustitución interorgánica, y de algunos de sus falsos hermanos», en Muñoz Machado, Santiago (Dir.): *Tratado de Derecho Municipal*, volumen I, Ed. Civitas, segunda edición, Madrid 2003, p. 332.

34. Por ejemplo, entre otros, Lucas Murillo de la Cueva, Enrique: «Órganos de las Administraciones Públicas (Artículos 11 a 29)», en Pendas García, Benigno (Coord.): *Administraciones Públicas y ciudadanos (Comentario sistemático de la Ley 30/1992, de 26 de noviembre, de Régimen Jurídico de las Administraciones Públicas y del Procedimiento Administrativo Común*, Ed. Praxis, Barcelona, 1993, p. 243; y Garrido Falla, Fernando y Fernández Pastrana, José Mª: *Régimen Jurídico y Procedimiento de las Administraciones Públicas (Un estudio de las Leyes 30/1992 y 4/1999), op. cit.*, p. 97.

Es por ello que, antes de avanzar en el examen detallado del específico régimen jurídico de la encomienda de gestión, empezaremos este apartado con una breve exposición de aquéllos que, en nuestra opinión, pueden ser sus antecedentes normativos más inmediatos, tanto en el Derecho español como en el Derecho comparado. El análisis de estos antecedentes, además de permitirnos conocer la evolución histórica de este mecanismo, nos ayudará también a detectar algunos de los principales problemas que nos plantea la vigente regulación legal de la encomienda de gestión: en particular, la dificultad de diferenciar esta figura de otros mecanismos traslativos de las competencias administrativas similares en los que, en parte, se ha inspirado.

2.2.1. Antecedentes normativos de la encomienda de gestión en el Derecho español

A pesar de que se ha señalado que la figura de la encomienda de gestión encontraría sus antecedentes más remotos en las encomiendas previstas en nuestro Derecho indiano[35], consideramos más conveniente situar el origen de la actual encomienda de gestión en un momento temporal más cercano. En nuestra opinión, más allá de una denominación similar y del hecho que dicha encomienda histórica podía desarrollar también una función instrumental al servicio de la Administración Real, los presupuestos y objetivos que podía perseguir difícilmente encajarían con los que se atribuyen actualmente a la encomienda de gestión en el marco de un moderno Estado democrático como el nuestro.

Partiendo de esta premisa general, entendemos que los antecedentes normativos más próximos a la encomienda de gestión deben de buscarse en los mecanismos jurídicos de transferencia de funciones o competencias administrativas que han venido regulándose tradicionalmente en nuestro Derecho. En este sentido, si analizamos la evolución más reciente de nuestro ordenamiento jurídico-público nos será posible identificar diferentes supuestos que, en distintos momentos y con diferentes denominaciones, se han preocupado de ordenar la planta administrativa española, caracterizándose por suponer la asunción por parte de una

---

35. Jesús González Pérez y Jesús González Navarro nos señalan la aparición de esta figura en el año 1493, cuando el Papa encomienda a los Reyes Católicos la tarea de impulsar y dirigir la evangelización de las tierras que habían sido recién descubiertas por Cristóbal Colón. González Pérez, Jesús y González Navarro, Francisco: *Comentarios a la Ley de Régimen Jurídico de las Administraciones Públicas y del Procedimiento Administrativo Común*, op. cit., p. 760. En el mismo sentido, Hernando Orejana, Luis Carlos: *La encomienda de gestión*, op. cit., p. 121.

determinada entidad pública, normalmente de ámbito local[36], del ejercicio de ciertas funciones o competencias propias del Estado, sin que ello supusiera modificación alguna de su titularidad.

A pesar de que el régimen jurídico de estos supuestos presenta, como no puede ser de otro modo, diferencias sustanciales con la actual encomienda de gestión, creemos que es posible establecer entre ellos una cierta unidad funcional, puesto que comparten algunos de sus elementos más característicos. Así, como veremos a continuación, estas instituciones coinciden no sólo en el hecho de suponer un traslado efectivo de la gestión de determinados servicios o funciones públicas hacia otro sujeto sin afectar a su titularidad, sino también en su consideración como instrumentos jurídicos de auxilio en el ejercicio de determinadas tareas de carácter eminentemente material. De modo que, como en el caso de la encomienda, no se configuraron como herramientas dirigidas a favorecer la descentralización permanente de competencias plenas hacia otras entidades más cercanas a los ciudadanos, sino preferentemente como soluciones de carácter técnico-jurídico dirigidas a racionalizar el ejercicio de las competencias administrativas, al efecto de lograr una mejor gestión de los asuntos públicos[37].

Seguidamente analizaremos algunas de estas instituciones, al efecto de poner de relieve esta continuidad conceptual a la que nos referíamos anteriormente:

1.–*La encomienda del servicio recaudatorio.* El primer referente histórico de la encomienda de gestión que queremos mencionar nos remonta al Estatuto Provincial de 20 de marzo de 1925, en el que, junto con otras medidas descentralizadoras, se preveía específicamente la posibilidad de *encomendar* a las diputaciones provinciales la recaudación de las contribuciones del Estado (arts. 107 y 112 del Estatuto Provincial 1925).

---

36. Nótese que también en esta materia, y tal como ocurre con otras muchas instituciones jurídicas actualmente vigentes, la legislación de régimen local habría servido para introducir y desarrollar figuras que después, al ampliar su objeto y ámbito de aplicación, han sido plenamente asumidas por los demás niveles de gobierno y administración existentes en nuestro ordenamiento.

37. En este sentido se expresaba, por ejemplo, Juan Luis DE LA VALLINA Y VELARDE al analizar los diferentes instrumentos de transferencia de funciones administrativas existentes en nuestro ordenamiento, quien destacaba que la decisión sobre la utilización de dichos instrumentos de transferencia normalmente no se basaba en criterios de necesidad, sino simplemente por razones de oportunidad, al considerarse que con la translación a otro órgano de una función propia se lograba una mejor marcha de la gestión administrativa. DE LA VALLINA Y VELARDE, Juan Luis: *Transferencia de funciones administrativas*, Instituto de Estudios de la Administración Local, Madrid 1964, p. 43 y 44.

Estas encomiendas, según el Real Decreto de 28 de diciembre de 1928, por el que se aprobó el Estatuto de Recaudación, comprendían el encargo de recaudar todas las cuotas y débitos, incautar y administrar las fincas adjudicadas a Hacienda, así como «auxiliar a la Administración económica», si bien seguía correspondiendo al Ministro competente la inspección, dirección y organización del servicio (art. 13 y 18 del Estatuto de la Recaudación de 1928). No fue, sin embargo, hasta la Ley de 11 de abril de 1942 que se generalizó la asunción de la función recaudatoria de las contribuciones e impuestos estatales por parte de las diputaciones provinciales, puesto que, a pesar de que algunas diputaciones habían ya asumido la gestión de dicho servicio[38], el hecho de que el Estatuto de la Recaudación de 1928 exigiera para la encomienda de este servicio la prestación de una fianza «en metálico o efectos de Deuda Pública», limitó notablemente el acceso de muchas de ellas a este servicio. Con la Ley de 1942 se restableció nuevamente la preferencia de las diputaciones provinciales en la prestación de la función recaudatoria de los tributos estatales, suavizando sus requisitos y generalizando el sistema que, ahora sí, fue asumido por la mayoría de las diputaciones españolas. Más adelante, la generalización de esta función provincial fue también plenamente asumida por la legislación de régimen local franquista. Así, el Decreto de 16 de diciembre de 1950, por el que se aprobó el Texto articulado de la Ley de Régimen Local de 1945 (en adelante LRL), contemplaba expresamente el supuesto de encomienda del servicio recaudatorio a las diputaciones[39].

Sin perjuicio de las particularidades que presenta la evolución normativa de la encomienda del servicio recaudatorio, nos interesa destacar este supuesto porque, además de su específica denominación, se configura, de un modo similar a la actual encomienda de gestión, como una atribución de funciones estatales, de carácter esencialmente material, en favor de un determinado tipo de ente local. Atribución que, por otra parte, no operaba de un modo automático y general sino que requería la previa solicitud de la diputación provincial interesada. De modo que, como se ha señalado, esta atribución dejaba de ser considerada meramente como una carga o conjunto de deberes de prestación establecidos

---

38. Por ejemplo, la Diputación Provincial de Barcelona a través del Real Decreto 822/1927, de 29 de abril (Gaceta de Madrid núm. 124, de 4 de mayo de 1927), o también las Diputaciones Provinciales de Madrid y Burgos, mediante el Real Decreto 2338/1929, de 5 de noviembre (Gaceta de Madrid núm. 732, de 6 de noviembre de 1929).
39. En particular, el artículo 271 de la LRL señalaba que «en las zonas de la Provincias respectivas, las Diputaciones podrán realizar el servicio de recaudación de las contribuciones del Estado [...]».

unilateralmente por el Estado o una obligación impuesta por la Ley, para constituirse como una medida de colaboración entre entidades públicas más ágil y menos gravosa para los intereses locales[40].

Este esquema inicial, con mayores o menores modificaciones, pervive hasta la promulgación de la Constitución española de 1978. A pesar de que las reformas tributarias subsiguientes a la aprobación de nuestro texto constitucional operaron una modificación total tanto del sistema tributario local como estatal, nuestro ordenamiento jurídico siguió previendo aún algunos supuestos de colaboración entre administraciones públicas en materia de gestión tributaria que, en nuestra opinión, podrían ser reconducibles a la figura de la encomienda de gestión.

Es el caso, por ejemplo, del artículo 106.3 de la LBRL y del artículo 7.1 del vigente Texto Refundido de la Ley de Haciendas Locales, aprobado mediante el Real Decreto Legislativo 2/2004, de 5 de marzo (en adelante LRHL) que prevén expresamente la posibilidad de encomendar la gestión tributaria municipal en las comunidades autónomas u otras entidades locales, mediante la *delegación* de las facultades de gestión, recaudación, liquidación e inspección tributarias. Sobre ello volveremos más adelante en el *Capítulo II* (apartado 3.2.2), examinando más detalladamente el alcance material de estos supuestos y planteándonos si, efectivamente, pueden encajarse dentro del concepto jurídico de la encomienda de gestión.

2.–*La colaboración de las entidades locales en el ejercicio de competencias del Estado: la delegación de funciones administrativas.* En segundo lugar, la actual encomienda de gestión encuentra también un específico elemento de referencia en los instrumentos a través de los cuales durante el régimen político anterior se había venido articulando la colaboración de las entidades locales en la realización de obras o servicios del Estado. Aunque la legislación administrativa vigente durante la Dictadura, por su carácter centralista y autoritario, prestaba escasa atención a las relaciones entre las diferentes administraciones públicas existentes en aquel momento, sí que en el ámbito local se articularon algunos mecanismos jurídicos a través de los cuales, tomando como referencia el Estatuto Provincial de 1925, se asignaba a los municipios y provincias una función de auxilio en el ejercicio de determinadas competencias estatales. En muchos casos esta función colaboradora de los entes locales se reducía a actuaciones de escasa entidad desde el punto de vista jurídico

---

40. MORELL OCAÑA, Luis: *La delegación entre entes públicos en el Derecho español*, Instituto de Estudios de Administración Local, Madrid 1972, p. 70-71.

–pero con una indudable carga financiera– como, por ejemplo, la realización de determinadas operaciones de alistamiento para el servicio militar obligatorio o la ejecución de notificaciones de actos dictados por la Administración del Estado.

Sin embargo, junto a los anteriores, el ordenamiento jurídico franquista nos ofrece también algunos supuestos que, agrupados doctrinalmente bajo una noción amplia de delegaciones de competencias del Estado hacia los entes locales[41], se configuran con un alcance objetivo sensiblemente más amplio, pudiéndoles reconocer una funcionalidad similar a la perseguida hoy en día por la técnica de la encomienda de gestión.

Un primer ejemplo podría ser la llamada delegación de funciones administrativas prevista en el artículo 243, apartado o), del Texto articulado de la Ley de Régimen Local de 1945. En este supuesto, sobre la base de un deber general de los entes locales de colaborar en el ejercicio de los servicios estatales (art. 5 LRL), se preveía la posibilidad que el Estado atribuyera a las diputaciones provinciales determinadas funciones relativas a la ejecución de obras, la prestación de servicios o el ejercicio de otras tareas administrativas.

A diferencia de la encomienda del servicio recaudatorio que mencionábamos anteriormente, en la figura de la delegación de funciones administrativas la voluntad de la diputación afectada era irrelevante, puesto que ni se requería su previa solicitud ni la no aceptación de la delegación podía tener ningún efecto. Sin embargo, al igual que aquélla, el objeto de la delegación se limitaba fundamentalmente al ejercicio de ciertas funciones de carácter material y de gestión (como la ejecución de obras o la prestación de servicios administrativos). Al mismo tiempo, mediante la delegación de funciones no se operaba ningún cambio en el sistema objetivo de distribución de competencias, puesto que el Estado seguía manteniendo la titularidad de las competencias transferidas, pudiendo dictar las instrucciones oportunas, así como rescindir la delegación en cualquier momento[42].

---

41. Por ejemplo, entre otros muchos, MORELL OCAÑA, Luis: *La delegación entre entes públicos en el Derecho español*, *op. cit.*, p. 55 y sigs; DE LA VALLINA Y VELARDE, Juan Luis: *Transferencia de funciones administrativas*, *op. cit.*, p. 133 y sigs.

42. En nuestra opinión, estas limitaciones objetivas no deben confundirse con el carácter obligatorio con que se regulaba la prestación de personal local a favor de la Administración del Estado prevista en el artículo 327 de la LRL. En este caso, a pesar de que este precepto se refiere a la *encomienda* a los funcionarios locales de trabajos que no fueran específicamente de la Administración local, estamos ante un supuesto muy distinto a la translación del ejercicio de funciones administrativas entre órganos u entes públicos, ya que dicha encomienda se trataría simplemente de una carga o

A pesar de la novedad que supuso la introducción y generalización de esta técnica jurídica en el Texto refundido de la Ley de Régimen Local de 1945, que se diferenciaba de la tradicional asignación a los entes locales de cometidos estatales en concepto de cargas, la verdad es que su aplicación fue nula, quedando simplemente en una posibilidad normativa sin ninguna actuación en la práctica[43]. Aún así, la potencialidad de estas figuras no pasó completamente desapercibida por el legislador estatal que, al afrontar la reforma de la normativa de régimen local anterior, volvió a destacar el protagonismo que podían asumir las técnicas de delegación de funciones por parte del Estado en favor de los entes locales, previendo algunos supuestos en que volvía a entrar en juego nuevamente dicha figura delegatoria.

Es precisamente en uno de estos supuestos donde podemos encontrar, quizá, uno de los antecedentes más cercanos a la actual encomienda de gestión. En concreto, si acudimos a la Base 48 de la Ley 41/1975, de 20 de noviembre, de Bases del Estatuto de Régimen Local, en la que se regulaba la «Colaboración de las entidades locales en la realización de servicios del Estado», observaremos como se prevé, con carácter general, la posibilidad de que la realización de obras, la ejecución de servicios y el ejercicio de otras funciones de la competencia del Estado pudieran transferirse a favor de las entidades locales. Añadiéndose en el apartado segundo de la citada Base 48 lo siguiente:

> «Dos. El Estado podrá encomendar a las Entidades Locales, individualmente o vinculadas entre sí y siempre que cuenten con los medios técnicos y de gestión convenientes, la realización de funciones, obras o servicios, a titulo de delegación. El acuerdo de delegación se adoptará previa petición de la Entidad o Entidades Locales interesadas y preverá la oportuna dotación económica con cargo a los presupuestos del Estado».

De este modo, bajo un concepto amplio de delegación, se diseñaba un mecanismo de atribución –o, como dice el propio precepto, de *enco-*

---

deber de prestación impuesto con carácter forzoso que tendría como único efecto el hecho de que el personal incorporado a los servicios estatales adquiriría temporalmente una doble relación orgánica. MORELL OCAÑA, Luis: *La delegación entre entes públicos en el Derecho español, op. cit.*, p. 185-186.

43. Javier SALAS subrayaba, precisamente, esta circunstancia, denunciando la escasa aplicación de estos mecanismos y su idoneidad en cuanto al planteamiento de las relaciones de colaboración entre el Estado y las entidades locales. SALAS, Javier: «El tema de las competencias: instrumentación de las relaciones entre la Administración local y la del Estado», en MARTÍN-RETORTILLO BAQUER, Sebastián (Dir.): *Descentralización administrativa y organización política*, tomo II, Ed. Alfaguara, Madrid 1973, p. 589-590. En el mismo sentido, GARCÍA DE ENTERRÍA, Eduardo: *La Administración española: estudios de ciencia administrativa*, Ed. Civitas, sexta Edición, Madrid 1999, p. 110.

mienda– del mero ejercicio de determinadas funciones ejecutivas estatales en favor de los entes locales, que tomaba como presupuesto para su eficacia los medios técnicos o la capacidad de gestión de dichos entes. La plasmación real de este mecanismo, no obstante, no se concretó hasta la aprobación posterior del Real Decreto 3046/1977, de 6 de octubre, por el que se articuló parcialmente la Ley 41/1975, de Bases del Estatuto del Régimen Local, en lo relativo a los funcionarios públicos y otros extremos, en cuyo Título IV (*Otras disposiciones comunes a la Administración Provincial y Municipal*) se ocupaba de desarrollar, precisamente, las bases estatales referidas a la colaboración de las entidades locales a la realización de los servicios del Estado.

Sin embargo, en dicho Título IV del Real Decreto 3046/1977 ya no se utilizará la noción de encomienda sino que, al regularse la transferencia en favor de las entidades locales de la realización de obras, ejecución de servicios y, en general, el ejercicio de actividades propias del Estado, se sustituirá por los términos «delegación» y «desconcentración» (art. 131 y 132 del Real Decreto 3046/1977, de 6 de octubre).

En cualquier caso, mas allá de su denominación concreta, lo importante es retener el notable parecido entre estos mecanismos y la actual encomienda de gestión. Si volvemos a nuestra definición inicial de la encomienda de gestión, podremos comprobar que no sólo el hecho de que ambas figuras se refieran al traspaso de determinadas actuaciones de carácter material; sino también su consideración como mecanismos de colaboración entre sujetos jurídico-públicos diferentes, y no meramente como cargas impuestas unilateralmente por el legislador; su no afectación a la titularidad de las funciones transferidas, con lo que el órgano *encomendante* o *delegante* retiene la capacidad para ordenar su ejercicio; o, finalmente, la exigencia de poseer los medios técnicos y de gestión pertinentes, son elementos que, en nuestra opinión, nos ponen claramente de relieve la existencia de una cierta unidad conceptual entre ellas[44].

---

44. Y esta semejanza era incluso más acentuada en el proyecto inicial de Ley de Bases del Estatuto de Régimen Local aprobado en 1971, cuya Base 70 diferenciaba dos modalidades de delegación: la *delegación de competencia*, en la que la entidad local delegada asumiría las responsabilidades decisorias y económicas del ejercicio de la competencias transferida, sin perjuicio de las facultades inspectoras que se reservase el Gobierno; y la *delegación de gestión*, en que dicho ejercicio quedaría sometido en todo caso a la acción directiva de la Administración estatal. De este modo, se distinguían inicialmente dos supuestos delegativos, en función de la mayor o menor autonomía y responsabilidades que asumía el ente delegado y del alcance de las potestades de intervención de la Administración estatal, que reproducen, en cierta medida, la actual distinción entre la figura de la delegación de competencias y la encomienda de gestión que mencionábamos anteriormente. Por cuanto las facultades que pueden

La Ley 7/1985, de 2 de abril, reguladora de las Bases de Régimen Local, aprobada ya con posterioridad a la entrada en vigor de la Constitución de 1978, al regular dichas cuestiones se aparta un poco de la línea seguida por la legislación anterior, puesto que, aunque se prevé con carácter general el deber de cooperar de todas las administraciones públicas a través de los instrumentos que resulten aplicables en cada caso (art. 55 y 57 LBRL), se limita solamente a regular la figura de la delegación –entendida como transferencia del ejercicio de determinadas competencias administrativas– del Estado y de las Comunidades Autónomas a favor de los entes locales (art. 27.1 y 37.1 LBRL); pero sin referirse expresamente a la posibilidad de encomendarles también la mera gestión de tareas de carácter material[45].

Pero, en todo caso, ello no significa que la legislación local postconstitucional no tuviera presente esta posibilidad, sino al contrario. La propia Ley de Bases de Régimen Local incorporaba, como novedad importante, la figura de la gestión ordinaria de los servicios autonómicos por las entidades locales, de la que nos ocuparemos seguidamente; a la vez que el Real Decreto 781/1986, de 18 de abril, por el que se aprueban las Disposiciones legales vigentes en materia de régimen local (en adelante TRRL), reproduciendo parcialmente lo previsto en el anteriormente citado Real Decreto 3046/1977, de 6 de octubre, previó la posibilidad de transferirles, no ya el ejercicio de competencias administrativas, sino también la posible realización de funciones, obras y servicios, para lo cual debería valorarse los medios técnicos y de gestión con que cuenten éstas, así como los recursos financieros que tengan o que pudieran cedérseles (arts. 67 y 68 TRRL).

3.–*La gestión ordinaria de los servicios autonómicos por las diputaciones provinciales o cabildos insulares.* Sin perjuicio de las consideraciones anteriores, es indudable que la vigente regulación de la encomienda de gestión encuentra uno de sus precedentes más inmediatos en la figura de

---

ser objeto de encomienda son muchos más limitadas que las que pueden delegarse, limitándose, al igual que como parecía desprenderse de la citada Base 70, a meras tareas de gestión que no impliquen el ejercicio de actividades de carácter jurídico.

45.   Aunque ello tampoco no resulta del todo cierto porque, siguiendo con el tradicional régimen de las obligaciones estatales impuestas a determinadas administraciones locales, en la Disposición Final Quinta de la LBRL se prevé que los municipios cabeza de partido judicial en el que no existiera establecimiento penitenciario asumirían la ejecución del servicio de depósito de detenidos a disposición judicial. Por lo tanto, nuevamente, y aunque en dicho precepto se habla de «competencia delegada», en realidad nos encontraríamos ante la transferencia de la ejecución de una actividad material.

la gestión ordinaria de los servicios propios de las comunidades autónomas por parte de las diputaciones provinciales o cabildos insulares[46].

La llamada *gestión ordinaria de los servicios autonómicos* fue introducida inicialmente en nuestro ordenamiento jurídico por los Pactos Autonómicos de 31 de julio de 1981[47] y, posteriormente, se articuló a través de la Ley 12/1983, de 14 de octubre, del Proceso Autonómico (en adelante LPA). El artículo 5.1 de esta Ley señalaba que, sin perjuicio de las competencias que la legislación de régimen local, tanto del Estado como de las Comunidades Autónomas, atribuyesen a las diputaciones provinciales, éstas podrían asumir «la gestión ordinaria de los servicios propios de la Administración autonómica en el territorio de la provincia» en los términos que los estatutos de autonomía y dichas Leyes establecieran.

La idea de fondo para la creación de esta figura jurídica partía de la consideración del decisivo papel que la provincia (o, en su caso, los cabildos insulares) podía desempeñar en el desarrollo institucional de cada comunidad autónoma. Entendiéndose que, con la atribución de la gestión ordinaria de determinados servicios periféricos autonómicos a las diputaciones provinciales, se evitaría la necesidad de acudir a una duplicación de su aparato burocrático y funcionarial[48]. Estas evidentes

---

46. Dicha afirmación es compartida por la gran mayoría de autores que han estudiado el régimen jurídico de la encomienda de gestión, los cuales no dudan en situar la gestión ordinaria de los servicios autonómicos como su antecedente más inmediato. Véase, por ejemplo, HERNANDO OREJANA, Luis Carlos: *La encomienda de gestión, op. cit.*, p. 16 y 71 y sigs.; MUÑOZ MACHADO, Santiago: *Tratado de Derecho Administrativo y Derecho Público General*, volumen III, Ed. Iustel, Madrid, p. 642 y 1017.

47. La introducción de la llamada gestión ordinaria de servicios en los mencionados Pactos Autonómicos no es un hecho casual sino que respondía a una de las recomendaciones previstas en el Informe de la Comisión de Expertos sobre las Autonomías de 1981. Dicha Comisión, presidida por el Prof. Eduardo GARCÍA DE ENTERRÍA, recibió el encargo de establecer unos criterios para el desarrollo ordenado del proceso autonómico. En este sentido, al abordar el tema de las relaciones entre las comunidades autónomas y los entes locales, el Informe aconsejaba que en la redacción de los estatutos de autonomía de las comunidades autónomas pluriprovinciales se previera la posibilidad que las diputaciones provinciales gestionaran ordinariamente los servicios confiados a aquéllas bajo su dirección y control, así como que pudieran recibir competencias por transferencia o delegación. Véase, *Informe de la Comisión de Expertos sobre Autonomías*, Centro de Estudios Políticos y Constitucionales, Madrid 1981, p. 26-27.

48. Así lo ha puesto de relieve la doctrina, por ejemplo, entre otros, MORELL OCAÑA, Luis: «La provincia en la configuración y ordenación territorial de las Comunidades Autónomas», en *Civitas. Revista Española de Derecho Administrativo*, núm. 31, 1981, p. 615 y sigs; ARGULLOL I MURGADAS, Enric: «La administración de las Comunidades Autónomas», en *Revista Española de Derecho Constitucional*, núm. 15, septiembre-diciembre 1985, p. 106-108; FONT I LLOVET, Tomàs: «Tendencias organizativas en la Ad-

ventajas organizativas llevaron a algunas comunidades autónomas a incluir la posible utilización de esta figura en sus propios textos estatutarios. Es el caso, por ejemplo, del artículo 4.4 del Estatuto de Autonomía de Andalucía, aprobado mediante la Ley Orgánica 6/1981, de 30 de diciembre o del artículo 47.2 de la Ley Orgánica 5/1982, de 1 de julio, de Estatuto de Autonomía de la Comunidad Valenciana, en los cuales, en términos muy similares, se señalaba que dichas Comunidades articularían la gestión ordinaria de sus servicios periféricos propios a través de las diputaciones provinciales.

Por su parte, la ya mencionada Ley 7/1985, de 2 de abril, de Bases del Régimen Local, confirmó también la vigencia de esta figura en el ámbito local, al regularla dentro de sus disposiciones generales y establecer que «[...] las Provincias y las Islas podrán realizar la gestión ordinaria de servicios propios de la Administración autonómica, de conformidad con los Estatutos de Autonomía y la legislación de las Comunidades Autónomas» (art. 8 LBRL). Añadiéndose que en estos supuestos «[...] las Diputaciones actuarán con sujeción plena a las instrucciones generales y particulares de las Comunidades» (art. 37.1 LBRL).

Sin embargo, la posibilidad de utilizar la administración local como base organizativa para el desarrollo de las tareas de gestión de las comunidades autónomas pronto quedó arrinconada, pues, como nos pone de relieve ALBERTÍ ROVIRA, por lo común las comunidades autónomas prefirieron construir sus propios aparatos burocráticos antes que gobernar con medios indirectos y mediatos, a través de administraciones interpuestas[49]. Por lo que no puede más que concluirse que la aplicación real de la gestión ordinaria de los servicios ha sido muy poco efectiva, constatándose el apartamiento del legislador autonómico de este modelo[50].

---

ministración de las Comunidades Autónomas» en *Revista Vasca de Administración Pública*, núm. 6, 1983, p. 223 y sigs.; MUÑOZ MACHADO, Santiago: *Derecho Público de las Comunidades Autónomas*, volumen II, Ed. Civitas, Madrid 1984, p. 231-234.

49. ALBERTÍ ROVIRA, Enoch: «La inserción de los entes locales en un sistema complejo: las relaciones de colaboración entre Administraciones», en FONT I LLOVET, Tomàs (Dir.): *Informe sobre el Gobierno Local*, Ministerio de Administraciones Públicas-Fundació Pi i Sunyer, Madrid 1992, p. 158. En el mismo sentido se expresan, entre otros, CARBALLEIRA RIVERA, Mª Teresa: *La provincia en el sistema autonómico español*, Ed. Marcial Pons-Universidad de Santiago de Compostela, Madrid 1993, p. 330 y JIMÉNEZ ASENSIO, Rafael: *La «Administración única» en el Estado Autonómico*, Institut d'Estudis Autonòmics-Ed. Marcial Pons, Madrid 1998, p. 117, donde se afirma que la gestión ordinaria de servicios ha quedado como un mero «adorno normativo».

50. Esta circunstancia ha sido objeto de crítica por parte de algunos autores, al considerar que la creación y desarrollo de un complejo aparato organizativo autonómico no sólo representaba un coste económico muy importante sino que, además, en

Pero con independencia de su escasa aplicación real, enseguida nos damos cuenta de que las similitudes de esta figura con el concepto de encomienda de gestión que planteábamos al inicio de este capítulo son evidentes. Al igual que la encomienda de gestión del artículo 15 de la LRJPAC, la llamada gestión ordinaria de servicios se configuró como un instrumento dirigido a facilitar el ejercicio de determinadas competencias administrativas de las comunidades autónomas, a través del cual las instancias autonómicas podían retener no sólo la titularidad exclusiva de sus competencias sino también su ejercicio formal; atribuyéndose al ente provincial o insular una actuación meramente gestora.

Aunque es verdad que la gestión ordinaria de servicios presenta algunas limitaciones específicas, que no se prevén habitualmente para la encomienda de gestión (como, por ejemplo, en su ámbito de aplicación subjetivo, limitado únicamente a las diputaciones provinciales o los consejos insulares[51]), ambas instituciones compartirían un mismo fundamento general, por cuanto ambas suponen la gestión material de una determinada función pública ajena, sin que ello implique modificación alguna en el orden objetivo de competencias administrativas previsto por nuestro ordenamiento.

Sin embargo, a pesar de sus evidentes puntos de conexión, entendemos que no debe confundirse o identificarse completamente, como a veces ocurre, la actual encomienda de gestión con la gestión ordinaria de los servicios autonómicos. En nuestra opinión, nos encontramos ante dos figuras jurídicas diferentes, que no pueden reconducirse a un único régimen jurídico unitario[52]. La propia LRJPAC contribuye a avalar dicha

---

modo alguno responde a los criterios mínimos exigibles de una Administración Pública eficaz y moderna. Por todos, MARTÍN-RETORTILLO, Sebastián: «De la simplificación de la Administración Pública», en *Revista de Administración Pública*, núm. 147, septiembre-diciembre 1998, p. 18-26.

51. Si bien, la doctrina ha considerado que ello no era óbice para que esta fórmula de relación entre administraciones públicas pudiera generalizarse mediante ley también para los municipios. ORTEGA ÁLVAREZ, Luis y PUERTA SEGUIDO, Francisco: «Artículo 8», en REBOLLO PUIG, Manuel (Dir.): *Comentarios a la Ley Reguladora de las Bases del Régimen Local*, tomo I, Ed. Tirant lo Blanch, Valencia 2006, p. 203.

52. En este sentido, GONZÁLEZ NAVARRO afirma que aunque en la gestión ordinaria de servicios se encuentra el origen próximo de la encomienda de gestión, las semejanzas entre una y otra «no van más allá de un cierto aire de familia y de la denominación que reciben». GONZÁLEZ NAVARRO, Francisco: «De la delegación, avocación y sustitución interorgánica, y de algunos de sus falsos hermanos», *op. cit.*, p. 361.
En términos similares, FERNÁNDEZ FARRERES, Germán: «Los mecanismos para la ampliación de las competencias ejecutivas de las comunidades autónomas: la transferencia, la delegación, el encargo de gestión, los convenios y los consorcios», en AA VV: *Función ejecutiva y Administración Territorial*, Institut d'Estudis Autonòmics-

diferenciación cuando, al regular la encomienda de gestión, excluye expresamente de su ámbito de aplicación la gestión ordinaria de servicios de las comunidades autónomas por parte de las diputaciones provinciales o de los cabildos insulares, supuestos que remite a la legislación de régimen local (art. 15.4 LRJPAC). Por lo que parece que la propia Ley 30/1992, de 26 de noviembre, lo configuraría ya como un supuesto específico, al margen de la encomienda de gestión, que se regiría por su normativa propia.

Pero además de esta exclusión normativa expresa, creemos que podemos encontrar también otras razones de fondo que, desde nuestro punto de vista, nos alejarían ambas figuras. La primera de ellas podría residir en el hecho de que el ámbito objetivo de la gestión ordinaria de servicios es notablemente mayor o más amplio que el de la encomienda de gestión del artículo 15 de la LRJPAC. Tanto los diferentes estatutos de autonomía que previeron esta figura, como la propia LBRL, se refieren simplemente a la posibilidad de gestionar «los servicios propios» de las comunidades autónomas. Concepto éste con una extensión muy superior a las «actividades materiales, técnicas o de servicios» propio de la encomienda de gestión. Asimismo, esta atribución funcional, en el caso de la gestión ordinaria, no se hace depender tampoco de la concurrencia previa de determinados presupuestos habilitantes de falta de medios o de insuficiente capacidad de gestión, sino que se prevé como un supuesto «ordinario» de gestión de la actividad administrativa autonómica. En cambio, como expondremos más adelante, la encomienda de gestión solamente procede por razones de eficacia o cuando los órganos o entidades de derecho público carezcan de los medios técnicos idóneos (art. 15.1 LRJPAC). Pero, sobretodo, y esto es lo que resulta ahora más importante, la normativa reguladora de la gestión ordinaria de servicios no excluye la posibilidad de transferir a la entidad local que asuma dicha gestión facultades de carácter resolutorio, que le permitirían adoptar decisiones jurídicas con sustantividad propia y con efectos *ad extra*. Posibilidad que, como vimos, está expresamente vetada respecto de la figura de la encomienda de gestión por el artículo 15.2 LRJPAC; limitándose en todo caso a la mera realización de actividades de carácter material[53].

Generalitat de Catalunya, Barcelona 1997, p. 23 o Jiménez Asensio, Rafael: *La «Administración única» en el Estado Autonómico, op. cit.,* p. 138.

53. A pesar de incluir ambas instituciones dentro de la categoría genérica del mandato jurídico-público, Gallego Anabitarte diferencia también ambas figuras destacando, entre otros aspectos, que la LRJPAC define la encomienda de gestión limitándola al ámbito de actividades materiales, técnicas o de servicios, remitiendo la gestión ordinaria de los servicios autonómicos a la LBRL donde, además de actuaciones materia-

En segundo lugar, otra diferencia sustancial nos vendría dada por el carácter eminentemente voluntario que singulariza la encomienda de gestión frente al carácter predominantemente obligatorio de la gestión ordinaria. Como decíamos, uno de los elementos esenciales del régimen jurídico de la encomienda prevista en el artículo 15 de la LRJPAC es su carácter negocial, siendo siempre fruto de un acuerdo o convenio entre las partes. En cambio, en la gestión ordinaria de los servicios autonómicos el juego de este elemento volitivo resulta mucho menos intenso, puesto que, con carácter general, ha venido configurándose de un modo totalmente opuesto, como un mecanismo de carácter obligatorio, que puede imponerse unilateralmente[54].

La normativa que ha desarrollado el régimen jurídico de la gestión ordinaria de servicios en el ámbito local así viene a confirmárnoslo, puesto que no sólo la LBRL prevé expresamente la posibilidad que la gestión ordinaria de servicios se imponga obligatoriamente por una norma con rango de ley [art. 47.2.h) de la LBRL], sino que el legislador autonómico al regular esta institución ha optado también, y de forma mayoritaria, por considerar la atribución de la gestión ordinaria de los servicios periféricos de las comunidades autónomas como una decisión de carácter unilateral, sin ninguna o con una mínima intervención de las entidades locales afectadas[55].

---

les, admite también actuaciones jurídicas. Gallego Anabitarte, Alfredo: *Conceptos y principios fundamentales del Derecho de Organización, op. cit.*, p. 134 y Gallego Anabitarte, Alfredo: *Conceptos y principios fundamentales del Derecho de Organización, op. cit.*, p. 125-126.

54. Carácter obligatorio que queda patente cuando, en el ámbito doctrinal, se viene a equiparar esta figura a un supuesto de «gestión forzosa». Parada Vázquez, Ramón: *Régimen Jurídico de las Administraciones Públicas y del Procedimiento Administrativo Común (Estudio, comentarios y texto de la Ley 30/1992, de 26 de noviembre),op. cit.*, p. 116-117. En el mismo sentido, Muñoz Machado, Santiago: *Derecho Público de las Comunidades Autónomas, op. cit.*, p. 233.

55. Véase, por ejemplo, el artículo 21 de la Ley 3/1983, de 1 de junio, de Organización Territorial de la Comunidad Autónoma de Andalucía, donde se señalaba que «[...] la Comunidad Autónoma articulará sus servicios periféricos a través de las Diputaciones cuando su naturaleza permita la gestión ordinaria de aquéllos a través de éstas», sin tener en cuenta, por lo tanto, la voluntad de la propias diputaciones provinciales, las cuales pueden limitarse a aceptar o rechazar el encargo. En el mismo sentido, pueden citarse los artículos 11 y 12 de la Ley 8/1986, de 18 de noviembre, de Administraciones Públicas de Canarias.
No obstante, es también cierto que podemos encontrar algunos supuestos en que, partiendo del principio de autonomía local, sí que se exige la previa conformidad de los entes locales para poder asignarles la gestión ordinaria de los servicios autonómicos. Es el caso, por ejemplo, del artículo 17 de la Ley 7/1983, de 7 de octubre, de Descentralización Territorial y Colaboración con las entidades locales del Consejo de Gobierno de la Región de Murcia o de los artículos 141 y 142 del Decreto Legisla-

Finalmente, la encomienda de gestión podría diferenciarse también de la gestión ordinaria de servicios en que no supone el traspaso de los medios materiales o personales necesarios para el ejercicio de los servicios encomendados. Es más, la lógica de la encomienda de gestión es la contraria, puesto que, como decíamos, el encargo para la realización de una determinada actividad administrativa se justifica, precisamente, en motivos de eficacia o mejor aptitud gestora, al considerarse que el encomendado se encuentra puntualmente en mejores condiciones técnicas para asumir el desarrollo de dicha actividad (art. 15.1 LRJPAC)[56]. La gestión ordinaria, en cambio, aunque implica también la existencia de una entidad local a través de la cual gestionar los servicios autonómicos, no presupone obligatoriamente la existencia de la estructura organizativa y material óptima para su correcto desarrollo, sino que, para ello y con toda probabilidad, será necesario que se faciliten a la entidad local los medios económicos o materiales necesarios a tal efecto. Y es que, como hemos visto anteriormente, la gestión ordinaria de servicios nos aparece ligada más a objetivos tendentes a la voluntad de acercar el ejercicio de las funciones administrativas a los ciudadanos o a la reducción del gasto público –evitando la duplicación de estructuras organizativas– que no a la garantía de la eficacia y buen funcionamiento de una actuación administrativa concreta[57].

Más allá de estas consideraciones, fijar el momento temporal en el que la figura de la encomienda de gestión, tal y como la conceptualizamos hoy en día, se introdujo propiamente en nuestro ordenamiento jurí-

---

tivo 2/2003, de 28 de abril, por el que se aprueba el Texto refundido de la Ley Municipal y de Régimen Local de Cataluña.

56. FERNÁNDEZ FARRERES ponía también el acento en este elemento, señalando la dificultad de conciliar el traspaso de medios materiales y personales con las propias características de la encomienda de gestión. De ahí que, al analizar las encomiendas de gestión formalizadas entre el Estado y las Comunidades Autónomas en materia de intervención y regulación de los mercados agrícolas, a través de las cuales se traspasaban dichos medios, concluía que la encomienda de gestión, en estos supuestos, aparecía más bien como una vía indirecta y sustitutoria de la que debería de haberse utilizado, y que no era otra que la transferencia o, en su caso, delegación de competencias del artículo 150.2 de la Constitución. FERNÁNDEZ FARRERES, Germán: «Las encomiendas de gestión» op. cit., p. 679. En el mismo sentido, TORNOS MAS, Joaquín: «La reforma de la Administración periférica del Estado», en AA VV: La Administración del Estado en las Comunidades Autónomas, Institut d'Estudis Autonòmics, Barcelona 1997, p. 43, en el que se insiste en que, precisamente, lo que se pretende con la encomienda de gestión es utilizar los medios ya existentes en otra administración.

57. En este sentido se expresan, por ejemplo, MUÑOZ MACHADO, Santiago: Derecho Público de las Comunidades Autónomas, op. cit., p. 234 o HERNANDO OREJANA, Luis Carlos: La encomienda de gestión op. cit., p. 88-97.

dico resulta casi imposible. Ello se debe a que, a partir de los anteriores antecedentes normativos, el legislador, tanto estatal como autonómico, empezó a regular, de un modo disperso y sin aparente conexión, diferentes supuestos de traslación del ejercicio de determinadas actuaciones administrativas, a los que se empieza a denominar como *encomienda de gestión* o *encargo de gestión*. Sin embargo, en la mayoría de casos, no se definía su concepto ni se establecía de un modo preciso su alcance o sus posibles efectos jurídicos.

En este sentido, es habitual citar la Disposición Adicional Tercera de la Ley 15/1980, de 22 de abril, de creación del Consejo de Seguridad Nuclear, que preveía la posibilidad de encomendar el ejercicio de determinadas funciones del Consejo de Seguridad Nuclear a las comunidades autónomas; y también el artículo 115 de la Ley 29/1985, de 2 de agosto, de Aguas, que, de un modo más concreto, contemplaba la posibilidad de que la Administración General del Estado encomendase la gestión de la construcción y explotación de las obras hidráulicas de su competencia a las comunidades autónomas. Pero junto a estos supuestos tradicionales, podemos encontrar también otros muchos ejemplos que habitualmente han pasado completamente inadvertidos.

Estos ejemplos, como decíamos, se refieren a materias muy diversas y se contienen en tipos normativos también muy distintos, que van desde normas con rango estatutario, como es la «Encomienda de gestión al Ayuntamiento de Formentera» prevista en la Disposición Adicional Cuarta de Ley Orgánica 2/1983, de 25 de febrero, por la que se aprueba el Estatuto de Autonomía de las Illes Balears; hasta normas de carácter reglamentario, como el Decreto de la Consejería de Obras Públicas y Transportes de la Comunidad de Madrid, núm. 78/1985, de 17 de julio, por el que se aprueba el convenio para la regulación de las relaciones administrativas y económicas del Canal de Isabel II, en cuyo anexo se establecía la posibilidad de encomendar a dicha entidad la gestión y dirección de determinadas obras ya contratadas por la Administración autonómica madrileña.

Sin embargo, con el desarrollo de la organización administrativa propia de cada una de las comunidades autónomas, la figura de la encomienda de gestión empieza tímidamente a tomarse en consideración y a regularse, en algún caso, con un cierto grado de detalle. Así nos lo demuestra, por ejemplo, el artículo 47 de la Ley aragonesa 3/1984, de 22 de junio, de la Diputación General y de la Administración de Aragón, que, aún sin concretar expresamente en qué consistía, regula la encomienda de gestión de un modo bastante próximo al que conocemos hoy en día, previendo la posibilidad de que ésta se formalizara tanto entre órganos administrativos pertenecientes a un mismo Departamento, como a favor de un órgano u entidad de otra administración pública.

No obstante, como hemos apuntado, no será hasta la aprobación de la Ley 30/1992, de 26 de noviembre, de Régimen Jurídico de las Administraciones Públicas y del Procedimiento Administrativo Común, que la encomienda de gestión se dotará de una regulación específica y de carácter general, en la que se concretarán los principales elementos de su régimen jurídico.

2.2.2. La influencia del Derecho comparado: en particular, el caso italiano

Sin embargo, antes de entrar a analizar la regulación vigente de la LRJPAC, no podemos dejar de mencionar que, junto con los anteriores antecedentes normativos, la introducción de la encomienda de gestión en nuestro ordenamiento jurídico se ha nutrido también de aportaciones y experiencias provenientes de los países de nuestro entorno cultural y geográfico más cercano. Y es que es evidente que la previsión de mecanismos de relación entre las diferentes administraciones públicas que conforman un determinado sistema jurídico o las técnicas de transferencia del ejercicio de determinadas competencias entre ellas no es una característica única y exclusiva de nuestro ordenamiento, sino que es patrimonio común de los Estados compuestos. De ahí que el Derecho comparado pueda ofrecernos otros muchos ejemplos a través de los cuales articular dichas relaciones[58].

---

58. Junto a las aportaciones del Derecho italiano que seguidamente expondremos, nuestra doctrina más especializada ha puesto también de relieve la cercanía que nuestra encomienda de gestión podría guardar con el llamado «Organleihe» existente en el Derecho alemán y que consistiría en una especie de préstamo institucional de órganos a través del cual el Estado (o los Länder) encargarían a un determinado órgano de otra persona jurídico-pública la gestión de determinadas competencias propias. Sobre dicha institución, y en lengua castellana, podemos citar Gallego Anabitarte, Alfredo: *Conceptos y principios fundamentales del Derecho de Organización*, op. cit., p. 131-132; Gallego Anabitarte, Alfredo y De Marcos Fernández, Ana: *Derecho Administrativo I (Materiales)*, Ed. Molloy, Madrid 1989 o Gracia Retortillo, Ricard: «El nivel supramunicipal de gobierno local en Alemania», en *Revista d'Estudis Federals i Autonòmics*, núm. 11, octubre 2010, donde se expone principalmente el papel de la comarca (*Kreis*) como administración indirecta de los *Länder* alemanes (p. 112-114). En términos similares, Sánchez Morón se refiere a la administración por encomienda (*Auftragsverwaltung*) existente en los países germánicos y que describe la situación mediante la cual una determinada administración, normalmente descentralizada y más próxima al ciudadano, gestiona los servicios de la competencia de otra. Sánchez Morón, Miguel: *Derecho Administrativo. Parte General*, Ed. Tecnos, quinta edición, Madrid 2009, p. 252.

De entre estos ejemplos, la doctrina administrativista española ha destacado especialmente la influencia que el Derecho italiano ha tenido en esta materia, no sólo por las notables aportaciones que el modelo regional de este país ha tenido tradicionalmente en el desarrollo de nuestro propio sistema de organización territorial, sino también porque éste ha venido regulando un mecanismo de relación entre administraciones públicas que guarda un notable parecido con nuestra encomienda de gestión[59]. Nos referimos a la institución del «*avvalersi degli uffici*» (en adelante, «*avvalimento*»), prevista en la redacción inicial del artículo 118 de la Constitución italiana de 1948.

De forma muy similar a la gestión ordinaria de los servicios autonómicos que exponíamos anteriormente, la figura del *avvalimento* surgió también como una fórmula relacional dirigida a aligerar la organización administrativa italiana, evitando la creación de nuevas e inútiles estructuras burocráticas. Así, mediante el artículo 118 de la Constitución italiana[60], se permitía a las nuevas entidades regionales poder ejecutar normalmente las competencias administrativas que les asignaba el texto constitucional ya fuera delegándolas a los entes locales o bien a través de la utilización de los medios propios de éstos –*valiéndose* de sus propios medios–.

Partiéndose de la configuración de las regiones como «entidades de gobierno», con funciones prevalentemente legislativas, de programación, de impulso o dirección, se reservaba a los entes locales un papel esencialmente de gestión, de ejecución de las políticas administrativas regionales. De esta manera, mediante el *avvalimento* los municipios, provincias u otras entidades locales podían asumir la gestión material de unas determinadas funciones administrativas ajenas, pero sin que ello diera lugar a modificación alguna en el orden objetivo de competencias,

---

59. Se refieren a la influencia del Derecho italiano en la actual regulación de la encomienda de gestión, por ejemplo, ORTEGA ÁLVAREZ, Luis: «Órganos de las Administraciones Públicas», *op. cit.*, 77; HERNANDO OREJANA, Luis Carlos: *La encomienda de gestión op. cit.*, p. 157 o MORELL OCAÑA, Luis: *Curso de Derecho Administrativo I*, Ed. Aranzadi, tercera edición, Pamplona 1998, p. 242-243.
60. En concreto, el artículo 118 de la Constitución italiana de 1948 establecía lo siguiente: «Spettano alla Regione le funzioni amministrative per le materie elencate nel precedente articolo, salvo quelle di interesse esclusivamente locale, che possono essere attribuite dalle leggi della Repubblica alle Province, ai Comuni o ad altri enti locali. Lo Stato può con legge delegare alla regione l'esercizio di altre funzioni amministrative. La Regione esercita normalmente le sue funzioni amministrative delegandole alla Province, ai Comuni o ad altri enti locali, o *valendosi dei loro uffici*». Las cursivas son nuestras.

ni tan siquiera en lo que a su ejercicio formal se refería, puesto que éste seguía imputándose en todo caso a la entidad regional.

A pesar de que, inicialmente, la doctrina italiana destacó la utilidad de dicha fórmula relacional, por cuanto permitiría integrar a los diferentes niveles de administración local y regional existentes en el ordenamiento italiano, dando así una respuesta eficaz a las nuevas exigencias del texto constitucional de 1948[61], pronto se pusieron también de relieve las notables limitaciones con las que se había configurado dicha institución. Y es que la utilización de los medios propios de los entes locales italianos se limitaba a una colaboración meramente burocrática, en la que los municipios, provincias u otras entidades locales que pudieran resultar afectadas se ceñían solamente a poner sus *uffici*, esto es sus propios recursos humanos y materiales, a disposición de las regiones, como si de un órgano de éstas se tratara; quedando por lo tanto, en una posición de subordinación o dependencia funcional, limitada a ejecutar materialmente las decisiones regionales[62].

Por otro lado, y aunque la gran mayoría de los estatutos regionales italianos introdujeron al figura del *avvalimento* en sus respectivos ordenamientos –como, por ejemplo, el artículo 12 del Estatuto de la Región de Friuli Venecia-Giulia, aprobado mediante la Ley Constitucional 1/1968, de 31 de febrero o el artículo 69 del Estatuto de la Región de Lombardía, aprobado por la Ley 339/1971, de 22 de mayo– ninguno de ellos procedió a dar una actuación real a dichas previsiones, sino que las regiones optaron unánimemente por la creación de una organización administrativa propia, al margen de las entidades locales[63]. De manera

---

61. En este sentido, por ejemplo, BENVENUTI, Feliciano: «L'organizzazione impropia della Pubblica Amministrazione», en *Rivista Trimestrale di Diritto Pubblico*, 1956, p. 968-992 o POTOTSCHING, Umberto: «La delega di funzioni amministrative regionali agli enti locali», en *Foro Amministrativo*, III, 1971, p. 458-459.

62. Podemos citar, por ejemplo, ROVERSI-MONACO quien después de considerar al *avvalimento* como un mecanismo dirigido a la centralización regional del ejercicio de ciertas funciones, mediante la atracción del aparato burocrático local por parte del ente regional, calificaba dicho mecanismo de *atentado* a la autonomía de los entes locales. ROVERSI-MONACO, Fabio: *La delegazzione administrativa nel quadro dell'ordinamento regionale*, Giuffrè Editore, Milán, 1970, p. 145-150.
En términos similares, VANDELLI, Luciano: «Le regioni, le province, i comuni», en BRANCA, Giuseppe (Dir.): *Commentario della Costituzione*, volumen I, Zanichelli Editore-Foro Italiano, Bolonia 1985, p. 267-336 o CARETTI, Paolo: «L'utilizzazione degli uffici degli enti locali», en AA VV: *Scritti in onore di Constantino Mortati. Aspetti e tendenze del Diritto Costituzionale*, volumen II, Giuffrè Editore, Milan 1977, p. 585-590.

63. El caso más paradigmático podría ser el del artículo 48 del Estatuto de la Región del Véneto, aprobado por la Ley 340/1971, de 22 de mayo, en el que después de reproducirse en términos literales el artículo 118 de la Constitución italiana, en el

que, aunque el ordenamiento italiano siguió previendo la posible utilización de esta figura[64], la verdad es que el *avvalimento* quedó muy lejos de constituir uno de los supuestos normales de ejercicio de las funciones administrativas por parte de las regiones, tal y como preveía inicialmente el texto constitucional italiano[65].

Al mismo tiempo, hay que señalar que la reforma constitucional italiana del año 2001 vino a limitar aún más el espacio material en el que esta institución podía encontrar aplicación. Con la nueva distribución del poder público operada por la Ley Constitucional 3/2001, de 18 de octubre, se modificó, entre otras importantes cuestiones, la redacción del artículo 118 de la Constitución italiana, atribuyendo ahora directamente a los municipios el ejercicio de todas las funciones administrativas, excepto aquéllas que, para asegurar su ejercicio unitario, deban de conferirse a las provincias, a las ciudades metropolitanas, a las regiones

---

párrafo siguiente se habilitaba a la Región para la creación de su propio aparato administrativo.

64. En efecto, resulta posible encontrar numerosos ejemplos normativos en los que se regula la posible utilización de esta figura, como el artículo 7 de la Ley de la Región del Lazio núm. 16/1985, de 19 de febrero, en la que se prevé que la tramitación de determinadas solicitudes relativas a los programas regionales de energía podían ser gestionadas a través de la utilización de los medios de los municipios o provincias; o incluso el Decreto Legislativo 267/2000, de 18 de agosto, por el que se aprueba el Texto Único en materia de Entes Locales, sigue previendo aún con carácter general esta institución, señalando que «le regioni, ferme restando le funzioni che attengono ad esigenze di carattere unitario nei rispettivi territori, organizzano l'esercizio delle funzioni amministrative a livello locale attraverso i comuni e le province».

65. El propio BENVENUTI afirmaba ya que, a pesar de que inicialmente podía pensarse que la atribución de competencias administrativas a las regiones era una cuestión puramente formal o casi ficticia, que había sido realizada para poner de relieve una cierta graduación de los diferentes tipos de entes públicos, esta afirmación quedaba plenamente desvirtuada por el resto del texto constitucional italiano, del que resultaba claramente que «la Regione è concepita come un ente al quale compare l'effettivo esercizio delle funzioni amministrative di cui è titolare onde le è attribuita una struttura organica corrispondente alle necessità di quello effettivo esercizio». BENVENUTI, Feliciano: «L'organizzazione impropia della Pubblica Amministrazione», *op. cit.*, p. 971.

En términos parecidos, CAVALIERI califica también la experiencia regional en esta materia como claramente desilusionante, o CARINGELLA afirma que, a pesar de que el *avvalimento* es el método más inmediato de administración indirecta, ha sido también el menos utilizado, ya que la experiencia nos demuestra que las regiones o han delegado sus funciones *in toto* a los entes locales o bien las ejercen a través de su propia administración, por lo que «rarissimo, per tanto, è stato il concreto ricorso all'istituto in esame». Véase, CAVALIERI, Paolo: *Diritto regionale*, Ed. Cedam, Padua, 2000, p. 122 y CARINGELLA, Francesco (Dir.): *L'ordinamento degli enti locali nel Testo Unico*, IPSOA, segunda edición, 2001, p. 120.

o al Estado, sobre la base del principio de subsidiariedad, diferenciación y adecuación[66].

De este modo, ni el nuevo texto constitucional italiano ni los estatutos regionales reformados no se refieren ya a la institución del *avvalimento*, sino que a través de la introducción de los nuevos principios de distribución de las funciones administrativas, se reconoce de forma expresa y preferente a favor de los municipios la potencial titularidad de todas estas funciones. A pesar de que la doctrina italiana ha considerado que el silencio del texto constitucional no debía entenderse tampoco como una derogación tácita de esta figura –puesto que ésta siempre podía considerarse incluida dentro del concepto genérico de «conferimiento» de funciones a los entes locales previsto en el actual artículo 118.2 de la Constitución italiana– sí que, como decimos, ha reducido muy significativamente el espacio material en el que poder aplicarla. Toda vez que la nueva consideración constitucional de los entes locales (municipios y provincias) como uno de los niveles institucionales, junto al Estado y las regiones, en los que se organiza territorialmente la República italiana, ha llevado a cuestionar también la posible consideración del *avvalimento* como una relación de carácter orgánico o de dependencia funcional entre los entes locales y los restantes niveles de gobierno y administración[67].

---

66. El vigente artículo 118 de la Constitución italiana establece lo siguiente: «Le funzioni amministrative sono attribuite ai Comuni salvo che, per assicurarne l'esercizio unitario, siano conferite a Province, Città Metropolitane, Regione e Stato, sulla base dei principi di sussudiarietà, differenziazione ed adeguatezza».
La bibliografía italiana sobre la reforma constitucional del 2001 es muy abundante, especialmente en lo que se refiere a su impacto en la organización territorial. Sin ningún ánimo de exhaustividad podemos mencionar, entre muchos otros, PACCHIAROTTI, Andrea: *Federalismo amministrativo e riforma costituzionale delle autonomie*, Maggioli Editore, Santarcangelo di Romagna, 2004; GROPPI, Tania y OLIVETTI, Marco (Dir.): *La Repubblica delle Autonomie. Regione ed enti locali nel nuovo Título V*, G. Giappichelli Editore, Torino, 2001; BARTOLE, Sergio et alii: *Diritto Regionale. Dopo le riforme*, Ed. Il Mulino, Bolonia 2003; CHIEFI, Lorenzo, CLEMENTE DI SAN LUCA, Guido (Coord.): *Regioni ed enti locali dopo la riforma del Titolo V della Costituzione. Fra attuazione ed ipotesi di ulteriore revisioni*. G. Giappicheli Editore, Torí 2004; BOTTARI, Carlo (Coord.): *La riforma dil Titolo V, parte II della Costituzione*, Maggioli Editore, Santarcangelo di Romagna, 2003; ROLLA, Giancarlo: *Il sistema costituzionale italiano. L'organizzazione territoriale della Reppublica*, Giuffrè Editore, Milan 2005 o VANDELLI, Luciano: *Il sistema delle autonomie locali*. Ed. Il Mulino, tercera edición, Bolonia 2007. Asimismo, en lengua castellana, puede verse VELASCO CABALLERO, Francisco (Dir.): *Gobiernos Locales en Estados Federales y descentralizados: Alemania, Italia y Reino Unido*, Institut d'Estudis Autonòmics, colección Contextos, núm. 12, Barcelona 2010.
67. Sobre estas cuestiones puede verse DELL'ANNO, Paolo: «Utilizzazione di Uffici (Avvalimento)», en CASSESE, Sabino (Dir.): *Dizionario di Diritto Pubblico*, volumen I, Giuffrè Editore, Milán 2006, p. 6142-6144 o SEVERO SEVERI, Fabio: «Delegazione amministra-

2.2.3. De la Ley 30/1992, de 26 de noviembre, de Régimen Jurídico de las Administraciones Públicas a....

A pesar de que, como hemos visto, la figura de la encomienda de gestión estaba ya inicialmente prevista en el Proyecto de Ley de Régimen Jurídico de las Administraciones Públicas y del Procedimiento Administrativo Común aprobado por el Consejo de Ministros y presentado al Congreso de los Diputados (BOCG, Congreso de los Diputados, serie A, núm. 82-1, de 4 de marzo de 1992), éste se limitaba solamente a nombrarla, pero sin fijar en ningún momento ni su concepto ni su específico régimen jurídico[68]. Esta circunstancia –ampliamente criticada en el debate parlamentario[69]–, motivó la presentación de una enmienda por parte del Grupo Parlamentario Socialista en la que se introducía un nuevo artículo 15 bis al texto del Proyecto de Ley y en el que se regulaba con más detalle la encomienda de gestión.

Siguiendo las palabras del Sr. Mayoral Cortes, del Grupo Socialista, la introducción de dicha figura en nuestro ordenamiento jurídico se justificaba en la necesidad que tenía nuestro Derecho Administrativo de ir aportando elementos que fueran capaces «de abordar la complejidad

---

tiva e utilizzazione degli uffici», en AA VV: *Digesto delle disicipline pubblicistiche*, volumen IV, Ed. UTET, Turín, 1989, p. 552-557.

68. Al regular la competencia administrativa, el artículo 12 del citado Proyecto de Ley de Régimen Jurídico de las Administraciones Públicas y del Procedimiento Administrativo Común establecía solamente lo siguiente: «La competencia es irrenunciable y se ejercerá precisamente por los órganos administrativos que la tengan atribuida como propia, salvo los casos de delegación, sustitución, avocación, o encomienda de gestión, cuando se efectúe en los términos previstos en esta u otras leyes».

69. Podemos recordar, por ejemplo, las palabras del Sr. De Zarate y Peraza de Ayala, del Grupo Parlamentario Centro Democrático y Social (CDS) cuando, en el debate en la Comisión parlamentaria que debía aprobar el Proyecto de Ley de Régimen Jurídico de las Administraciones Públicas y del Procedimiento Administrativo Común, afirmaba que la encomienda de gestión «no es objeto de desarrollo, ni de definición, ni podemos saber a qué se refiere el autor del proyecto, porque no lo regula en ningún apartado posterior», añadiéndose que «parece ser que es una vía para eludir responsabilidades, por cuanto que no es formalmente una delegación. Cuando se trata de hacer algo que no le gusta a alguien, prefiere que se le encomiende a otro órgano de la Administración. Es un auténtico desastre introducir este precepto, puesto que es una expresión vacía que, repetimos, tiene que desarrollarse, al menos» (Diario de Sesiones del Congreso de los Diputados, núm. 483, de 16 de junio de 1992, p. 14219).
En el mismo debate y en términos parecidos, el Sr. Núñez Pérez, del Grupo Parlamentario Popular, consideraba la encomienda de gestión como un figura imprecisa «que sigue siendo un galimatías» (Diario de Sesiones del Congreso de los Diputados, núm. 483, de 16 de junio de 1992, p. 14222).

real de la vida, de la gestión de la vida cotidiana actual, de la complejidad que deriva de una pluralidad de administraciones, de la necesidad de coordinar la actuación de estas administraciones desde una perspectiva de pura voluntariedad»[70]. Así, una vez aprobada dicha enmienda, su texto se incorporó al Proyecto de ley, manteniéndose invariable hasta la definitiva aprobación de la Ley; dando lugar al vigente artículo 15 de la LRJPAC.

Sin entrar ahora a analizar en detalle la regulación concreta de la LRJPAC relativa a la encomienda de gestión –tarea que abordaremos en el siguiente *Capítulo* de nuestro trabajo– nos interesa simplemente apuntar algunas ideas generales al respecto. Podemos empezar destacando que la incorporación de esta figura al texto articulado de la Ley ha sido considerada mayoritariamente como uno de los aspectos más novedosos del Título II de la LRJPAC[71]. En efecto, con la regulación de la encomienda de gestión a nivel estatal no sólo se dota a esta figura de una definición normativa, sino que se confirma su aplicabilidad y se generaliza su utilización en el conjunto del ámbito jurídico-administrativo.

En este sentido, debemos recordar que la LRJPAC se dictó con carácter básico, en ejercicio de la potestad legislativa que el artículo 149.1.18 de la Constitución atribuye el Estado. Por lo que, sin perjuicio de lo que más adelante añadiremos, su contenido resulta directamente aplicable tanto para la Administración General del Estado, como para las administraciones de las comunidades autónomas y de las entidades que integran la administración local; así como también para las entidades de derecho público vinculadas o dependientes de ellas, siempre que ejerzan potestades administrativas (art. 2 LRJPAC). Entidades, todas ellas, que no sólo han asumido plenamente la figura de la encomienda de gestión en sus respectivos ordenamientos jurídicos sino que, además, han venido utilizándola de un modo regular y, en algunos casos, incluso excesivo.

Pero la regulación concreta de la encomienda de gestión prevista

---

70. Intervención del Sr. Mayoral Cortes, en representación del Grupo Parlamentario Socialista, en el debate de aprobación del Proyecto de Ley de Régimen Jurídico de las Administraciones Públicas y del Procedimiento Administrativo Común. Diario de Sesiones del Congreso de los Diputados, núm. 483, de 16 de junio de 1992, p. 14225.

71. Entre otros, HERNANDO OREJANA, Luis Carlos: *La encomienda de gestión, op. cit.,* p. 125; PARADA VÁZQUEZ, Ramón: *Régimen Jurídico de las Administraciones Públicas y Procedimiento Administrativo Común (Estudio, comentarios y texto de la Ley 30/1992, de 26 de noviembre), op. cit.,* p. 101; LUCAS MURILLO DE LA CUEVA, Enrique: «Órganos de las Administraciones Públicas (Artículos 11 a 29)», *op. cit.,* p. 243.

por la Ley 30/1992, de 26 de noviembre, presenta también algunos aspectos claramente mejorables. Nos hemos ya referido a la poca concreción con la que se regula la encomienda de gestión en la LRJPAC. Seguramente la amplitud con la que se expresa el artículo 15 de la LRJPAC se deba a una cierta voluntad de limitar la extensión de la Ley al establecimiento de unos principios básicos que pudieran ser posteriormente desarrollados por las comunidades autónomas. Sin embargo, consideramos que en este ámbito se podía haber sido un poco más riguroso, al efecto de concretar de un modo más claro algunos de sus elementos esenciales como, por ejemplo, su ámbito de aplicación subjetivo u objetivo. Es quizá por esta falta de concreción que GONZÁLEZ PÉREZ y GONZÁLEZ NAVARRO afirman que, más que una regulación completa y acabada, la LRJPAC contiene un boceto de configuración definitiva[72].

En el mismo sentido, resulta también cuestionable la deficiente técnica normativa con la que la LRJPAC se expresa en este ámbito, por dos motivos obvios: en primer lugar, porque una simple lectura de los artículos 12 y 15 de la LRJPAC –que son los únicos que se refieren específicamente a la encomienda de gestión– nos pone ya de relieve una cierta contradicción entre ellos. Así, mientras que el artículo 12.1 de la LRJPAC nos dice que la encomienda de gestión, la delegación de firma y la suplencia no suponen alteración de la titularidad de la competencia, pero *sí* de los elementos determinantes de su ejercicio, el artículo 15.2 de la LRJPAC nos señala que «la encomienda de gestión no supone cesión de la titularidad de la competencia ni de los elementos sustantivos de su ejercicio». En el próximo capítulo analizaremos esta cuestión de una forma más detallada, pero nos interesa ahora poner de relieve la aparente incongruencia entre ambos preceptos y la dificultad de establecer alguna diferencia, si es que la hay, entre los *elementos determinantes* del ejercicio de la encomienda a que se refiere el artículo 12.1 de la LRJPAC y los *elementos sustantivos* de su ejercicio previstos en el artículo 15.2 de la LRJPAC.

Siguiendo con la misma argumentación, y desde un punto de vista sistemático, la ubicación de los preceptos reguladores de la encomienda de gestión dentro del citado texto legal puede ser también, cuanto menos, discutible. Si prestamos atención a la ordenación de la LRJPAC nos daremos cuenta de que la regulación de la encomienda de gestión se prevé exclusivamente en el Título II de la LRJPAC, relativo a los órganos

---

72. GONZÁLEZ PÉREZ, Jesús y GONZÁLEZ NAVARRO, Francisco: *Comentarios a la Ley de Régimen Jurídico de las Administraciones Públicas y del Procedimientos Administrativo Común*, op. cit., p. 761.

de las administraciones públicas, con lo que parece olvidarse el hecho de que la propia LRJPAC admite también con total normalidad que la encomienda de gestión pueda concluirse, no sólo entre órganos administrativos, sino también entre personas jurídicas diferenciadas, ya pertenezcan éstas a la misma o diferente administración. En nuestra opinión, quizá hubiera sido más adecuado situar el régimen jurídico de dichas encomiendas de gestión dentro del Título I de la Ley, relativo a «las Administraciones Públicas y sus relaciones» o, como recientemente ha previsto la Ley catalana 26/2010, de 3 de agosto, de Régimen Jurídico y Procedimiento Administrativo de las Administraciones Públicas de Cataluña (en adelante, LRJCat), regulándolo en dos momentos diferentes, por ejemplo, al tratar el régimen de las competencias de los órganos administrativos y al regular las relaciones entre administraciones públicas diferenciadas[73].

Por lo demás, debemos tener también presente que el régimen jurídico particular de la encomienda de gestión no se agota solamente con lo establecido en los artículos 12 y 15 de la LRJPAC. Como decíamos, la Ley 30/1992, de 26 de noviembre, se aprobó con carácter de legislación básica, es decir, dirigida a fijar un mínimo común denominador, a partir del cual cada comunidad autónoma pudiera establecer sus propias regulaciones particulares, en defensa de sus respectivos intereses. En este sentido, la regulación de la encomienda de gestión prevista en dicha norma debe considerarse simplemente como un marco de referencia que, aún siendo de obligado cumplimiento, permite a las comunidades autónomas poder completar su régimen jurídico en atención a sus específicas circunstancias.

Y, como apuntábamos, algunas Comunidades Autónomas así lo han hecho[74], puesto que han procedido a incluir y regular de forma expresa

---

73. Como decimos, ésta es la opción mantenida por la Ley catalana 26/2010, de 3 de agosto, que no sólo regula la figura de la encomienda de gestión dentro del Título dedicado a los órganos administrativos (art. 10 LRJCat), sino que, además, la prevé también como uno de los instrumentos de colaboración interadministrativa (art. 116 LRJCat).
Sobre dicha regulación puede verse Gracia Retortillo, Ricard y Vilalta Reixach, Marc: «Las relaciones interadministrativas de las administraciones públicas de Cataluña», en Tornos Mas, Joaquín (Coord.): *Comentarios a la Ley 26/2010, de 3 de agosto, de Régimen Jurídico y Procedimiento de las Administraciones Públicas de Cataluña*, Ed. Iustel, Madrid 2012, p. 663-716.
74. A pesar de que son relativamente pocas las Comunidades Autónomas que han regulado de un modo general y detallado la encomienda de gestión en las leyes de régimen jurídico de la administración autonómica –salvo error por nuestra parte, solamente Andalucía, Aragón, Asturias, Comunidad Valenciana, Islas Baleares, La Rioja y Murcia y, más recientemente, Cataluña–, la totalidad de ellas ha hecho uso

la encomienda de gestión en sus respectivos ordenamientos jurídicos, dando lugar a la existencia de una gran variedad de disposiciones administrativas que, ya sea con carácter general o en un sector específico, desarrollan algún aspecto concreto de dicha figura o introducen alguna especialidad en un determinado ámbito material. Es por ello que para completar el régimen jurídico de la encomienda de gestión procederemos, siquiera brevemente, a señalar los principales elementos que pueden modular su marco normativo, agrupándolos en los tres grandes apartados que siguen a continuación, en función de su afectación al ámbito subjetivo u objetivo de la encomienda de gestión, o incluso a su denominación.

A. Modulaciones desde el punto de vista subjetivo

En primer lugar, y de forma totalmente coherente con su naturaleza básica, el artículo 15.3 de la LRJPAC prevé ya una primera remisión a su «normativa propia» para aquellas encomiendas de gestión que se produzcan entre órganos administrativos o entidades de derecho público pertenecientes a una misma administración. Por lo que la LRJPAC admite la posibilidad de que la normativa reguladora de las diferentes administraciones públicas pueda desarrollar el régimen jurídico de la encomienda de gestión, fijando, por ejemplo, los órganos que pueden suscribirla, el procedimiento para formalizarla o también las actividades que pueden ser susceptibles de encomendarse.

En este caso, la dimensión organizativa de la encomienda de gestión a la que antes nos referíamos se nos presenta en su máxima expresión. La encomienda de gestión es aquí contemplada en su vertiente interna, como un mecanismo de carácter organizativo, dirigido a la consecución de los fines de interés general asignados a una determinada entidad pública; por lo que se las habilita para que, en uso de sus facultades de autoorganización, puedan concretar en cada caso los requisitos específicos a los que deberá ajustarse la relación de encomienda.

Este sería el caso, por ejemplo, del artículo 18 de la Ley 2/1995, de 13 de marzo, de Régimen Jurídico de la Administración de Asturias, que regula la encomienda de gestión entre los diferentes órganos y entidades que conforman la Administración autonómica asturiana, o del artículo 2 del Real Decreto 341/1997, de 7 de marzo, que al establecer la estructura orgánica del Ministerio del Interior, regula la utilización de

---

de esta figura a partir del artículo 15 de la LRJPAC; previendo también disposiciones específicas dirigidas a desarrollar algún aspecto de su ejercicio.

la encomienda de gestión en un ámbito material y organizativo muy concreto, previendo que la Dirección General de Administración de la Seguridad podrá encomendar a los órganos correspondientes de la Dirección General de la Policía y de la Dirección General de la Guardia Civil la realización de las actividades de carácter material, técnico o de servicios que sean necesarios para el ejercicio de determinadas competencias, correspondiendo al Secretario de Estado de Seguridad regular el alcance y naturaleza de la gestión encomendada, así como determinar los órganos de las Direcciones Generales de la Policía y Guardia Civil encargados de llevarla a cabo.

Por lo que se refiere a las encomiendas de gestión que se concluyan entre órganos u entidades pertenecientes a diferentes administraciones públicas (a las que anteriormente habíamos denominado convencionalmente como encomiendas de gestión *interadministrativas*), la LRJPAC se limita a exigir la formalización del correspondiente convenio entre ellas. Ello nos lleva, en primer lugar, a tomar también en consideración la normativa básica aplicable a los convenios administrativos (cuya regulación se encuentra hoy en día en los artículos 5 a 8 de la LRJPAC). Pero, además, debemos tener presente que algunos legisladores autonómicos han procedido a desarrollar también el régimen general de las encomiendas de gestión interadministrativas previsto en la LRJPAC, especialmente en lo que a las relaciones entre las instancias autonómicas y locales se refiere.

Así, podemos citar, por ejemplo, los artículos 150-152 de la Ley 2/2003, de 11 de marzo, de Administración Local de la Comunidad de Madrid, que prevé la encomienda de gestión de las actividades de carácter material o de servicios de la competencia de la Comunidad de Madrid en todas o algunas de la entidades locales madrileñas, o el artículo 85.2 de la Ley riojana 1/2003, de 3 de marzo, de Administración Local, que señala que la Comunidad Autónoma de la Rioja, por razones de eficacia, podrá encomendar la realización de actividades de carácter material, técnico o de servicios de su competencia a las entidades locales.

Para aquellas comunidades autónomas que no hayan hecho uso de sus competencias normativas en esta materia, debemos tener en cuenta otra matización importante, puesto que el artículo 9 de la LRJPAC prevé expresamente que las relaciones entre la Administración General del Estado o de la Administración de la Comunidad Autónoma con las Entidades que integran la Administración Local –dentro de las cuales, obviamente, podemos incluir las relaciones competenciales que se establecen a través de la encomienda de gestión–, se regirán por la legislación básica en materia de Régimen Local, aplicándose la LRJPAC de modo meramente supletorio. Por lo tanto, la propia LRJPAC establece un cierto grado de exclusión de su ámbito de vigencia, declarando aplicable preferentemente la legislación básica en materia de régimen local a la hora de regular las relaciones interadministrativas que afecten a las administraciones Locales.

Sin embargo, como decíamos anteriormente, la LBRL no regula de forma específica esta figura. Más allá de prever la posible delegación de competencias del Estado, Comunidades Autónomas u otras entidades locales (art. 27 y 37 LBRL), así como la gestión ordinaria de los servicios autonómicos (art. 37 LBRL) –respecto de la cual hemos argumentado ya que no debe confundirse con la encomienda de gestión objeto de nuestro análisis– la LBRL no contiene ninguna previsión normativa concreta dirigida a fijar o modular el régimen jurídico de la encomienda de gestión. De modo que, ante el silencio de la LBRL en esta materia, deberíamos entender que en aquellos supuestos de ausencia de otra normativa autonómica de desarrollo, la encomienda de gestión en el ámbito local se seguiría regulando por lo previsto en el mencionado artículo 15 de la LRJPAC.

Finalmente, el artículo 15.5 de la LRJPAC prevé otra modulación del régimen jurídico básico de la encomienda de gestión en atención a los sujetos intervinientes, excluyendo de su ámbito de aplicación las encomiendas realizadas en favor de personas físicas o jurídicas sujetas al Derecho Privado. La regulación de estos encargos deberá acomodarse, según establece el mismo precepto y en lo que proceda, a la normativa aplicable en materia de contratos del Estado. Como veremos en los capítulos siguientes, la determinación del alcance de esta cláusula constituye, precisamente, uno de los principales interrogantes del actual régimen jurídico de la encomienda de gestión, tanto por lo que a la identificación de las entidades que pueden ser receptoras de estos encargos se refiere, como por las consecuencias que pueden derivarse de la aplicación a esta figura del vigente Texto refundido de la Ley de Contratos del Sector Público. Por lo que sirva por el momento dejar apuntada esta circunstancia, remitiendo a un momento posterior –en concreto en el *Capítulo III* de nuestro trabajo– el análisis jurídico de dicha exclusión.

B. *Modulaciones desde el punto de vista objetivo*

Pero, como decíamos antes, no sólo es posible encontrar especialidades normativas en función del ámbito subjetivo de aplicación de la encomienda de gestión, sino que, desde el punto de vista objetivo, debemos tener en cuenta también que la legislación administrativa que con carácter sectorial afecta directamente a la figura de la encomienda de gestión es cada vez más abundante, de ahí que podamos encontrar una gran diversidad respecto de las actuaciones materiales que pueden constituir su objeto.

La verdad es que nos resultaría ciertamente complejo exponer de forma singular todas las posibles referencias sectoriales a la encomienda de gestión existentes en nuestro ordenamiento jurídico, por lo que nos conformamos simplemente con citar algunos ejemplos que pueden resultar representativos de esta variedad y disparidad de supuestos. Así, entre muchos otros y junto con los anteriormente citados en relación con el Consejo de Seguridad Nuclear o la Ley de Aguas, podemos referirnos a la Ley 3/2001, de 26 de marzo, de Pesca Marítima, que prevé la posibilidad de que el Estado celebre encomiendas de gestión con las Comunidades Autónomas en materia de pesca litoral y pesca marítima recreativa (Disposición Adicional Octava); a la Ley 2/2002, de 29 de abril, de Aguas Residuales de Cantabria, que regula la encomienda de gestión de determinados trabajos materiales inherentes al control del funcionamiento de las instalaciones e infraestructuras de saneamiento y depuración (art. 24.2); o la posibilidad de encomendar a las comarcas la gestión de los montes públicos no incluidos en el Catálogo de Montes de Utilidad Pública prevista en el artículo 9 de la Ley aragonesa 15/2006, de 28 de diciembre, de Montes.

Igualmente, debemos incluir en este apartado aquellos supuestos en los que, como veíamos, se encomienda la gestión del servicio recaudatorio autonómico o local. Habíamos citado ya la encomienda de la gestión tributaria municipal en las comunidades autónomas u otras entidades locales que prevé la vigente Ley de Haciendas Locales, pero podemos añadir también otros supuestos autonómicos similares, como la encomienda de la recepción de declaraciones, autoliquidaciones y comunicaciones, así como la prestación del servicio de gestión de cobro en período voluntario y ejecutivo de los débitos de la Comunidad Autónoma de Canarias prevista en la Ley 9/2006, de 11 de diciembre, por la que se regula el Sistema Tributario de Canarias; o la posibilidad de que se encomiende la gestión de funciones materiales y de servicios propias de la Agencia Tributaria andaluza a favor de otras administraciones públicas en los términos que expone el artículo 30.2 de la Ley 27/2003, de 18 de diciembre, de la Agencia Tributaria de Andalucía.

Y, por último, como avanzábamos en el apartado anterior, queremos poner de relieve también la posible aplicación a las encomiendas de gestión de la legislación básica relativa a la contratación pública a la que nos referíamos anteriormente. Más allá de la citada remisión que el artículo 15.5 de la LRJPAC hacía de las encomiendas de gestión realizadas a favor de personas sujetas al Derecho Privado a la Ley de Contratos del Sector Público, debemos cuestionarnos también si el TRLCSP puede tener alguna otra incidencia sobre el régimen jurídico de la encomienda de gestión, por cuanto, como desarrollaremos en el *Capítulo III*, la definición de la encomienda de gestión que planteábamos al inicio de nuestro trabajo podría ser susceptible de encajar también con la definición de «*contrato público*» prevista tanto en las Directivas europeas de contratación como en la legislación española en esta materia[75].

En este sentido, podemos ya avanzar que, entre otros aspectos, el TRLCSP excluye de forma expresa de su ámbito de aplicación determinados supuestos de encomienda de gestión, especialmente cuando ésta se formaliza entre órganos u entidades pertenecientes a una misma administración pública [art. 4.1.n) TRLCSP]. Sin embargo, en el caso de las encomiendas de gestión realizadas entre órganos o entidades de derecho público pertenecientes a diferentes administraciones, la situación no resulta del todo clara. En primer lugar, porque el TRLCSP no las excluye de forma expresa de su ámbito de aplicación; pero además porque, a pesar de que el TRLCSP se declara como no aplicable a determinados convenios de colaboración interadministrativos, dicha exclusión operará simplemente cuando dichos convenios, por su naturaleza, no tengan la consideración de contratos sujetos a la Ley [art. 4.1.c) TRLCSP]. Sobre todas estas cuestiones volveremos más adelante.

C. *Modulaciones terminológicas*

Finalmente, hay que advertir que las especialidades normativas pueden llegar a afectar incluso a la propia denominación tradicional de esta figura administrativa –*encomienda de gestión*–, pues en aquellas Comunidades Autónomas con lengua propia (como es el caso de Cataluña, las Islas Baleares, la Comunidad Valenciana, Galicia o el País Vasco) dicha expresión se adapta o traduce a sus respectivos lenguajes; dando lugar, por lo tanto, a la utilización de otros términos equivalentes.

---

75. Como veremos posteriormente con más detalle, la Directiva 2004/18/CE, del Parlamento Europeo y del Consejo, de 31 de marzo, sobre coordinación de los procedimientos de adjudicación de los contratos públicos de obras, suministros y de servicios, nos define los «*contratos públicos*» como aquellos contratos onerosos, celebrados por escrito, entre uno o varios operadores económicos y uno o varios poderes adjudicadores, el objeto de los cuales sea uno de los expresamente previstos en dicha norma.

En este sentido, podemos comprobar como la terminología utilizada en dichos territorios para denominar a la encomienda de gestión no es uniforme sino que varía sensiblemente de una comunidad autónoma a otra. Así, mientras que en Galicia se alude a la *encomenda de xestión* (por ejemplo, en el artículo 8.3 de la Ley 5/1997, de 22 de julio, de Administración Local de Galicia), en la Comunidad Valenciana se habla de *comanda de gestió* (por ejemplo, en el artículo 150 de la Ley 8/2010, de 23 de junio, de Régimen Local de la Comunidad Valenciana), o en Cataluña se emplea normalmente el término *encàrrec de gestió* (como en el artículo 10 de la recientemente aprobada Ley 26/2010, de 3 de agosto, de Régimen Jurídico y Procedimiento de las Administraciones Públicas de Cataluña).

Sin embargo, entendemos que no debemos dar más trascendencia a dichas singularidades lingüísticas, puesto que con ellas no se pretende enfatizar ninguna diferencia sustancial con el régimen jurídico general de la encomienda de gestión previsto en el artículo 15 de la LRJPAC sino simplemente adaptar su terminología a los usos lingüísticos de cada comunidad autónoma. Y es que, además, debemos tener presente que cuando las diferentes iniciativas normativas autonómicas que regulan dicha institución se traducen al castellano para su publicación oficial el término utilizado es, en la práctica totalidad de los casos, el de «Encomienda de gestión».

La única excepción podríamos encontrarla en la Comunidad Autónoma catalana, en la que, a diferencia de los anteriores, en la publicación oficial en lengua castellana de las diferentes normas autonómicas, habitualmente se opta por traducir esta figura no como «encomienda de gestión» sino como «*Encargo* de gestión»[76]. El porqué de esta opción, a

---

76. Sería el caso, por ejemplo, de la ya citada Ley 26/2010, de 3 de agosto, de Régimen Jurídico y Procedimiento de las Administraciones Públicas de Cataluña, en cuyo artículo 10 –en la versión publicada en lengua castellana en el BOE núm. 203, de 21 de agosto de 2010– se regula no la encomienda de gestión sino el «Encargo de gestión». Denominación que podemos encontrar también en otras normas jurídicas como la Ley 31/2010, de 3 de agosto, reguladora del Área Metropolitana de Barcelona –en la versión publicada en lengua castellana en el BOE, núm. 231, de 23 de septiembre de 2010–.
Al margen del caso catalán, es también cierto que podemos encontrar algunos pocos ejemplos –como el artículo 1.2 del Decreto 80/2008, de 25 de julio, de la Agencia de Cooperación Internacional de las Illes Balears (BOIB, núm. 108, de 2 de agosto de 2008, p. 16)– en los que, en la publicación en lengua castellana de las diferentes normas autonómicas, se prefiere también la utilización del término «encargo de gestión». No obstante, en nuestra opinión, el carácter puramente anecdótico o aislado de estos ejemplos y el hecho de que dichas divergencias terminológicas no se traduzcan, en ningún caso, en regímenes jurídicos distintos, nos lleva a pensar que responden simplemente a una mera utilización incorrecta del lenguaje jurídico.

nuestro entender, no debe buscarse tampoco en la voluntad de diferenciar jurídicamente ambas figuras –puesto que no hay ninguna diferencia sustancial entre el régimen del *encargo* de gestión del artículo 10 de la Ley catalana 26/2010, de 3 de agosto y el régimen jurídico de la *encomienda* de gestión del artículo 15 de la LRJPAC– sino que la disparidad parece obedecer simplemente a razones de carácter lingüístico o de técnica legislativa.

Así nos lo demuestra, además, el hecho de que la Resolución del Departamento de Cultura de la Generalitat de Cataluña de 26 de noviembre de 1998, por la que se aprueban los términos normalizados por el Consejo Supervisor del TERMCAT (DOGC núm. 2794, de 28 de diciembre de 1998, p. 15954), prevea que el «*Encàrrec d'activitats que són competència d'òrgans administratius o d'entitats de dret públic a altres òrgans o entitats de la mateixa administració o d'una altra, sense que se'n cedeixi la titularitat*» pueda traducirse indistintamente por «encomienda de gestión» o «encargo de gestión». Por lo que, desde el punto de vista jurídico y en el ámbito territorial catalán ambas expresiones podrían ser absolutamente equivalentes.

En cualquier caso, pensamos que no está de más señalar que, aunque dichos términos puedan ser jurídicamente ambivalentes, resultaría mucho más coherente, a efectos de evitar confusiones y optar por un lenguaje jurídico común, utilizar solamente una única denominación, escogiendo preferentemente la expresión «encomienda de gestión». Aspecto éste que nos recuerda la interesante discusión acerca del carácter de legislación básica, a efectos del artículo 149.1.18 CE, que debe darse, en su caso, a la denominación concreta de una determinada institución[77].

Cuestión muy distinta es el uso inadecuado del término «encomienda de gestión» que, en ocasiones, podemos encontrar en nuestro

---

77. Sobre estas cuestiones pueden resultar de interés las reflexiones del Tribunal Constitucional en la Sentencia 31/2010, de 28 de junio, (Ponente: Sra. María Emilia Casas Baamonde) en la que se analiza la alteración de la denominación del ente local «provincia» por «veguería» prevista en el nuevo Estatuto de Autonomía de Cataluña. El Tribunal avala la constitucionalidad de dicho cambio al entender que es la provincia, como institución, la que aparece garantizada constitucionalmente y no su denominación. De modo que, en la medida que las veguerías catalanas reúnen en el EAC los caracteres típicos de la provincia, nada se opone a que, a efectos estrictamente autonómicos, las provincias catalanas pasaran a denominarse veguerías (FJ 41). En el mismo sentido, puede verse GRACIA RETORTILLO, Ricard: *La veguería como gobierno local intermedio en Cataluña. Encaje constitucional de su regulación estatutaria*, Ed. Huygens, Barcelona 2008, p. 196-203.

ordenamiento jurídico; cuando se utiliza esta terminología para denominar a supuestos que, en rigor, quedarían excluidos del ámbito de aplicación del artículo 15 de la LRJPAC, ya sea, por ejemplo, porque su objeto va más allá de la mera ejecución de actividades materiales, técnicas o de servicios; o porque se concluyen con personas sujetas al Derecho Privado[78]. Más adelante, al analizar el ámbito sujetivo de la encomienda de gestión, volveremos a hacer referencia a estas cuestiones, diferenciando la encomienda de gestión en sentido estricto, de otros negocios jurídicos a través de los cuales se realiza un encargo a un tercero al margen del régimen previsto en el artículo 15 de la LRJPAC y a los que la doctrina empieza a denominar como encomiendas o encargos *de ejecución*[79].

2.2.4. ... a las nuevas reformas estatutarias

Finalmente, y para terminar con el marco normativo aplicable a la encomienda de gestión, debemos hacer también una breve referencia al actual proceso de reformas estatutarias. El debate jurídico y político planteado entorno a los nuevos Estatutos de Autonomía –que, como sabemos, se ha extendido no sólo a los aspectos competenciales o financieros del sistema autonómico, sino también a la propia organización territorial e institucional de las comunidades autónomas– podría plan-

---

78. Igualmente, tal y como poníamos de relieve en el *Capítulo I* al aproximarnos al concepto de encomienda de gestión, tampoco deberían confundirse con la institución regulada en el artículo 15 de la LRJPAC aquellos supuestos en que nuestro ordenamiento utiliza el término «encomienda» de un modo amplio y no jurídicamente preciso, como sinónimo de cualquier encargo a un tercero. Por ejemplo, podemos citar el artículo 91.1 de la mencionada Ley catalana 26/2010, de 3 de agosto, en el que se prevé que las administraciones catalanas podrán «encomendar el ejercicio de funciones de inspección y control a entidades colaboradoras»; sin embargo, esta *encomienda* a la que se refiere dicho precepto no designa, en ningún caso, el título habilitante concreto para dicho encargo y mucho menos se refiere a la figura de la encomienda de gestión que estamos analizando.

79. Posteriormente entraremos a analizar estas cuestiones más detalladamente, valga ahora simplemente como referencia general, entre otros muchos, GIMENO FELIU, José María: «Encargos de ejecución a medios propios», en BERMEJO VERA, José (Dir.): *Diccionario de Contratación Pública*, Ed. Iustel, Madrid 2009, p. 313-321; CASTRO PASCUAL, José Mª: «Encomienda de gestión, contrato administrativo, encargo de ejecución», en AA VV: *La Administración instrumental. VIII Jornadas de Estudio del Gabinete Jurídico de la Junta de Andalucía*, Instituto Andaluz de Administración Pública, Sevilla 2005, p. 155-169; BERNAL BLAY, Miguel Ángel: «Las encomiendas de gestión excluidas del ámbito de aplicación de la Ley de Contratos de las Administraciones Públicas. Una propuesta de interpretación del artículo 3.1. letra l) del TRLCAP», *op. cit.*, p. 77-90 o AMOEDO SOUTO, Carlos: «El nuevo régimen jurídico de la encomienda de ejecución y su repercusión sobre la configuración de los entes instrumentales de las Administraciones Públicas», *op. cit.*, p. 261-294.

tearnos la pregunta de si las modificaciones que se han introducido en algunos de los textos estatutarios podrían afectar al marco legal vigente de la encomienda de gestión.

La respuesta a esta pregunta, en nuestra opinión, debe ser esencialmente negativa, por dos motivos. En primer lugar, porque una rápida consulta a las diferentes iniciativas aprobadas nos permite constatar que ninguno de los Estatutos de Autonomía reformados hasta la fecha se refiere, de forma expresa, al régimen jurídico de la encomienda de gestión. La única referencia a nivel estatutario la podemos encontrar nuevamente en el Estatuto de Autonomía de las Illes Balears, reformado por la Ley Orgánica 1/2007, de 1 de marzo (en adelante EAIB), y en cuyo artículo 133.6 se admite que dicha Comunidad Autónoma pueda encargar la gestión de determinadas funciones a la Agencia Tributaria de las Illes Balears, pero sin precisar con mayor detalle el régimen jurídico de dichos encargos[80].

Pero es que, además, debemos tomar nuevamente en consideración uno de los argumentos que poníamos de relieve anteriormente al analizar el fundamento constitucional de la encomienda de gestión. El hecho de que la jurisprudencia constitucional haya venido considerando que los mecanismos a través de los cuales se articulan las relaciones entre las diferentes administraciones públicas existentes en nuestro ordenamiento jurídico constituye hoy día uno de los aspectos incluidos dentro de la competencia legislativa básica del Estado en materia de «régimen jurídico de las Administraciones Públicas» (art. 149.1.18 CE)[81], supone

---

80. Si bien, en el caso de las Illes Balears hay que realizar aún otra matización puesto que la reforma estatutaria ha suprimido también la encomienda de gestión al Ayuntamiento de Formentera que se preveía inicialmente en la Disposición Adicional Cuarta de la Ley Orgánica 2/1983, de 25 de febrero, de Estatuto de Autonomía de las Illes Balears y que, como decíamos anteriormente, constituía una de las primeras referencias expresas a la figura de la encomienda de gestión que se prevén en nuestro ordenamiento jurídico.

81. Podemos citar, por ejemplo, la STC 76/1983, de 5 de agosto (Ponente: Sra. Gloria Begué Cantón), FJ 18 y, sobretodo, la anteriormente mencionada STC 31/2010, de 28 de junio (Ponente: Sra. María Emilia Casas Baamonde), en la que al analizar la constitucionalidad del nuevo Estatuto de Autonomía de Cataluña y, en particular, del artículo 160 del EAC relativo a las relaciones de la Generalitat catalana con las entidades locales de dicha Comunidad Autónoma, se afirma que el uso del término «exclusivo» se emplea de manera impropia en el EAC y que la competencia de la Generalitat en esta materia deberá respetar, en todo caso, la normativa básica del Estado acerca de las relaciones entre administraciones públicas (FJ 100).
Sobre ello, más extensamente, los comentarios de GALÁN GALÁN, Alfredo y GRACIA RETORTILLO, Ricard en *Revista Catalana de Dret Públic. Especial Sentencia 31/2010 del Tribunal Constitucional, sobre el Estatuto de autonomía de Cataluña de 2006*, núm. Extra, 2010, especialmente p. 238-244 o GRACIA RETORTILLO, Ricard y VILALTA REIXACH, Marc:

una notable limitación del alcance competencial de las comunidades autónomas en esta materia; cuya capacidad normativa debería circunscribirse principalmente al desarrollo del marco normativo básico fijado por el Estado.

Sin embargo, esto no significa que los nuevos Estatutos de Autonomía no contengan disposiciones que, aún sin entrar a regular de forma expresa la encomienda de gestión, no puedan afectar indirectamente a su régimen jurídico. El caso más evidente se produce en el marco de las nuevas competencias estatutarias en materia de régimen jurídico y procedimiento administrativo asumidas por algunas Comunidades Autónomas –como, por ejemplo, la catalana, a través del artículo 159.1 de la Ley Orgánica 6/2006, de 19 de julio, de reforma del Estatuto de Autonomía de Cataluña (en adelante EAC) o la andaluza, en el artículo 47.1 de la Ley Orgánica 2/2007, de 19 de marzo, de reforma del Estatuto de Autonomía de Andalucía (en adelante EAAnd.)– y que les permitiría no sólo introducir, con carácter exclusivo, las especialidades procedimentales y organizativas específicas de su sistema administrativo, sino también desarrollar las bases del régimen jurídico de las administraciones públicas fijado por el Estado sobre la base del artículo 149.1.18 de la Constitución, entre las que encontraríamos la regulación de la encomienda de gestión del artículo 15 de la LRJPAC.

Precisamente, derivada de estos nuevos títulos competenciales autonómicos, debemos mencionar la reciente Ley catalana 26/2010, de 3 de agosto, de Régimen Jurídico y de Procedimiento de las Administraciones Públicas de Cataluña, que, como enuncia su título, regula el régimen jurídico del sistema institucional de la Generalitat de Cataluña, previendo expresamente, entre otras muchas cuestiones de interés, la figura de la encomienda de gestión (art. 10 y 116 LRJCat). Por lo que a partir de esta norma se desarrolla, de un modo general, y por primera

---

«Las relaciones interadministrativas de las administraciones públicas de Cataluña», en TORNOS MAS, Joaquín (Coord.): *Comentarios a la Ley 26/2010, de 3 de agosto, de Régimen Jurídico y Procedimiento de las Administraciones Públicas de Cataluña*, op. cit., p. 671-679.

Por otro lado, indicar que, desde un punto de vista doctrinal, son también muchos los autores que se han ocupado de analizar esta cuestión. Recientemente destaca PAREJO ALFONSO quien entiende que la regulación de las relaciones entre las administraciones que integran el poder público administrativo no es más que la continuación, en sede legislativa ordinaria, de la organización constitucional del Estado. PAREJO ALFONSO, Luciano: «Notas para una construcción dogmática de las relaciones interadministrativas», *op. cit.*, p. 165-166. En el mismo sentido, FERNÁNDEZ MONTALVO, Rafael: *Relaciones interadministrativas de colaboración y cooperación*, Ed. Marcial Pons-Diputación de Barcelona, Madrid, 2000, p. 31.

vez en el ámbito normativo de Cataluña, el régimen jurídico de la encomienda de gestión.

Pero, además, hay que tener también muy presentes las nuevas competencias estatutarias en materia de régimen local. Como hemos señalado en otras ocasiones, los nuevos Estatutos de Autonomía prestan una mayor atención a las relaciones de colaboración entre las instancias autonómicas y las entidades locales; atribuyendo su regulación, generalmente con carácter exclusivo, a las respectivas Comunidades Autónomas[82]. Es el caso, por ejemplo, del artículo 160.1.a) del citado Estatuto de Autonomía de Cataluña, del artículo 60.1.a) del Estatuto de Autonomía andaluz o del artículo 71.5 de la Ley Orgánica 5/2007, de 20 de abril, de reforma del Estatuto de Autonomía de Aragón (en adelante EAA), los cuales podrían dar lugar también a la introducción de especialidades normativas propias en lo que a la regulación de la encomienda de gestión en el ámbito local se refiere. Como en el caso anterior, a pesar de que dichas regulaciones pudiesen desplazar en su territorio la aplicación de la LBRL no podrían evitar el cumplimiento de las reglas básicas estatales en materia de relaciones administrativas que, como decíamos, seguirían siendo aplicables para el conjunto de las administraciones públicas españolas. De ahí que las nuevas leyes autonómicas en materia de régimen local –como, por ejemplo, la reciente Ley 8/2010, de 23 de junio de Régimen Local de la Comunidad Valenciana o la también novedosa Ley 5/2010, de 11 de junio, de Autonomía Local de Andalucía–, a pesar de prever de forma expresa la encomienda de gestión, se limiten esencialmente a reproducir aquello establecido con carácter básico en la LRJPAC[83].

---

82. Sobre las competencias estatutarias en materia de régimen local, así como los nuevos mecanismos de colaboración previstos en los nuevos Estatutos de Autonomía pueden verse, entre otros, FONT I LLOVET, Tomàs: *Gobierno local y Estado Autonómico*, Fundación Democracia y Gobierno Local, Madrid 2008 y VILALTA REIXACH, Marc: *El Consejo de gobiernos Locales. La nueva participación de los entes locales en las Comunidades Autónomas*, Ed. Iustel, Madrid, 2007, p. 69-70.
83. En este sentido, véase el artículo 150 de la citada Ley 8/2010, de 23 de junio, de Régimen Local de la Comunidad Valenciana, así como el artículo 23 de la también mencionada Ley 5/2010, de 11 de junio, de Autonomía Local de Andalucía.

Capítulo II

Régimen jurídico de la encomienda de gestión

En las páginas precedentes, y a partir de la regulación básica prevista en la LRJPAC, hemos establecido una primera definición de la figura de la encomienda de gestión vigente en nuestro ordenamiento jurídico, que nos ha permitido situarla en nuestro contexto institucional y exponer también su marco normativo de referencia. Sin embargo, más allá de ayudarnos a realizar una primera aproximación a la encomienda de gestión son muchos los interrogantes que sobre su régimen jurídico nos quedan aún por resolver, por lo que nos corresponde ahora pasar a analizar, de un modo más detallado, dichas cuestiones, intentando dar una respuesta más concreta a cada una de las dudas que nos planteábamos anteriormente.

A tal efecto, dividiremos nuestra exposición en cinco grandes apartados; analizando, en primer lugar, cuáles son los presupuestos habilitantes de la encomienda de gestión, en segundo lugar, la determinación de su ámbito de aplicación subjetivo, pasando seguidamente a examinar su ámbito de aplicación objetivo, para referirnos, finalmente, a sus requisitos formales y a los efectos jurídicos que se derivan de su ejercicio.

1. PRESUPUESTOS HABILITANTES DE LA ENCOMIENDA DE GESTIÓN: EFICACIA Y FALTA DE CAPACIDAD DE GESTIÓN

En el *Capítulo I* de nuestro trabajo nos habíamos referido al fundamento constitucional de la encomienda de gestión, entendiendo que ésta se nos presentaba como una herramienta dirigida, principalmente, a mejorar la organización y el funcionamiento de la gestión administrativa. De ahí que entendiéramos que dicha institución guardaba una especial relación con el principio constitucional de eficacia previsto en el artículo 103.1 de la Constitución.

Sin embargo, y aunque el principio constitucional de eficacia nos sirvió inicialmente para justificar la existencia de esta figura en nuestro ordenamiento jurídico, en esta ocasión nos interesa retener que este principio se configura también como un límite negativo para su aplicación. Y es que, de acuerdo con su fundamento constitucional, el artículo 15.1 de la LRJPAC circunscribe la posibilidad de encomendar la realización de determinadas actividades materiales únicamente cuando concurran «razones de eficacia o cuando no se posean los medios materiales para su desempeño». De esta manera, estas dos circunstancias –la mejora de la eficacia en la actuación administrativa o la carencia de los medios técnicos necesarios– se configuran legalmente como los dos presupuestos habilitantes que deben concurrir de forma indispensable para la correcta utilización de esta figura.

1.1. EL CARÁCTER RESTRICTIVO DE LA ENCOMIENDA DE GESTIÓN

La primera consecuencia que derivaría de la exigencia de justificar la encomienda de gestión en la concurrencia de determinadas circunstancias materiales reside en el necesario carácter restrictivo que debe presidir su ejercicio. En efecto, la encomienda de gestión, en cuanto constituye una modulación al principio de irrenunciabilidad de las competencias administrativas que caracteriza nuestro sistema jurídico-administrativo (art. 12.1 LRJPAC)[84], debe interpretarse de un modo restrictivo, limitando su aplicación a aquellos supuestos que se adecuen estrictamente a los motivos que justifican su existencia. Motivos que, como decíamos, no son otros que la búsqueda de una mayor eficacia y una mejor gestión de la actuación pública (art. 15.1 LRJPAC).

La encomienda de gestión, en cuanto que elemento de tensión entre el principio de irrenunciabilidad y el principio constitucional de eficacia[85], responde esencialmente a la necesidad de flexibilizar o modular

---

84. Como han puesto de relieve GARCÍA DE ENTERRÍA y FERNÁNDEZ RODRÍGUEZ, el principio de irrenunciabilidad de competencias parte de la consideración que las potestades públicas atribuidas por el ordenamiento jurídico son materias inalienables, intransmisibles e irrenunciables por sus titulares en cuanto creación del Derecho objetivo supraordenado a éstos. Añadiéndose que los titulares de las diferentes potestades pueden ejercitarlas o no, pero no pueden transferirlas, salvo que la propia Ley permita la delegación de su ejercicio. GARCÍA DE ENTERRÍA, Eduardo y FERNÁNDEZ RODRÍGUEZ, Tomás Ramón: *Curso de Derecho Administrativo, op. cit.*, p. 445. En el mismo sentido, DE LA CUÉTARA, Juan Miguel: *Las potestades administrativas*, Ed. Tecnos, Madrid 1986, p. 46.

85. MESEGUER YEBRA, Joaquín: «La encomienda de gestión como técnica de modulación competencial interorgánica. Régimen jurídico y aplicación práctica: virtudes y defectos», en *Revista Gallega de Administración Pública*, núm. 38, septiembre-diciembre

el carácter indisponible de las competencias administrativas en aquellos supuestos en que, de otro modo, se podría poner en riesgo el normal y correcto desarrollo de las funciones de las administraciones públicas, por cuanto su titular originario no se encontraría en disposición de ejercerlas de un modo eficaz. De ahí que debamos destacar el carácter *patológico* o *anómalo* que caracterizaría su presupuesto habilitante: y es que ésta procede solamente cuando el titular de una determinada competencia administrativa no pueda ejercerla eficazmente; recabando para ello la asistencia material de otro órgano o entidad de derecho público.

Nuestro Tribunal Supremo se ha referido también, aunque de manera indirecta, al carácter restrictivo que debe guiar la utilización de la encomienda de gestión. En la Sentencia de la Sala de lo Contencioso-administrativo de 15 de julio de 2010 (Ponente: Sr. Juan Carlos Trillo Alonso, núm. recurso 23/2008), al analizar la conformidad a Derecho de la habilitación para el ejercicio de determinadas funciones inspectoras prevista en el artículo 123.2 del Real Decreto 1720/2007, de 21 de diciembre, por el que se aprobó el Reglamento de desarrollo de la Ley Orgánica de Protección de Datos de Carácter Personal, se afirmaba que dicha habilitación no podía considerarse como una encomienda de gestión pues, entre otras razones, «la mención del precepto reglamentario a supuestos excepcionales, por su falta de concreción supone la apertura de un amplio campo para la designación que está reñida con el *limitado y específico de la encomienda de gestión*» (FJ 22)[86].

Es, precisamente, a partir de este carácter restrictivo con el que definimos la encomienda de gestión que entendemos equivocada la configuración que se realiza a veces de esta institución como un instrumento para profundizar en la descentralización administrativa o funcional o, como literalmente afirma la reciente Ley 8/2010, de 23 de junio, de Régimen Local de la Comunidad Valenciana, para «garantizar una prestación más cercana a la ciudadanía» (art. 150 Ley 8/2010). Desde nuestro punto de vista, la funcionalidad de la encomienda de gestión –a diferencia de otras figuras similares como la delegación de competencias del artículo 13 de la LRJPAC– no se encuentra en la voluntad de dar mayor participación a otras entidades en la gestión de determinadas actividades públicas ni acercar la gestión administrativa a los ciudadanos, sino en encontrar una solución a una situación de insuficiencia de medios

---

2004, p. 126. En el mismo sentido, FERNÁNDEZ FARRERES, Germán: «La delegación de competencias y la encomienda de gestión», *op. cit.*, p. 148.

86. Las cursivas son nuestras.

materiales o de mejora de la eficacia[87]. Además, el hecho de que, como señala el artículo 15.2 de la LRJPAC, la encomienda de gestión no suponga la cesión de la titularidad de las competencias ni de los elementos sustantivos de su ejercicio, sino la mera realización de actividades de carácter material en nombre del encomendado, nos pone de relieve también que éste no es el instrumento más idóneo para la ampliación de las competencias ejecutivas de las diferentes entidades públicas en que se organiza territorialmente nuestro Estado.

Aún así, no se nos escapa que, especialmente en el ámbito de la Administración Local y ante las denunciadas reticencias del legislador ordinario, tanto estatal como autonómico, a desplegar procedimientos de descentralización de competencias mínimamente ambiciosos, la figura de la encomienda de gestión podría ser un primer paso para reconocer nuevos ámbitos de actuación a aquellas entidades locales que estén en mejores condiciones de asumir su desarrollo, incrementando su responsabilidad, aunque fuera simplemente sobre la ejecución material de determinadas actividades[88]. Pero en todo caso, entendemos que ello

87. Esta misma conclusión es la que se sostiene en un estudio publicado por la Fundació Pi i Sunyer d'Estudis Locals i Autonòmics sobre la posible descentralización de competencias de la Generalidad de Cataluña hacia los entes locales catalanes, en el que, precisamente, se descartaba la encomienda de gestión como instrumento jurídico para formalizar dicho proceso descentralizador. GALÁN GALÁN, Alfredo (Ed.): *La descentralització de competències de la Generalitat als ens locals de Catalunya*, volumen I, Fundació Carles Pi i Sunyer d'Estudis Locals i Autonòmics, Barcelona 2006, p. 157-159. En el mismo sentido, pero analizando la descentralización de competencias del Estado en las Comunidades Autónomas, FERNÁNDEZ FARRERES, Germán: «Los mecanismos para la ampliación de las competencias ejecutivas de las comunidades autónomas: la transferencia, la delegación, el encargo de gestión, los convenios y los consorcios», *op. cit.*, p. 25.
Y al mismo resultado llega el análisis de JIMÉNEZ ASENSIO, para el cual la virtualidad de la encomienda de gestión se sitúa en su vertiente racionalizadora de la planta de las Administraciones Públicas y del ejercicio de sus tareas ejecutivas, «puesto que no es propiamente ningún mecanismo que facilite el proceso de descentralización administrativa». JIMÉNEZ ASENSIO, Rafael: *La «Administración única» en el Estado Autonómico, op. cit.*, p. 138. Por su parte, ALBERTÍ ROVIRA ha puesto también el acento en el carácter restrictivo con el que debe interpretarse la figura de la encomienda de gestión, afirmando que constituye «un recurso que debe ser utilizado de manera adecuada y prudente, en la medida en que consiste, en el marco de un propósito general de auxilio, en el encargo para realizar actividades puramente materiales, sin que pueda ofrecer cobertura suficiente a trasvases competenciales». ALBERTÍ ROVIRA, Enoch: «La reforma de la Administración periférica: técnicas orgánicas, relacionales y competenciales», en AAVV: *La Administración del Estado en las Comunidades Autónomas*, Institut d'Estudis Autonòmics, Barcelona 1997, p. 359.
88. La propia Federación Española de Municipios y Provincias (FEMP) se ha referido a esta posibilidad en su documento «Bases para el Pacto Local» aprobado por su Comisión Ejecutiva el 24 de Septiembre de 2006, considerando la encomienda de

debería ser una solución meramente provisional o inicial, que no colmaría, en ningún caso, las exigencias mínimas de la autonomía local constitucionalmente reconocida; debiéndose de proceder, en su caso, a la delegación de dichas competencias a las mencionadas entidades o a su redistribución mediante la atribución por parte del ordenamiento jurídico de estas tareas como competencias propias de los entes locales.

De forma similar, creemos que la encomienda de gestión no puede configurarse tampoco como un modo de gestión de los servicios públicos. El carácter restrictivo con el que definimos esta institución y, sobretodo, los presupuestos concretos de falta de eficacia o de carencia de los medios materiales necesarios que habilitan para su ejercicio, impiden que ésta pueda configurarse como una de las formas normales u ordinarias de prestación de los servicios públicos por parte de las diferentes administraciones previstas en nuestro ordenamiento[89]. Y es que la posición jurídica del encomendado no se caracterizaría por la voluntad de asumir, bajo su propia responsabilidad, la prestación de un determinado servicio para la ciudadanía, sino que se parte de una perspectiva totalmente contraria: la encomienda de gestión supone la realización puntual de una determinada actividad material, técnica o de servicios hacia el encomendante –y, como veremos, sin trascendencia jurídica *ad extra*–, a consecuencia de su incapacidad gestora y que se justifica en el deber de colaboración administrativa al que antes hacíamos referencia.

1.2. EL *DEBER* DE MOTIVAR LA UTILIZACIÓN DE LA ENCOMIENDA DE GESTIÓN

Por lo demás, la enumeración de los supuestos exactos que podrían habilitar para la utilización de la encomienda de gestión resulta ciertamente difícil, por cuanto las razones de eficacia o la carencia de medios técnicos «idóneos» a los que se refiere el artículo 15.1 de la LRJPAC nos

---

gestión como una fórmula adecuada para la articulación del mencionado Pacto Local. Y en el mismo sentido se han expresado algunos de nuestros autores, por ejemplo, BAS SORIA, José Juan y ORTS NEBOT, Raquel: «La encomienda de gestión como fórmula para profundizar las competencias locales», en AAVV: *Un pacto Local para el siglo XXI: una visión abierta desde la Comunidad Valenciana*, Fundació Vives per l'Humanisme i la Solidaritat, Valencia 2000, p. 261-277 o SANZ RUBIALES, Iñigo: «Refuerzo competencial», en *Revista Jurídica de Castilla y León*, número extraordinario, octubre 2006, p. 74.

89. Sobre los diferentes modos de gestión de los servicios públicos y los problemas que se derivan de ellos podemos remitirnos al clásico ALBI, Fernando: *Tratado de los modos de gestión de las corporaciones locales*, Ed. Aguilar, Madrid 1960 o también, entre otros, SOSA WAGNER, Francisco: *La gestión de los servicios públicos locales*, Ed. Thomson-Civitas, séptima edición, Madrid 2008.

remiten a conceptos jurídicos indeterminados, cuya concreción supone valorar una gran diversidad de elementos: desde la racionalidad gerencial a la optimización de los recursos públicos, pasando por la ponderación de los medios disponibles y la calidad o temporalidad con la que deben prestarse o ejecutarse determinados servicios o actuaciones, etc.[90].

En este sentido, SÁNCHEZ SÁEZ en su trabajo sobre la encomienda de gestión nos ofrece un listado de criterios que, a su entender, podrían justificar la utilización de esta figura, diferenciando entre: criterios de eficiencia (la posibilidad de llevar a cabo una actuación con menores costes pero con la misma calidad) y razones de índole técnica (contar con los medios específicos o instrumentales necesarios para una determinada actuación), a los que se añaden motivos de carácter estrictamente jurídico (como la descentralización o la subsidiariedad)[91]. A pesar

90. Con carácter anecdótico, para destacar la amplitud de causas o motivos que pueden explicar el recurso a la figura de la encomienda de gestión, podríamos mencionar el Convenio de encomienda entre el Ayuntamiento de Bembimbre y el Ayuntamiento de Fabero, de 12 de febrero de 2010, para la instrucción de expedientes sancionadores del personal municipal (BOP-León, núm. 35, de 19 de febrero de 2010, p. 9-10), según cuyo Apartado Primero se justificaría, literalmente, en que la reducida dimensión de la plantilla de personal funcionario municipal de ambos ayuntamientos provoca que los nombramientos de los funcionarios responsables de la instrucción de los expedientes disciplinarios del personal municipal recaigan en personas que generalmente tienen o pueden tener lazos de amistad o enemistad manifiesta con el presunto inculpado, lo que origina un conflicto de intereses que provocaría causas de abstención por parte de los funcionarios, o motivos de recusación de los mismos por parte del resto de interesados. De este modo, para garantizar una mayor eficacia en la gestión pública –en el sentido de asegurar la imparcialidad y la objetividad de la actuación municipal– se encomienda recíprocamente la instrucción de dichos expedientes sancionadores a cada uno de los citados Ayuntamientos.
No menos interesante resulta también el Convenio de encomienda de gestión suscrito entre la Administración General del Estado y la Administración de la Comunidad Autónoma de Andalucía de 7 de abril de 2011, por el que se encomienda a dicha Comunidad Autónoma la gestión en materia de recursos y aprovechamientos hidráulicos correspondientes a las aguas del Guadalquivir que discurren íntegramente por el territorio de la Comunidad Autónoma de Andalucía (BOE núm. 161, de 7 de julio de 2011, p. 71758-71763). El origen de dicho Convenio se encuentra en la declaración de inconstitucionalidad del artículo 51 del Estatuto de Autonomía de Andalucía, lo que obliga a arbitrar, a través de la encomienda de gestión, una solución inmediata y temporal que garantice la correcta gestión material de los recursos y aprovechamientos hidráulicos del Guadalquivir durante el período transitorio hasta que la Confederación Hidrográfica del Guadalquivir pueda volver a asumir plenamente los medios personales, materiales y financieros que, en virtud del precepto anulado, habían sido ya traspasados a la Junta de Andalucía.
91. SÁNCHEZ SÁEZ, Antonio José: «Algunas reflexiones sobre la encomienda de gestión como instrumento racionalizador del ejercicio de las competencias administrativas», op. cit., p. 252. Otros autores se han referido también a los supuestos habilitantes

de que, como señalábamos anteriormente, discrepamos de la identificación de la encomienda de gestión como un mecanismo para acercar la
gestión administrativa a los ciudadanos –y, por lo tanto, como un instrumento al servicio de la descentralización administrativa o la subsidiariedad–, la anterior clasificación nos sirve para identificar, de un modo
general, algunas de las circunstancias que podrían habilitar la utilización de la encomienda de gestión. Pero sobretodo nos interesa retener
este listado por cuanto nos sirve para poner de relieve la importancia
que en esta materia puede tener la motivación expresa de la actuación
administrativa como vía para dar a conocer los argumentos que fundamentan su utilización concreta.

En efecto, la encomienda de gestión no debería entenderse como
un mecanismo a disposición de las administraciones públicas completamente libre y aplicable a cualquier supuesto, sino que debería de poder
justificarse en datos objetivos, derivados de la mayor capacitación técnica, económica o personal de la entidad encomendada. Como ha señalado GIANNINI, la actividad administrativa es una actividad *funcionali-
zada*, lo que significa que tienen trascendencia jurídica no sólo los actos
concretos, sino también los motivos por los cuales la Administración
actúa en un determinado sentido, puesto que éstos permiten que sea
posible controlar la actividad administrativa y verificar su adecuación
al fin que persiguen[92]. De este modo, y partiendo del carácter restrictivo
que debería caracterizar el empleo de esta figura, entendemos que debería de ser exigible que en el instrumento a través del cual se formalizara
dicha encomienda se hiciera referencia a las circunstancias que habilitan
a la utilización de esta figura[93].

---

que justificarían la encomienda de trabajos a determinadas entidades, expresándose
en términos similares. Por ejemplo, AMOEDO SOUTO, al estudiar el régimen jurídico
de la empresa pública Transformación Agraria, SA (en adelante, TRAGSA), señala
que los encargos de trabajos a dicha entidad se explicarían en base a dos grandes
finalidades: a) la mejor capacidad de la Administración para acometer una determinada actuación, es decir, la especialización de TRAGSA y b) la mayor rapidez en su
ejecución. AMOEDO SOUTO, Carlos: *TRAGSA. Medios propios de la Administración y huida
del Derecho administrativo*, Ed. Atelier, Barcelona 2004, p. 96.

92. GIANNINI, Masimo Severo: *Diritto Administrativo*, volumen II, tercera edición, Ed.
Giuffrè, Milán, 1993, p. 7. En nuestro ordenamiento jurídico, se han referido a la
importancia de la motivación de los actos administrativos como una técnica para el
control de la discrecionalidad administrativa, entre otros, FERNÁNDEZ RODRÍGUEZ, Tomás Ramón: *Arbitrariedad y discrecionalidad*, Ed. Civitas, Madrid 1991 o DESDENTADO
DAROCA, Eva: «La motivación de los actos administrativos y su control. Reflexiones
críticas sobre las últimas orientaciones», en *Revista Vasca de Administración Pública*,
núm. 84, 2009, p. 85-134.

93. Justificación que nos recuerda, en parte, a la obligación de acreditar documental-
mente la necesidad e idoneidad de los contratos celebrados por los entes, organis-

Si, como decíamos anteriormente, el artículo 15.1 de la LRJPAC hace pivotar el uso de este instrumento jurídico-administrativo en la concurrencia de unas determinadas circunstancias objetivas, parecería lógico que, en el momento en que se decidiera acudir a esta figura, se explicitaran los motivos que lo justifican. En este sentido, aunque no es menos cierto que hoy día ni el mencionado artículo 15 de la LRJPAC, ni tampoco el artículo 54 de la LRJPAC relativo a la motivación de los actos administrativos, se refieren de forma expresa a dicha cuestión, creemos que la necesidad de especificar las concretas razones de eficacia o de capacidad de gestión que habilitan a una determinada administración pública para valerse de la encomienda de gestión podría resultar útil desde un doble punto de vista: en primer lugar, para intentar limitar la hasta ahora desproporcionada utilización de esta figura, rechazando aquellas encomiendas cuyo contenido resulte claramente ilógico, abusivo o arbitrario en relación con las circunstancias de hecho que justifican su celebración[94].

---

mos y entidades del sector público prevista en el artículo 22 del Texto refundido de Ley de Contratos del Sector Público, respecto de los cuales se afirma, además, que no podrán celebrar otros contratos que aquéllos que sean necesarios para el cumplimiento y realización de sus fines institucionales. HERNANDO OREJANA se refiere también a la necesaria motivación o explicación de la encomienda de gestión, por cuanto el concepto de eficacia mencionado en el artículo 15.1 de la LRJPAC ofrece un vasto campo de apreciación que no debe confundirse con la oportunidad pura y simple. HERNANDO OREJANA, Luis Carlos: *La encomienda de gestión... op. cit.*, p. 130.

Por lo demás, hay que añadir que ésta es ya una práctica habitual en la actuación administrativa porque, de ordinario, junto a la exposición del marco normativo regulador de las encomiendas de gestión, las partes acostumbran a hacer también una breve referencia a los motivos que justifican su aplicación. Un buen ejemplo lo constituye el Convenio de encomienda de gestión entre el Ministerio de Agricultura, Pesca y Alimentación y el Instituto de Investigación y Tecnología Agroalimentaria de Cataluña (IRTA) de 25 de agosto de 2005, para la realización de determinados estudios de inscripción de variedades de avellano. En este caso, y ante la incapacidad del citado Ministerio para poder realizar los exámenes técnicos necesarios a tal efecto, se encomienda su gestión al IRTA que, en cambio, «dispone de los medios humanos y materiales, así como de una ubicación agro-climática adecuada y de experiencia en la materia para poder realizar los exámenes técnicos de las correspondientes especies». (Resolución de 15 de octubre de 2005, publicada en el BOE núm. 263, de 3 de noviembre de 2005, p. 36109).

94. Si bien, se ha señalado que ciertamente es difícil que la exigencia de motivación pueda modificar, por si sola, una práctica administrativa consolidada, no sólo porque ésta raramente es objeto de impugnación ante los Tribunales contencioso-administrativos, sino que, además, no lleva aparejada ninguna sanción jurídica adecuada. Sino que, como mucho, podríamos entender, con MESSEGUER YEBRA, que estaríamos ante un supuesto de anulabilidad del artículo 63 de la LRJPAC, por cuanto es difícilmente imaginable que la ausencia de motivación expresa de la encomienda de gestión pudiera producir indefensión a los eventuales interesados. MESEGUER YEBRA, Joaquín: «La encomienda de gestión como técnica de modulación competencial

Al mismo tiempo, la motivación de la utilización de la encomienda de gestión podría servirnos también como un criterio para diferenciarla de la delegación de competencias prevista en el artículo 13 de la LRJPAC. Y es que, a pesar de que la redacción inicial de este precepto limitaba la aplicación de esta figura a la concurrencia de «circunstancias de índole técnico, económico, social, jurídico o territorial» que lo hicieran conveniente, la Ley 4/1999, de 13 de enero, de modificación de la Ley 30/1992, suprimió dicha exigencia; por lo que se ha afirmado que, más allá de cumplir con los trámites o requisitos formales que la Ley regula y a diferencia de la encomienda de gestión, actualmente no sería necesario justificar la delegación de competencias en ninguna circunstancia concreta, pudiéndose basar en simples motivos de oportunidad[95].

1.3. EL CARÁCTER TEMPORAL DE LA ENCOMIENDA

De lo expuesto anteriormente, hemos llegado a la conclusión de que la posibilidad de encomendar la gestión de una determinada actividad material debe ser objeto de una interpretación restrictiva, que debe justificarse necesariamente en la concurrencia de razones de eficacia o falta

---

interorgánica. Régimen jurídico y aplicación práctica: virtudes y defectos», *op. cit.*, p. 128.

SÁNCHEZ SÁEZ, por su parte, afirma que la ausencia de motivación de los convenios de encomienda de gestión ocasionaría su nulidad, entendiendo que si las competencias son irrenunciables, y la decisión de alterar su ejercicio se basa en una potestad discrecional del encomendante, sería necesario, a tenor del artículo 54.1 de la LRJPAC, que se justifique y concrete cómo y en qué grado se comprometen las partes. SÁNCHEZ SÁEZ, Antonio José: «Algunas reflexiones sobre la encomienda de gestión como instrumento racionalizador del ejercicio de las competencias administrativas», *op. cit.*, p. 233.

95. PARADA VÁZQUEZ, Ramón: *Régimen Jurídico de las Administraciones Públicas y del Procedimiento Administrativo Común (Estudio, comentarios y texto de la Ley 30/1992, de 26 de noviembre)*, *op. cit.*, p. 111. En el mismo sentido, ORTEGA ÁLVAREZ afirma que los amplios términos en los que se contempla la posibilidad de acudir a una delegación hacen que ésta sea posible en casi todos los supuestos que no aparezcan expresamente prohibidos por ley, lo que convierte a la delegación en una atribución genérica que posee cualquier órgano administrativo en beneficio de cualquier otro órgano de su misma administración pública. ORTEGA ÁLVAREZ, Luis: «Pluralidad de administraciones y técnicas organizativas», en CANO CAMPOS, Tomás (Coord.): *Lecciones y materiales para el estudio del Derecho Administrativo*, tomo II, Ed. Iustel, Madrid 2010, p. 51.

No obstante, hay que tener presente que, en el ámbito de las relaciones interadministrativas, nuestra legislación de régimen local sí que exige que las delegaciones de competencias a los municipios, efectuadas tanto por el Estado, las Comunidades Autónomas u otras entidades locales, deban fundamentarse siempre en la mejora de la eficacia en la gestión pública o en alcanzar una mayor participación ciudadana (art. 27.1 LBRL).

de capacidad de gestión. No obstante, al verificar las anteriores consideraciones, se nos plantea una última cuestión que, aunque rigurosamente no se refiere a los presupuestos habilitantes de la encomienda de gestión, sí que está íntimamente ligada con las ideas que hemos aportado hasta ahora y, en particular, con el carácter temporal de la encomienda de gestión. Y es que si, como veremos más adelante, uno de los aspectos que deben constar necesariamente en los acuerdos o convenios a través de los cuales se formalice la encomienda de gestión es su plazo de vigencia (art. 15.3 y 15.4 LRJPAC), debemos preguntarnos ¿sería posible pactar una encomienda de gestión de duración indefinida?

Algunos autores, como FERNÁNDEZ FARRERES, no han mostrado reparos en admitir que la encomienda de gestión pueda concluirse con un plazo de vigencia indefinido[96] e incluso, en el ámbito normativo, el artículo 103.4 de la Ley 7/1999, de 9 de abril, de Administración Local de Aragón, prevé expresamente esta misma posibilidad cuando la Comunidad Autónoma encomienda la realización de actividades materiales, técnicas o de servicios a las entidades locales aragonesas. No obstante, en nuestra opinión, el carácter restrictivo con el que hemos venido configurando la encomienda de gestión nos decanta hacía la solución opuesta, considerando que el plazo de duración de la encomienda de gestión debe ser necesariamente limitado. Si la encomienda de gestión debe fundamentarse en la concurrencia de determinadas circunstancias objetivas de eficacia o de falta de capacidad de gestión de la administración encomendante, la vigencia de la encomienda debería limitarse única y exclusivamente al plazo necesario para poder solventar esta situación problemática y dotar al órgano o entidad correspondiente de los medios necesarios para su correcto ejercicio, pero sin extenderse más allá[97].

El hecho de que la propia LRJPAC prevea como un requisito indispensable del instrumento de formalización de la encomienda de gestión la necesidad de fijar su plazo de vigencia es ya un claro indicio de su carácter eminentemente temporal. Y es que no podemos olvidar que, aunque el ordenamiento jurídico prevea supuestos de colaboración en el ejercicio de determinadas funciones administrativas, la regla general

---

96. FERNÁNDEZ FARRERES, Germán: «Las encomiendas de gestión», *op. cit.*, p. 675.
97. En el mismo sentido se expresa MESSEGUER YEBRA, quien califica de «grave incongruencia» la posibilidad de pactar una duración indefinida de la encomienda. MESEGUER YEBRA, Joaquín: «La encomienda de gestión como técnica de modulación competencial interorgánica. Régimen jurídico y aplicación práctica: virtudes y defectos», *op. cit.*, p. 139.

de la actividad administrativa sigue siendo su ejercicio individual y separado por el órgano que tenga atribuida la competencia como propia (art. 12.1 LRJPAC). De modo que dichos supuestos deben de ser, por naturaleza, excepcionales y limitados temporalmente. En el caso que una encomienda de gestión se formalizara con vocación de permanecer en el tiempo o se fuera prorrogando indefinidamente, por subsistir las causas estructurales que dieron lugar a su constitución, no habría más remedio que considerar que la distribución inicial de competencias efectuada por el ordenamiento jurídico ha resultado del todo inadecuada, debiéndose de proceder entonces, no a su encomienda de gestión a un tercero, sino a una reestructuración orgánica o competencial de la administración afectada que le permitiera cumplir debidamente con dichas tareas[98].

En cualquier caso, y sin perjuicio de que más adelante nos refiramos nuevamente a esta cuestión al analizar la posibilidad de revocar la encomienda de gestión conferida o a la prórroga temporal del encargo, hay que resaltar que, aunque la normativa autonómica en esta materia no haya introducido tampoco con carácter general ninguna previsión específica sobre la duración de la encomienda de gestión, remitiendo dicha cuestión –como sucede en la LRJPAC– a aquello que las partes establezcan en el instrumento de formalización de la encomienda, la práctica administrativa, otra vez, nos demuestra que la gran mayoría de encomiendas de gestión que se concluyen en nuestro sistema jurídico prevén ya en su clausulado una duración limitada.

En algunas ocasiones, las más, la previsión de un plazo temporal se realiza de forma expresa, como sucede, por ejemplo, en el Acuerdo de encomienda de gestión entre los Ministerios de Vivienda y Defensa de 19 de diciembre de 2008, para la gestión material del proceso selec-

---

98. Aunque referida a la figura de la delegación de competencias, ésta es, precisamente, la opción prevista por la Ley vasca núm. 7/1981, de 30 de Junio, del Gobierno, en la que una vez fijado un límite temporal de 12 meses para la delegación de competencias, se añade: «Si transcurrido dicho plazo, subsistieran las causas que motivaron la delegación, deberá procederse, en todo caso, a reformar la norma que regula la estructura orgánica y funcional del Departamento, atribuyendo la competencia como propia, al órgano que hasta dicho momento la ejercía como delegada» (art. 42).
Ávila Orive hace también referencia a esta cuestión al afirmar que la frecuencia en la utilización de la encomienda de gestión es uno de los elementos que puede poner de manifiesto la falta de coherencia y debida integración de una determinada organización administrativa. Ávila Orive, José Luis: «Encomienda de gestión y defensa de la competencia», [En línea] en *Actualidad Administrativa*, 2003. *http://www.la-ley.net:2302/bin/gate.exe?f=doc&state=qqf6f0.2.1.* [Consulta 18 de junio 2007], p. 3.

tivo derivado del acceso en el turno de plazas afectadas por el artículo 15 de la Ley 13/1984, de 2 de agosto, de Medidas Urgentes para la reforma de la Función Pública (BOE, núm.2, de 2 de enero de 2009, p. 221-222), en cuyo Apartado cuarto se afirma que la encomienda de gestión tendrá una vigencia de dieciocho meses desde la publicación en el BOE de la convocatoria del proceso selectivo cuya gestión se encomienda. En otros, en cambio, la duración de la encomienda de gestión se establece de forma implícita puesto que, a pesar de que no se especifique ningún plazo de vigencia concreto, de su clausulado se deriva implícitamente una duración definida. Es el caso, por ejemplo, de la encomienda de gestión suscrita entre el Departamento de Justicia y el Departamento de Política Territorial y Obras Públicas de la Generalitat de Cataluña, de 18 de marzo de 2009 (DOGC, núm. 5347, de 26 de marzo de 2009, p. 26070), en el que, aunque no se hace referencia directa a su duración, del objeto de dicho Acuerdo se deduce que se limita únicamente a la realización de determinadas actuaciones expropiatorias incluidas en Plan de Inversiones para Equipamientos de interés del Departamento de Justicia para el periodo 2004-2010. Por lo que, una vez realizadas dichas actuaciones, la encomienda se extinguiría por el cumplimiento de su objeto.

2. ÁMBITO SUBJETIVO DE LA ENCOMIENDA DE GESTIÓN

Una vez analizados los presupuestos habilitantes que nos enmarcan la utilización de la encomienda de gestión, podemos pasar ya a estudiar su elemento subjetivo recordando que, en nuestra definición inicial, señalábamos que la encomienda de gestión se había venido configurando como una relación jurídica de carácter bilateral, en el sentido de que, necesariamente, deben intervenir siempre dos partes diferenciadas: aquélla que realiza el encargo (*encomendante*) y aquélla que se compromete a llevarlo a cabo (*encomendado*).

2.1. LA EXIGENCIA DE ALTERIDAD EN LA ENCOMIENDA DE GESTIÓN

Es el propio artículo 15.1 de la LRJPAC el que nos confirma el carácter bilateral con el que se ha venido configurando legalmente la encomienda de gestión cuando señala que la realización de determinadas actividades de la competencia de los órganos administrativos o de las entidades de derecho público podrá ser encomendada «a *otros*». La alteridad a la que se refiere este precepto nos pone de relieve, sin duda alguna, la necesidad de que la encomienda se formalice entre dos partes diferenciadas. Esta exigencia, al mismo tiempo, resulta plenamente coherente con la funcionalidad de la encomienda de gestión como instrumento al servicio de la colaboración administrativa. Si, como decíamos anteriormente, ésta no es más que un mecanismo de asistencia a través del cual un sujeto ejecuta, en nombre de otro y siempre que se cumplan determinadas circunstancias habilitantes, ciertas actividades materiales, técnicas o de servicios, parece que la efectiva concurrencia de estas dos partes diferenciadas –la que auxilia y la auxiliada– se convierte en un requisito indispensable para la existencia de dicha relación jurídica.

De este modo, carecería de sentido la posibilidad de que un órgano administrativo u otra entidad de derecho público se auto-atribuyera a sí mismo una encomienda de gestión, por la simple razón de que la ejecución de las posibles actividades que pretenderían auto-encomendarse le vendría ya asignada por el propio ordenamiento en carácter de competencias propias. Ninguna lógica tendría, por lo tanto, enfatizar aún más la necesidad de dar cumplimiento a dichas obligaciones. E, incluso, en estos supuestos podríamos dudar también de la concurrencia de los presupuestos habilitantes de la encomienda de gestión. En efecto, difícilmente podría solventarse la situación de ineficacia o de carencia de medios idóneos que según el artículo 15.1 de la LRJPAC justifica la utilización de esta figura mediante la auto-atribución al mismo órgano o entidad que, a través de la encomienda de gestión, habría declarado expresamente que carece de ellos.

Ahora bien, nótese que el carácter bilateral con el que definimos a la encomienda de gestión lo circunscribimos, por el momento, solamente a la mera existencia de dos partes diferenciadas, pero no a la necesidad de que ésta se formalice entre dos personas jurídicas o administraciones públicas distintas, porque, como ya hemos puesto de relieve anteriormente, la LRJPAC admite con total normalidad la posibilidad de que la encomienda de gestión se constituya entre dos órganos o entidades pertenecientes a una misma organización administrativa (art. 15.3 LRJPAC). De manera que queda claro, por de pronto, que el requisito de la personalidad jurídica propia y diferenciada de los sujetos intervinientes no se configura como un requisito obligatorio para la existencia de la relación de encomienda.

Hecha esta matización, debemos pasar a concretar qué órganos o entidades pueden participar en la encomienda de gestión, tarea ésta que se nos presenta como uno de los principales interrogantes del régimen jurídico de esta institución, y sobre el cual se han planteado mayores discrepancias, no sólo a nivel doctrinal sino también normativo. En este sentido, partiendo de las indicaciones generales que nos ofrece la LRJPAC, dedicaremos los siguientes apartados a examinar detenidamente esta cuestión, intentando identificar correctamente los sujetos intervinientes en la relación de encomienda y poniendo de relieve también la disparidad de opiniones existentes al respecto.

2.2. EL ENCOMENDANTE

Podemos empezar nuestro análisis refiriéndonos al *encomendante* (también llamado encomendero), es decir, al sujeto que realiza el encargo y que adquiere, en virtud de la relación de encomienda, el derecho a la ejecución de la prestación material de la que está necesitado y que, por carencia de medios o por razones de eficacia, no puede realizar por sí mismo. En este sentido, hay que advertir que la posibilidad de acudir a esta figura jurídica no se reconoce a toda clase de sujetos, sino que, según el artículo 15.1 de la LRJPAC solamente podrá encomendarse la realización de determinadas actividades materiales «de la competencia de los órganos administrativos o de las entidades de Derecho Público».

Aunque la redacción de la Ley 30/1992, de 26 de noviembre, dista mucho de ser un buen ejemplo de claridad, la Ley parece prever una doble titularidad activa para la encomienda de gestión, reservada, por un lado: 1) a los órganos administrativos y, por otro, 2) a las entidades de derecho público. Esta conclusión, compartida unánimemente por la doctrina jurídica que ha tenido ocasión de analizar con más detalle esta institución[99]; es también la que mejor concilia con el principio de irrenunciabilidad de las competencias administrativas vigente en nuestro ordenamiento jurídico (art. 12.1 LRJPAC) y al que nos referíamos anteriormente. Y es que si, como veíamos, dicho principio supone que el ejercicio de las competencias atribuidas a las diferentes administraciones públicas –incluyendo la posibilidad de introducir todas aquellas modulaciones competenciales previstas expresamente por el ordenamiento– debe realizarse exclusivamente por sus legítimos titulares y, a su vez, el artículo 15.1 de la LRJPAC permite que pueda encomendarse la realización de actividades «de la competencia de los órganos administrativos o entidades de Derecho Público», podemos deducir fácilmente que la

---

99. Véase, por ejemplo y simplemente por citar a algunos de los autores que se han referido a esta cuestión, FERNÁNDEZ FARRERES, Germán: «Las encomiendas de gestión», Op. Cit, p. 671; HERNANDO OREJANA, Luis Carlos: *La encomienda de gestión, op. cit.*, p. 131 o MESEGUER YEBRA, Joaquín: «La encomienda de gestión como técnica de modulación competencial interorgánica. Régimen jurídico y aplicación práctica: virtudes y defectos», *op. cit.*, p. 129.

posición de encomendante debe reconocerse tanto a los órganos administrativos como a las entidades de derecho público, pues únicamente éstos podrían transferir válidamente a través de la encomienda de gestión el ejercicio de sus propias funciones[100].

Este mismo razonamiento nos lleva a afirmar también la imposibilidad de encomendar la gestión de competencias ajenas. Como es sabido, el mencionado principio de irrenunciabilidad de las competencias administrativas supone no sólo que las potestades públicas deban ejercitarse inexcusablemente por los órganos que las tengan atribuidas –salvo, como decíamos, los supuestos previstos expresamente por la Ley–, sino también la imposibilidad de que una determinada entidad pública pueda ejercitar o disponer libremente de las competencias administrativas que hayan sido atribuidas por el ordenamiento jurídico a otra distinta[101]. En consecuencia, la decisión de encomendar la gestión de las actividades materiales, técnicas o de servicios de la competencia de los órganos o entidades de derecho público corresponderá a cada uno de estos órganos o entidades singularmente consideradas, en función de las concretas circunstancias que concurran en cada caso.

No obstante, llegados a este punto, y sin perjuicio de las consideraciones anteriores, para precisar con claridad cuáles pueden ser los sujetos activos de la encomienda de gestión se nos plantea otra duda elemental: ¿qué debemos entender por «órgano administrativo»? ¿Y por «entidades de derecho público»?

2.2.1. La noción de «órgano administrativo»

Respecto de la noción de «órgano administrativo» cabe señalar que, aunque viene siendo utilizada de forma habitual en nuestro Derecho Público, lejos de tener un significado claro e inequívoco, su definición ha sido objeto de múltiples y complejas interpretaciones doctrinales, que tratan de identificar qué unidades dentro de la amplia estructura administrativa tienen capacidad para expresar, con efectos jurídicos vinculantes, la voluntad de una determinada administración pública[102].

---

100. Por lo demás, el apartado 2 del artículo 15 de la LRJPAC nos confirma dicha interpretación, al señalarse que, en todo caso, el dictado de los actos o resoluciones que den cobertura jurídica a la encomienda de gestión será responsabilidad «del órgano o Entidad encomendante». Por lo tanto, la disyuntiva entre *órgano* o *entidad* nos pone de relieve nuevamente la idea de la doble titularidad a la que hacíamos referencia anteriormente.

101. Pues, en tal caso, estaríamos ante un supuesto de nulidad absoluta o de pleno derecho, al considerarse dicho acto de disposición como un acto administrativo dictado con incompetencia manifiesta por razón de la materia [art. 62.1 b) LRJPAC].

102. Sobre la discusión teórica en torno a la noción de órgano administrativo pueden

En este sentido, con Santamaría Pastor, entendemos que la LRJPAC (art. 11) –así como las normas autonómicas que la desarrollan– ha optado por utilizar una noción funcional de «órgano administrativo» mucho más pragmática, mediante la cual se designarían como *órganos* a las diferentes unidades de actuación a través de las cuales se organizan las administraciones públicas, con capacidad para actuar de forma jurídicamente eficaz en las relaciones frente a terceros. Por lo que se referiría a la idea de órgano como sujeto institucional, expresivo de la voluntad de la administración en la que se integran, dotado de competencias diferenciadas y medios materiales y personales para desempeñarlas[103].

Ahora bien, ¿a qué administraciones públicas se refiere el artículo 15.1 de la LRJPAC? ¿Se refiere únicamente a los órganos de las administraciones públicas territoriales o debe extenderse también a la organización propia de la Administración institucional? Pues no debemos olvidar que la propia Ley 30/1992, de 26 de noviembre, reconoce a las entidades de derecho público la condición de Administración Pública (art. 2.2 LRJPAC), por lo que, en rigor, éstas se organizarían internamente también mediante «órganos administrativos»[104]. Lo cierto es que, como puede observarse, nos encontramos en uno de esos supuestos en que se pone de relieve no sólo la falta de rigor con la que, a veces, se expresan los diferentes textos normativos, sino también la enorme dificultad que entraña la utilización de categorías jurídicas cada vez más complejas y elaboradas, cuyo denominador común no siempre resulta fácil de determinar.

Para salvar este escollo terminológico, debemos acudir a una interpretación sistemática de la norma, que nos llevará a la conclusión de

---

verse, entre otros, Gallego Anabitarte, Alfredo: *Conceptos y principios fundamentales del Derecho de Organización, op. cit.,* p. 20-57; Santamaría Pastor, Juan Alfonso: «La teoría del órgano en el Derecho Administrativo», en *Civitas. Revista Española de Derecho Administrativo,* núm. 40-41, 1984, p. 43-55; Santamaría Pastor, Juan Alfonso: *Principios de Derecho Administrativo General,* volumen I, Ed. Iustel, Madrid 2004, p. 403-413.

103. En este sentido, entre otros, Santamaría Pastor, Juan Alfonso: *Principios de Derecho Administrativo General, op. cit.,* p. 403-413 y Lucas Murillo de la Cueva, Enrique: «Órganos de las Administraciones Públicas (Artículos 11 a 29)», *op. cit.,* p. 227.

104. Así, por ejemplo, González Pérez y González Navarro clasifican los órganos administrativos en función de la entidad a la que pertenecen, refiriéndose a los órganos de la Administración del Estado, de las administraciones de las comunidades autónomas, de las administraciones locales, de la administración institucional e incluso de la administración corporativa. González Pérez, Jesús y González Navarro, Francisco: *Comentarios a la Ley de Régimen Jurídico de las Administraciones Públicas y del Procedimiento Administrativo Común, op. cit.,* p. 626-653.

que la noción de «órgano administrativo» que maneja el artículo 15.1 de la LRJPAC se limita solamente a las unidades funcionales a través de las cuales se estructuran las administraciones públicas territoriales. En efecto, si partimos de la idea de que la voluntad del artículo 15.1 de la LRJPAC es reconocer una doble titularidad de la encomienda de gestión, permitiendo encomendar la realización de determinadas actividades tanto a «órganos administrativos» como a «Entidades de Derecho Público», no tendría ningún sentido destacar tal diferenciación en su tenor literal si pudiera entenderse fácilmente que las segundas –las entidades de derecho público– pueden ya subsumirse dentro de los primeros –órganos administrativos–. Por lo tanto, hay que entender que la noción de «órgano administrativo» del artículo 15.1 de la LRJPAC se utiliza, precisamente, para diferenciar a estos *órganos* de las *entidades de derecho público*. En este sentido, y de forma coherente con la propia redacción del artículo 2 de la LRJPAC, debemos entender que cuando se refiere a los órganos administrativos nos está remitiendo a aquellas administraciones públicas que no tengan la consideración de entidades de derecho público. Por lo tanto, nos remite a las administraciones públicas territoriales a las que se refiere el artículo 2.1 de la LRJPAC.

Desde esta perspectiva, y de acuerdo con el artículo 2.1 de la LRJPAC, la condición de encomendante se reconocería genéricamente a los diferentes órganos de la Administración General del Estado, de las administraciones de las comunidades autónomas, así como de las entidades que integran la administración local. En este último caso, y según el artículo 3 de la Ley de Bases de Régimen Local de 1985, deberíamos incluir como tales no sólo a los municipios, provincias e islas (art. 3.1 LBRL), sino también a las entidades inframunicipales constituidas por las comunidades autónomas, a las comarcas, en aquellas comunidades autónomas que las hayan instituido, a las áreas metropolitanas y a las mancomunidades de municipios, pues a todos ellos se les reconoce también la condición de entidades locales (art. 3.2 LBRL).

Finalmente, como puede suponerse y a pesar de esta legitimación general prevista por la LRJPAC, el ejercicio concreto de esta facultad dependerá de las normas de organización interna propias de cada una de dichas administraciones públicas, que fijarán con más detalle qué órganos concretos dentro de la estructura administrativa están habilitados expresamente para hacer uso de la encomienda de gestión y para qué materias o actividades. Por citar un ejemplo concreto en este sentido, el Acuerdo de la Junta de Gobierno del Ayuntamiento de Madrid de 18 de junio de 2007 (Boletín Oficial del Ayuntamiento de Madrid núm. 5761, de 21 de junio de 2007, p. 85-94), atribuye a los titulares de las diferentes áreas de gobierno, en el ámbito de sus respectivas competencias materiales, la celebración de los acuerdos de encomienda de gestión entre órganos administrativos o entidades de derecho público a los que hace referencia el artículo 15 de la LRJPAC (art. 6.1). Si bien, se añade que en el ámbito de la vice-alcaldía dicha facultad se distribuye entre el Vice-alcalde y los titulares de las Áreas de Coordinación y del Área Delegada en función de la cuantía de la encomienda de gestión o de la materia de que se trate (art. 6.1).

2.2.2. La noción de «Entidades de Derecho Público»

Si, como hemos visto, la determinación de la noción de órgano administrativo nos ha resultado ya ciertamente compleja, no menos problemático y confuso se nos presenta el análisis del término «Entidades de Derecho Público» utilizado por el artículo 15.1 de la LRJPAC. Sin embargo, a diferencia del anterior, este concepto responde, quizá, a una noción más fácilmente precisable desde un punto de vista jurídico, puesto que la propia Ley 30/1992, de 26 de noviembre, se refiere a ella, exigiendo para que pueda hablarse de la presencia de una «entidad de derecho público» la concurrencia de tres notas definitorias: en primer lugar, la existencia de una organización dotada de personalidad jurídica propia y, por lo tanto, susceptible de ser titular de derechos y obligaciones; en segundo lugar, su constitución con arreglo a las formas previstas en el Derecho Público y, finalmente, su vinculación o dependencia de una administración pública (art. 2.2 LRJPAC)[105].

A. *La exclusión de las sociedades mercantiles públicas y las fundaciones del sector público*

De la observancia de los dos primeros requisitos previstos en el

---

105. Hemos utilizado el adverbio «quizá» al referirnos a la noción de entidades de derecho público para poner de relieve que, aunque la doctrina coincide en la identificación de los rasgos definitorios de dichas entidades, se ha criticado también la imprecisión de la LRJPAC en este punto, puesto que dichos requisitos están previstos de forma demasiado amplia y genérica. En este sentido, por ejemplo, Parejo Alfonso, Luciano: «Objeto, ámbito de aplicación y principios generales», en Leguina Villa, Jesús y Sánchez Morón, Miguel (Dir.): *La nueva Ley de Régimen Jurídico de las Administraciones Públicas y del Procedimiento Administrativo Común*, op. cit., p. 37. Podemos destacar, por su claridad, a González Pérez y González Navarro cuando afirman que con la fórmula empleada por la LRJPAC «se obtiene la impresión de que sus autores han empleado ésa como podían haber empleado cualquier otra. Y, desde luego, sin clara conciencia de la realidad que intentaban describir». González Pérez, Jesús y González Navarro, Francisco: *Comentarios a la Ley de Régimen Jurídico de las Administraciones Públicas y del Procedimientos Administrativo Común*, op. cit., p. 245.

artículo 2.2 de la LRJPAC podemos extraer ya una primera consecuencia importante: quedarían fuera de la posibilidad de constituirse como parte activa de la encomienda de gestión no sólo todas aquellas organizaciones no personificadas, sino también todas aquellas entidades del sector público constituidas de acuerdo con formas jurídico-privadas. Lo que supone dejar fuera del ámbito de aplicación de la encomienda de gestión a las *sociedades mercantiles públicas* y también a las *fundaciones del sector público*[106].

La razón de esta exclusión la encontraríamos, inicialmente, en un simple elemento formal, su personificación jurídico-privada, que quedaría fuera de la definición de entidades de derecho público prevista por la LRJPAC que, como hemos visto, se fundamenta en el dato de la personificación pública. Pero a pesar de que, desde un punto de vista práctico, la anterior afirmación nos resultaría del todo suficiente para entender la exclusión de dichas entidades, dogmáticamente, nos resulta poco convincente. Por ello, debemos plantearnos si hay otras razones de fondo que expliquen el por qué de esta separación y, en nuestra opinión, sí que es posible encontrar un argumento sólido que justificaría dicha exclusión.

---

106. Por *sociedades mercantiles públicas* entendemos, según el artículo 166.1 c) de la Ley 33/2003, de 3 de noviembre, de Patrimonio de las Administraciones Públicas, aquellas sociedades en que la participación, directa o indirecta, en su capital social de las entidades que conforman el sector público estatal, sea superior al cincuenta por ciento.

Cuando hablamos de *fundaciones del sector público* nos referimos a aquéllas constituidas al amparo de la Ley 50/2002, de 26 de diciembre, de Fundaciones, y en las que concurra alguna de las siguientes circunstancias: a) Que se constituyan con una aportación mayoritaria, directa o indirecta, de la Administración General del Estado, sus organismos públicos o demás entidades del sector público estatal; b) Que su patrimonio fundacional, con un carácter de permanencia, esté formado en más de un cincuenta por ciento por bienes o derechos aportados o cedidos por las referidas entidades (art. 44 Ley 50/2002, de 26 de diciembre).

A pesar de su denominación, quedarían al margen de estas consideraciones las llamadas fundaciones públicas sanitarias, constituidas al amparo de la Ley 50/1998, de 30 de diciembre, de Medidas Fiscales, Administrativas y del Orden Social, las cuales se configuran no como entidades de derecho privado sino como verdaderos organismos públicos, adscritos al Instituto Nacional de la Salud. Sobre el régimen jurídico aplicable a dichas instituciones, entre otros, pueden verse SOCIAS CAMACHO, Joana M.: *Fundaciones del Sector Público. En especial, el ámbito sanitario*, Ed. Iustel, Madrid 2006; VAQUER CABALLEIRA, Marcos: *Fundaciones Públicas y Fundaciones en mano pública*, Ed. Marcial Pons, Madrid 1999; MALARET GARCÍA, Elisenda y MARSAL FERRET, Marc: *Las fundaciones de iniciativa pública: un régimen jurídico en construcción*, Fundació Carles Pi i Sunyer, Barcelona 2005 o PIÑAR MAÑAS, José Luis: «Las fundaciones sanitarias. De la perplejidad a la confusión, pasando por la demagogia», en *Revista General de Legislación y Jurisprudencia*, núm. 1, 2000, p. 73-100.

Como avanzábamos en el *Capítulo I*, la encomienda de gestión se caracteriza por no suponer la cesión de la titularidad de la competencia ni de los elementos sustantivos de su ejercicio, siendo responsabilidad del órgano o entidad encomendante, tal y como prevé el artículo 15.2 LRJPAC, dictar cuantos actos o resoluciones jurídicas den soporte o en los que se integre la actividad material objeto de encomienda. De ahí que, con acierto, se haya afirmado que la posición de encomendante solamente podrían asumirla aquellos órganos o entidades con capacidad para dictar actos administrativos[107]. Desde esta perspectiva, y en términos estrictamente jurídicos, teniendo presente que tanto la LOFAGE (Disposición Adicional Duodécima) como la citada Ley de Fundaciones (art. 46.1) impiden a las sociedades mercantiles públicas y a las fundaciones del sector público ejercer potestades administrativas que supongan autoridad –sometiendo, con carácter general, su régimen jurídico al ordenamiento privado–, podríamos identificar claramente un límite a su capacidad para constituirse como parte activa de la encomienda de gestión, puesto que dichas entidades no estarían habilitadas para dictar las resoluciones jurídicas necesarias para articular la relación de encomienda[108].

Ahora bien, si la determinación en negativo de qué instituciones quedan fuera de la posibilidad de actuar la encomienda de gestión puede parecer relativamente sencilla, la precisión de aquéllas a las que sí debe reconocerse dicha titularidad resulta un poco más compleja, puesto que nos remite a una amplia tipología de entes instrumentales al servicio de las administraciones públicas que se caracterizan por la diversidad de sus regímenes jurídicos y la dificultad de reconducirlos a

---

107. Se refieren expresamente a este elemento, por ejemplo, FERNÁNDEZ FARRERES, Germán: «Las encomiendas de gestión», *op. cit.*, p. 672, HERNANDO OREJANA, Luis Carlos: *La encomienda de gestión... op. cit.*, p. 131 y LUCAS MURILLO DE LA CUEVA, Enrique: «Órganos de las Administraciones Públicas (Artículos 11 a 29)», *op. cit.*, p. 245-246.

108. Debemos añadir, sin embargo, que la práctica administrativa a menudo nos ofrece ejemplos en los que se flexibiliza dicha prohibición o incapacidad, encontrando numerosos supuestos en los que, por ejemplo, las sociedades mercantiles realizan funciones que suponen ejercicio de autoridad pública. En este sentido, pueden verse CUETO PÉREZ, Miriam: *Procedimiento administrativo, sujetos privados y funciones públicas*, Ed. Thomson-Civitas, Navarra 2008, p. 45-91; CANALS AMETLLER, Dolors: *El ejercicio por particulares de funciones de autoridad*, Ed. Comares, Granada 2003; GALÁN GALÁN, Alfredo y PRIETO ROMERO, Cayetano (Dirs.): *El ejercicio de funciones públicas por entidades privadas colaboradoras de la Administración*, Ed. Huygens – Ayuntamiento de Madrid, Barcelona 2010 o MONTOYA MARTÍN, Encarnación: *Las empresas públicas sometidas al Derecho Privado*, Ed. Marcial Pons, Madrid 1996, quien, ante tal situación, ha llegado a proponer una interpretación amplia del artículo 2.2 de la LRJPAC que incluyera también a las sociedades mercantiles (p. 487).

categorías dogmáticas unitarias[109]. Aún así, y a efectos de clarificar nuestra exposición, tomaremos como punto de referencia el modelo organizativo de la Administración General del Estado, a partir del cual intentaremos identificar todas aquellas entidades públicas a las que puede resultar de aplicación la figura de la encomienda de gestión.

B. *La aplicación de la encomienda de gestión a los organismos públicos regulados por la LOFAGE. Una necesaria valoración crítica*

Debemos referirnos, en primer lugar, a la categoría de «Organismos públicos» prevista en la LOFAGE. Y es que esta Ley, como es sabido, con una decidida voluntad de ordenar y sistematizar el régimen jurídico de las diversas entidades públicas en las que se organizaba la Administración estatal y cuya regulación se encontraba dispersa por diferentes normas legales (especialmente, en la Ley de Entidades Estatales Autónomas de 1958 y en la Ley General Presupuestaria de 1977), acuñó este nuevo concepto o categoría organizativa que, según su artículo 1, comprende todas aquellas «entidades de Derecho Público que desarrollan actividades derivadas de la propia Administración General del Estado, en calidad de organizaciones instrumentales diferenciadas y dependientes de ésta». Categoría general que la propia LOFAGE subdivide, posteriormente, en tres tipos concretos de organismos: los organismos autónomos, las entidades públicas empresariales y las agencias estatales (art. 43.1 LOFAGE)[110].

---

109. Situación que, como nos recuerda PÉREZ MORENO, ha llevado a algunos autores a referirse a dicho fenómeno con los descriptivos términos de «caos», «selva de la organización administrativa», «anarquía administrativa», entre otros. PÉREZ MORENO, Alfonso: «Las entidades instrumentales en las Comunidades Autónomas», en PÉREZ MORENO, Alfonso (Coord.): *Administración instrumental. Libro homenaje a Manuel Francisco Clavero Arévalo*, volumen II, Ed. Civitas – Instituto García Oviedo, Madrid 1994, p. 1439.
   Asimismo, la doctrina ha puesto de relieve la utilización muchas veces fraudulenta de estas entidades en las que, a menudo, a través de la pretendida búsqueda de mecanismos que permitan una actuación más ágil y eficaz de la Administración Pública, se encubre verdaderamente lo que, utilizando la conocida expresión acuñada por CLAVERO ARÉVALO, se ha venido a llamar la «huida del Derecho Administrativo». CLAVERO ARÉVALO, Manuel Francisco: «Personalidad jurídica, Derecho general y Derecho singular en las Administraciones autónomas», en *Documentación Administrativa*, núm. 58, octubre 1962, p. 13 y sigs. Más recientemente, y entre otros muchos, se han referido también a este fenómeno DEL SAZ CORDERO, Silvia: «La huída del Derecho Administrativo: últimas manifestaciones. Aplausos y críticas», en *Revista de Administración Pública*, núm. 133, enero-abril 1994, p. 57-98 o MARTÍN-RETORTILLO BAQUER, Sebastián: «Reflexiones sobre la huida del Derecho Administrativo», en *Revista de Administración Pública*, núm. 140, 1996, p. 25-68.
110. Según el artículo 45 de la LOFAGE, por *organismos autónomos* debemos entender aquellas entidades a las que se encomienda en régimen de descentralización funcio-

Sin entrar más detalladamente en el régimen jurídico de cada uno de ellos, nos interesa destacar la definición de organismo público establecida por la propia LOFAGE, por cuanto de ella se desprende con claridad que en cada uno de estos tres supuestos (organismos autónomos, entidades públicas empresariales y agencias) nos encontramos ante organizaciones personificadas, que adoptan una forma propia del Derecho Público y que, además, se hallan ligadas por una relación de instrumentalidad con la Administración General del Estado. Por lo que, en principio, al cumplir con los requisitos del artículo 2.2 de la LRJPAC no habría muchas más dudas sobre su consideración como «entidades de Derecho público». De hecho, el artículo 1 de la propia LOFAGE así nos lo confirma, puesto que, como veíamos, al fijar su ámbito de aplicación, define a estos organismos precisamente como *entidades de derecho público*. De manera que, en nuestra opinión, no habría inconveniente para reconocer a los organismos públicos previstos por la LOFAGE, en cuanto que Administraciones Públicas (art. 2.2 LRJPAC), la posibilidad de acudir a la figura de la encomienda de gestión[111].

No obstante, llegados a este punto, y trayendo a colación algunas de las ideas que apuntábamos anteriormente, resulta conveniente realizar alguna aclaración importante con respecto al régimen jurídico de las entidades públicas empresariales. Y es que, como señalábamos anteriormente, si la exclusión de las sociedades mercantiles públicas y las fundaciones del sector público del ámbito activo de la encomienda de gestión podía justificarse en atención a que, debido a su sumisión al ordena-

---

nal y con sujeción al Derecho Administrativo, la realización de actividades de fomento, prestacionales o de gestión de servicios públicos.

Por su parte, cuando hablamos de *entidades públicas empresariales* nos referimos, según el artículo 53.1 de la LOFAGE, a aquellos organismos públicos a los que se encomienda la realización de actividades prestacionales, la gestión de servicios o la producción de bienes de interés público susceptibles de contraprestación.

Y, finalmente, para determinar el concepto de *agencias estatales* debemos acudir a la Ley 28/2006, de 18 de julio, de Agencias estatales para la mejora de los servicios públicos, que nos las define como las entidades de derecho público, dotadas de personalidad jurídica pública, patrimonio propio y autonomía en su gestión, facultadas para ejercer potestades administrativas, que son creadas por el Gobierno para el cumplimiento de los programas correspondientes a las políticas públicas que desarrolle la Administración General del Estado en el ámbito de sus competencias (art. 2.1 Ley 28/2006).

111. La inclusión de dichos organismos públicos en el ámbito de aplicación de la encomienda de gestión, según Lucas Murillo de la Cueva, estaría plenamente justificada, ya que su creación obedece a una opción organizativa prevista en las leyes como alternativa a las unidades administrativas típicas y, de hecho, ejercen funciones de la Administración. Lucas Murillo de la Cueva, Enrique: «Órganos de las Administraciones Públicas (Artículos 11 a 29)», *op. cit.*, p. 245.

miento jurídico privado y a la prohibición de ejercer potestades administrativas, eran incapaces para dictar los actos o resoluciones jurídicas necesarias para servir de base a la relación de encomienda, debemos preguntarnos ahora si, precisamente, el hecho de que el artículo 53.2 de la LOFAGE remita el régimen jurídico de las entidades públicas empresariales al Derecho Privado puede tener también alguna incidencia sobre su acceso a la figura de la encomienda de gestión.

Para algunos autores (en concreto, FERNÁNDEZ FARRERES, y HERNANDO OREJANA) parecería que la respuesta a esta pregunta debería ser afirmativa. Al analizar el ámbito sujetivo de aplicación de la encomienda de gestión dichos autores nos dan a entender que, al menos implícitamente, las entidades públicas empresariales quedarían fuera de la posible utilización de la encomienda de gestión, puesto que afirman que la capacidad de dictar actos administrativos únicamente podría predicarse de los *organismos autónomos* y de las *corporaciones de derecho público* a las que se refiere la Disposición Transitoria Primera de la LRJPAC[112] –sin mencionar, por lo tanto, a las entidades públicas empresariales–. Sin embargo, en nuestra opinión no siempre es posible llegar a esta conclusión, especialmente por el hecho de que la propia LOFAGE prevé notables límites a la aplicación del Derecho Privado por dichas entidades, afirmando que cuando éstas ejerzan potestades administrativas deberán ajustarse a lo previsto por el ordenamiento jurídico-público (art. 53.2 y 54 LOFAGE).

Desde esta perspectiva, cuando las entidades públicas empresariales actúan en ejercicio de funciones públicas lo hacen en su calidad de Administraciones Públicas y, en consecuencia, con sujeción plena al Derecho Administrativo. De esta manera, podemos entender que en estos supuestos las entidades públicas empresariales no sólo estarían plenamente habilitadas para dictar actos administrativos, sino también para acudir a los mecanismos de colaboración que nuestro ordenamiento jurídico diseña para el conjunto de administraciones públicas. Y entre ellos, obviamente, también la encomienda de gestión del artículo 15 de la LRJPAC. Más cuando ya la propia LOFAGE declara aplicables a dichas entidades –en cuanto que organismos públicos– la delegación y la desconcentración de sus competencias (Disposición Adicional Decimotercera LOFAGE), así como los principios de organización y funcionamiento previstos en el Titulo I de dicha Ley (art. 44.2 LOFAGE), entre

---

112.   Véase FERNÁNDEZ FARRERES Germán: «Las encomiendas de gestión», *op. cit.*, p. 672 y HERNANDO OREJANA, Luis Carlos: *La encomienda de gestión, op. cit.*, p. 131.

los que se incluye el principio de eficacia en el cumplimiento de los objetivos fijados, la eficiencia en la asignación y utilización de los recursos públicos, la racionalización y agilidad de los procedimientos administrativos y de las actividades materiales de gestión y, sobretodo, la *cooperación y coordinación con otras Administraciones Públicas*; principios todos ellos previstos en el artículo 3 de la LOFAGE[113].

En nuestra opinión, no es la incapacidad para dictar actos o resoluciones de carácter administrativo la razón principal que puede llevarnos a cuestionar la necesidad de reconocer a las entidades públicas empresariales –e incluso a los organismos públicos en su conjunto– la posibilidad de ejercitar la encomienda de gestión, sino otros motivos, ligados más a la propia coherencia del sistema jurídico-administrativo y a la naturaleza instrumental de dichas entidades, los que deben llevarnos a una valoración necesariamente crítica[114].

Si, como se afirma habitualmente, la creación de dichas entidades responde verdaderamente a un supuesto de descentralización funcional de la Administración Pública, que se justifica principalmente en razones de eficacia y de especialización[115], resulta cuanto menos discutible reco-

---

113. Sobre estas cuestiones se ha pronunciado MENÉNDEZ REXACH, quién entiende que la previsión del artículo 54.1 de la LOFAGE –que establece que «las potestades atribuidas a las entidades públicas empresariales sólo pueden ser ejercidas por aquellos órganos de éstas a los que en los estatutos se les asigne expresamente esta facultad»– no debe entenderse como una exclusión de las entidades públicas empresariales de acudir a la delegación o desconcentración de sus funciones públicas, sino como la reafirmación del principio de irrenunciabilidad de las competencias previsto en el artículo 12 de la LRJPAC y el establecimiento del criterio de que, en virtud de la presunción de que dichas entidades actúan en régimen de Derecho privado, la atribución de competencias administrativas no se presume, sino que tiene que venir expresamente determinada en los estatutos. MENÉNDEZ REXACH, Ángel: «La aplicación de la Ley 30/1992 a las entidades públicas empresariales», en *Cuadernos de Derecho Judicial*, núm. 18, 1997, p. 47-48. Igualmente, sobre el régimen aplicable a las entidades públicas empresariales, LÓPEZ RAMÓN, Fernando: «Reflexiones sobre el ámbito de aplicación de la Ley de Régimen Jurídico de las Administraciones Públicas», en *Revista de Administración Pública*, núm. 130, enero-abril 1993, p. 113.

114. De ahí que, ante la imposibilidad de aceptar su argumentación, entendamos que la exclusión mantenida por FERNÁNDEZ FARRERES y HERNANDO OREJANA se deba más a una, quizá, incorrecta utilización de la compleja terminología utilizada en el ámbito de la Administración institucional que no a una voluntad concreta de apartar a las entidades públicas empresariales de la utilización de la encomienda de gestión. En mi opinión, el error se encuentra en la utilización del término *organismo autónomo* –seguramente por influencia de la anterior Ley de 26 de diciembre de 1958, de Régimen Jurídico de las Entidades Estatales Autónomas– cuando en realidad se quiere aludir a la noción más amplia de *organismo público*.

115. En este sentido, se ha afirmado que la llamada Administración institucional no es más que un simple instrumento de actuación en manos de la Administración para

nocerles la posibilidad de acudir a la figura de la encomienda de gestión. Y es que, desde nuestro punto de vista, no resulta del todo compatible la naturaleza instrumental con la que se configuran legalmente estos organismos con el hecho de que, a la vez, puedan encontrarse en la situación de falta de medios materiales o de insuficiencia de capacidad de gestión que exige el artículo 15.1 de la Ley 30/1992, de 26 de noviembre, como presupuesto esencial para acudir a la figura de la encomienda de gestión[116].

En efecto, si realmente la justificación teórica de la existencia de dichos organismos se basa en la voluntad de incrementar la eficacia o la flexibilidad en la gestión pública, lo que correspondería, en nuestra opinión y en el supuesto de que concurrieran efectivamente las circunstancias de falta de capacidad de gestión o de mejora de la eficacia previstas en el artículo 15 de la LRJPAC, no sería el recurso a la figura de la encomienda de gestión, sino un completo replanteamiento de la propia existencia de dichas entidades y de los medios humanos y materiales puestos a su disposición para el ejercicio de sus funciones públicas.

De este modo, podríamos concluir afirmando que el papel principal de los organismos públicos en relación con la encomienda de gestión no debe buscarse en su papel como entidades encomendantes sino todo lo contrario, como posibles receptores de los encargos efectuados por otras entidades públicas. Es aquí donde la especialización y singularidad de estos organismos puede alcanzar una mayor aplicación práctica, puesto que podrían aportar a las administraciones territoriales los conocimien-

---

la gestión de un servicio que le es propio, a través del cual se pretende compensar el aumento constante de funciones administrativas, evitando así la congestión paralizante de las organizaciones administrativas territoriales y mejorando la eficacia en la prestación de dichos servicios. Añadiéndose que con la creación artificiosa de estas entidades no se pretende defraudar patrimonialmente a nadie, u ocultar un control efectivo ni buscar limitaciones abusivas de responsabilidad, sino que su creación responde a la voluntad de realizar determinados fines instrumentales de las administraciones públicas. GARCÍA DE ENTERRÍA, Eduardo y FERNÁNDEZ RODRÍGUEZ, Tomás Ramón: *Curso de Derecho Administrativo*, op. cit., p. 399-400 y 409.

116. De hecho la propia LOFAGE articula medidas concretas para evitar que se puedan producir dichas situaciones, previendo el sometimiento de los organismos públicos a controles de eficacia, con la finalidad de verificar el grado de cumplimiento de los objetivos y la adecuada utilización de los recursos asignados. Véanse los artículos 51 y 59 de la LOFAGE. En el caso de las agencias estatales es aún más evidente, por cuanto la Ley 28/2006, de 18 de julio, prevé que la actuación de las agencias debe producirse de acuerdo con su plan de acción anual y de acuerdo con el contrato plurianual de gestión que, entre otros aspectos, debe concretar los recursos materiales, humanos y presupuestarios necesarios para la consecución de sus objetivos (art. 13 Ley 28/2006).

tos técnicos o los medios humanos y materiales concretos de los que, quizá, aquellas se encuentren desprovistas[117].

C. *La extensión de la encomienda de gestión a las llamadas entidades públicas de régimen singular*

A pesar del esfuerzo realizado por el legislador estatal por agrupar bajo determinadas categorías homogéneas los diferentes organismos públicos existentes en nuestro ordenamiento, la enorme diversidad de sujetos en los que se organiza nuestra Administración Pública ha hecho que la LOFAGE, en sus Disposiciones Adicionales sexta a décima, haya tenido que regular un conjunto de entidades que, aunque se caracterizan por su creación bajo una forma de personificación pública y por regirse principalmente por un estatuto jurídico-publico, a diferencia de los organismos públicos *nominados* o *típicos* (organismos autónomos, entidades públicas empresariales o agencias, así como sus equivalentes autonómicos y locales)[118], se dotan de un régimen jurídico singular, en el que los preceptos reguladores de los organismos públicos no les son directa y primariamente aplicables, sino a título supletorio[119].

Ciertamente resulta difícil explicar los motivos que justifican la sin-

---

117. Y es que, como veremos más adelante, la posible contribución de la figura de la encomienda de gestión a conseguir una mejor eficacia en la prestación de aquellos servicios públicos que exigen una mayor infraestructura técnica o especializada ha sido precisamente destacada por la doctrina como una de las posibles aplicaciones prácticas más relevantes de esta institución. En este sentido, por ejemplo, ORTEGA ÁLVAREZ, Luis: «Órganos de las Administraciones Públicas», *op. cit.*, p. 77-78 y MAURI MAJÓS, Joan: «Administraciones públicas, sus relaciones y los órganos administrativos», en TORNOS MAS, Joaquín (Coord.): *Administración Pública y procedimiento administrativo. Comentarios a la Ley 30/1992, op. cit.*, p. 102.

118. La expresión la tomamos de SUAY RINCÓN, José: «Organització instrumental de les corporacions locals», en *Quaderns de Dret Local*, núm. 9, octubre 2005, p. 10, si bien son muchos los autores que se han referido a la «tipicidad» de los entes institucionales regulados por la LOFAGE, por ejemplo, GARCÍA DE ENTERRÍA, Eduardo y FERNÁNDEZ RODRÍGUEZ, Tomás Ramón: *Curso de Derecho Administrativo, op. cit.*, p. 414; PARADA VÁZQUEZ, Ramón: *Derecho Administrativo*, volumen II, Ed. Marcial Pons, octava edición, Madrid 1994, p. 251 o SANTAMARÍA PASTOR, Juan Alfonso: *Principios de Derecho Administrativo General, op. cit.*, 708.

119. Entre dichas entidades podemos encontrar, por ejemplo, la Agencia Estatal de Administración Tributaria (Disposición Adicional Novena de la LOFAGE), la Comisión del Mercado de Valores o la Comisión del Mercado de Telecomunicaciones (Disposición Adicional Décima de la LOFAGE). Con carácter general, sobre el régimen jurídico de dichas entidades pueden verse, entre otros, MAGIDE HERRERO, Mariano: *Límites constitucionales de las Administraciones Independientes*, INAP, colección Estudios, Madrid 2000 y BETANCOR RODRÍGUEZ, Andrés: *Las Administraciones Independientes: un reto para el Estado Social y Democrático de Derecho*, Ed. Tecnos, Madrid, 1994.

gularidad de su régimen jurídico, puesto que junto con las estructuras organizativas integrantes de la Seguridad Social nos encontramos con las llamadas Administraciones independientes. Por lo que, sin entrar en un análisis más detallado, nos interesa simplemente poner de relieve que, en nuestra opinión, puede hacerse extensible también a estos organismos la posibilidad de actuar la encomienda de gestión. No sólo su forma de personificación jurídico-publica, o su creación dirigida a la satisfacción de los intereses generales, sino que, como ha señalado LÓPEZ RAMÓN, la exigencia normativa de que se trate de entidades de derecho público «vinculadas o dependientes» de las administraciones territoriales no excluiría estas últimas entidades del ámbito de aplicación del artículo 2.2 LRJPAC, puesto que todas, aún las que puedan haber merecido cierto grado de «independencia», están vinculadas, siquiera sólo financieramente, a alguna administración territorial[120]. De ahí que, desde una perspectiva jurídico-formal, estas organizaciones puedan ser consideradas plenamente como administraciones públicas a efectos de la LRJPAC.

De hecho, la propia praxis administrativa se ha ocupado de despejar las posibles dudas sobre la extensión de la encomienda de gestión también a estas entidades, puesto que un rápido análisis de las normas reguladoras de estas administraciones independientes nos permite observar que no sólo podemos encontrar algunos ejemplos concretos, en los que, sobre la base del artículo 15 de la LRJPAC, se utiliza esta figura –como, por ejemplo, la Resolución de 26 de septiembre de 2006, de la Comisión del Mercado de las Telecomunicaciones, por la que se encomienda a la sociedad Ingeniería de Sistemas para la Defensa de España, SA. la realización de trabajos de apoyo y asistencia técnica (BOE núm. 269, de 10 de noviembre de 2006, p. 39396-39397)– sino que, además, en algunos supuestos su propia normativa específica contempla expresamente la posibilidad de acudir a la figura de la encomienda de gestión, desarrollando la regulación básica prevista en la LRJPAC. En este sentido, junto a la ya citada Disposición Adicional Tercera de la Ley 15/1980, de 25 de abril, de creación del Consejo de Seguridad Nuclear, podemos añadir el artículo 17.2 del Real Decreto 1526/1999, de 1 de octu-

---

120. LÓPEZ RAMÓN, Fernando: *op. cit.*, p. 116. En el mismo sentido se expresa también LÓPEZ MENUDO, Francisco: «Tipología de entes de la Administración Institucional. Régimen Jurídico de los Organismos Autónomos y de las Entidades Públicas Empresariales», en *Cuadernos de Derecho Judicial*, núm. 8, 2004, p. 115-116 o GONZÁLEZ PÉREZ, Jesús y GONZÁLEZ NAVARRO, Francisco: *Comentarios a la Ley de Régimen Jurídico de las Administraciones Públicas y del Procedimientos Administrativo Común, op. cit.*, p. 262.

bre, por el que se aprueba el Reglamento del Instituto Cervantes, que permite a su Director acordar la encomienda de gestión de actividades de carácter material, técnico o de servicios propias del Instituto Cervantes a otros entes y órganos de las administraciones públicas, mediante convenio.

D. La aplicación de la encomienda de gestión a las universidades públicas

En una posición similar a la de los anteriores organismos públicos «singulares» se encuentran las universidades públicas a las que, sobre la base de la garantía institucional de la autonomía universitaria que resulta del artículo 27.10 de nuestra Constitución, la Ley Orgánica 6/2001, de 21 de diciembre, de Universidades (en adelante LOU), atribuye la titularidad del servicio público de educación superior (art. 1 LOU). Aunque es verdad que la Ley 30/1992, de 26 de noviembre, al fijar su ámbito de aplicación, no se refiere en ningún momento a las universidades públicas, ello no ha impedido que la doctrina haya puesto de relieve su verdadero carácter de Administraciones Públicas, calificándolas como un tipo de administraciones institucionales[121].

Su condición de Administración vendría ratificada, principalmente, por su creación y reconocimiento por parte de los entes públicos territoriales (art. 4.1 LOU), por las finalidades de interés general que persiguen (art. 1.2 LOU), por su sistema de financiación público (art. 79 y 81 LOU), así como por su plena sujeción al ordenamiento jurídico-público (art. 6 LOU). Al mismo tiempo que no hay que olvidar que la propia LOFAGE atribuye a las universidades no transferidas a las comunidades autónomas el calificativo de administraciones públicas, incluyéndolas dentro de la noción amplia de organismos públicos estatales a la que nos referíamos en el apartado anterior (Disposición Adicional Décima); y que, en términos similares, la Ley de Contratos del Sector Público, al determinar su ámbito de aplicación, las califica también como administraciones públicas [art. 2 c) TRLCSP].

En este sentido, resulta lógico que nos planteemos también la posi-

---

121. A tal efecto, pueden verse, entre otros, PARADA VÁZQUEZ, Ramón: *Derecho Administrativo, op. cit.*, p. 287; SÁNCHEZ MORÓN, Miguel: *Derecho Administrativo. Parte General*, Ed. Tecnos, quina edición, Madrid 2009, p. 414-416 o GARCÍA DE ENTERRÍA, Eduardo y FERNÁNDEZ RODRÍGUEZ, Tomás Ramón: *Curso de Derecho Administrativo, op. cit.*, p. 430. De forma más específica, y centrándose sobre el régimen jurídico de las universidades, pueden verse, entre otros, TARDIO PATO, José Antonio: *El derecho de las universidades públicas españolas*, Promociones y Publicaciones Universitarias PPU, Barcelona 1994, p. 654-664 y MAGIDE HERRERO, Mariano: *Límites constitucionales de las Administraciones Independientes, op. cit.*, p. 56.

bilidad de reconocer a las universidades públicas la capacidad para acudir a la figura de la encomienda de gestión. Y es que ¿el hecho de que la LOU no prevea de forma expresa la posible utilización de esta figura administrativa por parte de las universidades supone vetarles su acceso? En nuestra opinión, la respuesta a esta pregunta debe ser negativa. De acuerdo con la condición de Administración Pública que hemos expuesto anteriormente, podríamos entender que, a pesar del silencio de la LOU, las universidades públicas pueden acudir, para gestionar la prestación del servicio público de enseñanza superior que les ha sido asignado, a las diferentes técnicas organizativas y de colaboración que nuestro ordenamiento ha previsto con carácter básico para el conjunto del sistema administrativo y, entre ellas, también a la figura de la encomienda de gestión del artículo 15 de la LRJPAC[122].

De hecho, así lo ha entendido el legislador autonómico quién, al desarrollar el sistema universitario en las diferentes comunidades autónomas, no sólo ha previsto la aplicación supletoria de la Ley 30/1992, de 26 de noviembre, a las universidades públicas –como por ejemplo, en el artículo 76 de la Ley 3/2004, de 25 de febrero, de Universidades del País Vasco, o en el artículo 7 de la Ley murciana 4/1998, de 8 de abril, de Coordinación Universitaria– y, con ello, la posibilidad de extenderles también la aplicación de los principios organizativos previstos en dicha Ley; sino que, además, ha admitido de forma expresa la utilización de la encomienda de gestión por parte de las universidades públicas. Es el caso del artículo 134.1 de la Ley 1/2003, de 19 de febrero, de Universidades de Cataluña, en el que se señala que las universidades públicas catalanas podrán encargar al Consejo Interuniversitario de Cataluña la gestión de actividades de carácter técnico o de servicios de su competencia, de acuerdo con el artículo 15 de la LRJPAC[123].

---

122. QUINTANA LÓPEZ se ha referido también a esta cuestión, reconociendo a las universidades públicas una amplia capacidad autoorganizatoria para la gestión y prestación de sus servicios docentes y de investigación, que incluiría también la posibilidad de celebrar convenios con otras entidades públicas al amparo de la LRJPAC. QUINTANA LÓPEZ, Tomás: «Algunes consideracions sobre la gestió dels serveis universitaris a Espanya», en *Autonomies. Revista Catalana de Dret Públic*, núm. 23, 1998, p. 15-27.

123. Y a la misma conclusión han llegado los propios centros universitarios, los cuales no han dudado tampoco en acudir a esta figura administrativa. Podemos citar, por ejemplo, la Resolución de 17 de julio de 2007, de la Universidad de Burgos, por la que, atendiendo al artículo 15 de la LRJPAC, se encomienda la gestión del Rector en materia de organización y funcionamiento del Instituto de Administración Pública de dicha Universidad en el Secretario General (BOCyL, núm. 152, de 6 de agosto de 2007, p. 16185).

E. *La aplicación de la encomienda de gestión a las corporaciones de derecho público representativas de intereses económicos o profesionales*

Y, finalmente, queremos referirnos a una última categoría de entidades públicas, las llamadas corporaciones de derecho público representativas de intereses económicos o profesionales. Con esta denominación quiere designarse a un conjunto de entidades sectoriales de base privada, dotadas de personalidad jurídica propia, a las que la ley o la propia administración territorial les atribuyen el ejercicio de determinadas funciones públicas (su manifestación más característica la constituyen los colegios profesionales –que encuentran un reconocimiento expreso en el artículo 36 de la Constitución[124]–, pero también las cámaras oficiales –mencionadas también en nuestro texto constitucional, artículo 52 de la Constitución[125]–, las comunidades de usuarios o las cofradías de pescadores, entre otros).

A pesar de que el debate sobre la naturaleza jurídica de estas corporaciones y la posibilidad de calificarlas formalmente como Administraciones Públicas ha sido una de las cuestiones más controvertidas de nuestro Derecho Público, la doctrina mayoritaria parece haber llegado a la conclusión de que su carácter público y el sometimiento al Derecho Administrativo queda fuera de toda duda cuando éstas ejercen funciones publicas. Siéndoles aplicables, en estos casos, y en defecto de su normativa específica, las previsiones de la LRJPAC[126]. En efecto, no es posible conceptuar dichas corporaciones como una mera modalidad de asociación o representación de los intereses privados, sino que su necesaria creación por ley y la defensa del interés general que les atribuye

---

124. El artículo 36 de nuestro texto constitucional señala: «La Ley regulará el régimen jurídico de los colegios profesionales y el ejercicio de las profesiones tituladas. La estructura interna y el funcionamiento de los colegios profesionales deberán ser democráticos».

125. El artículo 52 de la Constitución prevé: «La Ley regulará las organizaciones profesionales que contribuyan a la defensa de los intereses económicos que les sean propios. Su estructura interna y funcionamiento deberán ser democráticos».

126. La Disposición Transitoria Primera de la LRJPAC así lo prevé, al señalar que, en tanto no se complete su legislación especifica, les serán de aplicación las disposiciones de dicha Ley «en lo que proceda». Sobre la naturaleza jurídica de las corporaciones de derecho público pueden verse, entre otros muchos, GARCÍA DE ENTERRÍA, Eduardo y FERNÁNDEZ RODRÍGUEZ, Tomás Ramón: *Curso de Derecho Administrativo*, *op. cit.*, p. 398-400; MARTÍN-RETORTILLO, Lorenzo (Coord.): *Los colegios profesionales a la luz de la Constitución*, Ed. Civitas, Madrid 1998; DEL SAZ, Silvia: *Los colegios profesionales*, Ed. Marcial Pons, Madrid 1996. Asimismo, sobre la aplicación a estas entidades de la Ley 30/1992, SALOM PARETS, Aina: *Los colegios profesionales*, Ed. Atelier, Barcelona 2007.

el ordenamiento jurídico definen y cualifican a dichas organizaciones como verdaderos sujetos públicos[127].

Desde esta perspectiva, siendo coherentes con las conclusiones a las que llegábamos al analizar el régimen jurídico de las entidades públicas empresariales y teniendo presente que estas corporaciones se constituyen como auténticas personas jurídico-publicas integradas dentro del marco institucional de la estructura del Estado, que pueden ejercer potestades públicas, debemos admitir también en este supuesto que se hallan vinculadas por los principios de organización y funcionamiento predicables de todos los poderes públicos. En este sentido, cuando éstas actúan en ejercicio de las potestades públicas que tienen conferidas, la necesidad de garantizar la eficacia en su actuación y la coherencia misma del sistema podría justificar el recurso a los instrumentos de colaboración administrativa previstos en nuestro ordenamiento, entre los que, a nuestro entender, podríamos incluir la figura de la encomienda de gestión del artículo 15 de la LRJPAC[128]. De hecho, esta posibilidad ha sido reconocida de forma expresa por nuestra jurisprudencia. Así, por ejemplo, la Sentencia de la Sala de lo Contencioso de la Audiencia Nacional de 28 de febrero de 2007 (Ponente: Sra. Ana María Sangüesa Cabezudo, núm. recurso 603/2005), fundamenta la conformidad a Derecho del Convenio de encomienda de gestión suscrito entre el Ministerio de Sanidad y Consumo y el Consejo General de Colegios Oficiales de Farmacéuticos de 8 de junio de 2005 en el hecho de que éste, al formalizarse dentro del marco de colaboración con la Administración que corresponde a los colegios profesionales, en su condición de administración corporativa, no vulneraba disposición normativa alguna. (FJ 2). Es

---

127. En este sentido, puede verse, por ejemplo, la Sentencia del Tribunal Constitucional 89/1989, de 11 de mayo, (Ponente: Sr. Carlos de la Vega Benayas) en la que se afirma que los colegios profesionales también atienden a finalidades de interés público en razón de las cuales se configuran legalmente como personas jurídico-públicas o corporaciones de Derecho Público (FJ 4). En el ámbito doctrinal podemos citar, entre otros, SALOM PARETS, Aina: *Los colegios profesionales, op. cit.*, p. 83-113 o GARCÍA DE ENTERRÍA, Eduardo y FERNÁNDEZ RODRÍGUEZ, Tomás Ramón: *Curso de Derecho Administrativo, op. cit.*, p. 398-400, quienes califican también dichas corporaciones como Administración *secundum quid* en la medida de que sean titulares de funciones públicas.

128. En esta lógica parece expresarse también SALOM PARETS cuando, después de reconocer de forma expresa el carácter de Administración Pública de los colegios profesionales y declararles aplicable la normativa administrativa, prevé también la extensión a éstos de las técnicas de alteración de las competencias previstas en nuestro ordenamiento. Si bien es verdad que la autora al avanzar en su exposición no menciona en ningún momento la figura de la encomienda de gestión. SALOM PARETS, Aina: *Los colegios profesionales, op. cit.*, p. 131-133.

decir, al considerar a los colegios profesionales como administraciones públicas, la Sala admite que éstos puedan hacer uso de un mecanismo de colaboración –como es la encomienda de gestión– que la LRJPAC reserva a los sujetos de derecho público[129].

Ahora bien, como afirmábamos entonces, entendemos igualmente que, si bien desde un punto de vista estrictamente legal quizá no habría inconveniente en admitir dicha posibilidad, desde el punto de la organización administrativa sí que resulta seriamente cuestionable. Y es que, con una argumentación similar a la expuesta anteriormente, consideramos que si las corporaciones de derecho público se fundamentan en un supuesto de *autoadministración*, que puede contribuir a agilizar la acción administrativa, atribuyendo su gestión de forma autónoma a los propios interesados, no parece muy razonable que éstos, a su vez, puedan desplazar o transferir el cumplimiento de algunas de dichas actividades hacia otras entidades públicas. Más cuando –exceptuando sus tareas de ordenación de las profesiones tituladas– el grueso de funciones que se les reconocen son de carácter meramente material o de servicios (como las funciones de asesoramiento y la gestión de actividades educativas previstas en el artículo 2.1 de la Ley 3/1993, de 22 de marzo, Básica de Cámaras Oficiales de Comercio, Industria y Navegación o las tareas de representación y formación a las que se refiere el artículo 5 de la Ley 2/1974, de 13 de febrero, sobre Colegios Profesionales)[130].

---

129. En el mismo sentido se expresa, entre otras, la Sentencia de la Sala de lo Contencioso de la Audiencia Nacional de 11 de julio de 2007, ponente: Sr. Tomás García Gonzalo, núm. recurso 171/06 (FJ 3). Más matizada, sin embargo, ha resultado en ocasiones la posición del Tribunal Supremo. Por ejemplo, en la Sentencia de 3 de noviembre de 1988 (ponente: Sr. Francisco González Navarro), se insiste, en primer lugar, en el hecho de que cuando las corporaciones de Derecho público realizan las funciones que el poder público les ha atribuido, debe entenderse que es el propio Poder Público el que está actuando –de donde se deriva, precisamente, la aplicación a dichas entidades de las garantías y principios inmanentes al Derecho Público–. No obstante, ello no supone la traslación automática de toda la legislación administrativa en su integridad, sino que hay aspectos de la legislación administrativa cuya titularidad exigiría una atribución expresa. Dentro de estos aspectos, el Tribunal Supremo parece incluir los mecanismos de traslación competencial que venimos comentando a lo largo de nuestra exposición.
Sobre esta cuestión puede verse también GONZÁLEZ PÉREZ, Jesús y GONZÁLEZ NAVARRO, Francisco: *Comentarios a la Ley de Régimen Jurídico de las Administraciones Públicas y del Procedimientos Administrativo Común, op. cit.*, p. 425.
130. En este punto deberíamos añadir que, tal y como veremos más adelante al analizar el objeto de la encomienda de gestión, en nuestra opinión solamente sería posible la encomienda de la gestión de las competencias propias, pero no de aquéllas que se hayan recibido, a su vez, por delegación o encomienda. De este modo, tendríamos otro límite a la posible aplicación de esta figura a las corporaciones de derecho público puesto que no podrían tampoco encomendar la gestión de las funciones que, habitualmente, ejercen por delegación de la Administración Pública.

Por lo que, en nuestra opinión, partiendo nuevamente del carácter de excepción que la encomienda de gestión supone para el principio de irrenunciabilidad de las competencias (art. 12.1 LRJPAC), entendemos que hay que hacer una lectura restrictiva de la Ley, considerando, como en el caso de las entidades públicas empresariales, que la función principal de las corporaciones de derecho público en esta materia se encuentra en su papel como posibles receptoras de encargos efectuados por otras administraciones públicas, pero no como titulares activos de la encomienda de gestión. De hecho, un examen de la normativa reguladora propia de dichas corporaciones nos enseña como la facultad de encomendar la realización de actividades de carácter material, técnico o de servicios de su competencia no se incluye dentro de las atribuciones expresamente reconocidas a dichas entidades. Cuando, en cambio, la posibilidad inversa sí que se reconoce de forma expresa por el legislador. Por ejemplo, la Ley 4/2009, de 15 de octubre, de Cámaras Oficiales de Comercio e Industria de Castilla la Mancha, regula específicamente la encomienda de gestión de actividades de los órganos de la Administración de la Junta de Comunidades de Castilla-La Mancha a los mencionados órganos camerales de dicha Comunidad Autónoma (art. 8 Ley 4/2009) o, igualmente, la Ley extremeña 11/2002, de 12 de diciembre, de Colegios Profesionales, prevé que la Junta de Extremadura podrá, mediante convenio, encomendar a los colegios profesionales de dicha Comunidad Autónoma la realización de actividades de carácter material, técnico o de servicios de su competencia (art. 3.7 Ley 11/2002).

2.2.3. La extensión del modelo básico a las Comunidades Autónomas

Estas últimas citas normativas nos sirven de justificación para introducir en nuestra exposición un último elemento de valoración, el relativo al desarrollo del ámbito subjetivo de la encomienda de gestión por parte de la normativa propia de las comunidades autónomas que han regulado el régimen jurídico de esta singular institución administrativa. Obviamente, la normativa autonómica sigue configurando la encomienda de gestión también como una relación de carácter bilateral entre dos partes diferenciadas (encomendado y encomendante). Por lo que, más allá de lo dicho hasta ahora, nos interesa referirnos solamente a qué órganos o entidades concretas se reconoce la posibilidad de actuar la encomienda de gestión.

Desde esta perspectiva, podemos afirmar que la impresión global que se desprende del estudio de dicha normativa es que, a grandes rasgos, la mayoría de las comunidades autónomas se han limitado a reproducir literalmente lo establecido con carácter básico en el artículo 15.1 de la LRJPAC, optando por reconocer expresamente la titularidad de la encomienda de gestión tanto a los órganos propios de la administración autonómica como a las entidades de derecho público dependientes o vinculadas[131]. Por lo que, en este punto, podríamos hacer extensibles las consideraciones que realizábamos anteriormente, sobre la aplicación de la encomienda de gestión a los diferentes organismos públicos existentes en las comunidades autónomas, incluso aquéllos que sujetan parte de su actividad al Derecho Privado, en la medida en que ejerzan potestades administrativas. Sin embargo, queremos referirnos a dos supuestos en particular en los que sí que nos encontramos con algunas pequeñas diferencias y cuya valoración merece que nos detengamos siquiera brevemente.

A. La aplicación limitada de la encomienda de gestión a los órganos de la administración autonómica

El primero de estos supuestos se refiere, específicamente, al artículo 24 de la Ley riojana 4/2005, de 1 de junio, de Funcionamiento y Régimen Jurídico de la Administración de dicha Comunidad Autónoma, al artículo 38 del Decreto Legislativo 2/2001, de 3 de julio, por el que aprueba el Texto refundido de la Ley de la Administración de la Comunidad Autónoma de Aragón y al artículo 30.1 de la Ley 3/2003, de 26 de marzo, de Régimen Jurídico de las Illes Balears, en los que, aparentemente, no se identifican a los titulares de la encomienda de gestión, haciéndose referencia simplemente al «órgano encomendante». Por lo que el recurso en dichos preceptos a la noción de «órgano» nos podría llevar a cuestionar el alcance real de la encomienda de gestión en estas Comunidades Autónomas, al efecto de determinar si ésta se limita únicamente a los órganos administrativos en sentido estricto o incluye también a las entidades de derecho público.

En nuestra opinión, esta opción organizativa del legislador autonómico debe entenderse en sus justos términos y es que dichas normas jurídicas no pretenden prever una regulación contraria al artículo 15 de la LRJPAC –opción ésta que, al tratarse de un artículo con carácter básico, podría considerarse como contraria al ordenamiento jurídico– sino que, al circunscribirse únicamente a la ordenación de la estructura orga-

---

131. Por ejemplo, podemos citar el artículo 75.1 de la Ley 1/2002, de 28 de febrero, del Gobierno y Administración de la Comunidad Autónoma de Extremadura o el artículo 46.1 de la Ley cántabra 6/2002, de 10 de diciembre, de Régimen Jurídico del Gobierno y de la Administración de dicha Comunidad Autónoma.

nizativa propia de la Administración *territorial* autonómica se refieren solamente a los órganos pertenecientes a dicha administración. Sin embargo, nada impediría que, sobre la base del artículo 15 de la LRJPAC, el legislador autonómico pudiera extender la aplicación de la encomienda de gestión a otras personas jurídico-públicas; como, de hecho, así ha ocurrido. En este sentido, podemos señalar que, por ejemplo, la Ley balear 20/2006, de 15 de diciembre, Municipal y de Régimen Local, ha previsto de forma expresa la posibilidad de que los Ayuntamientos y los Consejos Insulares puedan hacer uso de esta institución jurídico–administrativa (art. 64 Ley 20/2006); a la vez que la Ley 7/2010, de 21 de julio, del Sector Público Instrumental de esta misma Comunidad Autónoma, ha reconocido también la posible utilización de esta figura por parte de los organismos públicos de carácter no territorial, previendo expresamente la encomienda de funciones de la Agencia Tributaria de les Illes Balears a otras administraciones públicas (Disposición Final Cuarta Ley 7/2010).

B. *La aparente mayor amplitud de la Ley catalana 26/2010, de 3 de agosto, de Régimen Jurídico y Procedimiento de las Administraciones Públicas de Cataluña*

En segundo lugar merece también una reflexión aparte la nueva regulación de la encomienda de gestión prevista en la Ley catalana 26/2010, de 3 de agosto, de Régimen Jurídico y Procedimiento de las Administraciones Públicas de Cataluña, en la que se afirma que podrá encomendarse la realización de actividades da carácter material, técnico o de servicios de la competencia «de los órganos administrativos, los organismos o las entidades públicas» (art. 10 LRJCat)[132].

Si hiciéramos una lectura rápida de este precepto podríamos llegar a la conclusión que la voluntad del legislador catalán ha sido la de ampliar el ámbito de aplicación subjetivo de la encomienda de gestión. En efecto, junto a la referencia a los órganos administrativos, la utilización del término «organismos y entidades públicas» resultaría mucho más abierta que la noción de «entidades de Derecho Público» utilizada por la LRJPAC; a la vez que prescindiría de cualquier referencia a la perso-

---

132. Acerca de la regulación de las relaciones entre administraciones públicas en la Ley catalana 26/2010, de 3 de agosto, puede verse, GRACIA RETORTILLO, Ricard y VILALTA REIXACH, Marc: «Las relaciones interadministrativas de las administraciones públicas de Cataluña», en TORNOS MAS, Joaquín (Coord.): *Comentarios a la Ley 26/2010, de 3 de agosto, de Régimen Jurídico y Procedimiento de las Administraciones Públicas de Cataluña*, op. cit., p. 663-717.

nalidad jurídica, pública o privada, de los entes de que se tratara, con lo que podríamos pensar que admitiría también la formalización de encomiendas de gestión respecto de personas constituidas con arreglo al Derecho Privado.

No obstante, más allá de esta primera impresión, creemos que no resulta posible mantener esta interpretación por una razón muy simple. Como apuntábamos más arriba, el artículo 15.2 de la LRJPAC limita la capacidad para ocupar la posición activa de la encomienda de gestión únicamente a aquellos órganos o entidades de derecho público con capacidad suficiente para dictar actos o resoluciones jurídicas con eficacia *ad extra*, susceptibles de modificar la posición subjetiva de la Administración Pública; capacidad que, por ejemplo, no puede predicarse de las sociedades mercantiles ni las fundaciones del sector público. Esta previsión básica de la LRJPAC se recoge y se reitera expresamente también en la Ley catalana, señalando que es responsabilidad del órgano, organismo o entidad pública que haya realizado el encargo «dictar cuantos actos o resoluciones de carácter jurídico lo apoyen o en los que se integre la actividad material concreta objeto del encargo» (art. 10.2 LRJCat), por lo que tendríamos que admitir que en dicha Comunidad Autónoma sería posible también llegar a la misma conclusión que manteníamos entonces; de manera que tan sólo las personas jurídico-publicas resultarían habilitadas para la utilización de dicha figura.

Desde esta perspectiva, y para ahondar aún más en nuestra argumentación, si acudimos al Decreto Legislativo 2/2002, de 24 de diciembre, por el que se aprueba el Texto refundido de la Ley 4/1985, de 29 de marzo, del Estatuto de la Empresa Pública catalana, podremos comprobar como –a pesar de que se sigue previendo la misma tipología de entidades instrumentales existente en la Ley 11/1977, de 4 de enero, General Presupuestaria–, el Estatuto de la Empresa Pública catalana solamente atribuye el ejercicio de potestades administrativas a las entidades constituidas mediante formas de personificación de Derecho Público (ya sean entidades autónomas administrativas o entidades de derecho público sometidas al Derecho Privado)[133].

---

133. El cuadro de entidades que delimita el ámbito de aplicación del Estatuto de la Empresa Pública catalana lo integran: a) las *entidades autónomas* de la Generalidad que realicen operaciones o presten servicios de carácter principalmente comercial, industrial o financiero, b) las empresas de la Generalidad, que se subdividen, por un lado, entre las *entidades de derecho público* con personalidad jurídica propia sometidas a la Generalidad, pero que deben ajustar su actividad al ordenamiento jurídico-privado y, por el otro, por las *sociedades civiles o mercantiles* con participación mayoritaria de la Generalidad, de sus entidades autónomas o de las sociedades en las que la Generalidad o las mencionadas entidades posean también participación

En este sentido, podríamos entender que el hecho de que el legislador catalán haya optado por esta terminología más amplia –incluyendo no sólo a los órganos administrativos sino también a «organismos y entidades»– responde a la voluntad de dar cabida a la «atipicidad» propia de este ordenamiento jurídico, que sigue ordenándose al margen de las categorías «típicas» previstas en la LOFAGE. A la vez que mediante esta denominación, y de forma similar a lo que ocurre con los organismos públicos previstos en las Disposiciones Adicionales de la LOFAGE, se podrían incluir también dentro del ámbito de aplicación de la encomienda de gestión una gran variedad de entidades públicas existentes en Cataluña, con muy variadas denominaciones, y que, aunque caracterizadas por disponer de personalidad jurídica propia, por someter su actuación al Derecho Administrativo y por el hecho de atribuírseles la gestión de tareas de interés público, gozan de un régimen jurídico que resulta notablemente heterogéneo (como, por ejemplo, la *Agencia de Suport a l'Empresa catalana*, prevista en la Ley 9/2009, de 30 de junio o *l'Institut Superior de les Arts*, regulado en la Ley 12/2009, de 10 de julio).

2.3. EL ENCOMENDADO

Una vez delimitadas las entidades que pueden actuar como sujetos encomendantes, debemos pasar ahora a analizar la figura del *encomendado*. Cuando hablamos del encomendado nos referimos a aquel sujeto que, mediante la formalización de la encomienda de gestión, se compromete a llevar a cabo, en nombre del encomendante, la actuación material que constituye el objeto de la relación de encomienda. En este caso, como el anterior, la determinación de quiénes pueden actuar en esta

---

mayoritaria; y, finalmente, c) las *sociedades civiles o mercantiles* vinculadas a la Generalidad. Dentro de este complejo organizativo, como decíamos, solamente se reconoce a las entidades autónomas de la Generalidad y a las entidades de derecho público la disposición de potestades administrativas y la capacidad para dictar actos administrativos. Véanse los artículos 6, 22 y 43, a *sensu contrario*, del Decreto Legislativo 2/2002, de 24 de diciembre, por el que se aprueba el Texto refundido de la Ley 4/1985, de 29 de marzo, del Estatuto de la Empresa Pública catalana. Igualmente, el artículo 4 del Decreto Legislativo 3/2002, de 24 de diciembre, por el que se aprueba el Texto refundido de la Ley de Finanzas Públicas de Cataluña. Sobre la organización institucional en Cataluña, FONT I LLOVET, Tomàs: «La Administración institucional de las Comunidades Autónomas: notas sobre la Generalitat de Cataluña», en *Revista de Administración Pública*, núm. 93, 1980, p. 313-340; PITA GRANDAL, Ana Mª: «L'empresa pública en l'ordenament jurídic de Catalunya», en *Autonomies. Revista Catalana de Dret Públic*, núm. 2-3, 1985, p. 70-84 o, más recientemente, MARTÍNEZ-ALONSO CAMPS, José Luis y YSA FIGUERES, Tamiko: *Les personificacions instrumentals locals a Catalunya: organismes autònoms, consorcis, mancomunitats i societats públiques*, EAPC, segunda edición, Barcelona 2003.

posición jurídica debemos buscarla nuevamente en el artículo 15.1 de la LRJPAC, cuya redacción resulta, también en este punto, ambigua y carente del rigor técnico necesario. Si partimos del tenor literal de este precepto podemos comprobar como, al señalar que la realización de las actividades de carácter material, técnico o de servicios de la competencia de las administraciones públicas puede encomendarse a «otros órganos o entidades de la misma o de distinta Administración», la Ley nos está diferenciado otra vez un doble ámbito de aplicación subjetivo de la encomienda: referido, por un lado, a los «órganos» y, por otro, a las «entidades». De este modo, a continuación trataremos de averiguar a qué se refiere la LRJPAC con dichas denominaciones.

2.3.1. Órganos administrativos... no relacionados jerárquicamente

En primer lugar, el artículo 15.1 de la LRJPAC señala que la encomienda podrá realizarse en favor de «otros órganos [...] de la misma o de distinta Administración». Por lo tanto, se está refiriendo, como en el apartado anterior, a la noción de órgano administrativo que ya hemos examinado. De este modo, podemos hacer extensivas las consideraciones que exponíamos en el epígrafe anterior sobre el significado concreto que debíamos dar a dicha terminología. En resumen, si el artículo 15.1 de la LRJPAC prevé de forma expresa que la encomienda de gestión pueda recaer sobre entidades de derecho público, siguiendo el razonamiento que exponíamos anteriormente, debemos entender también que los órganos a los que se refiere en este momento son solamente aquellos órganos de las administraciones públicas territoriales, puesto que las encomiendas realizadas a las entidades de derecho público –o, más concretamente, a los órganos de éstas que pudieran resultar competentes– podría encuadrarse ya dentro de la previsión específica del artículo 15.1 de la LRJPAC referida a dichas entidades.

Ahora bien, en este punto podríamos añadir que, como ha recalcado mayoritariamente la doctrina, la encomienda de gestión debería recaer normalmente sobre órganos administrativos no vinculados por una relación de jerarquía. Aunque es verdad que el artículo 15.1 de la LRJPAC no se opone a que la encomienda de gestión pueda realizarse incluso entre órganos jerárquicamente dependientes, en estos casos el recurso a la figura de la encomienda de gestión puede resultar del todo artificioso y forzado, por cuanto la realización de las actividades materiales que pretenden encomendarse podría articularse fácilmente a través de una orden del superior sobre el inferior en los términos del artículo 21 de la LRJPAC[134].

---

134. FERNÁNDEZ FARRERES, Germán: «La delegación de competencias y la encomienda de

Como es sabido, la emanación de órdenes e instrucciones de servicio constituye una regla de funcionamiento típica de la relación de jerarquía a través de la cual se estructura una determinada organización administrativa. Por lo que a través de estos instrumentos se puede ordenar fácilmente el funcionamiento interno de los servicios sin necesidad de acudir a la figura de la encomienda de gestión; no requiriéndose tampoco, por lo tanto, declaración alguna de voluntad por parte de los órganos implicados en la relación de encomienda[135]. La opción contraria, como se ha afirmado, supone admitir que el órgano superior negocie con el inferior la realización de determinadas actividades si bien sería irrelevante la hipotética negativa del inferior a asumir tales tareas o la modulación de su contenido, puesto que el principio de jerarquía colocaría siempre al órgano superior en situación de imponer su parecer[136].

2.3.2. Las «Entidades de la misma o distinta Administración». La discusión sobre la aplicabilidad de la encomienda de gestión a las personas sujetas al Derecho Privado

La determinación de qué otros sujetos –junto a los órganos administrativos– pueden ser receptores de la encomienda de gestión resulta esta vez mucho más confusa y problemática. Al referirse a la figura del encomendado, el citado artículo 15.1 de la LRJPAC prevé que la realización de actividades de carácter material, técnico o de servicios podrá ser atribuida a otras «Entidades de la misma o distinta Administración», por lo que parecería que, más allá de la mera exigencia de personalidad

---

gestión», *op. cit.*, p. 148. Del mismo autor y en idénticos términos: «Las encomiendas de gestión», *op. cit.*, p. 673. En el mismo sentido se expresan también unánimemente los autores estudiados, pudiendo señalar, por citar solamente algunos de ellos, PARADA VÁZQUEZ, Ramón: *Régimen Jurídico de las Administraciones Públicas y del Procedimiento Administrativo Común (Estudio, comentarios y texto de la Ley 30/1992, de 26 de noviembre)*, *op. cit.*, p. 118 o MESSEGUER YEBRA, Joaquín: «La encomienda de gestión como técnica de modulación competencial interorgánica. Régimen jurídico y aplicación práctica: virtudes y defectos», *op. cit.*, p. 133-134.

135. Sobre estas cuestiones pueden verse, por ejemplo NIETO GARCÍA, Alejandro: «La jerarquía administrativa», en *Documentación Administrativa*, núm. 229, enero-marzo 1992, p. 11-64 o GALLEGO ANABITARTE, Alfredo: *Conceptos y principios fundamentales del Derecho de Organización*, *op. cit.*, p. 27-29.

136. HERNANDO OREJANA, Luis Carlos: *La encomienda de gestión, op. cit.*, p. 136. En este punto, recordar simplemente que entre los principios de conducta que se imponen a los funcionarios públicos en el Estatuto Básico del Empleado Público encontramos, precisamente, el de obedecer «las instrucciones y ordenes profesionales de los superiores, salvo que constituyan una infracción manifiesta del ordenamiento jurídico [...]» (art. 54.3 Ley 7/2007, de 12 de abril, del Estatuto Básico Empleado Público).

jurídica propia y la vinculación a una administración pública, no se añadiría ningún otro requisito a su concreto régimen jurídico. No obstante, dicha apariencia no resulta del todo cierta, porque cuando se regulan las llamadas encomiendas de gestión *intra-administrativas* se habla nuevamente de «Entidades de Derecho Público» (art. 15.3 LRJPAC), mientras que, por su parte, el artículo 15.5 de la LRJPAC viene a excluir de forma expresa del ámbito de aplicación de dicho precepto los supuestos en que la realización de las actividades objeto de encomienda de gestión haya de recaer sobre personas físicas o jurídicas sujetas al Derecho Privado, cuya regulación se remite entonces a lo establecido, en lo que proceda, en la legislación contractual.

Por lo tanto, como en el apartado anterior, se nos plantea una duda fundamental: cuando el artículo 15.1 de la LRJPAC habla de «Entidades de la misma o distinta Administración» ¿a qué está haciendo referencia? ¿Se refiere solamente a las entidades jurídico-públicas previstas en el artículo 2.2 de la LRJPAC o debemos entender que abarca también a las personas jurídicas constituidas de acuerdo al Derecho Privado vinculadas o dependientes de la Administración?

La respuesta a esta pregunta no resulta nada fácil, no sólo por la propia dificultad jurídica derivada de la evidente incoherencia de la Ley, sino también por el hecho de que la determinación de su ámbito de aplicación subjetivo resulta un elemento muy importante tanto para explicar y justificar el particular régimen jurídico de esta figura, como para evitar su uso fraudulento. Quizá por ello la doctrina no ha sido capaz de ofrecer una única respuesta mayoritaria a esta cuestión, toda vez que la escasa atención que ha merecido este precepto, objeto normalmente de estudios muy amplios en el marco de los mecanismos de colaboración administrativa o de transferencia del ejercicio de las competencias, comporta que resulte ciertamente difícil determinar correctamente la interpretación dada por los autores, pues en muchas ocasiones se limitan a reproducir la literalidad del precepto pero sin entrar a valorar su contenido.

En nuestra opinión, la solución a esta problemática debemos buscarla en uno de los elementos que, como hemos apuntado al definir nuestro concepto de encomienda de gestión, han venido caracterizando esta figura: la voluntad de configurar la encomienda de gestión como un instrumento de carácter organizativo al margen de los procedimientos y principios contractuales. Como veremos a continuación, es quizá a través de esta idea que podemos intentar explicar el porqué de dicha previsión y cuál debería ser su alcance. Si bien, como añadiremos después, algunas de estas ideas merecen, en nuestra opinión, un profundo replanteamiento.

A. La interpretación finalista del artículo 15 de la LRJPAC

Con la introducción de la figura de la encomienda de gestión la LRJPAC pretendía dotar al sistema administrativo –entendido como un todo funcional dirigido a la satisfacción de unas mismas finalidades de interés general– de una herramienta ágil y flexible con la que poder reaccionar ante supuestos de falta de medios o de capacidad de gestión en el cumplimiento de sus objetivos[137]. Partiéndose de una visión casi organicista, se quería dotar al conjunto de administraciones públicas de un instrumento más que permitiera colmar las posibles insuficiencias gestoras o que les permitiera desarrollar sus funciones de un modo más eficaz; sin que fuera necesario, para ello, alterar la distribución de competencias establecida en nuestro ordenamiento, ni acudir al mercado o a la colaboración con terceros particulares[138]. Sería la propia Administración Pública, en definitiva, la que a través de esta técnica organizativa, fundada sobre el principio de eficacia y colaboración, podría afrontar directamente la gestión de todas las actividades de interés público que le hubieran sido asignadas.

Ésta es, en nuestra opinión, la finalidad prevista en el artículo 15 de la LRJPAC. La voluntad de dicho precepto no es otra que la de fijar la encomienda de gestión en el ámbito jurídico-público, facilitando que el conjunto de administraciones públicas puedan prestarse asistencia y auxilio recíproco en el ejercicio de sus respectivas competencias, en caso de que fuera necesario y a través de la simple utilización de sus propios medios materiales y humanos. Dicha voluntad parece reflejarse en el propio articulado de la LRJPAC, al incluirse dicha técnica dentro del título de la Ley relativo a los «Órganos de las Administraciones Públi-

---

137. SÁNCHEZ SÁEZ, Antonio José: «Algunas reflexiones sobre la encomienda de gestión como instrumento racionalizador del ejercicio de las competencias administrativas», *op. cit.*, p. 230-231.

138. En este punto, podemos recordar, una vez más, las palabras del Sr. Mayoral Cortes, del Grupo Parlamentario Socialista, en el debate en comisión sobre la aprobación del Proyecto de Ley de Régimen Jurídico de las Administraciones Públicas y del Procedimiento Administrativo Común, que situaba la principal aplicabilidad de la encomienda de gestión en el ámbito de la organización administrativa; afirmándose que con élla querían aportarse a nuestro Derecho Administrativo elementos con los que afrontar la complejidad que se derivaba de la pluralidad de administraciones y de la necesidad de dar coherencia a la actuación de todas ellas desde una perspectiva de pura voluntariedad. Diario de Sesiones del Congreso de los Diputados, núm. 483, de 16 de junio de 1992, p. 14225.

cas». Ello nos pone de relieve una cierta confusión de este instrumento como una forma de gestión *directa* de las funciones administrativas. No habría, en este entendimiento, una disociación entre el titular de una determinada función administrativa y quien la gestiona materialmente, sino que es siempre el Poder Público, la Administración, la que se ocupa de ello. De ahí que, en esta lógica interpretativa, debieran de quedar fuera del ámbito de aplicación de la encomienda de gestión aquellos supuestos en los que la obtención de las actividades o servicios de que se carece se busca fuera de la organización pública, acudiendo a los sujetos privados que operan en el mercado para la gestión –podríamos decir, *indirecta*– de dichas funciones[139].

En efecto, la lógica contractual o de mercado a la que responden principalmente las entidades jurídico-privadas que, con sus respectivos intereses económicos, operan en el tráfico mercantil en concurrencia con los empresarios particulares, podría resultar completamente ajena a la voluntad de colaboración administrativa que caracterizaría la encomienda de gestión. Y es que la posible extensión de la encomienda de gestión a una sociedad mercantil, aunque de capital público, se tornaría extraña en cuanto que, como decimos, la encomienda tomaría sólo en consideración la realización más eficaz de las funciones administrativas, pero no los intereses privados del mercado en los que se mueve esta última; en consecuencia, en cuanto que institución ajena a la lógica del mercado y a los intereses mercantiles, su utilización debería recaer sola-

---

139. La referencia al carácter *directo* o *indirecto* de la gestión la utilizamos, en este punto, de un modo meramente descriptivo, para encuadrar la encomienda en el marco de la organización pública. Pero somos conscientes de que, desde un punto de vista técnico y riguroso, dicha terminología no sería del todo adecuada, puesto que, por ejemplo, la utilización de una sociedad mercantil de capital íntegramente público es uno de los mecanismos de gestión *directa* de los servicios públicos que el artículo 85.2 de la LBRL pone a disposición de las entidades locales.
    Algunos autores, como ya hemos citado anteriormente, se han referido también a este carácter de gestión directa que supone la figura de la encomienda de gestión. Por ejemplo, ORTEGA ÁLVAREZ, Luis: «Órganos de las Administraciones Públicas», *op. cit.*, p. 77-78. Y, muy recientemente, el propio Tribunal Constitucional ha tenido también la ocasión de pronunciarse sobre esta cuestión. En la Sentencia núm. 1/2011, de 14 de febrero (Ponente: Sr. Pablo Pérez Tremps), al examinar la encomienda de la gestión de la actividad de acreditación de la formación continuada de las profesiones sanitarias que se preveía en una serie de convenios de colaboración celebrados entre el Ministerio de Educación, Cultura y Deporte y determinados Consejos Generales de colegios profesionales. En dicha resolución, y en unos términos que nos recuerdan a los argumentos expresados anteriormente, el Tribunal Constitucional afirma que con tal encomienda «no se hace cesión de competencia alguna», por lo que, a pesar de su gestión material por los colegios profesionales, «nos encontramos ante un ejercicio de poder público por parte del Estado» (FJ 6).

mente respecto de aquellas entidades que, de forma ordinaria, se sitúan fuera de la órbita del sector privado. Toda vez que ello contribuiría a evitar también que mediante la atribución de dichos encargos a empresas o instituciones privadas se pudiera alterar el juego de la libre competencia u otorgar una posición de preferencia a una determinada entidad por encima del resto de particulares y sin sujetarse a los principios de objetividad, transparencia e igualdad que rigen la contratación pública.

Es este carácter finalista de la encomienda de gestión el que, en nuestra opinión, nos lleva a interpretar la referencia a las «Entidades de la misma o distinta Administración» prevista en el artículo 15.1 de la LRJPAC como limitada únicamente a las administraciones públicas a las que se refiere el artículo 2 de la LRJPAC. En efecto, si como decíamos la encomienda de gestión se nos presenta como un mero instrumento de auxilio para garantizar la coherencia y eficacia del sistema administrativo, es solamente a las administraciones públicas integrantes de dicho sistema organizativo a quien debería corresponder su ejercicio. En consecuencia, según esta interpretación, sería posible reconocer la condición de encomendado tanto a las administraciones territoriales (ya sean de carácter estatal, autonómico o local), como a las entidades de derecho público vinculadas o dependientes de dichas administraciones reguladas por la LRJPAC. Como hemos visto más arriba, estas últimas entidades se consideran, a todos los efectos de la LRJPAC, como administraciones públicas (art. 2.2 LRJPAC), por lo que no sólo podemos configurarlas como titulares activos de la encomienda de gestión sino también, y sobretodo, como potenciales receptores de los encargos efectuados por las administraciones públicas territoriales a las que se vinculan.

En este sentido, hay que precisar que en esta categoría podríamos incluir tanto a los organismos públicos típicos existentes en nuestro ordenamiento jurídico (es decir, los organismos autónomos, las entidades públicas empresariales y las agencias reguladas por la LOFAGE; así como sus equivalentes autonómicos y locales), como las entidades de régimen singular a las que nos referíamos anteriormente. A pesar de la singularidad de su régimen jurídico, su consideración como administraciones públicas queda fuera de toda duda[140].

---

140. En este sentido, hay que añadir que la praxis administrativa nos ofrece numerosos ejemplos de aplicación de la figura de la encomienda de gestión a las entidades de derecho público, como, por ejemplo, la Resolución de 29 de marzo de 2010 por la que la Secretaría de Estado de Seguridad encomienda a la entidad pública empresarial Red.es la prestación del servicio de cita previa del DNI electrónico y del pasaporte (BOE núm. 96, de 21 de abril de 2010, p. 35215-35223) o también la Resolución de 15 de septiembre de 2010 a través de la cual la Secretaría de Estado de Medio Rural y Agua del Ministerio de Medio Ambiente encomienda al orga-

Y lo mismo podríamos decir de las universidades públicas. Si su forma de personificación pública o las finalidades de interés general que persiguen nos permitían anteriormente poder reconocerles, en cuanto que administraciones públicas, la capacidad para ser titulares activos de la encomienda de gestión, lo mismo podemos decir ahora en cuanto que titulares pasivos de dichos encargos. La necesidad de reconocerles una cierta autonomía en la gestión del servicio de educación superior, no altera su condición de sujetos públicos y parte integrante del sistema administrativo. En este sentido, como ya avanzábamos y como veremos más adelante al estudiar el ámbito objetivo de la encomienda de gestión, algunos autores han destacado lo positivo que podría resultar reconocer la condición de encomendado a las universidades públicas por cuanto, como centros de investigación y excelencia, podrían contribuir a la modernización de la Administración Pública[141].

E, incluso, siguiendo el mismo razonamiento, sería posible extender la consideración de encomendado a las corporaciones de derecho público representativas de intereses. A pesar de que, como decíamos, dichas corporaciones tienen una base personal privada, su categorización viene dada principalmente por su forma pública de personificación y por su sujeción al Derecho Público cuando ejercen potestades administrativas. En este sentido, podríamos configurarlas como un instrumento más de la acción administrativa, que no puede considerarse disgregado del conjunto general de la organización pública, sino al contrario, como una parte de la estructura orgánica dirigida a garantizar los fines de la Administración Pública en sentido amplio. Y, precisamente, ésta es la interpretación que parece asumir el legislador español, por cuanto la reciente Ley 2/2011, de 4 de marzo, de Economía Sostenible, ha previsto una modificación de la citada Ley 3/1993, Básica de Cámaras Oficiales de Comercio, Industria y Navegación, para reconocerles la posibilidad de recibir encomiendas de las administraciones públicas territoriales para la gestión y prestación de determinados servicios para las empresas (Disposición Final Cuadragésimo Séptima de la Ley 2/2011, de 4 de marzo).

Esta interpretación que proponemos a partir de una visión finalista

---

nismo autónomo Parques Nacionales la gestión y administración de la escuela taller «Vivero escuela Río Guadarrama» (BOE núm. 243, de 7 de octubre de 2010, p. 84970-84972).

141. ORTEGA ÁLVAREZ, Luis: «Órganos de las Administraciones Públicas», *op. cit.*, p. 77-78 y MAURI MAJÓS, Joan: «Administraciones públicas, sus relaciones y los órganos administrativos», *op. cit.*, p. 102.

de la Ley nos permitiría, a su vez, dotar de un significado coherente al artículo 15.5 de la LRJPAC, debiendo entender que la referencia a «personas físicas o jurídicas sujetas a Derecho Privado» se refiere no sólo a los particulares en sentido estricto, sino que alcanza a todas las entidades constituidas con formas de personificación privada. Como hemos visto anteriormente y como se ha apuntado por la doctrina, es el carácter de gestión directa por la propia organización administrativa implícito en la encomienda de gestión lo que nos llevaría a excluir la posibilidad de aplicar su régimen jurídico a una relación de prestación de servicios en la que interviniera una persona jurídica-privada, ajena a la organización pública[142]. De ahí que, como resultado, debamos dejar fuera del régimen jurídico de la encomienda de gestión del artículo 15 de la LRJPAC a las sociedades mercantiles públicas y a las fundaciones del sector público. Remitiendo, en su caso, los posibles encargos que reciban de las administraciones públicas a lo establecido por la legislación contractual.

A pesar de las muchas dudas que genera el artículo 15 de la LRJPAC, y admitiendo que su redacción es ciertamente confusa, parece que esta interpretación es también la defendida por un amplio sector doctrinal. Así, por ejemplo, GONZÁLEZ PÉREZ y GONZÁLEZ NAVARRO señalan como uno de los rasgos definidores de la encomienda de gestión el hecho de dar lugar a una relación jurídico-pública entre órganos u *organizaciones personificadas de derecho público*, pertenecientes a la misma o a distinta administración; mientras que, en términos parecidos, PARADA VÁZQUEZ considera que una de las cuestiones positivas de la regulación del artículo 15 de la LRJPAC es la afirmación de su carácter voluntario y la ampliación de su ámbito de aplicación tanto en las relaciones entre administraciones territoriales independientes, órganos administrativos o *entidades de derecho público*[143].

---

142.   ORTEGA ÁLVAREZ, Luis: «Órganos de las Administraciones Públicas», *op. cit.,* 78.

143.   Cfr. GONZÁLEZ PÉREZ, Jesús y GONZÁLEZ NAVARRO, Francisco: *Comentarios a la Ley de Régimen Jurídico de las Administraciones Públicas y del Procedimientos Administrativo Común, op. cit.,* p. 761; GONZÁLEZ NAVARRO, Francisco: «De la delegación, avocación y sustitución interorgánica, y de algunos de sus falsos hermanos», *op. cit.,* p. 358 y PARADA VÁZQUEZ, Ramón: *Régimen Jurídico de las Administraciones Públicas y del Procedimiento Administrativo Común (Estudio, comentarios y texto de la Ley 30/1992, de 26 de noviembre), op. cit.,* p. 117.
En el mismo sentido, podemos citar DELGADO PIQUERAS, Francisco: «Algunas aportaciones de la Ley de Régimen Jurídico de las Administraciones Públicas y del Procedimiento Administrativo Común al debate actual sobre la conceptualización del Derecho administrativo», en *Civitas. Revista española de Derecho Administrativo,* núm. 85, 1995, p. 33-37 o MESSEGUER YEBRA quien, al analizar los sujetos intervinientes en la encomienda de gestión, pone de relieve que debe tratarse siempre de sujetos

Al mismo tiempo, la jurisprudencia en las pocas ocasiones que ha tenido la oportunidad de enjuiciar el ámbito subjetivo de aplicación de la encomienda de gestión, se ha pronunciado también de forma contraria a su extensión a las personas jurídicas sujetas al Derecho Privado. Destaca especialmente la Sentencia del Tribunal Superior de Justicia de Castilla-La Mancha núm. 925/2000, de 30 de octubre, en la que, al analizar el convenio de encomienda de gestión efectuado entre el Ayuntamiento de Huete y el Ayuntamiento de Alcázar de San Juan para la prestación y gestión del servicio público de agua potable a través de la sociedad municipal Aguas de Alcázar, SA., concluye que, a pesar de que la citada sociedad hubiera sido constituida con capital municipal del Ayuntamiento de Alcázar de San Juan y dependiera de éste a todos los efectos, cuando lo que se pretende es ejercer sus competencias en el ámbito de otro municipio, prima su sometimiento al régimen jurídico privado. Por consiguiente, y sobre la base del artículo 15.5 de la LRJPAC, se afirma que no cabe hablar de una encomienda de gestión sino de la prestación indirecta de un servicio público, debiéndose acudir, entonces, a la legislación contractual (FJ Quinto).

B. *Crítica a una interpretación amplia del ámbito subjetivo de la encomienda de gestión*

No obstante todos estos argumentos, algunos autores se han pronunciado también claramente en contra de la exclusión de las sociedades mercantiles y las fundaciones del sector público de la encomienda de gestión. Dentro de esta corriente doctrinal, la postura más elaborada es, seguramente, la de ÁVILA ORIVE quién considera que si se interpreta la referencia del artículo 15.1 de la LRJPAC a las «Entidades de la misma o distinta Administración» como equivalente a entidades de derecho público se llega a un resultado absurdo y contradictorio con la propia regulación de la LRJPAC. A juicio de este autor, y partiendo del artículo 6.5 de la LRJPAC, que permite a las administraciones públicas suscriptoras de un convenio de colaboración crear una organización común para gestionar dicho convenio (organización que puede adoptar la forma de sociedad mercantil), se afirma que la idea que subyace en la creación de esta organización común es materialmente una encomienda de gestión, pues nos encontraríamos ante una personificación jurídica que asume

---

públicos, ya sean órganos administrativos o entidades de derecho público. MESSE-GUER YEBRA, Joaquín: «La encomienda de gestión como técnica de modulación competencial interorgánica. Régimen jurídico y aplicación práctica: virtudes y defectos», *op. cit.*, p. 129.

la gestión de las actuaciones administrativas necesarias para dar cumplimiento al convenio. Por lo que se rechaza una interpretación del artículo 15 de la LRJPAC que hiciera imposible la encomienda de gestión a las sociedades mercantiles cuando el propio ordenamiento ya está admitiendo esta posibilidad como consecuencia de la formalización de un convenio entre dos administraciones públicas[144].

Sin embargo, entendemos que en este caso se parte de una premisa no del todo acertada y es que, en contra de lo que se afirma, el artículo 15 de la LRJPAC en ningún momento prohíbe la posibilidad de encomendar la realización de determinadas tareas materiales de la competencia de las administraciones públicas a las entidades jurídico-privadas[145]. Al contrario, el propio artículo 15.5 de la LRJPAC parece presuponer su existencia, si bien excluye dichas relaciones del régimen jurídico, y en especial de la posibilidad de adjudicación directa, que diseña la LRJPAC; debiéndose de someter entonces a lo que corresponda según la legislación de contratos. En este sentido, cabe señalar que nuestro ordenamiento jurídico en materia contractual ha venido previendo históricamente, y al margen de la figura de la encomienda de gestión del artículo 15 de la LRJPAC, diferentes mecanismos a través de los cuales encargar la realización de actividades materiales de la competencia de las administraciones públicas a personas jurídico-privadas, algunos de los cuales también han discurrido tradicionalmente al margen de los procedimientos de adjudicación competitiva[146].

---

144. Ávila Orive, José Luis: *Los convenios de colaboración excluidos de la Ley de Contratos de las Administraciones Públicas, op. cit.*, p. 103-123. Comparten esta interpretación Garrido Falla y Fernández Pastrana los cuales, partiendo del ejemplo concreto de la Sociedad Estatal de Gestión para la Construcción y Rehabilitación de Viviendas, S.A., llegan a la conclusión que, a pesar de la equívoca redacción del artículo 15.5 de la LRJPAC, el régimen jurídico de la encomienda de gestión debería poder aplicarse también a los supuestos de utilización instrumental de sociedades mercantiles. Garrido Falla, Fernando y Fernández Pastrana, José Mª: *Régimen Jurídico y Procedimiento de las Administraciones Públicas (Un estudio de las Leyes 30/1992 y 4/1999), op. cit.*, p. 98-99.
Por su parte, Hernando Orejana apoyándose en la doctrina del Consejo de Estado llega también a la misma conclusión, afirmando que, aunque podría objetarse que el reconocimiento de la posibilidad de encomendar la realización de determinadas actividades administrativas a las sociedades mercantiles pudiera considerarse una manera indirecta de burlar los principios de la licitación pública, responde que, en todo caso, se trata de una «burla legal», es decir, consentida y amparada por la Ley. Hernando Orejana, Luis Carlos: *La encomienda de gestión... op. cit.*, p. 133.
145. Insiste también en esta idea, Sánchez Sáez, Antonio José: «Algunas reflexiones sobre la encomienda de gestión como instrumento racionalizador del ejercicio de las competencias administrativas», *op. cit.*, 254-260.
146. Sería el caso, por ejemplo, de los convenios de colaboración que las administraciones públicas podían celebrar con personas físicas o jurídicas sujetas al derecho

Otra cosa muy distinta es que, a partir de la aprobación del Real Decreto-Ley 5/2005, de 11 de marzo, por el que se modifica el Texto refundido de la Ley de Contratos de las Administraciones Públicas del año 2000, algunos de los mecanismos a través de los cuales se ha venido encargando directamente a personas jurídico-privadas la realización de actividades administrativas hayan recibido –si no incorrectamente, al menos sí de forma inadecuada– la denominación de «encomiendas de gestión».

Con el citado Real Decreto-Ley de 2005, y para dar cumplimiento a la Sentencia del Tribunal de Justicia de la Unión Europea de 13 de enero de 2005, asunto C-84/03, *Comisión de las Comunidades Europeas/Reino de España*, en la que se condenaba a España por la incorrecta transposición de las Directivas sobre contratación pública, el legislador español introdujo algunas modificaciones en nuestra normativa sobre contratación administrativa, al efecto, esencialmente, de someter a ésta también a las sociedades mercantiles públicas y a las fundaciones del sector público, así como para modular el alcance de la exclusión del ámbito de aplicación de la Ley de los convenios de colaboración que pudieran celebrar las administraciones públicas con las demás entidades públicas[147].

En este sentido, junto con la reintegración a la legalidad comunitaria de dichas cuestiones, el citado Real Decreto-Ley se aprovechó también para trasladar e incorporar a nuestro Derecho interno el régimen jurídico de los encargos de tareas contractuales a entidades instrumenta-

---

privado previstos en el artículo 3.1 d) del anterior Real Decreto 2/2000, de 16 de junio, por el que se aprobó el Texto refundido de la Ley Contratos de la Administraciones Públicas; o también de la ejecución de obras y bienes muebles por la propia Administración, regulados en los artículos 152-153 y 194-195 del TRLCAP, respectivamente.

147. Según el apartado V de la propia Exposición de motivos del Real Decreto-Ley 5/2005, de 11 de marzo, su finalidad era proceder «a la mejora de la contratación pública, adaptando el TRLCAP para incluir determinados aspectos de la actividad de las fundaciones del sector público e incluir determinados aspectos de los convenios firmados con otras Administraciones». Con carácter general, sobre el alcance de dicha regulación pueden verse, entre otros, BERNAL BLAY, Miguel Ángel: «Las encomiendas de gestión excluidas del ámbito de aplicación de la Ley de Contratos de las Administraciones Públicas. Una propuesta de interpretación del artículo 3.1. letra l) del TRLCAP», *op. cit.*, p. 77-90; AMOEDO SOUTO, Carlos: «El nuevo régimen jurídico de la encomienda de ejecución y su repercusión sobre la configuración de los entes instrumentales de las Administraciones Públicas», *op. cit.*, p. 265-268 o GIMENO FELIÚ, José María: *La nueva contratación pública europea y su incidencia en la legislación española. La necesaria adopción de una nueva Ley de contratos públicos y propuestas de reforma*, Ed. Thomson-Civitas, Madrid, 2006, p. 98-121 y 135-138.

les de la Administración Pública (los llamados contratos *in house providing*) que había venido desarrollándose por la jurisprudencia del Tribunal de Justicia de la Unión Europea[148]; introduciéndose así un nuevo apartado l) al artículo 3.1 del TRLCAP, por el que se excluía del ámbito de aplicación de dicha Ley «Las encomiendas de gestión que se realicen a las entidades y sociedades cuyo capital pertenezca totalmente a la propia Administración Pública».

Este precepto, sin embargo, tuvo la escasa fortuna de no conseguir ninguno de los objetivos que se había propuesto. No sólo por el hecho de que no incorporaba correctamente la doctrina jurisprudencial comunitaria antes mencionada –por lo que tuvo que ser objeto de una nueva modificación parcial mediante la Disposición Final Cuarta de la Ley 42/2006, de 28 de diciembre– sino que, además, generó una nueva situación de confusión y controversia por cuanto utilizaba una terminología (*encomiendas de gestión*) que ya venía siendo empleada para denominar una institución jurídico-administrativa específica. Planteándose entonces la duda de si, mediante esta reforma, el Real Decreto-Ley 5/2005, de 11 de marzo, había ampliado o no el ámbito subjetivo de la encomienda de gestión de la LRJPAC también a las entidades instrumentales de la Administración con forma jurídico-privada.

La doctrina puso rápidamente de relieve que, en realidad, nos encontrábamos ante dos figuras diferentes que no debían de confundirse.

---

148. Como es sabido, el Tribunal de Justicia de Unión Europea, a partir de la Sentencia de 18 de noviembre de 1999, asunto C-107/99, *Teckal Srl. / Comune di Viano, Azienda Gas-Acqua Consorziale (AGAC) di Regio Emilia*, introduce una importante modulación a la hora de considerar la existencia de un contrato público, y la consiguiente obligación de aplicar los procedimientos de adjudicación previstos en las Directivas comunitarias. En este sentido, considera que no puede hablarse de contrato en aquellos supuestos en que un ente territorial ejerce sobre la persona de que se trate un control análogo al de los propios servicios y esta persona, además, realice la parte esencial de su actividad con el ente o entes que la controlan (FJ 50). Posteriormente, el propio Tribunal ha ido desarrollando y matizando cada unos de dichos requisitos, si bien sin apartarse del planteamiento original establecida en la STJUE *Teckal*.

Sobre la evolución de la jurisprudencia comunitaria sobre contratación pública y, en particular, sobre los requisitos de los contratos *in house*, pueden verse, entre otros muchos, PERNAS GARCÍA, Juan José: *Las operaciones in house y el Derecho comunitario de contratos públicos. Análisis de la jurisprudencia del TJCE*, Ed. Iustel, Madrid 2008; GIMENO FELIÚ, José María: *La nueva contratación pública europea y su incidencia en la legislación española. La necesaria adopción de una nueva Ley de contratos públicos y propuestas de reforma, op. cit., in totum* o BOVIS, Christopher: «Developing public procurement regulation: jurisprudence and its influence on Law making», en *Common Market Law Review*, núm. 43, 2006, p. 461-495.

Y es que, aunque en algunas ocasiones nominalmente pudieran coincidir, se dotaban de regímenes jurídicos distintos[149]. Así, por un lado encontraríamos la encomienda de gestión prevista en el artículo 15 de la LRJPAC –que, como decíamos, se configura como un negocio jurídico traslaticio de la ejecución material de las competencias administrativas aplicable exclusivamente a entidades públicas– y, por otro, todos aquellos negocios jurídicos a través de los cuales las administraciones podían articular encargos a otras entidades, ya fueran de Derecho Público o Privado, que por su capital se consideraran medios propios e instrumentales de la Administración –cuyo régimen se remite, no al artículo 15 de la LRJPAC, sino a su normativa específica y, en último término, a la legislación contractual–[150].

A pesar de que ciertamente ambas figuras compartirían unos mismos rasgos característicos que, en algunos casos, pueden llegar a superponerse –esencialmente, el hecho de tratarse de un acto mediante el que un órgano administrativo realiza un encargo a un tercero para la realización de actividades comprendidas en el ámbito de sus competencias materiales, sin transferencia de la titularidad[151]– sus límites y requi-

---

149. En el mismo sentido, Bernal Blay, Miguel Ángel: «Las encomiendas de gestión excluidas del ámbito de aplicación de la Ley de Contratos de las Administraciones Públicas. Una propuesta de interpretación del artículo 3.1. letra l) del TRLCAP», *op. cit.*, p. 79-80, Amoedo Souto, Carlos: «El nuevo régimen jurídico de la encomienda de ejecución y su repercusión sobre la configuración de los entes instrumentales de las Administraciones Públicas», *op. cit.*, p. 270-272.

150. En este punto, Amoedo Souto destaca la inexactitud de la expresión «encomienda de gestión» utilizada por el Real Decreto-Ley de 2005. No sólo porque no prevea ninguna definición legal de tal concepto sino también porque, en realidad, con esta expresión quería hacerse referencia a la ejecución directa o «por Administración». Amoedo Souto, Carlos: «El nuevo régimen jurídico de la encomienda de ejecución y su repercusión sobre la configuración de los entes instrumentales de las Administraciones Públicas», *op. cit.*, p. 268. Por lo demás –añade dicho autor– las diferentes normas sectoriales y autonómicas que han regulado los supuestos de encargos a medios propios e instrumentales no han recibido nunca el *nomen iuris* de «encomiendas de gestión» (p. 269).

151. Pascual García considera que tanto la encomienda de gestión regulada en el artículo 15 de la LRJPAC como la mencionada en el artículo 24 del hoy vigente TRLCSP pueden reconducirse a un supraconcepto común al que, a falta de *nomen iuris*, podría denominarse «encomienda», sin adjetivación alguna. Pascual García, José: *Las encomiendas de gestión a la luz de la Ley de Contratos del Sector Público, op. cit.*, p. 94.
  A esta identidad material entre ambas figuras se refiere también Muñoz Machado, Santiago: *Tratado de Derecho Administrativo y Derecho Público General*, volumen III, Ed. Iustel, Madrid 2009, p. 643 y Ortiz Mallol, José: «La relación de dependencia de las entidades instrumentales de la Administración Pública: algunas notas», en *Revista de Administración Pública*, núm. 163, enero-abril, 2004, quién distingue entre

sitos eran notablemente distintos. Así, por ejemplo, desde un punto de vista subjetivo, mientras que la encomienda de gestión del artículo 15 de la LRJPAC puede recaer sobre órganos o entidades de derecho público de la misma o distinta administración pública, los supuestos del artículo 3.1.l) del TRLCAP debían limitarse a entidades o sociedades de la misma administración (a la que debía pertenecer la totalidad de su capital social). Igualmente, desde un punto de vista objetivo, las diferencias entre ambas figuras tampoco no eran menores porque, como veremos a continuación, mientras que la LRJPAC establece unos límites claros a la posible utilización de la encomienda de gestión (circunscribiéndola al ejercicio de tareas de carácter material), el TRLCAP no establecía límite alguno[152].

Ante tal situación de desorden, la importante reforma de nuestra legislación contractual a través de la Ley 30/2007, de 30 de octubre, de Contratos del Sector Público (en adelante LCSP), hizo referencia nuevamente a todas estas cuestiones, tratando de solucionar dicha confusión nominal y clarificar el régimen jurídico aplicable a cada uno de estos supuestos. De este modo, la LCSP ya no utiliza el término «encomienda de gestión» como denominación específica de una técnica contractual susceptible de ser formalizada con entidades jurídico-privadas, ya no utiliza este nombre para identificar una concreta institución, sino que, esquivando cualquier calificación, agrupa bajo un mismo precepto todos los negocios jurídicos que puedan servir de vehículo para la atribución de un encargo a una entidad instrumental, ya sea ésta de Derecho Público o Privado [art. 4.1.n) de la LCSP].

La refundición de dicha norma legal aprobada recientemente mediante el Real Decreto Legislativo 3/2011, de 14 de noviembre, con la que se pretende integrar y armonizar en un único texto legal las diferentes reformas parciales que últimamente habían afectado a la Ley de Contratos del Sector Público, como no podía ser de otro modo, reproduce también dicha previsión, afirmando en su artículo 4.1.n) que se excluyen de su ámbito de aplicación «los negocios jurídicos en cuya virtud se encargue a una entidad que, conforme a lo señalado en el artículo 24.6,

---

la encomienda como categoría genérica y una concreta manifestación de ésta encarnada en el artículo 15 de la LRJPAC (p. 275).

152. Opinión compartida también por la Abogacía General del Estado en su Circular 6/2009, en la que se considera que, más allá de la coincidencia en su denominación, nos encontraríamos ante dos figuras diferentes, separadas por sus respectivos ámbitos de aplicación y sus respectivos contenidos. Citado por PASCUAL GARCÍA, José: *Las encomiendas de gestión a la luz de la Ley de Contratos del Sector Público, op. cit.*, p. 94.

tenga atribuida la condición de medio propio y servicio técnico del mismo, la realización de una determinada prestación [...]»[153].

En cualquier caso, y sin perjuicio de lo que más adelante podamos añadir, nos interesa ahora simplemente destacar que, teniendo presente que el artículo 15 de la LRJPAC no impide en ningún caso la atribución de encargos materiales a personas jurídico-privadas, podemos superar la crítica planteada por ÁVILA ORIVE. Ante la argumentación de dicho autor, podríamos responder afirmando que la posibilidad de que dos administraciones públicas al suscribir un convenio puedan encargar a una sociedad mercantil la realización de determinadas tareas, a pesar de que materialmente o conceptualmente pueda definirse como una encomienda, no implica necesariamente que su régimen jurídico sea el previsto en el artículo 15 de la LRJPAC. Sino que, para ello, resulta imprescindible que se reúnan los requisitos exigidos por dicho precepto. Dado que no resulta posible encajar los negocios jurídicos a los que se refiere ÁVILA ORIVE dentro de los requisitos subjetivos de la encomienda de gestión contemplados en el artículo 15.4 de la LRJPAC, la consecuencia lógica es que su tramitación y formalización deberá reconducirse y someterse a otro régimen jurídico distinto y, en concreto, a aquel previsto por la legislación contractual[154]. Así, podríamos pensar que la atribución por vía convencional de determinadas tareas materiales a una sociedad mercantil responde, por ejemplo, a un contrato de gestión de servicios públicos mediante la creación de una sociedad privada destinada a tal fin (posibilidad prevista en al artículo 8.2 del vigente TRLCSP) o a un supuesto de utilización de medios instrumentales propios por parte de los poderes adjudicadores (en los términos del artículo 24.6 del TRLCSP).

Pero, insistimos, a pesar de que la consecuencia final a la que se llega en ambos casos podría ser la misma –la posible exclusión de la aplicación de las reglas de contratación a la adjudicación de un encargo de realización de determinadas actividades materiales– los presupuestos

---

153. Si bien es cierto que el TRLCSP (como anteriormente la propia LCSP) sigue utilizando de un modo amplio la denominación de «encomienda de gestión» en dos supuestos puntuales. En concreto, al regular los requisitos para considerar la existencia de un medio propio de la Administración (art. 24.6 TRLCSP) y, en segundo lugar, al fijar el régimen jurídico de la empresa TRAGSA (Disposición Adicional Vigésimo Quinta del TRLCSP).

154. La encomienda de gestión –se ha afirmado– atañe a órganos administrativos y fuera de la organización administrativa hay que recurrir al contrato y a la legislación de contratos administrativos. CASTRO PASCUAL, José Mª: «Encomienda de gestión, contrato administrativo, encargo de ejecución», *op. cit.*, p. 162-163.

de hecho y sus requisitos esenciales (tanto materiales como formales) son completamente diversos. Por lo que, llegados a este punto, quizá sería conveniente añadir que, para facilitar la diferenciación de ambos regímenes jurídicos, resultaría aconsejable optar también por la utilización de denominaciones diferentes y específicas para referirse a cada uno de estos instrumentos. Manteniendo, por ejemplo, el término «encomienda de gestión» para los supuestos del artículo 15 de la LRJPAC y denominar «encargos de ejecución» o «encomiendas de ejecución» a todas aquellas otras atribuciones de funciones materiales que recaen sobre personas jurídico-privadas al amparo del TRLCSP[155].

Finalmente, y sin perjuicio de lo anterior, y aunque pudiera ser con un carácter secundario, podríamos añadir aún otra razón más para reforzar nuestra argumentación entorno a la exclusión de las personas jurídico-privadas del ámbito de aplicación de la encomienda de gestión diseñado por el artículo 15 de la LRJPAC. Y es que si acudimos a los antecedentes normativos más inmediatos de esta figura que mencionábamos en el *Capítulo I*, nos daremos cuenta de que todos ellos hacen referencia siempre a supuestos de relación entre entidades públicas: ya se trate de las diputaciones provinciales (en el caso de la encomienda del servicio recaudatorio y de la gestión ordinaria de servicios) o de las entidades locales en su conjunto (como se preveía en la delegación de funciones administrativas prevista en la legislación de régimen local franquista). Por lo que, aunque pudiera ser meramente con un valor de referencia histórica, estos antecedentes podrían ayudarnos a interpretar también la redacción actual de artículo 15 de la LRJPAC.

C. Recapitulación

En vista de todo lo expuesto anteriormente, podríamos concluir afirmando que la encomienda de gestión del artículo 15 de la LRJPAC solamente sería aplicable a los encargos realizados a formas de personi-

---

155. Ésta, como decíamos, parece ser la orientación asumida por buena parte de nuestra doctrina jurídica, que se decanta por la utilización del término «encargo de ejecución» para referirse a los encargos a medios propios instrumentales de carácter privado. Entre otros, GIMENO FELIU, José María: «Encargos de ejecución a medios propios», *op. cit.*, p. 313-321; CASTRO PASCUAL, José Mª: «Encomienda de gestión, contrato administrativo, encargo de ejecución», *op. cit.*, p. 155-169; BERNAL BLAY, Miguel Ángel: «Las encomiendas de gestión excluidas del ámbito de aplicación de la Ley de Contratos de las Administraciones Públicas. Una propuesta de interpretación del artículo 3.1. letra l) del TRLCAP», *op. cit.*, p. 77-90 o AMOEDO SOUTO, Carlos: «El nuevo régimen jurídico de la encomienda de ejecución y su repercusión sobre la configuración de los entes instrumentales de las Administraciones Públicas», *op. cit.*, p. 261-294.

ficación de carácter público; excluyendo, así, a los particulares, ya sean éstos personas físicas o jurídicas, y también a las sociedades mercantiles y a las fundaciones del sector público. En consecuencia, a partir de este momento, el examen de los mecanismos jurídicos previstos en nuestro ordenamiento para articular los supuestos de encargos materiales a dichas entidades privadas quedará fuera de nuestro objeto de estudio. Sin perjuicio de que, más adelante, debamos necesariamente hacer alguna ulterior referencia a ellos, por cuanto, como veremos, la distinción de estos supuestos con la figura de la encomienda de gestión resulta, en muchas ocasiones, ciertamente difícil.

No obstante, y aún sin alterar la conclusión planteada, sí que compartimos algunas de las objeciones formuladas por ÁVILA ORIVE. Y es que, al igual que dicho autor, entendemos que actualmente resulta imposible seguir fundamentando la exclusión de la encomienda de gestión del ámbito de aplicación de la legislación contractual únicamente en atención a la forma de personificación jurídico-pública de los sujetos intervinientes[156]. Más cuando, como ya hemos apuntado, el objeto de la encomienda puede versar sobre actividades públicas con contenido económico y que podrían ser igualmente susceptibles de contratación con los particulares.

En nuestra opinión, la tradicional consideración de que cualquier relación convencional entre administraciones públicas, entre ellas la encomienda de gestión, pueda quedar fuera de la aplicación de las reglas de la contratación simplemente por la sola concurrencia de dicho elemento subjetivo es hoy día difícilmente aceptable. No sólo desde nuestro punto de vista interno –teniendo presente que, como veremos, la Ley de Contratos del Sector Público, ha modulado el alcance de la exclusión de dichos negocios jurídicos, debiendo considerarse ahora de manera conjunta tanto los sujetos intervinientes como la naturaleza de dicho acuerdo– sino también, y sobretodo, desde el punto de vista del Derecho Comunitario, en el que el Tribunal de Justicia de la Unión Europea ha puesto de relieve en muchas ocasiones (entre ellas en la citada Sentencia de 13 de enero de 2005) que, más allá de las partes, uno de los elementos esenciales para aplicar los principios de las Directivas europeas sobre contratación pública consiste en analizar si el objeto del acuerdo contractual puede incluirse o no dentro de las prestaciones comprendidas por las citadas Directivas.

---

156. ÁVILA ORIVE, José Luis: *Los convenios de colaboración excluidos de la Ley de Contratos de las Administraciones Públicas*, op. cit., p. 95-102 y del mismo autor «*Encomienda de gestión y defensa de la competencia*», [En línea] op. cit., p. 6.

Todo ello nos lleva, no a modificar nuestras consideraciones iniciales sobre la extensión del ámbito de aplicación subjetivo de la figura de la encomienda de gestión, sino a cuestionarnos, en primer lugar, la conveniencia de seguir manteniendo o limitando la aplicación de la LRJPAC en base a un criterio meramente formal –la personificación–, cuando, precisamente, buena parte de la doctrina ha venido planteando la matización de las concepciones subjetivistas del Derecho Administrativo, considerando que es el criterio de la función y no de la personalidad pública o privada, la que determinaría la sujeción a dicha rama del ordenamiento jurídico[157]. Pero también, y en segundo lugar, la necesidad de replantearnos de nuevo el carácter contractual de la encomienda de gestión, al efecto de determinar si su régimen de adjudicación directa o de formalización al margen de los procedimientos contractuales resulta aún posible en nuestro ordenamiento jurídico. Tarea ésta última que abordaremos con más detalle en el *Capítulo III* de este trabajo.

2.3.3. Los destinatarios de la encomienda de gestión en la legislación autonómica

Del análisis de la normativa autonómica sobre la figura de la encomienda de gestión podemos extraer también las mismas conclusiones que avanzábamos anteriormente sobre la limitación de la utilización de la figura de la encomienda de gestión únicamente a las entidades en forma jurídico-pública. De hecho, una buena parte de la normativa autonómica en esta materia se limita a reproducir idénticamente la regulación básica estatal –como el caso del artículo 46.1 la Ley cántabra 6/2002, de 10 de diciembre, de Régimen Jurídico del Gobierno y de la Administración de dicha Comunidad Autónoma o del artículo 18 de la Ley 2/1995, de 13 de marzo, de Régimen Jurídico de la Administración de Asturias– por lo que deberíamos reiterar las consideraciones que hacíamos entonces. Otras comunidades autónomas, en cambio, optan por reconocer la condición de encomendado tanto a los órganos administrativos como a los «organismos públicos» –como sucede, por ejemplo, en el artículo 24.1 de la Ley 4/2005, de 1 de junio, de Régimen Jurídico y Funcionamiento de la Administración de la Rioja–. La utilización de la noción de organismos públicos nos parece mucho más adecuada y ajustada a la interpretación del artículo 15 de la LRJPAC que realizábamos

---

157. Por ejemplo, entre otros, CUETO PÉREZ, Miriam: *Procedimiento administrativo, sujetos privados y funciones públicas, op. cit.*, p. 24, MALARET I GARCÍA, Elisenda: «El Derecho de la Administración Pública», en AAVV: *Derecho público y Derecho Privado en la actuación de la Administración Pública*, Ed. Marcial Pons. Madrid 1999, p. 28.

anteriormente porque, como ya señalamos, este término jurídico se refiere de un modo más claro a formas de personificación pública (ya sean éstas, organismos autónomos, entidades públicas empresariales o agencias); excluyendo, por lo tanto, la posible utilización de la encomienda de gestión por parte de entidades jurídico-privadas[158].

Sin embargo, en este punto, creemos también conveniente hacer una breve referencia separada a dos supuestos concretos en los que la normativa autonómica sí que aporta algunas determinaciones que pueden hacernos cuestionar cuál es en realidad el ámbito subjetivo de aplicación de la encomienda de gestión en dichos ordenamientos.

A. La regulación de la Ley andaluza 9/2007, de 22 de octubre, de Administración de la Junta de Andalucía

En primer lugar, nos interesa destacar la regulación prevista en la Ley 9/2007, de 22 de octubre, de Administración de la Junta de Andalucía (en adelante, LAJAnd.), que prevé una dualidad de mecanismos, distinguiendo, por un lado, las encomiendas de gestión de la Junta de Andalucía a otros órganos o entidades públicas de la misma o distinta administración (art. 105 LAJAnd.) y, por otro, aquellos supuestos de encomienda en que la realización de actividades materiales, técnicas o de servicios deba recaer sobre personas jurídico-privadas que tengan la consideración de medios propios (art. 106 LAJAnd.)[159].

En relación con los primeros, entendemos que la regulación andaluza viene a confirmar, en el marco del Derecho Positivo, algunas de las consideraciones que realizábamos anteriormente acerca del ámbito subjetivo de la encomienda de gestión. De la lectura de este precepto podemos constatar que la Ley andaluza reproduce casi idénticamente el régimen jurídico previsto en el artículo 15 de la LRJPAC, señalando que la realización de actividades de carácter material, técnico o de servicios de la competencia de la Junta de Andalucía podrá encomendarse, por razones de eficacia o cuando no se posean los medios necesarios, a otros órganos o entidades de la misma o distinta administración, debiéndose de formalizar, entonces, el correspondiente convenio[160].

---

158. Así nos lo confirma la Ley 3/2003, de 3 de marzo, de Organización de Sector Público de la Comunidad Autónoma de la Rioja, que, al desarrollar la organización instrumental propia de dicha Comunidad, atribuye el carácter de «organismos públicos» únicamente a los organismos autónomos y entidades públicas empresariales (art. 21 Ley 3/2003).

159. La redacción de estos preceptos ha sido recientemente modificada, especialmente por lo que se refiere al artículo 106, mediante la Ley 18/2011, de 23 de diciembre, de Presupuestos de la Comunidad Autónoma de Andalucía para 2012.

160. En este punto hay que señalar que la propia Exposición de Motivos de la Ley de

Así, en el supuesto del artículo 105 de la Ley se regula la figura de la encomienda de gestión entendida como un instrumento convencional de auxilio y colaboración reservado exclusivamente a las entidades públicas y que, además, se justifica por unos motivos concretos de carencia de medios o incapacidad de gestión. Como decíamos, la Ley 9/2007, de 22 de octubre, conceptúa la encomienda de gestión como un mecanismo puesto a disposición de la organización administrativa por el que, mediante la desagregación de las tareas materiales, se contribuiría a garantizar el correcto ejercicio de las competencias administrativa. No obstante, quedarían al margen de esta regulación aquellos supuestos en los que, para la realización de dichas tareas, se recurre a entidades situadas fuera de la organización pública y en los que se acude a la utilización de entidades jurídico-privadas que pueden actuar en el mercado en competencia con los particulares[161].

En estos últimos casos, cuando la realización de actividades materiales, técnicas o de servicios pretenda atribuirse a entidades privadas, el instrumento jurídico aplicable ya no puede ser la encomienda de gestión de la LRJPAC, de ahí que la Ley 9/2007, de 22 de octubre, haya diseñado otro mecanismo instrumental distinto, con un régimen jurídico específico y unos requisitos materiales y formales propios y que, sin embargo, permitiría a la Junta de Andalucía contratar directamente con sujetos privados. El fundamento de este instrumento no se encontraría ya en la lógica de la colaboración administrativa entre entidades públicas sino que responde a la relación de instrumentalidad que une la Administración andaluza con determinadas entidades a ella vinculadas. Así, el artículo 106 de la Ley de la Administración de la Junta de Andalucía se ocupa de señalar que este encargo solamente podrá realizarse cuando dichas entidades privadas tengan la consideración de medios propios o entes instrumentales de la Administración Pública andaluza,

---

la Administración de la Junta de Andalucía afirma ya que la regulación de estos aspectos se hace de conformidad con la Ley básica de Régimen Jurídico de las Administraciones Públicas y del Procedimiento Administrativo Común (Apartado III). No obstante, como decíamos, la redacción de la Ley andaluza no es del todo idéntica con la de la LRJPAC por cuanto, sin perjuicio de lo que añadiremos seguidamente, prevé la posibilidad de encomendar la gestión de determinadas actividades a las agencias dependientes de otra Consejería (art. 105.3 de la LAJAnd).

161. Incluso desde la perspectiva contraria –esto es, cuando la Junta de Andalucía es la destinataria de las encomiendas de gestión realizadas por otras administraciones públicas– el artículo 107 de la LAJAnd. limita dicha posibilidad solamente a favor de los órganos administrativos propios o de las agencias dependientes de la Administración andaluza pero no respecto de otras entidades públicas y, menos aún, respecto de entidades jurídico-privadas.

recordando que concurre dicha consideración solamente cuando su capital sea en su totalidad de titularidad pública y siempre que se ejerza sobre dichas sociedades mercantiles o fundaciones un control análogo al que se ejerce sobre sus propios servicios y, además, realicen la parte esencial de su actividad para la Junta de Andalucía (art. 106.1 LAJAnd).

De esta manera, la legislación andaluza no modifica el ámbito subjetivo de aplicación de la encomienda de gestión, ni altera substancialmente su régimen jurídico, sino que contemporáneamente regula un instrumento alternativo que permite a la Junta de Andalucía encargar directamente, sin procedimiento licitatorio previo, la realización de determinadas prestaciones a personas jurídico-privadas, siempre que éstas puedan considerarse como medios propios o servicios técnicos de la Administración. Como decíamos anteriormente, una posibilidad no excluye a la otra. Como se ha señalado, la relación entre ambos instrumentos no sería de identidad sino de *contigüidad*[162].

La principal objeción a dichos preceptos residiría, como apuntábamos en el apartado anterior, en el hecho de que el legislador andaluz haya denominado a ambos supuestos del mismo modo, como «encomiendas de gestión», tanto cuando recaen sobre entidades jurídico-públicas como en los encargos efectuados a personas jurídico-privadas. A pesar de que es evidente que hay una cierta conexión conceptual entre ambas instituciones, se trata de supuestos diferentes con regulaciones propias y peculiares, por lo que resultaría mucho más correcto referirse también de forma distinta a ambos, a efectos de evitar que una mera confusión terminológica pueda comportar también la confusión de sus regímenes jurídicos[163].

B. La Ley catalana 26/2010, de 3 de agosto, de Régimen Jurídico y Procedimiento de las Administraciones Públicas de Cataluña

Y en segundo lugar debemos de referirnos también a la legislación

---

162. CASTRO PASCUAL, José Mª: «Encomienda de gestión, contrato administrativo, encargo de ejecución», *op. cit.*, p. 161.

163. De hecho, sorprende que se haya optado por dicha denominación cuando, precisamente, la legislación andaluza fue una de las pioneras en adoptar la denominación de «encargo de ejecución» a los supuestos de utilización instrumental de entidades jurídico privadas por parte de la Junta de Andalucía (por ejemplo, en el artículo 20.1 de la Ley autonómica 14/2001, de 26 de diciembre, por la que se aprobaban los Presupuestos para el año 2002).
Centrados específicamente en la Comunidad Autónoma andaluza, pueden verse REBOLLO PUIG, Manuel: «Los entes institucionales de la Junta de Andalucía y su utilización como medio propio», *op. cit.*, p. 359-393 y CASTRO PASCUAL, José Mª: «Encomienda de gestión, contrato administrativo, encargo de ejecución», *op. cit.*, p. 155-169.

catalana por cuanto, como ya avanzábamos anteriormente, la citada Ley 26/2010, de 3 de agosto, parece regular la figura del encomendado con mayor amplitud que la prevista en la LRJPAC, admitiendo que la encomienda pueda recaer no sólo sobre órganos administrativos sino también sobre «otros órganos, organismos o entidades públicas de la misma o distinta Administración» (art. 10.1 LRJCat).

En este caso, como ya hiciéramos al analizar la figura del encomendante, podríamos intentar forzar una interpretación de la Ley catalana que nos permitiera concluir que, efectivamente, la encomienda de gestión se refiere solamente a las entidades jurídico-públicas. De hecho, esta sería la conclusión más coherente: si anteriormente entendíamos que la referencia a los «órganos, organismos o entidades públicas» prevista en el artículo 10.1 de la LRJCat se limitaba a las personas jurídico-públicas no tendría mucho sentido que ahora modificáramos sustancialmente esta interpretación para el encomendado, dando una lectura mucho más amplia a la misma expresión y admitiendo que ésta pudiera englobar también a personas jurídico-privadas.

Pero si en aquel momento teníamos un argumento que nos parecía suficientemente sólido como para defender dicha hipótesis, ahora nos encontramos en la situación inversa. Y es que si acudimos al artículo 10.7 de la LRJCat se nos dice «Si el encargo de gestión tiene un objeto propio de un contrato incluido en el ámbito de aplicación de la legislación de contratos del sector público, sólo puede hacerse a organismos o entidades públicas que tengan la condición de medio propio de la administración, organismo o entidad pública [...], de conformidad con lo dispuesto por dicha legislación».

En nuestra opinión, la referencia a las entidades que tengan la condición de medio propio, aún no mencionarlas expresamente, nos remite claramente a la discusión sobre la posibilidad de encomendar actividades administrativas a personas jurídico-privadas, especialmente sociedades mercantiles instrumentales o fundaciones del sector público. Hace un momento hemos visto como, en la legislación andaluza ésta era, precisamente, la opción acogida por la Ley 9/2007, de 22 de octubre, por lo que parecería que el artículo 10.7 de la Ley catalana estaría abriendo también la puerta a supuestos de encomienda de gestión realizados a personas jurídicas constituidas con arreglo al Derecho Privado[164].

---

164. Obviamente, sería posible entender que la mención a los medios propios contenida en la Ley 26/2010, de 3 de agosto, no hace referencia, necesariamente, a personas jurídico-privadas pues tan instrumentales pueden llegar a ser aquellas entidades constituidas de acuerdo con el Derecho Privado como aquéllas constituidas con arreglo a Derecho Público. Pero esta interpretación, aún siendo posible, nos alejaría

Sin embargo, desde nuestro punto de vista, esta última afirmación no puede considerarse admisible. Y es que no podemos olvidar que la LRJPAC se aprobó con carácter de legislación básica, al amparo del artículo 149.1.18 de la CE. Así, si entendemos que la encomienda de gestión encuentra la justificación de su peculiar régimen jurídico en la consideración pública de los sujetos que intervienen en ella, no podemos más que deducir que el elemento subjetivo se configura entonces cómo un elemento definitorio de esta figura, como un elemento *básico*. De ahí que, si como hemos interpretado previamente, la LRJPAC limita expresamente su ámbito de aplicación únicamente a las personas jurídico-publicas (art. 15.5 LRJPAC), el hecho, que una comunidad autónoma previera lo contrario no podría sino definirse como una vulneración de la legislación básica estatal[165].

Por consiguiente, tendríamos que concluir este apartado afirmando que la referencia a los «órganos, organismos o entidades públicas» prevista en la Ley catalana alude solamente a las personas jurídico-públicas a las que nos referíamos anteriormente; excluyéndose, por lo tanto, la posibilidad de formalizar dichos encargos respecto de personas jurídico-privadas, como pudieran ser las sociedades mercantiles o las fundaciones del sector público. Pudiendo afirmar que, a nuestro parecer, lo que subyace en la regulación catalana es la confusión que antes mencionábamos entre el desarrollo normativo de la figura de la encomienda de gestión prevista en la LRJPAC y la voluntad del legislador catalán de positivizar también la capacidad de las administraciones públicas de dicha Comunidad Autónoma de realizar directamente encargos a sus propias entidades instrumentales privadas, tal y como admite también el TRLCSP. Como dijimos, ambas instituciones, aún y derivar de un

---

de la realidad de la práctica administrativa, caracterizada por el recurso cada vez más habitual de las administraciones públicas a ese primer tipo de personificaciones, a la vez que demostraría un desconocimiento total de la problemática planteada en el ámbito comunitario entorno a esta cuestión. Por lo tanto, entendemos que una interpretación en este sentido no sería razonable.

165. En este sentido, debemos recordar que la Sentencia del Tribunal Constitucional núm. 31/2010, de 28 de junio, entre otros aspectos, viene a recordar que la regulación autonómica sobre las relaciones entre administraciones públicas –especialmente en el ámbito local– debe respetar, en todo caso, la normativa básica del Estado en esta materia. Sobre ello, más extensamente, GALÁN GALÁN, Alfredo y GRACIA RETORTILLO, Ricard: «Estatuto de Autonomía de Cataluña, Gobiernos Locales y Tribunal Constitucional», en *Revista d'Estudis Autonòmics i Federals*, núm. 12, 2011, p. 237-301 o GRACIA RETORTILLO, Ricard y VILALTA REIXACH, Marc: «Las relaciones interadministrativas de las administraciones públicas de Cataluña», en TORNOS MAS, Joaquín (Coord.): *Comentarios a la Ley 26/2010, de 3 de agosto, de Régimen Jurídico y Procedimiento de las Administraciones Públicas de Cataluña*, op. cit., p. 663-717.

mismo supraconcepto, tienen un régimen jurídico y unos requisitos sustancialmente diferentes que, sin embargo, en la Ley 26/2010, de 3 de agosto, se mezclan indistintamente. Y es que de la redacción del precepto nos resulta difícil poder encontrar una interpretación jurídica alternativa que nos permitiera reconducir la aplicación de la norma. La generalidad con la que se expresa parece hacer referencia a una sola institución, haciendo ciertamente complejo poder diferenciar –de forma similar a la que se contiene en la Ley andaluza 9/2007, de 22 de octubre– los dos supuestos indicados.

No obstante, llegados a este punto debemos hacer aún una última matización. Y es que el artículo 178.1 de la recientemente aprobada Ley 10/2011 de 29 de diciembre, de Simplificación y Mejora de la Regulación (DOGC núm. 6035, de 30 de diciembre de 2011) ha modificado por completo la redacción inicial del artículo 10.7 de la LRJCat estableciendo que el régimen jurídico del encargo de gestión no será de aplicación si el encargo tiene un objeto propio de un contrato del sector público; añadiéndose que «*D'acord amb el que disposa la dita legislació, l'encàrrec només es pot fer a organismes o entitats públiques que tinguin la condició de mitjà propi de l'administració, organisme o entitat pública*».

A pesar de que, como hemos destacado en otro lugar[166], la modificación introducida no alteraría significativamente nuestra conclusión anterior, al seguir vinculando esta institución con la condición de medio propio del encomendado, nuevamente, el legislador catalán parece tener más en mente la discusión acerca de la problemática de los encargos de tareas contractuales realizados a entes instrumentales en forma privada que no la voluntad de precisar el régimen jurídico del encargo de gestión. Además, con la modificación del 2011 se nos plantean aún algunas nuevas dudas interpretativas: ¿Se refiere este precepto –como sucedía con la redacción anterior– a los supuestos de encomienda que tengan un objeto contractual o, por el contrario, limita *toda* posible encomienda de gestión únicamente a los sujetos que tengan la consideración de medio propio? La redacción de este precepto, ciertamente, no resulta nada clara, toda vez que las consecuencias que podría tener en cuanto a su aplicación práctica, como veremos más adelante, no resultarían nada despreciables.

Pero al mismo tiempo, la Ley 10/2011, de 29 de diciembre, añade

---

166. VILALTA REIXACH, Marc: «El ámbito subjetivo de aplicación de la encomienda de gestión. Su concreción en la Ley Catalana 26/2010, de 3 de agosto, de Régimen Jurídico y Procedimiento de las Administraciones Públicas de Cataluña», en *Cuadernos de Derecho Local*, núm. 28, febrero 2012, p. 77-94.

un nuevo apartado 8 a la regulación de la encomienda de gestión contenida en la LRJCat, previendo la posibilidad de que las diferentes administraciones públicas puedan delegar funciones a los colegios profesionales competentes por razón de la materia (art. 178.2 Ley 10/2011, de
29 de diciembre). En este punto, las dudas surgen no tanto por la posibilidad de encomendar a los colegios profesionales –que ya hemos visto
que sería admisible jurídicamente– sino por la concreta terminología
empleada por la Ley: *delegar*. ¿Por qué, a pesar de que los artículos 8 y
116.1 de la Ley 26/2010, de 3 de agosto, regulan específicamente la figura de la delegación de competencias, se introduce un apartado relativo a esta figura en el artículo regulador de la encomienda de gestión?
¿La opción prevista en dicho apartado estaba pensando realmente en la
delegación de competencias o quería referirse, quizá, a la encomienda
de gestión? Al mismo tiempo ello nos plantea la duda de si la encomienda de gestión resulta aplicable *sólo* a los colegios profesionales ¿qué
sucede con las restantes corporaciones de Derecho Público representativas de intereses?

2.3.4. La exigencia de medios técnicos y de gestión convenientes

Sin perjuicio de las consideraciones anteriores, creemos oportuno
poner de relieve otro requisito subjetivo de la figura de la encomienda
de gestión, el cual, a pesar de que no se prevé de forma expresa en el
artículo 15 de la LRJPAC, sí que puede deducirse implícitamente de su
regulación. Este requisito consistiría en la necesidad de que la encomienda se formalice únicamente a favor de aquellas entidades que dispongan de los medios técnicos y de gestión necesarios para llevar a cabo
correctamente el encargo asignado.

Como hemos venido sosteniendo a lo largo de nuestra exposición,
la encomienda de gestión debe considerarse como un instrumento jurídico al servicio del principio de eficacia administrativa, a través del cual
se pretende conseguir el correcto cumplimiento de las finalidades de
interés general que el ordenamiento atribuye al conjunto de Administraciones Públicas. Así lo ha entendido también el legislador estatal cuando
sitúa como presupuesto de la encomienda la ausencia de medios técnicos idóneos o razones de eficacia (art. 15.1 LRJPAC). De ahí que podamos entender que deba hacerse un uso restrictivo de la encomienda de
gestión, limitando su aplicación únicamente respecto a aquellas entidades que realmente estén en condiciones de poder realizar mejor las actividades materiales que pretenden encomendarse e impidiendo, por lo
tanto, la posible apertura del sistema a sujetos que no dispongan de la

capacidad gestora suficiente. Siguiendo con la redacción del artículo 15 de la LRJPAC, parecería que la encomienda debería realizarse a aquel órgano o entidad que sí disponga de los medios *idóneos* para el desempeño de las actividades objeto de encomienda.

De hecho, algunas comunidades autónomas han incluido de forma expresa este requisito al desarrollar el régimen jurídico de la encomienda de gestión en sus respectivos ordenamientos. Así, por ejemplo, el artículo 150.1 de la citada Ley 8/2010, de 23 de junio, de Régimen Local de la Comunitat Valenciana limita la encomienda de la realización de actividades de carácter material, técnico o de servicios a las entidades locales valencianas «con capacidad de gestión». Por consiguiente, como decíamos, estaría vinculando directamente la atribución de la encomienda a la previa disposición de los medios técnicos y de gestión necesarios para su desarrollo.

En definitiva, si el contenido de la encomienda de gestión debe ceñirse a la realización de una determinada prestación material (art. 15.1 LRJPAC), podríamos entender que no puede considerarse que realmente cumpla esta exigencia aquél que, por carecer de los medios necesarios, se limita a trasladar su ejecución final a un tercero, convirtiéndose en mero órgano de contratación de la administración pública encomendante[167]. Las consecuencias prácticas derivadas de esta exigencia po-

---

167. Rebollo Puig pone también de relieve esta misma idea cuando, al analizar las relaciones de la Junta de Andalucía con sus entes institucionales, excluye la posibilidad de formalizar encargos de ejecución con respecto a aquellos entes institucionales que no cuenten realmente con los medios necesarios para realizar el encargo que se les confía. Así, se afirma que «si el encargo se basa precisamente en que la Administración tiene medios propios suficientes, no será lícito confiar la actividad a un ente institucional que no los tenga y que haya de realizarla en su mayor parte o en su totalidad contratando con terceros [...] utilizar unos servicios de la Administración como medios propios significa confiarles la ejecución material, no convertirlos en órganos de contratación y en puros intermediarios». Rebollo Puig, Manuel: «Los entes institucionales de la Junta de Andalucía y su utilización como medio propio», *op. cit.*, p. 390-391.

En el mismo sentido, Gimeno Feliú, José María: «Problemas actuales de la Administración Municipal desde la perspectiva del derecho comunitario: incidencia en la organización de las normas de contratación pública», en *Revista Andaluza de Administración Pública*, núm. 71-72, 2008, p. 167; Pernas García, José: «Exigencias y límites a la configuración y a la actuación de los medios propios, como entes encomendados en el marco de las relaciones *in house*», en *Actualidad Administrativa*, núm. 12, junio 2010, p. 1436, quienes, además, justifican dicha interpretación en base al principio de buena administración o Sosa Wagner, Francisco: «El empleo de recursos propios por las Administraciones Locales», en Cosculluela Montaner, Luis (Coord.): *Estudios de Derecho Público Económico. Libro homenaje al Prof. Dr. D. Sebastián Martín Retortillo*, Ed. Civitas, Madrid 2003, p. 1340.

drían ser básicamente dos: en primer lugar, la posibilidad de revocar la encomienda conferida como consecuencia de la pérdida de la capacidad gestora por parte de la entidad encomendada. En efecto, si configuramos la exigencia de medios técnicos o de gestión necesarios como un presupuesto esencial de la relación de encomienda, tenemos que entender también que su pérdida daría lugar a una causa de ineficacia sobrevenida de la misma. Más adelante nos referiremos nuevamente a esta cuestión al analizar los efectos que se derivan de la relación de encomienda. Pero al mismo tiempo, y en segundo lugar, la necesidad de contar con los medios materiales necesarios para cumplir adecuadamente con el encargo acordado podría determinar la imposibilidad de que el encomendado sub-encomiende la gestión de las actividades materiales a otra entidad pública. Y es que si configuramos la relación de encomienda como una relación *intuito personae*, fundamentada en una específica capacidad gestora del encomendado, parece razonable que éste no pueda desprenderse libremente del ejercicio de la actividad que se le ha encomendado mediante la formalización de una nueva encomienda de gestión. En cuanto que las específicas condiciones personales del encomendado han sido tomadas en cuenta a la hora de habilitar o justificar la utilización de la encomienda de gestión parece lógico que sea éste, y no otro, el que lleve a cabo la actividad encomendada.

Desde esta perspectiva, y reiterando una idea a la que ya nos hemos referido anteriormente, si una vez iniciada la relación de encomienda se constatara la existencia de una situación de ineficacia o de insuficiencia de capacidad de gestión en el sujeto encomendado, lo que procedería no sería que éste directamente realizará una nueva encomienda de gestión –una *sub-encomienda*– a un tercero, sino que el encomendante revocara la encomienda inicialmente conferida y atribuyera un nuevo encargo a aquel otro órgano o entidad de derecho público que sí que estuviera en las condiciones gestoras idóneas para llevar a cabo correctamente las actividades materiales, técnicas o de servicios necesarias.

Es precisamente por este mismo razonamiento que consideramos desacertada la redacción del artículo 10.6 de la Ley catalana 26/2010, de 3 de agosto, que permite al órgano o entidad encomendada poder gestionar dicho encargo no sólo de forma directa –mediante sus propios recursos– sino también a través de los medios establecidos por la legislación de contratos del sector público y, en su caso, por la legislación de régimen local. Por lo tanto, parecería estar amparando la posibilidad de que el sujeto que recibe la encomienda de gestión pudiera externalizar completamente la realización de dichas tareas a un tercero, mediante cualquiera de los mecanismos de gestión indirecta previstos en nuestro ordenamiento jurídico.

En nuestra opinión, esta opción del legislador catalán nos parece claramente criticable por cuanto iría más allá de la consideración de la encomienda de gestión como una forma de organización y de colaboración administrativa, convirtiendo, como decíamos, al encomendado en un simple órgano de contratación interpuesto que podría limitarse a *repartir* la realización de las actividades objeto de encomienda pero sin aportar ningún valor añadido a dicha relación[168]. Y es que ¿qué sentido tiene acudir, por razones de eficacia o de incapacidad de gestión, a otra entidad pública que, al carecer también de los medios necesarios, debe, a su vez, acudir a otro sujeto distinto para la realización de las actividades materiales que se precisan? ¿No sería más fácil acudir directamente y desde un principio a aquella entidad que sí disponga de tales medios? La respuesta a estas preguntas seguramente no es del todo inocente porque, como veremos al analizar la naturaleza contractual de la encomienda de gestión, mediante la admisión de la posible sub-encomienda podría llegarse también a supuestos fraudulentos, llegando a atribuir la realización de determinadas actividades materiales, técnicas o de servi-

---

168. Una posible explicación que nos permitiría dotar de sentido a dicha previsión podríamos encontrarla en alguna de las ideas que mencionábamos hace un instante. Como indicábamos en las páginas precedentes, el artículo 10 de la Ley catalana 26/2010, de 3 de agosto, regula el ámbito subjetivo de aplicación de la figura de la encomienda de gestión de un modo muy confuso, pareciendo referirse indistintamente tanto a la encomienda administrativa de tareas materiales, técnicas o de servicios entre entidades públicas como a la posibilidad de realizar encargos a entidades instrumentales de la propia administración autonómica. Así, podríamos entender que la posibilidad recogida en el artículo 10.6 de la Ley se refiere solamente a estos últimos supuestos, permitiendo que las entidades que tengan la consideración de medio propio de las administraciones públicas catalanas puedan realizar las prestaciones objeto de estos encargos contractuales no sólo de forma directa sino también de forma indirecta. De hecho, esta hipótesis viene recogida ya de forma expresa en el TRLCSP que prevé que, en estos casos, los contratos que deban celebrarse por las entidades que tengan la consideración de medio propio y servicio técnico quedarán sometidas a la legislación contractual [art. 4.1 n) TRLCSP].

Aún así, incluso en los supuestos en que se encarga la realización de actividades materiales a entidades que tengan la condición de medio propio a efectos del TRLCSP, la doctrina ha considerado que resultaría también exigible que éstas dispusieran de los medios necesarios para asumir, al menos en parte, la realización del encargo. En este sentido, por ejemplo, PASCUAL GARCÍA, José: *Las encomiendas de gestión a la luz de la Ley de Contratos del Sector Público, op. cit.*, p. 62-66 o COLÁS TENAS, Jesús: «La contratación de las entidades locales tras la Ley de contratos del sector público: aspectos prácticos e informes de las juntas consultivas», en *Cuadernos de Derecho Local*, núm. 21, octubre 2009, p. 50.

cios a órganos o entidades que, de otro modo, no serían susceptibles de realizarse al margen de los procedimientos contractuales.

De todos modos, el análisis de la legislación catalana nos sirve también para plantearnos en este momento una nueva cuestión. Y es que ¿la prohibición de sub-encomendar la realización de las tareas encomendadas a la que nos estamos refiriendo debe llevarse hasta el extremo de negar al encomendado cualquier posibilidad de acudir puntualmente a un tercero, tanto público como privado, para gestionar las actividades materiales, técnicas o de servicios que le hubieran sido encargadas?

En nuestra opinión, la respuesta a esta complicada pregunta debe de ser negativa. Desde nuestro punto de vista, lo que exigiría la LRJPAC es que el encomendado asumiera directamente la ejecución material de la actividad objeto de encomienda, pero sin perjuicio de que pudiera recabar la colaboración de terceros en la realización puntual de algunas actuaciones meramente complementarias o accesorias a dicho encargo. Actuaciones que, precisamente, deberían permitir al órgano o entidad encomendada poder cumplir correctamente la realización del encargo, por lo que podríamos considerar que se encuentran necesariamente unidas a la ejecución del encargo (podemos pensar, por ejemplo, en los suministros que pudieran precisarse por parte del encomendado para realizar determinadas tareas). En estos supuestos, entenderíamos que no se produce ninguna transmisión o sub-encomienda hacía un tercero, sino simplemente un trámite propio de la ejecución material encargada. Y es que debemos recordar que, sin perjuicio de lo que se dirá posteriormente acerca de la capacidad de dirección de la actividad por parte del encomendante y también –tal y como acertadamente prevé la citada Ley catalana– de la necesidad de someter dicha colaboración puntual al régimen contractual o administrativo que le corresponda, la administración encomendada seguiría conservando la plena potestad para organizar sus propios servicios y el cumplimiento de sus funciones públicas[169].

---

169. No obstante, como fácilmente puede deducirse, el principal problema en estos supuestos residiría en la ausencia de criterios normativos suficientes para valorar cuando se trata de actuaciones meramente accesorias o complementarias al encargo principal o cuando, en cambio, se está produciendo una verdadera sustitución en la posición jurídica del encomendado. En este sentido, entendemos que no nos sirven como referencia los criterios previstos en los artículos 24.2 y 24.3 del TRLCSP al regular la ejecución de obras, la prestación de servicios o la fabricación de bienes muebles por la Administración con la colaboración de empresarios particulares, por cuanto se parte de la premisa de que en estos supuestos la administración de que se trate ejecuta una competencia propia y, además, cuenta con los medios necesarios a tal efecto.

Sobre el régimen jurídico aplicable a dicha figura pueden verse PASCUAL GARCÍA, José: *Las encomiendas de gestión a la luz de la Ley de Contratos del Sector Público,*

En todo caso, lo cierto es que este elemento de discriminación en función de la aptitud gestora del encomendado no debe contemplarse únicamente desde una vertiente negativa o limitativa, que dificultaría enormemente la aplicación de esta institución, sino que tiene también un aspecto positivo. En primer lugar, porque esta exigencia podría contribuir a hacer un uso más racional de esta figura, evitando supuestos de utilización fraudulenta. Pero también por cuanto permitiría corregir o modular el excesivo uniformismo que caracteriza nuestro ordenamiento jurídico, huyendo de atribuciones genéricas de funciones y poniendo el acento en aquellas entidades públicas que, realmente, se encuentran en mejores condiciones para prestar un determinado servicio[170].

2.4. TIPOS DE ENCOMIENDA DE GESTIÓN EN FUNCIÓN DE SU ÁMBITO SUBJETIVO

Una vez identificados los diferentes órganos o entidades que pueden formar parte de la figura de la encomienda de gestión podemos dar un paso más y, partiendo nuevamente de la regulación contenida en el artículo 15 de la LRJPAC, establecer unas primeras clasificaciones de la

---

op. cit., p. 75-86 o DE LA QUADRA SALCEDO, Tomás: «La ejecución de obras por la Administración», en GÓMEZ-FERRER MORANT, Rafael (Dir.): *Comentarios a la Ley de Contratos de las Administraciones Públicas*, Ed. Thomson-Civitas, segunda edición, Madrid 2004, p. 889-941.

170. En efecto, en los últimos años, y sobretodo en el ámbito de la Administración local, la doctrina más especializada se ha hecho eco de la necesidad de introducir elementos de diferenciación, que permitan modular el excesivo uniformismo que caracteriza la legislación en esta materia. En este sentido, podemos citar, entre otros, FONT I LLOVET, Tomàs: «La evolución del gobierno local en España: de los nuevos principios a la geometría variable», en *Anuario del Gobierno Local 2000*, Institut de Dret Públic – Ed. Marcial Pons, Madrid 2000, p. 13-35. Y, del mismo autor, *Gobierno local y Estado Autonómico*, *op. cit.*, *in totum*. Reflexiones que, además, no han quedado solamente en un ámbito teórico o académico, sino que han sido plasmadas también en diferentes normas positivas, entre las que podemos destacar el artículo 84.3 de la reforma del Estatuto de Autonomía de Cataluña que, con carácter general, prevé que la distribución de las distintas responsabilidades administrativas entre los entes locales deberá tener en cuenta su capacidad de gestión; criterio que se subraya nuevamente al hacer referencia a las leyes que afecten al régimen jurídico, orgánico, funcional y competencial de los municipios, que deberán ponderar, entre otros, sus características organizativas, funcionales, de dimensión y también su capacidad de gestión (art. 88 EAC).
Desde esta perspectiva, y como apuntábamos anteriormente, la encomienda de gestión sería una institución que podría responder, al menos parcialmente, a dichas consideraciones, por cuanto, al tomar como referencia la capacidad gestora de las diferentes entidades encomendadas, permitiría introducir correctivos a la uniformidad competencial.

encomienda de gestión en función, precisamente, de su elemento subjetivo. La identificación de diferentes categorías de encomienda de gestión por relación a sus intervinientes no persigue un objetivo puramente dogmático o académico, sino que, como veremos seguidamente, dichas clasificaciones nos resultarán de utilidad para determinar posteriormente el régimen jurídico específico al que someter dicha institución. En este sentido, podemos afirmar que, como mínimo, el artículo 15 de la LRJPAC nos permite claramente separar dos grandes tipologías de encomienda (en función del tipo de sujetos intervinientes y de su adscripción orgánica); a las que nosotros añadiremos una tercera.

A. En función del tipo de sujetos[171]

En primer lugar, en función del tipo de sujetos entre los que se entabla la relación jurídica, podemos hablar de encomiendas de gestión de carácter *inter-orgánico*, que son aquéllas que se realizan entre órganos administrativos, ya sean éstos de la misma o diferente administración pública; o de encomiendas de gestión de carácter *inter-subjetivo*, es decir, cuando se formalizan entre dos entidades con personalidad jurídica propia, entre personas jurídicas distintas. Estas dos personas jurídicas diferenciadas, como veremos después, pueden pertenecer también a la misma o distinta organización administrativa territorial.

El artículo 15.1 de la LRJPAC, como decíamos, parece admitir esta clasificación sin mayor objeción, puesto que, de forma literal, señala que la realización de actividades de carácter material, técnico o de servicios de la competencia de los órganos administrativos o de las entidades de derecho público podrá ser encomendada a otros *órganos* o *entidades*. Más allá del significado concreto de las expresiones «órganos» y «entidades» que estudiábamos anteriormente, nos interesa ahora retener esta primera clasificación por cuanto nos permite diferenciar la encomienda de gestión de otros mecanismos de translación competencial previstos también en la LRJPAC, como la avocación (art. 14 LRJPAC), la delegación de firma (art. 16 LRJPAC) o la suplencia (art. 17 LRJPAC), los cuales, a diferencia de aquélla, se han configurado como mecanismos de relación únicamente entre órganos administrativos, excluyéndose su aplicación respecto de las organizaciones administrativas personificadas que existen en nuestro ordenamiento jurídico público[172].

---

171. Nuevamente, como ya mencionamos al inicio de nuestra exposición, nos referimos a los «sujetos» de una forma amplia, para denominar a las diferentes partes que intervienen en una determinada relación obligatoria, pero sin que dicho término deba de interpretarse necesariamente como sinónimo de persona física o jurídica.
172. Precisamente, esta característica de la encomienda de gestión lleva a FERNÁNDEZ FARRERES a afirmar que con ella se superan los límites entre la desconcentración y

Sin embargo, no parece que de esta clasificación se deriven muchos más efectos prácticos, puesto que, con carácter general, ni la normativa básica estatal ni la normativa autonómica introducen ninguna modulación relevante en su régimen jurídico en función de una u otra, ni exigen tampoco requisitos procedimentales diferenciados a la hora de concluir el acuerdo de encomienda de gestión cuando éste se formaliza exclusivamente entre órganos o cuando se concluye entre entidades con personalidad jurídica propia[173]. Quizá, únicamente destacar que, como ya hemos visto, la encomienda de gestión escapa también a la lógica del principio de jerarquía administrativa, por cuanto ni la LRJPAC ni la legislación autonómica de desarrollo exigen que la encomienda de gestión deba de formalizarse necesariamente entre órganos o entidades ligadas por una relación jerárquica, sino que se habilitaría a cualquier órgano o entidad de derecho público para que pudiera encomendar la realización de determinadas actividades materiales en otros órganos u entidades aunque no fueran jerárquicamente dependientes. La justificación, en este caso, también puede parecer obvia; puesto que se trata de conseguir un mejor cumplimiento de los fines institucionales atribuidos al encomendante, huyendo de la rigidez que, a veces, supone la línea jerárquica. Toda vez que, como afirmábamos, en el caso de órganos jerárquicamente ordenados el recurso a la figura de la encomienda de gestión puede resultar artificioso y forzado porque el superior jerárquico siempre estaría en condiciones de imponer su parecer en los términos del artículo 21 de la LRJPAC.

B. En función de su adscripción orgánica

El artículo 15 de la LRJPAC nos sirve también de fundamento para introducir una segunda clasificación de las encomiendas de gestión, diferenciando entre aquellas encomiendas que podríamos denominar *intra-administrativas*, por cuanto se realizan entre «órganos o Entidades de Derecho Público pertenecientes a la misma Administración» (art. 15.3 LRJPAC); y aquellas que llamaríamos encomiendas de gestión *inter-administrativas*, que, por el contrario, se formalizaran entre «órganos y entidades de distintas Administraciones» (art. 15.4 LRJPAC).

---

la descentralización, aproximando esta figura a la delegación de competencias. FERNÁNDEZ FARRERES, Germán: «Las encomiendas de gestión», *op. cit.*, p. 671.

173. Por ejemplo, el artículo 18 de la Ley 2/1995, de 13 de marzo, de Régimen Jurídico de la Administración de Asturias, agrupa en un único apartado las encomiendas de gestión realizadas a órganos de la misma Consejería o a entes públicos dependientes de ella, exigiendo para ambas la autorización del titular de dicha Consejería. Y en términos muy similares se expresa el artículo 24.1 de la Ley 4/2005, de 1 de junio, de Funcionamiento y Régimen Jurídico de la Administración de la Rioja.

Hay que advertir, sin embargo, que a pesar de la importancia de dicha clasificación –que, como veremos más adelante, puede resultar determinante a la hora de fijar su régimen contractual– el artículo 15 de la LRJPAC no define cuáles son los criterios para decidir cuando nos encontramos ante una u otra, esto es, cuando nos hallamos ante un órgano u entidad de la misma o de distinta administración, sino que se limita simplemente a constatar la dualidad de opciones. En nuestra opinión, entendemos que dicha clasificación toma en consideración un elemento de carácter formal: la adscripción o vinculación orgánica de los sujetos que intervienen en la relación de encomienda a una determinada administración pública territorial. Al incluir dentro de una misma administración a «órganos» y «entidades» es evidente que el artículo 15 de la LRJPAC está utilizando el término «administración» no como sinónimo de cualquier organización pública personificada, sino que tomaría como referencia un concepto más amplio, identificándolo con las administraciones públicas de carácter territorial previstas en el artículo 2.1 de la Ley. Sólo de este modo, creemos, podría entenderse correctamente la redacción de dicho precepto, puesto que, en caso contrario, si consideráramos que cada organización pública personificada existente en nuestro ordenamiento (no sólo las territoriales, sino también las institucionales) se configura, a efectos del artículo 15 de la LRJPAC, como una administración pública propia, difícilmente podría comprenderse la definición de encomienda prevista en la LRJPAC. ¿A qué «entidades» de la misma administración se referiría el artículo 15.1 de la LRJPAC si –según esta comprensión– todas las relaciones entre «entidades» serían, al mismo tiempo y necesariamente, *inter-administrativas*, esto es, celebradas entre diferentes administraciones públicas?

Por ello, juzgamos más acertado considerar que esta clasificación toma como punto de referencia los diferentes niveles de organización territorial del Estado. Como sabemos, nuestra Constitución diseña un modelo de organización territorial articulado sobre la base de la existencia de tres niveles de gobierno y administración (estatal, autonómico y local), a los que se asigna, no sólo la gestión de sus respectivos intereses, sino también la satisfacción del interés general. Dichos niveles de gobierno y administración territorial, que podríamos denominar como *primarios*, aunque están compuestos, al mismo tiempo, por una pluralidad de órganos o personas jurídicas instrumentales actúan cada uno en el ordenamiento como una sola unidad organizativa, esto es, con una sola personalidad jurídica[174]. En este sentido, cada uno de los órganos o per-

---

174. Sobre la personalidad jurídica de las administraciones públicas, pueden verse, entre otros muchos, GARCÍA DE ENTERRÍA, Eduardo y FERNÁNDEZ RODRÍGUEZ, Tomás Ra-

sonas jurídicas que se encuadran en dicha estructura se nos presentan como simples elementos organizativos, como partes integrantes de un mismo sistema institucional, a las que se asigna una parte del total de las competencias que corresponden a cada nivel de gobierno y administración[175]. Así, la *pertenencia* a la que se refiere el artículo 15 de la LRJPAC no debe entenderse sólo en el sentido de propiedad sobre una determinada entidad o integración jerárquica en una misma organización, sino en un sentido más amplio, como vinculación o instrumentalidad respecto de una concreta administración pública (art. 2.2 LRJPAC).

Por lo tanto, es la vinculación o dependencia administrativa a cada una de dichas unidades organizativas más amplias la que nos permite, a nuestro entender, dotar de contenido a esta segunda clasificación legal. De manera que, desde esta perspectiva, podríamos calificar como *intra-administrativos* aquellos supuestos en que la encomienda de gestión se concluye respecto de órganos o entidades que se integran jurídicamente en un mismo nivel de organización territorial, imputando su actividad a un único centro primario de Administración (por ejemplo, entre dos ministerios, o entre un ministerio y un ente instrumental dependiente de éste). En cambio, hablaríamos de encomiendas *inter-administrativas* cuando se establecen entre órganos o entidades que no forman parte de un mismo complejo organizativo unitario (por ejemplo, cuando se formalizan entre la Administración General del Estado y una administración autonómica o entre dos entidades locales diferenciadas)[176].

Nuestro ordenamiento jurídico nos ofrece innumerables ejemplos de utilización tanto de un tipo de encomiendas como del otro. Así, un rápido repaso al Boletín Oficial del Estado nos informa, entre otros muchos, de la aprobación de la Resolución de 28 de octubre de 2009, por la que se publica el acuerdo de encomienda de gestión entre el Ministe-

---

món: *Curso de Derecho Administrativo I, op. cit.*, p. 366-382 o SANTAMARÍA PASTOR, Juan Alfonso: *Principios de Derecho Administrativo General, op. cit.*, 388-400.

175. Como explican GARCÍA DE ENTERRÍA y FERNÁNDEZ RODRÍGUEZ, «los entes no territoriales están afectos necesariamente a un ente territorial, que además de ser el centro político de donde procede la configuración sustancial del servicio por aquéllos cumplido, ejerce sobre los mismos su tutela y que, eventualmente (en el caso de los entes institucionales), domina sus propia organización y funcionamiento y aún su subsistencia». GARCÍA DE ENTERRÍA, Eduardo y FERNÁNDEZ RODRÍGUEZ, Tomás Ramón: *Curso de Derecho Administrativo I, op. cit.*, p. 381.

176. Parece compartir también dicha opinión GALLEGO ANABITARTE cuando afirma que la encomienda de gestión entre órganos o entre órganos y entidades de Derecho público puede producirse en el seno de una misma administración, entendiendo como tal una misma organización territorial. GALLEGO ANABITARTE, Alfredo: *Conceptos y principios fundamentales del Derecho de Organización, op. cit.*, p. 116.

rio de Sanidad y Política Social y el Instituto de Mayores y Servicios Sociales (IMSERSO), entidad gestora de la Seguridad Social dependiente de este Ministerio, para la realización de determinadas pruebas selectivas (BOE, núm. 269, de 7 de noviembre de 2009); pero también de la Resolución de 21 de noviembre de 2009, por la que se publica el convenio de colaboración entre la Agencia Estatal de Administración Tributaria y la Agencia Tributaria de Cataluña, para la implantación de la ventanilla única y la realización de determinados trámites, que contiene una encomienda de gestión a la Agencia autonómica para la incorporación directa de información en las bases de datos de la Administración estatal (BOE núm. 4, de 5 de enero de 2010).

Pero como el lector rápidamente habrá observado, aunque dicha clasificación conceptual normalmente no se cuestiona, en algunos supuestos no siempre resulta tan evidente como parece. Si volvemos nuevamente a los entes y organismos públicos a los que nos referíamos en el apartado anterior como posibles sujetos encomendados, comprobaremos como, aunque se trata siempre de entidades vinculadas de algún modo a alguna Administración primaria (ya sea por su creación, por su financiación, etc.), no sólo su personalidad jurídica propia y diferenciada, sino también el grado de autonomía que se les reconoce nos plantean serias dudas acerca del carácter *inter* o *intra* administrativo de sus relaciones a efectos del artículo 15 de la LRJPAC. Y es que ¿el hecho de que se les atribuya, incluso constitucionalmente, autonomía para el desarrollo de sus funciones –caso de las universidades, art. 27.10 CE– sitúa realmente a dichas entidades *fuera* de una determinada organización administrativa? ¿Es suficiente la mera declaración legal de independencia funcional –como prevé, por ejemplo, el artículo 8.3 de la recientemente aprobada Ley 2/2011, de 4 de marzo, de Economía Sostenible, para los llamados Organismos Reguladores– para desvincular dichas entidades de una administración pública territorial? O, por el contrario, el hecho de que no se trate más que supuestos de descentralización funcional y que todas ellas sigan guardando fuertes lazos orgánicos con las administraciones públicas territoriales –por ejemplo, la propia Ley 2/2011, de 4 de marzo, después de declarar la independencia funcional de los mencionados Organismos Reguladores los somete a las facultades de dirección política del Gobierno (art. 9.2); o, como hemos visto también, cuando la mayoría de las universidades se hallan vinculadas a sus respectivas comunidades autónomas que deben aprobar no sólo su creación o instrumentos de financiación, sino también sus propios estatutos de organización y funcionamiento– ubica dichas autoridades *den-*

tro de un determinado entramado institucional. Y aún hay más ¿qué consideración, a efectos administrativos, deben de tener las relaciones concluidas con entidades públicas formadas por la asociación voluntaria de otras administraciones? ¿Las encomiendas de gestión que pueda formalizar una comunidad autónoma respecto a un consorcio en el que ella participe mayoritariamente debe tener la consideración de relación en el seno de una misma administración pública? ¿O debe primar el dato formal de la personalidad jurídica propia del consorcio para definir dicha relación como inter-administrativa?

No nos corresponde a nosotros en este momento dar respuesta a todas estas preguntas, que afectan al núcleo esencial de aquello que entendamos por *Administraciones Públicas*. Simplemente queríamos poner de relieve no sólo el carácter complejo con el que se expresa el artículo 15 de la LRJPAC, sino también la dificultad de delimitar los contornos de las que, a veces con demasiada facilidad, llamamos «relaciones inter-administrativas». Dificultad de delimitación que, como veremos más adelante en el *Capítulo III*, es precisamente la que puede generarnos nuevas dudas a la hora de calificar contractualmente el régimen jurídico de la encomienda de gestión, por lo que más adelante retomaremos nuevamente esta cuestión.

En cualquier caso, como en el punto anterior, es importante destacar el posible carácter *inter-administrativo* de la encomienda de gestión, en cuanto que éste es otro de los elementos que singularizan esta figura y que, al permitir la relación entre administraciones públicas diferenciadas, la configuran como un mecanismo útil para conseguir un ejercicio más eficaz de las competencias administrativas, sin necesidad de recurrir a los modelos burocráticos y verticales tradicionales. A la vez que esta circunstancia nos permite también diferenciar la encomienda de gestión de otros instrumentos de translación competencial previstos por la LRJPAC, como la desconcentración (art. 12.2 LRJPAC), la avocación (art. 14 LRJPAC), la delegación de firma (art. 16 LRJPAC) y la suplencia (art. 17 LRJPAC), que se regulan todos ellos como mecanismos de relación de carácter exclusivamente *intra-administrativo*.

Pero debemos tener también presente esta segunda clasificación por cuanto la propia LRJPAC deriva de ella la exigencia de requisitos distintos para su formalización. Así, para el caso de las encomiendas de gestión articuladas en el seno de una misma estructura administrativa territorial, el artículo 15.3 de la LRJPAC remite a lo que establezca su propia normativa o, en su defecto, mediante *acuerdo expreso* entre los intervinientes. Mientras que cuando la encomienda se establece entre órganos o entidades pertenecientes a diferentes administraciones públicas, el artículo 15.4 de la LRJPAC exige que se formalice mediante la firma del correspondiente *convenio de colaboración*.

La exigencia de convenio, en este último caso, resulta también significativa, porque remite automáticamente el régimen jurídico de la encomienda a la normativa específica aplicable a los convenios entre administraciones públicas. En consecuencia, y sin perjuicio de lo que añadiremos al referirnos a los requisitos formales de la encomienda de gestión, para completar el marco normativo de la encomienda de gestión deberemos tomar también en consideración la regulación básica de los convenios de colaboración prevista en los artículos 6 y 8 de la LRJPAC; teniendo en cuenta, además, que cuando la encomienda se produzca entre administraciones autonómicas, el convenio deberá ajustarse también a lo dispuesto en el artículo 145 de la Constitución y que cuando se formalice entre entidades locales deberá atenderse a las posibles especialidades previstas en cada caso por la legislación de régimen local.

C. En función del nivel territorial

Finalmente, podemos establecer aún una tercera clasificación de las encomiendas en función del nivel territorial del órgano o entidad que asume la realización del encargo. A pesar de que la LRJPAC no se refiera a ella de forma expresa, entendemos que no hay objeción en admitir que dichas encomiendas pueden producirse tanto con *carácter descendente*, es decir, hacia órganos o entidades con un ámbito de actuación territorial menor; como con *carácter ascendente*, es decir, en un sentido contrario, hacia órganos o entidades de derecho público con una jurisdicción territorial más amplia[177]. Y también, obviamente, la encomienda de gestión puede celebrarse con *carácter horizontal*, es decir entre sujetos situados en el mismo nivel territorial como, por ejemplo, entre dos entidades que pertenezcan a la Administración local.

El deber de colaboración entre *todas* las administraciones públicas

---

177. FERNÁNDEZ ALLÉS menciona también esta clasificación, afirmando que, exactamente igual que en la figura de la delegación intersubjetiva, existen dos tipos de encomienda de gestión en función del sentido de su dirección: la descendente y la ascendente, que supone el traslado de las facultades desde el ente inferior al superior. FERNÁNDEZ ALLÉS, José Joaquín: *Las relaciones intergubernamentales en el Derecho Constitucional español*, Universidad de Cádiz – Centro de Estudios Constitucionales 1812, Cádiz 2007, p. 192. Dicha posibilidad se pone de relieve también en TORNOS MAS, Joaquín: «La reforma de la Administración periférica del Estado», *op. cit.*, p. 44.

previsto en nuestro texto constitucional y en la propia LRJPAC, así como la lógica del funcionamiento del sistema autonómico, avalan esta hipótesis; que, a su vez, ha sido plenamente confirmada también por nuestro Derecho Positivo. Una buena muestra de ello nos la ofrece el artículo 137.1 de la Ley 2/2003, de 11 de marzo, de Administración Local de la Comunidad de Madrid, que prevé que las entidades locales madrileñas podrán encomendar la gestión material de sus competencias a la Comunidad de Madrid; encomienda que deberá instrumentarse mediante la suscripción del correspondiente convenio o también el artículo 64.1 de la Ley 20/2006, de 15 de diciembre, Municipal y de Régimen Local de las Illes Balears, en el que se señala que los ayuntamientos de dicha Comunidad Autónoma podrán encomendar la gestión de sus competencias a otras administraciones públicas. Igualmente, en un ámbito material mucho más concreto, podemos destacar el Decreto catalán 101/2008, de 6 de mayo, por el que se aprueban las bases de ejecución del Plan Único de Obras y Servicios de Cataluña para el período 2008-2012, en el que se prevé que, en el caso que los municipios de esta Comunidad Autónoma no tengan suficiente capacidad de gestión técnica o administrativa para contratar o ejecutar las actuaciones derivadas de dicho Plan, podrán encomendar la realización de estas tareas a los consejos comarcales, las diputaciones provinciales o, incluso, a la propia Generalidad de Cataluña (Base quinta).

Como en el apartado anterior, resulta importante destacar esta clasificación por cuanto a partir de ella podemos establecer también algunas diferencias entre la encomienda de gestión y otros mecanismos de translación competencial similares previstos por nuestro ordenamiento jurídico; muy especialmente, respecto de la desconcentración de competencias prevista en el artículo 12.2 LRJPAC y de la avocación regulada en el artículo 14 de la LRJPAC. En primer lugar, podríamos diferenciar la desconcentración de competencias de la encomienda de gestión por cuanto aquélla supone siempre una translación de competencias en sentido *vertical* y *descendiente* en la escala jerárquica, de modo que sólo puede tener lugar hacía órganos inferiores de una misma persona jurídico-pública. Por su parte, la figura de la avocación se diferenciaría de la encomienda de gestión por el motivo contrario, pues ésta supone siempre una relación de carácter *vertical* y *ascendente*, en el sentido que implica siempre la traslación del ejercicio de la competencia para resolver un determinado asunto hacia un órgano superior de la misma administración pública. Tal y como acabamos de exponer, dichas limitaciones subjetivas no se aplican a la figura de la encomienda de gestión porque el artículo 15.1 de la LRJPAC permite no sólo la encomienda entre órganos o entidades pertenecientes a distintas administraciones públicas, sino también con carácter *ascendente* o *descendente*[178].

3. ÁMBITO OBJETIVO DE LA ENCOMIENDA DE GESTIÓN

La determinación del ámbito de aplicación subjetivo de la encomienda de gestión –que ha centrado las páginas precedentes– es uno de los aspectos fundamentales de su régimen jurídico. Sin embargo, son muchas las dudas que aún nos plantea esta figura, como, por ejemplo, el estudio de su ámbito de aplicación objetivo. A nuestro entender, el ámbito objetivo de la encomienda de gestión se configura como otro de los elementos esenciales de esta institución, puesto que nos indicará aquellos supuestos en los que resulta posible su utilización, permitiéndonos diferenciarla de otros mecanismos de transferencia de funciones administrativas previstos en nuestro ordenamiento y que, a veces, pueden presentar unos contornos jurídicos similares.

Con independencia de la trascendencia de esta cuestión, lo cierto es que el artículo 15.1 de la Ley 30/1992, de 26 de noviembre, al fijar el concepto de encomienda de gestión se expresa en un sentido muy amplio, previendo que ésta pueda servir para la realización de «actividades de carácter material, técnico o de servicios» de la competencia de los órganos administrativos o de las entidades de derecho público. Por lo tanto, resulta difícil, a primera vista, poder determinar correctamente qué actuaciones administrativas concretas pueden ser legítimamente encomendadas en el marco del artículo 15 de la LRJPAC. Es por ello que empezaremos este epígrafe con una diferenciación que tomamos prestada de MORELL OCAÑA, el cual, al analizar la figura de la delegación entre entidades públicas en el derecho español, distinguía entre su *objeto inmediato*, referido al haz de potestades y deberes que se instituyen con la formalización de un determinado vínculo jurídico; y su *objeto mediato*, relativo a los bienes o sectores materiales a los que afectan dichos derechos u obligaciones[179]. En nuestra opinión, esta acertada clasificación

---

178. Sobre todas estas cuestiones pueden verse, entre muchos otros, ARIÑO ORTIZ, Gaspar: «Principios de descentralización y desconcentración», en *Documentación Administrativa*, núm. 214, abril-junio 1988, p. 11-45; GALLEGO ANABITARTE, Alfredo: *Conceptos y principios fundamentales del Derecho de Organización*, op. cit., p. 83-104 y 119-121 o GONZÁLEZ NAVARRO, Francisco: «De la delegación, avocación y sustitución interorgánica, y de algunos de sus falsos hermanos», op. cit., p. 308-310 y 333-347.

179. MORELL OCAÑA, Luis: *La delegación entre entes públicos en el Derecho español*, op. cit., p 133-134, quién, a su vez, toma esta distinción de la doctrina *ius civilista* y, en particular, de PUIG BRUTAU, José: *Fundamentos de Derecho Civil*, op. cit., p. 65.

puede resultar también plenamente aplicable a la encomienda de gestión que estamos estudiando, pudiéndonos ser, además, muy útil para fijar de un modo más claro el alcance real de esta figura, así como las materias concretas sobre las que puede extenderse.

3.1. EL OBJETO INMEDIATO DE LA ENCOMIENDA DE GESTIÓN: LA POSICIÓN JURÍDICA QUE SE TRANSFIERE A TRAVÉS DE LA RELACIÓN DE ENCOMIENDA

Empezando por el objeto inmediato, podemos afirmar que en la encomienda de gestión, al igual que sucede con otros mecanismos de translación competencial previstos en nuestro ordenamiento, lo que se transfiere, primariamente, es una posición jurídica. Es decir, un conjunto de facultades (y deberes) que una entidad pública ostenta sobre un determinado sector de la realidad social y cuyo ejercicio le estaría vetado al encomendado por corresponder a la competencia exclusiva de otra administración pública. De tal modo que ello significa una pérdida objetiva de la capacidad de actuación del encomendante y, a la vez, la adquisición de una capacidad de influencia del encomendado en el ejercicio de competencias ajenas. Pero más allá de este planteamiento general, el objetivo de este apartado debe ser el de determinar cuál es el alcance concreto de dicha transferencia en el caso de la encomienda de gestión.

En primer lugar, como hemos venido señalando a lo largo de nuestra exposición y según se desprende claramente de los artículos 12.1 y 15.2 de la LRJPAC, podemos afirmar que la encomienda de gestión no supone, en ningún caso, la transferencia de la titularidad de las competencias encomendadas. De modo que, como apuntábamos en nuestra definición inicial, la encomienda no supone una modificación objetiva de la distribución competencial fijada por el ordenamiento jurídico. Esta afirmación, aunque pueda resultar obvia, es importante por cuanto nos permite diferenciar la encomienda de gestión de la figura de la «desconcentración de competencias» también regulada en la LRJPAC y que, a diferencia de la encomienda, supone el traslado, no sólo del ejercicio de una competencia administrativa, sino también de su titularidad. El artículo 12.2 de la LRJPAC así lo prevé expresamente al afirmar que «la *titularidad* y el *ejercicio* de las competencias atribuidas a los órganos administrativos podrán ser desconcentrados en otros jerárquicamente dependientes [...]». De manera que la desconcentración sí que se configura como un mecanismo de reasignación de las competencias, que da lugar a un nuevo reparto competencial entre los órganos superiores e inferiores de una determinada organización administrativa[180].

---

180. Las cursivas son nuestras. Sobre la figura de la «desconcentración» pueden verse,

Pero en segundo lugar, debemos añadir también que la encomienda de gestión no supone tampoco la transferencia plena del ejercicio de las competencias administrativas. En efecto, a pesar de que la doctrina habitualmente no se refiere a esta circunstancia[181], si leemos con atención la regulación de la encomienda de gestión prevista en la LRJPAC nos daremos cuenta de que la propia Ley identifica algunos elementos comprendidos dentro del ejercicio de la competencia administrativa que no pueden ser, en ningún caso, objeto de traspaso a través de la relación de encomienda. De manera que podemos afirmar que con la encomienda de gestión se transfiere solamente una parte del ejercicio de determinadas funciones administrativas o, en otras palabras, solamente algunas de las funciones materiales que se integran dentro del ejercicio de una concreta competencia.

A esta parte del ejercicio de las funciones administrativas que no puede ser objeto de encomienda se refiere expresamente el artículo 15.2 de la LRJPAC cuando afirma que la encomienda de gestión no sólo no supone cesión de la titularidad de la competencia, sino tampoco de los «elementos sustantivos» de su ejercicio. Añadiendo, a continuación, que en todo caso será responsabilidad del órgano o entidad encomendante dictar cuantos actos o resoluciones jurídicas den soporte a la actividad material objeto de encomienda. Por lo tanto, según se desprende de la propia LRJPAC, el ejercicio de las potestades jurídicas o resolutorias implícitas en una determinada competencia administrativa, debe de quedar siempre bajo la estricta órbita de la entidad encomendante. De ahí que, como ha señalado el Tribunal Superior de Justicia de Andalucía en su Sentencia de 24 de septiembre de 2002 (Núm. recurso 774/2001, ponente: Sr. José Antonio Montero Fernández), «la competencia, entendida como el conjunto de funciones atribuidas a un órgano u entidad

---

entre muchos otros, ARIÑO ORTIZ, Gaspar: «Principios de descentralización y desconcentración», *op. cit.*, p. 11-40; GALLEGO ANABITARTE, Alfredo: «Transferencia y descentralización; delegación y desconcentración; mandato y gestión o encomienda», en *Revista de Administración Pública*, núm. 122, mayo-agosto 1990, p. 7-102 y MESEGUER YEBRA, Joaquín: *La competencia administrativa y sus modulaciones (I)*, Ed. Bosch, Barcelona 2001, p. 9-12.

181. La escasa atención que ha merecido entre nosotros esta figura y la amplitud con la que ha sido analizada, ha llevado a que los distintos autores que han estudiado la encomienda de gestión no hayan profundizado más en el ámbito objetivo de la encomienda de gestión, limitándose, en muchos casos, a señalar simplemente que esta institución no supone alteración de la titularidad de las competencias ni tampoco de su ejercicio, pero sin concretar exactamente en qué se traduce. Por ejemplo, ORTEGA ÁLVAREZ, Luis: «Órganos de las Administraciones Públicas», *op. cit.*, p. 73 o FERNÁNDEZ FARRERES, Germán: «Las encomiendas de gestión», *op. cit.*, p. 670.

[...] sólo es posible que se ejerza por otro órgano en los casos de delegación y avocación» (FJ Primero).

3.1.1. La encomienda de gestión como reconocimiento de una habilitación derivada

Las anteriores afirmaciones nos obligan a replantearnos el verdadero alcance de la encomienda de gestión, por cuanto, a pesar de que ésta se enumera habitualmente como un mecanismo de translación competencial, podemos comprobar que, en rigor, no es exactamente así. Ello nos pone de relieve, otra vez más, que nos encontramos ante una forma jurídica cuya naturaleza no se encuentra todavía bien definida y respecto de la cual, a menudo, no resulta posible extender construcciones dogmáticas aplicables a otras figuras similares. Aún así, a pesar de que esta cuestión no ha sido objeto de un estudio específico y detallado por la mayor parte de nuestra doctrina, algunos autores sí que se han referido a ella, formulando diferentes interpretaciones que creemos que, desde un punto de vista general, pueden sistematizarse de la manera siguiente:

A. La encomienda de gestión como una relación orgánica impropia

Un primer intento de aproximación a esta figura consistiría en entender que mediante la encomienda de gestión lo que se produce en realidad es una simple utilización por parte del encomendante de los órganos de un tercero. Esta posición se inspiraría en la teoría jurídica italiana y, particularmente, en la figura del *Avvalimento degli uffici* prevista en la redacción inicial de la Constitución italiana de 1948 que exponíamos anteriormente y que amparaba la posibilidad de que las regiones pudieran ejercer sus funciones administrativas, no sólo a través de sus propias estructuras burocráticas, sino también delegándolas a los entes locales o valiéndose de éstos (art. 118 CI).

Como hemos visto, el *avvalimento* venía a configurarse como una fórmula organizativa a través de la cual articular las relaciones entre el nivel regional y local y que, a diferencia de la *delegazione amministrativa*, permitía a las regiones no sólo mantener la titularidad de sus competencias sino también su ejercicio formal. El ente local afectado se convertía, de este modo, en un simple órgano indirecto de la región, sujeto a los poderes de dirección y control por parte de las autoridades regionales, por lo que se afirmaba que la figura del *avvalimento*, aún y tener lugar entre dos entidades con personalidad jurídica propia, daba lugar a la creación de una relación orgánica impropia[182], por cuanto la actividad desarrollada por el ente local no podía sino ser imputada a la administración regional, en cuanto que titular efectiva de la función administrativa ejercitada.

La institución italiana del *avvalimento* fue utilizada, en un primer momento y por la gran mayoría de la doctrina administrativista española, para justificar –como mencionábamos al analizar los antecedentes normativos de la actual encomienda de gestión– la llamada gestión ordinaria de los servicios autonómicos prevista en los primeros Estatutos de Autonomía y en la Ley del Proceso Autonómico[183]. En este caso, se consideraba que cuando las diputaciones provinciales (o los cabildos insulares) realizaban la gestión de los servicios propios de las comunidades autónomas no actuaban como entidades públicas dotadas de personalidad jurídica, sino como meros agentes burocráticos o simples órganos de la comunidad autónoma[184]. Afirmándose que, en realidad, lo que se producía en estos casos era un «préstamo de órganos administrativos», los cuales se sustraían de los normales poderes de dirección y control del ente local al que pertenecían para transformarse en un mero órgano de ejecución dependiente o al servicio político-administrativo de la comunidad autónoma delegante[185].

---

182. En este sentido, podemos citar, entre otros, Benvenuti, Feliciano: «L'organizzazione impropia della Pubblica Amministrazione», *op. cit.*, p. 977; Cassese, Sabino: *Istituzioni di Diritto Administrativo*, Ed. Giuffrè, Milán, 2004, p. 72-73; Vandelli, Luciano: «Le Regione, le Province, i Comuni», *op. cit.*, p. 269 o Roversi Monaco, Fabio Alberto: *La delegazione amministrativa nel quadro dell'ordinamento regionale, op. cit.*, p. 145-149.

183. Sosa Wagner, Francisco y De Miguel García, Pedro: *Las competencias de las Corporaciones Locales*, Instituto de Estudios de la Administración Local, Madrid 1985, p. 94; Calonge Velázquez, Antonio: «Un exponente de la problemática actual entre Comunidades Autónomas y Provincias: la gestión ordinaria de los servicios periféricos propios de la Comunidad Autónoma a través de las Diputaciones Provinciales», en *Revista de Estudios de la Administración Local y Autonómica* (REALA), núm. 232, octubre-diciembre 1986, p. 710 o Ortega Álvarez, Luis: «Órganos de las Administraciones Públicas», *op. cit.*, 77.

184. Calonge Velázquez, Antonio: «Un exponente de la problemática actual entre Comunidades Autónomas y Provincias: la gestión ordinaria de los servicios periféricos propios de la Comunidad Autónoma a través de las Diputaciones Provinciales», *op. cit.*, p. 710 o Carbelleira Rivera, Mª Teresa: *La provincia en el sistema autonómico español*, Ed. Marcial Pons – Universidad de Santiago de Compostela, Madrid 1993, p. 347-348.

185. Escuin Palop, Vicente M.: «La delegación de competencias de las Comunidades Autónomas a las Diputaciones Provinciales», en Dirección General de lo Contencioso del Estado: *Organización territorial del Estado (Administración Local)*, volumen II, Instituto de Estudios Fiscales, Madrid 1985, p. 1029; Carbelleira Rivera, Mª Teresa: *La provincia en el sistema autonómico español, op. cit.*, p. 348.

Posteriormente, algunos autores (principalmente, HERNANDO OREJANA y MORELL OCAÑA) han utilizado también esta construcción dogmática para intentar explicar o justificar la figura de la encomienda de gestión regulada en el artículo 15 de la Ley 30/1992, de 26 de noviembre, afirmando que en la encomienda de gestión el traspaso del ejercicio de las competencias es simplemente aparente porque, en realidad, lo que se produce es una simple utilización de «órganos impropios», en la medida que la entidad encomendada sería considerada como elemento integrante de la organización de la administración encomendante; quedando colocada, de este modo, en una situación de dependencia cuya consecuencia principal es la asunción obligatoria del encargo formulado[186].

Sin embargo, hoy día resulta muy difícil poder aceptar esta argumentación, especialmente en el caso de que la encomienda de gestión se constituya entre dos administraciones públicas diferenciadas. En efecto, trasladando a este momento algunas de las críticas y dudas que la doctrina había ya manifestado en relación con la gestión ordinaria de los servicios autonómicos, podemos afirmar que la posición de subordinación cuasi-jerárquica en relación con la actividad o servicio gestionado en la que se colocaría al sujeto encomendado podría llevarnos a cuestionar seriamente la constitucionalidad de esta figura, por cuanto parecería ciertamente difícil poder articular una relación entre entes dotados cons-

---

186. Así, por ejemplo, HERNANDO OREJANA concluye que, a diferencia de la delegación de competencias, la encomienda de gestión es una técnica que produce una participación menos intensa, quedándose en una mera colaboración burocrática o *préstamo de órganos*. HERNANDO OREJANA, Luis Carlos: *La encomienda de gestión... op. cit.*, p. 157. En el mismo sentido, MORELL OCAÑA, Luis: *Curso de Derecho Administrativo I, op. cit.*, p. 242-243. No obstante, dicho autor en otros trabajos posteriores matizó notablemente dichas consideraciones, negando que la encomienda de gestión del artículo 15 de la LRJPAC supusiera el establecimiento de una relación orgánica impropia entre los sujetos participantes y afirmando que el encomendado mantendría, en todo caso, su independencia funcional y operativa, sin que se produjera la confusión de las organizaciones del encomendante y el encomendado. MORELL OCAÑA, Luis: «Encomiendas de funciones», *op. cit.*, p. 3134.
Parece expresarse también en este mismo sentido BERMEJO VERA, cuando afirma que la encomienda de gestión intersubjetiva posibilita la utilización de órganos de una entidad local por una administración territorial de ámbito superior para la realización de actuaciones de carácter material, técnico o de servicio. Añadiéndose que, en el fondo, se trataría de una delegación pero en la que la capacidad de operar de la entidad local sería mucho menor, pues la legislación autoriza a la administración encomendante a controlar más intensamente las actividades del encomendado «que debe poner su aparato organizativo a disposición de aquélla». BERMEJO VERA, José: *Derecho Administrativo Básico. Parte General*, Ed. Civitas-Thomson Reuters, novena edición, Madrid 2009, p. 145.

titucionalmente de autonomía colocando a uno de ellos en una situación de dependencia jerárquica respecto de la otra[187]. La autonomía para la gestión de sus respectivos intereses que nuestro texto constitucional reconoce a los diferentes niveles de gobierno y administración en los que se organiza territorialmente nuestro Estado (art. 137 CE) impediría que pudiera hablarse de una integración orgánica obligatoria, pues la administración pública de que se trate se mantendría siempre formalmente al margen de la organización propia del encomendante.

Es por ello que se nos hace necesario plantear una nueva interpretación que, partiendo del fundamento constitucional de la encomienda de gestión como un mecanismo dirigido a garantizar la eficacia de la actuación pública desde la óptica de la colaboración administrativa, nos permita aproximarnos correctamente a esta figura.

B. *La encomienda de gestión como reconocimiento de una habilitación indirecta*

Descartada la anterior, podríamos entender que mediante la encomienda de gestión lo que se produce es una habilitación al encomendado para que ejecute determinadas actuaciones en favor del encomendante. Podríamos hablar, de esta manera, del reconocimiento al

---

187. En el mismo sentido, por ejemplo, FERNÁNDEZ FARRERES, Germán: «Las encomiendas de gestión», *op. cit.*, p. 676 o PARADA VÁZQUEZ, Ramón: *Régimen Jurídico de las Administraciones Públicas y del Procedimiento Administrativo Común (Estudio, comentarios y texto de la Ley 30/1992, de 26 de noviembre), op., cit.*, quien afirma que, en el caso de la gestión ordinaria de servicios, la corporación local afectada quedaba en una situación de subordinación absoluta, «cuya conciliabilidad con el principio de autonomía nadie ha explicado» (p. 117).

Fueron también estos mismos argumentos los que llevaron a parte de la doctrina italiana a cuestionarse la figura del *avvalimento* prevista en dicho ordenamiento jurídico. Si habíamos mencionado ya como ROVERSI-MONACO había considerado dicha institución como un atentado a la autonomía local, por cuanto podía imponerse de forma unilateral por parte de las regiones debemos ahora añadir que, a partir de la reforma constitucional del 2001, todas estas ideas se han puesto de relieve aún con más fuerza. El nuevo sistema político «policéntrico» instaurado por la Ley Constitucional 3/2001, de 18 de octubre, que configura a los entes locales como uno más de los diferentes niveles institucionales (junto al Estado y las Regiones), recíprocamente autónomos y paritarios, en los que se estructura la República italiana (art. 114 de la Constitución italiana), impide señalar ahora una posición de subordinación o jerarquía entre ellos y, por lo tanto, permite superar aquellas posiciones que habían considerado legítimo el recurso al *avvalimento* mediante una decisión administrativa unilateral de las regiones italianas.

En este sentido, entre otros, pueden verse ROVERSI MONACO, Fabio Alberto: *La delegazione amministrativa nel quadro dell'ordinamento regionale, op. cit.*, p. 145-149 y DELL'ANNO, Paolo: «Utilizzazione di Uffici (Avvalimento)», *op. cit.*, p. 6144.

encomendado de una legitimación derivada o indirecta, con un ámbito de acción reducido, limitado a la realización de ciertas tareas de carácter material que se integrarían dentro del ejercicio de la competencia, y cuyo nacimiento se produciría mediante la formalización del acuerdo o convenio de encomienda. Así, la encomienda de gestión se configuraría como una institución en cuya virtud tanto el encomendante como el encomendado compartirían el ejercicio de una concreta función administrativa; dándose lugar a un nuevo reparto de facultades: al encomendado le correspondería el dictado de los actos o resoluciones jurídicas necesarias (art. 15.2 LRJPAC), mientras que la posición del encomendado se limitaría a la realización de las «actividades materiales, técnicas y de servicios» (a las que se refiere el artículo 15.1 LRJPAC) en nombre y por cuenta del encomendante[188].

Al constituirse a partir de la formalización de un negocio jurídico bilateral y voluntario podríamos superar la crítica sobre la posible inconstitucionalidad de este instrumento derivada de su carácter cuasi-jerárquico, puesto que el encomendado no se convertiría ya en un simple órgano material ejecutivo del encomendante, sino en un colaborador voluntario de éste. A su vez, mediante el reconocimiento de esta legitimación derivada, podríamos hacer compatible la habilitación del encomendado para ejecutar materialmente unas determinadas potestades sin que se afectara a su titularidad ni supusiera tampoco una transferencia completa del ejercicio de la competencia, que seguirían residenciándose en la administración encomendante, así como la imputación final de la actividad realizada.

En efecto, no habría ninguna merma en la titularidad del encomendante respecto al ejercicio formal de su competencia sino meramente

---

188. PAREJO ALFONSO afirma que lo que singularizaría a la encomienda de gestión es que ésta produciría una escisión del contenido de la competencia, concretamente la dimensión jurídico-formal y la dimensión real, material, técnica o prestacional de la misma. PAREJO ALFONSO, Luciano: *Derecho Administrativo. Instituciones generales: Bases, Fuentes, Organización y Sujetos, Actividad y Control*, Ed. Ariel, Barcelona, 2003, p. 399.
De forma similar, MARTÍN HUERTA define la encomienda de gestión como una delegación impropia poniendo el acento en que ésta no modifica el orden competencial preexistente, afectando únicamente a la organización administrativa para su ejercicio; y destacando también los importantes límites que se imponen al encomendado: como la no posibilidad de alterar el régimen de ejercicio de competencias normativas o las limitaciones al ejercicio de potestades resolutorias. MARTÍN HUERTA, Pablo: *Los convenios interadministrativos, op. cit.*, p. 165-166. Igualmente, GALLEGO ANABITARTE, Alfredo: *Conceptos y principios fundamentales del Derecho de Organización, op. cit.*, p. 116-117 y 125-126.

una limitación temporal de algunas de sus facultades ejecutivas –aquéllas relativas a la realización de determinadas actuaciones materiales,
técnicas o de servicios–. Se trataría, en realidad, de una *auto-limitación*
impuesta por el propio sujeto encomendante que, sin embargo, conti-
nuaría siendo el titular originario de la competencia, sin renuncia alguna
a las responsabilidades que el ordenamiento le confirió al entregarle
dicha titularidad. De ahí que, como veremos más adelante, el encomendante siga conservando el poder de disponer de su competencia, de
dirigir la actividad del encomendante e incluso de revocar la encomienda conferida. Sin embargo, su ámbito funcional resultaría reducido
en la medida que se legitima o habilita al encomendado para realizar
actos materiales determinados. Lo que, asimismo, implicaría que durante la vigencia de la encomienda de gestión, y salvo supuestos de
revocación, el encomendado se vería imposibilitado de ejercitar directamente dichos actos. Nuevamente, debemos entender que estamos ante
una limitación auto-impuesta por el propio encomendante que, en tanto
subsista dicha relación jurídica, renunciaría a la posibilidad de ejecutar
por sí mismo las actividades objeto de encomienda. Y es que admitir lo
contrario sería negar cualquier valor vinculante que pudiéramos reconocer a la declaración de voluntad a través de la cual se formaliza la encomienda de gestión.

En nuestra opinión, éste es el alcance que debe reconocerse a la
figura de la encomienda de gestión. Interpretación que, creemos, coincide con la que ha venido manteniendo la mayor parte de nuestra doctrina administrativista.[189]. De este modo, podríamos entender que no

---

189. A pesar de que son pocos los autores que han profundizado en el estudio de estas
cuestiones, habitualmente se viene conceptuando la encomienda de gestión como
un modo de ejercer las propias competencias, como una mera sustitución del
agente que realiza unas determinadas actuaciones materiales, pero sin que se modifique formalmente el órgano que ejerce la competencia. En este sentido, pueden
verse, por ejemplo, ORTEGA ÁLVAREZ, Luis: «Órganos de las Administraciones Públicas», *op. cit.*, p. 73 y 77; GONZÁLEZ NAVARRO, Francisco: «De la delegación, avocación
y sustitución interorgánica, y de algunos de sus falsos hermanos», *op. cit.*, p. 309 y
358; GALLEGO ANABITARTE, Alfredo: *Conceptos y principios fundamentales del Derecho de
Organización, op. cit.*, p. 125-126 o FERNÁNDEZ FARRERES, Germán: «Las encomiendas
de gestión», *op. cit.*, p. 671.
    Igualmente, hemos ya mencionado como PAREJO ALFONSO destacaba también como
una de las características que singularizan la encomienda de gestión la escisión del
contenido de la competencia en dos dimensiones distintas: la dimensión jurídico-
formal, que se mantiene en todo caso en la administración encomendante; y una
dimensión real, material, técnica o prestacional que constituye, precisamente, el
objeto de la encomienda. PAREJO ALFONSO, Luciano: *Derecho Administrativo. Instituciones generales: Bases, Fuentes, Organización y Sujetos, Actividad y Control, op. cit.*, p. 399.

hay ninguna sucesión ni en la titularidad ni en el ejercicio formal de la competencia, porque, en sentido estricto, no se produce ningún acto de disposición sino un acto de administración de algunas de las potestades que se incluyen dentro de la competencia. De tal manera que, por un lado, no se vulneraría en ningún caso el principio de irrenunciabilidad de las competencias administrativas que sanciona la LRJPAC ni, por el otro, se produciría tampoco la mera utilización material del sujeto encomendado como si de un simple órgano del encomendado se tratara. En definitiva, como decíamos, estaríamos ante la creación, a través de un negocio jurídico de carácter bilateral, de una nueva legitimidad derivada, distinta de la del encomendante, limitada a la ejecución de determinadas facultades materiales en nombre del encomendante. De manera que esta hipótesis pondría el acento en el carácter negocial implícito en la figura de la encomienda de gestión.

Por otro lado, esta interpretación nos permitiría también superar la aparente contradicción existente entre los artículos 12.1 y 15.2 de la LRJPAC y que habíamos puesto ya de relieve en el *Capítulo I*. Siguiendo la misma lógica de diferenciar dos ámbitos de atribuciones complementarios, podríamos identificar, por un lado, unos elementos *no* sustantivos del ejercicio de la competencia –la mera «realización de actividades de carácter material, técnico o de servicios»–, pero que *sí* que resultan determinantes de su ejecución material a efectos del artículo 12.1 LRJPAC, y que, por lo tanto, podrían ser susceptibles de transferencia mediante la técnica de la encomienda. Y, por el contrario, unos elementos sustantivos del ejercicio de la competencia, por cuanto constituyen los elementos definidores de ésta en el plano jurídico-formal y que, conforme al artículo 15.2 de la LRJPAC, no serían transferibles. Dentro de estos elementos sustantivos encontraríamos todas aquellas facultades normativas o decisorias a las que se refiere el artículo 15.2 de la Ley cuando atribuye al encomendante la tarea de aprobar «los actos o resoluciones de carácter jurídico que den soporte o en los que se integre la concreta actividad material objeto de encomienda»[190].

---

190. En el mismo sentido, Pascual García, José: *Las encomiendas de gestión a la luz de la Ley de Contratos del Sector Público, op. cit.*, p. 91. Gallego Anabitarte también parece compartir esta interpretación al entender que, como la encomienda de gestión no produce ninguna modificación del orden objetivo de competencias, la alteración de los elementos determinantes a que se refiere el artículo 12.1 de la LRJPAC solamente puede referirse a la sustitución de la autoridad que ejerce la competencia, en el sentido que la autoridad encomendada actúa en nombre del encomendante. Gallego Anabitarte, Alfredo: *Conceptos y principios fundamentales del Derecho de Organización, op. cit.*, p. 125-126.

3.1.2. El carácter «propio» de las actividades encomendadas

En relación con el objeto inmediato de la delegación se nos plantea aún una segunda cuestión. El artículo 15.1 de la LRJPAC prevé que podrá encomendarse la realización de determinadas actividades «de la competencia de los órganos administrativos o de las Entidades de Derecho Público», pero sin precisar a qué tipo de competencias se esta refiriendo. ¿Se refiere únicamente a las competencias propias o se incluyen también las competencias que hayan sido objeto de delegación?

Respecto a esta pregunta, SÁNCHEZ SÁEZ se ha inclinado por mantener que la redacción del artículo 15 de la LRJPAC no prejuzga la forma en que haya sido atribuida una competencia para que ésta pueda ser encomendada. Añadiéndose que, aunque lo normal es encomendar la gestión de competencias propias del encomendante (que le hayan sido directamente atribuidas por el ordenamiento jurídico), nada obsta a que éste pudiera encomendar también las competencias que hubiera adquirido por delegación o transferencia[191]. Y, ciertamente, la posición de dicho autor viene avalada por algunos ejemplos normativos concretos que permiten la encomienda de competencias delegadas, como, por ejemplo, la Disposición Adicional Primera del Real Decreto 422/1988, de 29 de abril, y por el que se dictaban normas provisionales para la Gestión y Liquidación del Impuesto sobre Sucesiones y Donaciones, que permitía a las comunidades autónomas que se hubieran hecho cargo por delegación del Estado de la gestión y liquidación del mencionado Impuesto poder encomendar determinadas funciones a las oficinas liquidadoras. E incluso podríamos añadir algunos supuestos más recientes, como la regulación prevista en la Ley 3/2003, de 26 de marzo, de Régimen Jurídico de la Administración de las Illes Balears, en la que se afirma que la Administración autonómica balear podrá encomendar a otra administración «la gestión de determinadas funciones materiales, técnicas o de servicios que tengan atribuidas como propias o por delegación» (art. 30.2 Ley 3/2003, de 26 de marzo).

Sin embargo, siendo coherentes con la crítica que realizábamos en el apartado 2.3.2 de este Capítulo, entendemos que ello no debería ser así, sino que la encomienda de gestión debería limitarse únicamente a las competencias propias. Por diferentes razones. En primer lugar, porque podríamos plantearnos si el delegatario de una determinada compe-

---

191. SÁNCHEZ SÁEZ, Antonio José: «Algunas reflexiones sobre la encomienda de gestión como instrumento racionalizador del ejercicio de las competencias administrativas», *op. cit.*, p. 235.

tencia puede disponer de ésta, o de parte de ésta, al margen del órgano que la tenga atribuida como propia. En efecto, el propio artículo 13.5 de la LRJPAC al regular la delegación de competencias prevé que no puedan ser objeto de subdelegación aquellas competencias que se han recibido por delegación, salvo que una ley lo autorice de forma expresa. Por lo que, si nuestro ordenamiento jurídico no admite, salvo excepciones, la posibilidad de subdelegar el ejercicio de una competencia, no se entiende muy bien porque sí que deberían poder encomendarse algunas de las facultades materiales que comporta dicho ejercicio.

En nuestra opinión, si atendiendo a razones de eficacia o de carencia de los medios idóneos, realmente se apreciara la necesidad de encomendar la realización de una determinada actuación comprendida en la delegación, lo más correcto sería revocar dicho negocio delegativo y realizar uno nuevo en favor del órgano que tuviera los medios materiales y personales precisos para su correcto ejercicio. En efecto, ante la imposibilidad material del delegado para cumplir con la delegación acordada, nos parece que el camino más lógico a seguir sería, no que el delegado pudiera traspasar directamente dicho ejercicio a un tercero mediante encomienda, sino que, tal y como ya prevé nuestra legislación de régimen local (art. 27.2 LBRL), el propio delegatario recuperara el pleno ejercicio de la competencia transferida y, en este momento, pudiera decidir cuál es la mejor forma para ejercerlo –ya sea a través de su propia estructura administrativa o mediante la encomienda de gestión a otro órgano o entidad pública–.

Y es que, como apuntábamos en el primer apartado, tanto la encomienda de gestión como también la figura de la delegación de competencias, por cuanto suponen una modulación al principio de irrenunciabilidad de las competencias administrativas (art. 12.1 LRJPAC), deben de utilizarse e interpretarse necesariamente de un modo restrictivo. En este sentido, admitir con carácter general la posibilidad de encomendar las competencias delegadas podría convertirse en un instrumento para alterar fácilmente y de manera fraudulenta la distribución competencial operada por el ordenamiento mediante la utilización de una técnica –como la encomienda de gestión– de menor complejidad jurídica[192]. De

---

192. Aunque referida en otros términos, ésta es la idea latente en la crítica de PARADA VÁZQUEZ a la regulación conjunta de la delegación de competencias y de la encomienda de gestión prevista en la LRJPAC, por cuanto mediante el recurso a una técnica de menor complejidad jurídica, como pudiera ser la encomienda de gestión, se pudiera atribuir a otra entidad aquello que no pudiera delegarse. PARADA VÁZQUEZ, Ramón: *Régimen Jurídico de las Administraciones Públicas y del Procedimiento Administrativo Común (Estudio, comentarios y texto de la Ley 30/1992, de 26 de noviembre), op. cit.*, p. 117.

ahí que resulte preciso reconducir la utilización de ambas figuras a los presupuestos que les son propios y, sobretodo, de la encomienda de gestión como una técnica al servicio de la mejora de la eficacia y del buen funcionamiento del sistema administrativo.

De forma similar, y reiterando una idea avanzada con anterioridad, debemos negar también la posibilidad de que el encomendado pueda, a su vez, sub-encomendar las actuaciones materiales recibidas a través de la relación de encomienda. A pesar de que el artículo 15 de la LRJPAC no se refiere a ello de forma expresa, podemos utilizar nuevamente los argumentos que mencionábamos antes: si la encomienda de gestión no supone la cesión de la titularidad ni del ejercicio formal de la competencia, difícilmente la entidad encomendada podría disponer validamente de éstos. Toda vez que aceptar la posibilidad de subencomendar la realización de determinadas actividades iría completamente en contra de la lógica de la encomienda de gestión que, como hemos afirmado, se caracteriza por ser una relación *intuito personae*, que precisamente se fundamenta en la mayor capacitación técnica o de gestión del encomendado. Por lo que, como en el caso anterior, lo que correspondería en el supuesto de que el encomendado no se encontrara en la situación idónea para realizar correctamente el encargo efectuado sería la revocación por parte del encomendante de dicho encargo y su atribución a aquel órgano o entidad que sí que estuviera en óptimas condiciones para llevarlo a cabo.

3.2. EL OBJETO MEDIATO DE LA ENCOMIENDA DE GESTIÓN: LOS SECTORES MATERIALES SOBRE LOS QUE PUEDE RECAER LA RELACIÓN DE ENCOMIENDA

Siguiendo con la clasificación de MORELL OCAÑA, decíamos que junto al objeto inmediato de la encomienda de gestión podíamos identificar también un objeto mediato, referido a los sectores materiales a los que afecta el conjunto de potestades ejecutivas que se trasfieren mediante la formalización de la encomienda de gestión. Sectores materiales a cuya determinación dedicaremos las siguientes páginas.

3.2.1. La encomienda de gestión como realización de actividades de carácter material

Debemos empezar recordando, aunque sea muy brevemente, que la encomienda de gestión recae únicamente sobre actividades vinculadas al ejercicio de las competencias de las diferentes administraciones publicas (art. 15.1 LRJPAC). Es decir, la encomienda afecta solamente a actividades de carácter administrativo, ligadas normalmente al giro o tráfico especial de la Administración Pública. De este modo, queda fuera del ámbito de aplicación del artículo 15 de la LRJPAC –y, en consecuencia, también de nuestro estudio– la posibilidad de encomendar la gestión de funciones de carácter político o normativo cuyo ejercicio viene impuesto directamente, y de forma inexcusable, por la Constitución[193]. La alteración del ejercicio de dichas funciones debería de articularse, en su caso, a través de otros instrumentos jurídicos (como la delegación o la transferencia de competencias), pero no a través de la encomienda de gestión.

A las anteriores consideraciones hay que añadir, tal y como ya hemos ido apuntando a lo largo de nuestra exposición, que el ámbito de aplicación de la encomienda de gestión se circunscribe únicamente a la realización de actuaciones de carácter material, pero no a la adopción de actos o resoluciones de carácter decisorio con eficacia jurídica *ad extra* o que puedan vincular jurídicamente a la administración titular de la competencia. Por lo tanto, con la encomienda de gestión el sujeto encomendado no desarrollaría una actividad directamente dirigida a producir efectos jurídicos frente a terceros sino que desplegaría una actuación de tipo prestacional o ejecutoria hacia la propia administración encomendante[194]. El artículo 15.2 de la LRJPAC, en nuestra opinión, parece

---

193. A ellos, precisamente, parece referirse el Auto de la Sala de lo Contencioso-Administrativo del Tribunal Supremo de 27 de septiembre de 2001, en el que, al analizar la propuesta de designación de vocales del Consejo General del Poder Judicial que la Ley Orgánica del Poder Judicial atribuye a su Presidente, considera que, a pesar de sus similitudes con la figura de la encomienda de gestión regulada en el artículo 15 de la LRJPAC –pues, en este caso, hay también un encargo de funciones puramente materiales de preparación del procedimiento– no pueden confundirse ambas figuras, puesto que no estamos ante actividades materialmente administrativas del CGPJ, sino que dicha propuesta se desarrolla dentro de un procedimiento de designación cuya resolución está atribuido a las Cortes Generales.

194. Es, precisamente, a partir de la regulación de la encomienda de gestión prevista en la LRJPAC que PAREJO ALFONSO propone una clasificación de la actividad de la Administración Pública en dos grandes categorías, en función de su eficacia jurídica inmediata. Así, por un lado, se podría hablar de «actividad jurídica» que permitiría a la Administración Pública adoptar actos con contenido diverso pero dirigidos principalmente a producir efectos jurídicos y «actividad material, real o técnica» en la que la Administración despliega otro tipo de actividad, de entidad cuantitativa no menor, que englobaría una gran cantidad de tareas, cometidos o funciones que se cumplen normalmente observando las reglas técnicas o facultativas propias de las actividades jurídicas. Entre ellas se incluirían las actividades de prevención y extinción de incendios, de seguridad ciudadana, de enseñanza, etc. PAREJO ALFONSO, Luciano: *Derecho Administrativo. Instituciones generales: Bases, Fuentes, Organización y Sujetos, Actividad y Control*, op. cit., p. 638.
En términos parecidos, GARCÍA DE ENTERRÍA y FERNÁNDEZ RODRÍGUEZ se refieren tam-

lo suficientemente claro a tal efecto cuando reserva en exclusiva al encomendante la potestad de dictar los actos o resoluciones jurídicas que
den soporte a la actividad material en que consiste la encomienda de
gestión. Previsión que, casi miméticamente, han reproducido todas las
comunidades autónomas que han desarrollado normativamente esta
institución[195].

En este punto, queremos insistir, nuevamente, en una idea que
avanzábamos ya en el apartado 1.1 de este *Capítulo*, en el sentido de
afirmar que la encomienda de gestión no se configura como una forma
de prestación de servicios públicos a los ciudadanos. En efecto, el objeto
de la encomienda de gestión no viene constituido primariamente por la
prestación de un determinado servicio esencial o básico a la comunidad,
sino que se nos presenta como una relación bilateral entre el encomendado y el encomendante. Mediante la relación de encomienda, una determinada entidad pública encarga a otra la realización de una determinada actividad material para el aprovechamiento de aquélla. El
beneficiario primario de la encomienda no sería, pues, el ciudadano o posible usuario, sino que es siempre el encomendante. Es éste quien, mediante la encomienda, obtiene la realización de una determinada actividad material que le resulta necesaria para el ejercicio de sus
competencias pero que es incapaz de desarrollar por sí solo.

Sin embargo, sin perjuicio de lo anterior, debemos hacer aquí dos
matizaciones importantes. En primer lugar, las limitaciones anteriores
no pueden interpretarse en el sentido de que la actividad encomendada
no pueda tener ningún tipo de incidencia externa o repercusión sobre
los administrados. Obviamente, la realización de las actividades materiales, técnicas o de servicios a las que se refiere la encomienda de gestión tendrá, en muchos casos, una plasmación material en el espacio
público que, aunque no suponga alteración de la imputación final del
resultado al encomendante –puesto que, en rigor y como decíamos anteriormente, ni el encomendado asume como propia la prestación de ningún servicio a los ciudadanos ni la encomienda altera el ejercicio formal
de la competencia, que sigue recayendo en el encomendante–, la enco-

---

bién a la actividad técnica administrativa como un segmento de actuación de la
Administración Pública diferenciada de la actividad estrictamente jurídica desarro-
llada por los órganos administrativos. GARCÍA DE ENTERRÍA, Eduardo y FERNÁNDEZ
RODRÍGUEZ, Tomás Ramón: *Curso de Derecho Administrativo I, op. cit.*, p. 816-818.

195. Véase, por ejemplo, el ya citado artículo 10.2 de la Ley catalana 26/2010, de 3 de
agosto, o el artículo 46.2 de la Ley 6/2002, de 10 de diciembre, de Régimen Jurídico
del Gobierno y de la Administración de la Comunidad Autónoma de Cantabria.

mienda sí que puede modificar la forma real de prestación o ejecución de una determinada actividad para los administrados. Y, por supuesto, puede modificar también, y mucho, la percepción que los ciudadanos tienen acerca del responsable de dicha prestación[196].

Para poner un ejemplo concreto que nos ayude a entenderlo podemos citar una de las muchas encomiendas de gestión que se constituyen diariamente en nuestro ordenamiento jurídico, como la Resolución de la Secretaría General de Instituciones Penitenciarias de 11 de febrero de 2010 por la que se encomienda al Organismo Autónomo Trabajo Penitenciario y Formación para el Empleo la gestión del servicio de catering en el Centro de Inserción Social de Jerez de la Frontera. A resultas de dicha encomienda, los alimentos que recibirán los internos en dicho centro ya no serán facilitados directamente por la Secretaria General de Instituciones Penitenciarias sino que vendrán gestionados por el citado Organismo Autónomo. Técnicamente, como decíamos, la prestación del Organismo Autónomo encomendado se dirige a la Secretaría General encomendante si bien, como puede observarse, los efectos reales van mucho más allá de la mera relación bilateral. Estos efectos indirectos que la encomienda de gestión puede tener sobre los administrados deben de admitirse, sin duda alguna. No sólo porque no suponen el ejercicio de ninguna potestad de carácter decisorio, sino también porque no deberían implicar merma alguna en el régimen de garantías de los ciudadanos, sino la búsqueda de una mayor eficacia en la prestación o ejecución de dichos servicios[197].

---

196. Martín Huerta, al analizar los efectos de los convenios interadministrativos, se refiere también a estas cuestiones. Así, en primer lugar, afirma que, aunque se parte de que estos convenios producen efectos únicamente dentro de la esfera jurídica de las administraciones que los han firmado, sólo una pequeña parte se quedan en el ámbito doméstico o interno de la Administración, sin incidencia en la esfera pública. Pero se añade, en segundo lugar, que dichos efectos frente a los ciudadanos no pasan de ser, con carácter general, algo similar a lo que la doctrina civil denomina *efectos reflejos de los contratos*, por cuanto con ellos no se generan nuevos derechos subjetivos para los ciudadanos, sino situaciones fácticas o de mero interés. Martín Huerta, Pablo: *Los convenios interadministrativos, op. cit.*, p. 1219.

197. En el mismo sentido, Sánchez Sáez, Antonio José: «Algunas reflexiones sobre la encomienda de gestión como instrumento racionalizador del ejercicio de las competencias administrativas», *op. cit.*, p. 236, en el que se cita, como ejemplo, la encomienda de gestión entre la Secretaria Sectorial de Acción Social, Menores y Familia de la Comunidad Murciana y la Dirección General de Recursos Humanos y Organización Administrativa, de 29 de marzo de 2000 (Boletín Oficial de la Región de Murcia, núm. 92, de 19 de abril, p. 4949-4950), en la que ésta se comprometía a tramitar la expedición, renovación y firma de los títulos de familia numerosa, lo que acababa incidiendo positivamente en los ciudadanos de dicha Comunidad Autónoma, puesto que el encomendado disponía de unidades móviles para la solicitud y renovación del título –de las que carecía al citada Secretaria– que acerca-

En segundo lugar, entendemos que las limitaciones enunciadas en el artículo 15.2 de la LRJPAC no pueden llevar tampoco a la conclusión de que el encomendado carezca de toda capacidad para actuar jurídicamente. En nuestra opinión, la LRJPAC estaría vetando solamente la posibilidad de que se atribuyan al encomendado facultades resolutorias de carácter definitivo, que puedan tener eficacia directa frente a terceros o sobre la posición subjetiva de los administrados[198], pero ello no excluiría automáticamente su capacidad para organizar internamente, de acuerdo con las instrucciones técnicas dictadas por encomendante, la prestación de dichas actividades, así como para resolver, mediante actos de trámite, cuantas cuestiones se pudieran plantear durante el procedimiento. En caso contrario, quedaría seriamente limitada la capacidad de actuación de encomendado. Es verdad que la precisión de cuál podría ser el contenido de estas actuaciones de trámite no es, desde luego, nada fácil, pero consideramos que deberían de poder incluirse en este grupo todas aquéllas que pudieran considerarse como inherentes e indispensables para que el encomendado pudiera desarrollar correctamente su encargo material y que no supusieran, en ningún caso, una modificación definitiva de la posición jurídica del ciudadano afectado.

Ésta es, precisamente, la posibilidad prevista en la Ley 3/2003, de 26 de marzo, de Régimen Jurídico de la Administración de las Illes Balears, la cual, después de afirmar que la encomienda de gestión no podrá implicar facultades de resolución sobre las materias que hayan sido encomendadas, añade que, no obstante, «se podrán dictar los actos de instrucción que sean necesarios para ejecutar las resoluciones derivadas de la encomienda [...], siempre que no se trate de actos de trámite susceptibles de recurso» (art. 30.5 Ley 3/2003). A la vez que creemos que ha sido también la interpretación que ha venido manteniendo nuestra jurisprudencia más reciente, pudiendo citar, por ejemplo, la Sentencia

---

ban la gestión a los ciudadanos, mejorando así su agilidad.

También se refiere a esta cuestión Parejo Alfonso, Luciano: *Derecho Administrativo. Instituciones generales: Bases, Fuentes, Organización y Sujetos, Actividad y Control, op. cit.*, p. 638 en donde se afirma que no puede decirse que la actividad material, real o técnica de la Administración carezca de relevancia jurídica, sino que ésta la tiene con carácter indirecto.

198. Comparten esta misma opinión, Fernández Farreres, Germán: «Las encomiendas de gestión», *op. cit.*, p. 671 y Messeguer Yebra, Joaquín: «La encomienda de gestión como técnica de modulación competencial interorgánica. Régimen jurídico y aplicación práctica: virtudes y defectos», *op. cit.*, p. 132. Si bien, en algunas ocasiones parece defenderse la tesis contraria, afirmándose que la encomienda de gestión no permite «dictar actos jurídicos al ente encomendado». Tornos Mas, Joaquín: «La reforma de la Administración periférica del Estado», *op. cit.*, p. 43.

del Tribunal Superior de Justicia de Andalucía, núm. 974/2009, de 25 de mayo (Ponente: Sr. Julián Manuel Moreno Retamino). En dicha resolución judicial, al analizarse la encomienda de la actividad de verificación de las entregas de determinado material formativo efectuada por el Servicio Andaluz de Empleo se afirma que sin el reconocimiento al encomendado de unas mínimas facultades de comprobación o control, «la encomienda devendría en completamente inútil» (FJ 5). Por lo tanto, más allá del ejercicio de meras tareas de ejecución material, se reconoce que la encomienda debe implicar también un cierto poder de control o de intervención que permita asegurar al encomendado el correcto desarrollo de sus funciones.

Sin embargo, no es infrecuente seguir encontrando supuestos en que el alcance de las actividades encomendadas va mucho más allá de las tareas materiales, técnicas o de servicios a las que se refiere el artículo 15 de la LRJPAC –o de la capacidad de intervención que mencionábamos en el párrafo anterior–, atribuyéndose al órgano o entidad encomendada verdaderas competencias administrativas de carácter decisorio. Podemos citar, por ejemplo, el Acuerdo entre la Agencia Española de Cooperación Internacional y el Ministerio de Asuntos Exteriores de 6 de noviembre de 1995 (BOE núm. 286, de 30 de noviembre 1995, p. 34760), en el que se encomendaba a determinados embajadores de España la función de «autorizar y disponer los gastos necesarios para la ejecución de los programas de cooperación» o «contraer obligaciones y ordenar pagos» o el reciente Acuerdo entre el Ministerio de Asuntos Exteriores y Cooperación y el Ministerio del Interior de 26 de octubre de 2011 (BOE núm. 29, de 3 de febrero de 2012, p. 9832) que encomienda a este último la «expedición –o denegación– de visados de corta duración». Como se ha puesto de relieve por algunos autores, es evidente que la capacidad autorizatoria u obligacional prevista en estos supuestos va mucho más allá de la gestión material que supone la encomienda de gestión, enmascarando una auténtica delegación de competencias en materia de cooperación internacional o control de fronteras[199]. O, en términos parecidos, la ya mencionada Sentencia del Tribunal Superior de Justicia de Castilla-La Mancha núm. 925/2000, de 30 de octubre, en la que se declaró nulo el acuerdo adoptado por el Ayuntamiento de

---

199. Se han referido a estas cuestiones, por ejemplo, Martín Huerta, Pablo: *Los convenios interadministrativos, op. cit.,* p. 168 o Padrós Reig, Carlos: «La articulación del concepto de colaboración desde el punto de vista del ordenamiento administrativo», en *Civitas. Revista Española de Derecho Administrativo,* núm. 142, abril-junio 2009, p. 280-281.

Huete por el que se aprobaba un convenio de encomienda de gestión con el Ayuntamiento de San Juan, entre otras razones, porque se cedía a dicho Ayuntamiento una potestad administrativa –como la aprobación de las tarifas y su facturación a los ciudadanos– que traspasaba, con mucho, la frontera de lo legalmente admisible por el artículo 15 de la LRJPAC (FJ 4 y 5).

Finalmente, y derivado del carácter material implícito en la actividad encomendada, que exige al encomendado una actitud dinámica, de gestión o ejecución de determinadas actuaciones ajenas, debemos descartar la posibilidad de calificar como encomiendas de gestión determinados acuerdos entre entidades públicas en los que no se dan dichas condiciones objetivas. De este modo, debemos excluir todos aquellos supuestos de convenios o acuerdos entre administraciones que contienen simplemente compromisos genéricos de actuación o meras declaraciones de intenciones, pero sin concretar la realización de tareas de carácter administrativo.

Igualmente, quedarían fuera de la categoría de encomienda de gestión aquellos convenios en virtud de los cuales una de las partes se obliga simplemente a poner a disposición de la otra determinados medios materiales para que ésta pueda ejercer más eficazmente sus competencias o para el cumplimiento de fines de interés público. Sería el caso, por ejemplo, del Convenio entre el Ministerio de Educación y Ciencia y la Diputación Regional de Cantabria de de 29 de julio de 1988, a través del cual la Administración cántabra únicamente cede al citado Ministerio el uso de determinados locales y dependencias para que éste cree y mantenga un centro escolar dependiente de la Administración Estatal. En este caso, realmente no se está afectando al ejercicio de las competencias administrativas, puesto que ninguna de las partes asume la realización de ningún tipo de prestación material o técnica o de servicios a favor de la otra, sino que supondría una simple cesión de bienes entre administraciones públicas en el marco de la necesaria colaboración entre todas ellas[200]. Si bien es cierto que la puesta a disposición de estos bie-

---

200. En el mismo sentido ALBERTÍ ROVIRA, Enoch: «Las relaciones de colaboración entre el Estado y las Comunidades Autónomas», en *Revista Española de Derecho Constitucional*, núm. 14, mayo-agosto 1985, p. 143 y también RODRÍGUEZ DE SANTIAGO, José María: *Los convenios entre Administraciones Públicas, op. cit.*, p. 179-180. Discrepamos, sin embargo, de ambos autores cuando afirman que la mera prestación interna de servicios entre administraciones públicas, sin efectos para terceros no podría considerarse un supuesto de encomienda de gestión. En nuestra opinión, la producción de efectos sobre los administrados no debería ser la nota determinante de la existencia de una relación de encomienda, sino que lo característico sería la realización de determinadas actividades materiales por cuenta e interés del enco-

nes, a veces, se acompaña de otro tipo de compromisos, como la realización de ciertas actividades o acuerdos de intercambio de información, que hacen ciertamente difícil diferenciar los distintos grados de implicación de las partes intervinientes.

Y, por último, y por la misma razón anterior, quedarían fuera también de nuestra concepción de la encomienda de gestión aquellos supuestos en que una de las partes se compromete únicamente a prestar ayuda financiera a otra entidad. Son muchos los ejemplos de convenio que podemos encontrar en nuestro ordenamiento jurídico que tienen por objeto exclusivamente la concesión de subvenciones u otras ayudas para la realización concreta de obras públicas, para la financiación de determinados programas y actuaciones administrativas de fomento, etc[201]. En estos casos, de forma similar a la anterior, no se realiza ninguna actuación material en nombre ajeno, sino que esta práctica convencional implica solamente la concesión de recursos financieros vinculados al cumplimiento de determinadas tareas que la propia administración subvencionada se compromete a realizar con los medios económicos obtenidos[202]. En nuestra opinión, financiar con recursos propios el ejercicio de tareas que ya de por sí corresponden a otra administración pública no encajaría dentro de las prestaciones materiales a las que se refiere el artículo 15.1 de la LRJPAC.

3.2.2. Contenido material de la encomienda de gestión

Más allá de las anteriores consideraciones resulta difícil poder precisar el posible contenido de la relación de encomienda. La amplitud con la que se expresa el artículo 15.1 de la LRJPAC al referirse a «actividades materiales, técnicas o de servicios» hace que, aunque es evidente que el

---

mendante.

Véase, igualmente, el artículo 145 y siguientes de la Ley 33/2003, de 3 de noviembre, de Patrimonio de las Administraciones Públicas, donde se regula la cesión gratuita de bienes y derechos entre entidades públicas.

201. Un estudio detallado de los convenios de colaboración que instrumentan el auxilio financiero puede verse en MARTÍN HUERTA, Pablo: *Los convenios interadministrativos, op. cit.*, p. 144-152, así como en las diferentes ediciones anuales del *Informe Comunidades Autónomas*, dirigido por Joaquín TORNOS MAS y editado por el Instituto de Derecho Público de Barcelona.

202. En este sentido, al constituir una excepción a la llamada *financiación incondicionada* de las Administraciones Públicas, que implica la transferencia de recursos financieros no vinculados finalísticamente de la organización superior a la inferior, RODRÍGUEZ DE SANTIAGO entiende que su valoración como mecanismo de cooperación requiere de una prudente ponderación. RODRÍGUEZ DE SANTIAGO, José María: *Los convenios entre Administraciones Públicas, op. cit.*, p. 167-168.

objeto de la encomienda de gestión no pueda ser ilimitado, prácticamente cualquier actividad administrativa pueda considerarse comprendida dentro de su ámbito de aplicación puesto que, al margen de las actividades jurídicas y resolutorias a las que nos referíamos anteriormente, difícilmente la actuación ejecutiva de las administraciones públicas no podría definirse como la realización de una «actividad material, técnica o de servicios».

Al mismo tiempo, la concreta terminología con la que se expresa el artículo 15.1 de la LRJPAC nos lleva también a cuestionarnos acerca de la precisión con la que este precepto se estaría refiriendo a la actividad encomendada y, en particular, a si éste englobaría solamente a tres tipos distintos y específicos de actividad administrativa (la «material, técnica y de servicios» a las que alude el artículo 15.1 de la LRJPAC); excluyendo de su ámbito de aplicación, por lo tanto, todas aquellas otras actuaciones que no pudieran definirse como tales. En nuestra opinión, la respuesta a esta pregunta debe de ser negativa. La vocación de este precepto no ha sido la de llevar a cabo una enumeración cerrada de las tres únicas posibles actividades que pueden ser objeto de encomienda, sino precisamente la contraria, esto es expresarse con la suficiente amplitud para que puedan incluirse todas aquellas actuaciones que no supongan el dictado de resoluciones o actos de carácter jurídico.

Esta interpretación podríamos justificarla a partir de la lectura del artículo 15.2 de la LRJPAC que, como ya hemos visto, se refiere, de un modo más general, a la «concreta actividad material objeto de encomienda». La referencia al carácter material prevista en este precepto nos conduciría a entender que la voluntad del artículo 15 de la LRJPAC ha sido, como decíamos, no la de establecer un listado concreto y preciso de actuaciones que entran dentro del ámbito objetivo de la encomienda de gestión, sino la de diferenciar, por un lado, la *actividad jurídica* de la Administración Pública –que, en virtud del artículo 15.2 de la LRJPAC, quedaría fuera del ámbito de aplicación de la encomienda de gestión– y, por otro, la *actividad material* de la Administración –que sería la que, precisamente, configuraría el contenido objetivo de dicha institución-[203].

---

203. De hecho la problemática derivada de la identificación de las prestaciones concretas incluidas dentro de los diferentes tipos de actividad administrativa no es exclusiva de la figura de la encomienda de gestión. Así, por ejemplo, en relación con las distinciones entre los diversos tipos de prestaciones materiales, técnicas o económicas previstas en las normas reguladoras de la asistencia social, RODRÍGUEZ DE SANTIAGO afirma que no es extraño que éstas se utilicen de un modo más bien descriptivo y carezcan de rigor conceptual, por lo que no se deriva ninguna repercusión práctica de dicha delimitación conceptual. RODRÍGUEZ DE SANTIAGO, José María: *La Administración del Estado Social, op. cit.*, p. 96-97.

De este modo, no sólo podríamos ajustar el tenor literal del artículo 15.1 de la LRJPAC a las clasificaciones doctrinales de la actividad administrativa más habituales[204], sino que, además, podríamos dotarlo de sentido, entendiendo que las actividades «técnicas o de servicios» no serían más que posibles concreciones, junto a otras que pudieran establecerse, de la *actividad material* de la Administración[205].

Desde esta perspectiva general, podríamos plantearnos la posibilidad de realizar, como habíamos hecho anteriormente al analizar el ámbito sujetivo de la encomienda de gestión, una clasificación de las encomiendas en función de su objeto específico y al efecto de diferenciar los diversos tipos de actuaciones administrativas que, habitualmente, vienen siendo objeto de encomienda de gestión. Sin embargo, en este caso procederemos de un modo distinto pues entendemos que dichas clasificaciones carecerían de una utilidad práctica real. En primer lugar porque el gran número de encomiendas de gestión que se constituyen diariamente en nuestro ordenamiento jurídico nos haría imposible poder abarcar toda su extensión, con lo que dichas clasificaciones podrían resultar inexactas o incompletas. Pero es que, además, dichas clasificaciones se limitarían solamente a una mera sistematización de la praxis administrativa, pero sin poner de relieve ninguna repercusión importante en cuanto a los efectos jurídicos, pues ni la LRJPAC ni las leyes autonómicas de desarrollo prevén regímenes diferenciados en el caso de que se ejecuten actividades de carácter material, técnico o de servicios. De todos modos, aunque no entremos a analizar más detalladamente sus

---

204. Como ya hemos mencionado anteriormente, la doctrina ha venido planteando numerosas clasificaciones de la actividad de la Administración Pública desde incontables puntos de vista (desde su forma, hasta su objeto, pasando por su sujeción al Derecho Público o Privado, etc.). En lo que nos interesa ahora a nosotros, debemos destacar que una de las clasificaciones más extendidas y compartidas por nuestra doctrina es aquélla que diferencia, en función del contenido de la actividad administrativa, entre la *actividad jurídica* y la *actividad material* de la Administración, en los términos que exponíamos más arriba. En este sentido, pueden verse, por ejemplo, PAREJO ALFONSO, Luciano: *Derecho Administrativo. Instituciones generales: Bases, Fuentes, Organización y Sujetos, Actividad y Control, op. cit.*, p. 638; GARCÍA DE ENTERRÍA, Eduardo y FERNÁNDEZ RODRÍGUEZ, Tomás Ramón: *Curso de Derecho Administrativo I, op. cit.*, p. 816-818 o GARRIDO FALLA, Fernando, PALOMAR OLMEDA, Alberto y LOSADA GONZÁLEZ, Herminio: *Tratado de Derecho Administrativo*, volumen II, Ed. Tecnos, duodécima edición, Madrid 2006, p. 156-157.

205. GARRIDO FALLA, Fernando, PALOMAR OLMEDA, Alberto y LOSADA GONZÁLEZ, Herminio: *Tratado de Derecho Administrativo, op. cit.*, compartirían, siquiera parcialmente, dicha conclusión, al definir expresamente la actividad *técnica* de la Administración como una parte de la actividad administrativa de carácter material, que se caracterizaría por la aplicación de criterios proporcionados por las disciplinas técnicas (p. 156).

diferencias tipológicas, sí que creemos oportuno hacer algunas observaciones más generales que pueden ayudarnos a delimitar mejor el alcance de dichas actividades.

A. Características generales del objeto de la encomienda de gestión

En primer lugar, y partiendo del carácter negocial con el que hemos configurado inicialmente la relación de encomienda, podemos remitirnos a la teoría general del contrato y de las obligaciones para identificar una serie de requisitos que, aunque algunos de ellos no estén previstos directamente en el artículo 15 de la LRJPAC, entendemos que podrían ser exigibles a las actividades o servicios objeto de la encomienda. Estos requisitos, como veremos a continuación, son tres: posibilidad fáctica, licitud y determinación. A ellos debemos añadir una cuarta característica general del objeto de la encomienda de gestión que, aunque hemos ya mencionado anteriormente, resulta importante volver a recordar: la ajenidad de la actividad material, técnica o de servicios gestionada.

a) Posibilidad fáctica. En primer lugar, podemos afirmar que las actividades encomendadas deberán ser posibles. Este requisito no es más que una plasmación del principio general de Derecho Civil de que nadie puede obligarse a algo que es imposible (art. 1272 CC). Aunque el TRLCSP no se refiere de forma expresa a este requisito, este principio se ha venido recogiendo tradicionalmente en nuestro ordenamiento jurídico-público, por ejemplo, en el artículo 62.1 de la LRJPAC cuando se sanciona con la nulidad de pleno derecho los actos de las administraciones públicas que tengan contenido imposible; toda vez que podríamos entender incluso que éste es también un requisito que se deriva de la necesidad e idoneidad de los contratos del sector público que impone el artículo 22 del TRLCSP y que, entre otras cuestiones, exige que el objeto del contrato sea el idóneo para satisfacer las necesidades que con él pretenden cubrirse.

Es quizá en este punto donde podríamos situar también todas aquellas actuaciones que, por su propia naturaleza, deben considerarse como intransmisibles. Nos referimos a aquellas tareas que el ordenamiento jurídico ha atribuido específicamente a un órgano concreto en atención de sus características personales o materiales y que, por lo tanto, no serían susceptibles de ser objeto de encomienda de gestión. El caso más evidente sería el de la emisión de informes o exámenes periciales. En nuestra opinión, carecería de sentido que el órgano técnico al que se atribuye precisamente la emisión de este juicio de valor (en atención a sus conocimientos, imparcialidad, etc.) pudiese libremente encomendar la realización de dicha tarea a otra entidad, que, por lo demás, podría no reunir los requisitos de pericia o experiencia necesarios a tal efecto. Por lo que debemos concluir que algunas actividades administrativas, por razón de su contenido –usando la terminología civilista podríamos denominar estas actuaciones como *personalísimas*-, deberían de quedar fuera del ámbito de la encomienda de gestión, al no poder ser objeto de transferencia a otra administración pública.

b) Licitud. En segundo lugar, el contenido del acuerdo de encomienda no puede ser contrario al interés público ni al ordenamiento jurídico. El requisito de la licitud del objeto de la encomienda deriva también de los principios generales de la propia LRJPAC que imponen a las diferentes administraciones públicas el deber de servir con objetividad los intereses generales y con sometimiento pleno a la Constitución, a la Ley y al Derecho (art. 3.1 LRJPAC). Y es que la encomienda de gestión no es un fin en sí mismo considerado, sino un instrumento dirigido a alcanzar una determinada finalidad de interés público –el correcto ejercicio de las competencias administrativas– de ahí que su ejercicio deba someterse necesariamente al ordenamiento jurídico.

En este sentido, hay que recordar nuevamente las limitaciones objetivas que afectan a la figura de la encomienda de gestión y que ya hemos venido destacando a lo largo de nuestra exposición. Así, según el artículo 15.2 de la LRJPAC, el objeto del encargo no puede afectar ni a la titularidad de las competencias administrativas ni tampoco puede implicar la transferencia de los elementos sustantivos de su ejercicio, en los términos que analizábamos anteriormente.

c) Determinación. En tercer lugar, el objeto de la encomienda de gestión debe de estar delimitado con claridad. El artículo 15.3 de la LRJPAC se refiere de forma expresa a este requisito cuando, al regular la encomienda de gestión entre órganos o entidades pertenecientes a la misma administración pública, exige que el acuerdo a través del cual se formalice dicha encomienda deberá contener «mención expresa de la actividad o actividades a las que afecten [...] y alcance de la gestión encomendada». La determinación del objeto es también uno de los requisitos que el artículo 6.2 de la LRJPAC exige generalmente a los convenios interadministrativos y, por lo tanto, sería predicable también de los convenios a través de los cuales se formalicen las encomiendas de gestión previstas en el artículo 15.4 de la LRJPAC. A nivel autonómico, la legislación que desarrolla esta institución en ocasiones hace referencia también a este elemento, como sucede, por ejemplo, en el artículo 30.4 de la Ley balear 30/2003, de 26 de marzo, que atribuye al encomendante la responsabilidad de dictar los actos o resoluciones jurídicas que den apoyo a la actividad material *concreta* objeto de encomienda.

Así, debido a su carácter de excepción al principio de irrenunciabilidad de las competencias (art. 12.1 LRJPAC), podríamos entender que no es suficiente con la mera *determinabilidad* del objeto, sino que resulta necesaria una correcta individualización en el documento de constitución de la relación jurídica de las actividades materiales, técnicas o de servicios que conforman la encomienda de gestión[206].

La determinación del objeto de la encomienda de gestión nos lleva también a referirnos a la problemática de su extensión. Y es que conviene llamar la atención sobre esta cuestión por cuanto la praxis administrativa nos ofrece algunos ejemplos de encomiendas de gestión en los que el alcance del encargo conferido al encomendado resulta ciertamente muy amplio, confundiéndose la posibilidad de acordar el auxilio material en el ejercicio de una determinada competencia con la voluntad de llevar a cabo mediante la encomienda una verdadera reordenación de las funciones atribuidas a los diferentes entes públicos.

Ello es especialmente evidente, por ejemplo, en la encomienda de la tramitación de determinados procedimientos administrativos, en los que se encarga al encomendado desde la propia recepción de la solicitud por parte del interesado hasta la formulación de una propuesta de resolución[207]. En nuestra opinión, esta práctica administrativa puede ir mu-

---

206. En este sentido, nos resulta muy interesante la reflexión realizada por Rodríguez de Santiago cuando afirma que es cierto que, a veces, las partes se comprometen a realizar prestaciones que no siempre pueden redactarse de una forma mucho más concreta; no obstante, otra cosa es cuando de esta generalidad o inconcreción lo que se deduce más bien es la falta de intención contractual de las partes intervinientes, es decir, de una verdadera voluntad de vincularse contractualmente. Rodríguez de Santiago, José María: *Los convenios entre Administraciones Públicas, op. cit.*, p. 347.

207. Un buen ejemplo al respecto lo constituye la Resolución de 7 de mayo de 2009 por la que se publica el Acuerdo de encomienda de gestión entre el Instituto para la Reestructuración de la Minería del Carbón y Desarrollo Alternativo de las Comarcas Mineras y la Secretaría General Técnica del Ministerio de Industria, Comercio y Turismo (BOE núm. 115, de 12 de mayo de 2009, p. 40606-40607). En dicha Resolución se atribuye al mencionado Instituto para la Reestructuración de la Minería del Carbón y Desarrollo Alternativo de las Comarcas Mineras, entre otras actuaciones materiales, «el estudio de los recursos administrativos, su tramitación y la elaboración de las propuestas de resolución, así como de las reclamaciones previas a la vía judicial civil, de los expedientes de revisión de los actos administrativos y declaraciones de lesividad», extendiéndose la encomienda de gestión a «todos los actos que, al efecto, deben de realizarse para la tramitación de los procedimientos administrativos» anteriores; correspondiendo, eso sí, a la citada Secretaría General Técnica el dictado del acto administrativo de terminación de dichos procedimientos

cho más allá de la lógica de la encomienda de gestión. Si tenemos en cuenta que la aprobación final de una determinada resolución administrativa muchas veces no es más que un trámite meramente formal, a través del cual el órgano resolutorio viene a confirmar o reproducir automáticamente el contenido de la propuesta de resolución efectuada por el instructor del expediente, podríamos llegar fácilmente a la conclusión que con la encomienda de dichas tareas se estaría situando al órgano o entidad encomendada en una posición cuasi-decisoria, de la que, precisamente, el artículo 15.2 de la LRJPAC quiere prevenir[208]. Si a ello le añadimos que teóricamente la encomienda puede extenderse a cualquier ámbito de actuación, incluido el ámbito sancionador, entonces las cautelas en este sentido se hacen aún más necesarias.

d) La ajenidad desde el punto de vista de la actividad encomendada. Junto con los anteriores requisitos, y también como una característica general del objeto de la encomienda de gestión, debemos insistir en la idea de ajenidad que caracteriza el ámbito material concreto sobre el que actúa el órgano o entidad encomendado. Como dijimos en el capítulo anterior,

---

«en los términos que estime pertinentes».

En nuestra opinión, aunque formalmente en este supuesto la competencia decisoria siga residenciándose en la Secretaría General Técnica del Ministerio de Industria, Comercio y Turismo, la encomienda de la gestión de *toda* la actividad administrativa previa a la adopción de la decisión final supondrá, en la práctica, que dicho órgano carezca de argumentos suficientes para adoptar una resolución contraria o divergente con la propuesta de resolución presentada por el encomendado. Por lo que, como decíamos, mediante un instrumento negocial –como es la encomienda de gestión– se estaría situando al Instituto para la Reestructuración de la Minería del Carbón y Desarrollo Alternativo de las Comarcas Mineras en una posición decisoria que no le había sido atribuida inicialmente por nuestro ordenamiento jurídico.

208. En el mismo sentido, SÁNCHEZ SÁEZ afirma que en estos supuestos se confunde la «actividad material, técnica o de servicios» prevista en el artículo 15 de la LRJPAC, con la posibilidad de llevar a cabo cualquier actividad instrumental previa a la resolución final de un procedimiento. Y se añade que deben de considerarse también excesivamente amplios o genéricos aquellos ejemplos de encomienda de gestión realizados *pro futuro* sin ninguna limitación objetiva. Así, se cita la Resolución de 12 de febrero de 2003, de la Secretaría de Estado de Infraestructuras por la que se encomienda a la entidad pública empresarial «Gestor de Infraestructuras Ferroviarias» (GIF) la realización de cuantas actividades de carácter material, técnico jurídico y de servicios que, correspondientes a las competencias propias del Ministerio de Fomento, sean precisas para la redacción de los estudios informativos del Proyecto Corredor de Alta Velocidad del Cantábrico, sin que ello suponga cesión de la titularidad de la competencia ni de los elementos sustantivos de su ejercicio (BOE núm. 43, de 19 de febrero de 2003, p. 6967). SÁNCHEZ SÁEZ, Antonio José: «Algunas reflexiones sobre la encomienda de gestión como instrumento racionalizador del ejercicio de las competencias administrativas», *op. cit.*, p. 250-251.

la encomienda de gestión, por definición, presupone la ejecución por parte del encomendado de unas actividades materiales, técnicas o de servicios cuya titularidad le es ajena. En efecto, a través de la relación de encomienda, la organización encomendada asume el encargo de gestionar determinadas tareas que, en principio, le estaban vetadas pero que, a través de dicho negocio jurídico, queda habilitada para desarrollar en nombre y bajo la responsabilidad del encomendante.

En este sentido, no resultaría necesario que el objeto de la relación de encomienda se circunscribiera exactamente al ámbito de las competencias propias del encomendado, sino que sería suficiente que la actividad encomendada se moviera dentro de su esfera de intereses. Sería, por lo tanto, la voluntad común de contribuir a asegurar la satisfacción de los intereses generales y el correcto desarrollo de la actuación administrativa (art. 103 CE), junto con el hecho de disponer los medios idóneos para llevar a cabo la encomienda de gestión, lo que justificaría la asunción por parte del encomendado de dichas tareas materiales. De manera que en estos supuestos no tiene porque existir una concurrencia competencial en sentido estricto, sino solamente una vinculación del encomendado al deber de auxilio administrativo, sirviendo así de soporte organizativo a otra administración pública en el ejercicio de sus competencias[209].

Ello acercaría la estructura de las relaciones obligatorias entre las partes derivadas de la encomienda de gestión a lo que la doctrina ha venido en denominar *contratos de subordinación*, caracterizados por el hecho de que las partes no se colocan –en lo que al ejercicio de competencias se refiere– en situación de igualdad, sino que una de ellas actúa como si fuese un particular, colaborando en la realización de tareas ajenas a sus competencias[210]. Y este hecho, precisamente, tal y como vere-

---

209. ALBERTÍ ROVIRA, al analizar los elementos principales del régimen jurídico de los convenios de colaboración, considera también excesivamente reduccionista y difícilmente compatible con la realidad la condición de que el objeto del convenio se circunscriba a la competencia de las partes. ALBERTÍ ROVIRA, Enoch: «El régimen de los convenios de colaboración entre Administraciones: un problema pendiente», en AJA, Eliseo (Dir.): *Informe Comunidades Autónomas 1996*, volumen I, Institut de Dret Públic, Barcelona 1997, p. 629.

210. ENTRENA CUESTA había ya propuesto una clasificación de los contratos celebrados entre entidades públicas en atención a la posición que ocupaban cada una de las partes, diferenciando los «contratos de cooperación», en los que las partes se situaban en pie de igualdad, y los «contratos de subordinación», caracterizados por el hecho de que una de las entidades públicas contratantes actuaba frente al otro como un particular que colabora con la Administración. ENTRENA CUESTA, Rafael: «Consideraciones sobre la teoría general de los contratos de la Administración», en *Revista de Administración Pública*, núm. 24, Septiembre-diciembre 1957, p. 39-74.

mos en el *Capítulo III*, es otro de los elementos que nos llevará a reflexionar sobre la vigencia y aplicabilidad de la figura de la encomienda de gestión en nuestro ordenamiento jurídico actual, por cuanto, si la posición en que se sitúa el ente público encomendado es similar a la del particular, entonces podríamos plantearnos si no debieran aplicarse también las mismas reglas de la contratación pública a ambos supuestos. Como decíamos, más adelante retomaremos esta cuestión.

B. Posibles aplicaciones prácticas de la encomienda de gestión

Como habíamos puesto de relieve al analizar el marco normativo de la encomienda de gestión, junto con la regulación básica prevista en la Ley 30/1992, de 26 de diciembre, y la legislación autonómica de desarrollo, es posible encontrar otras muchas normas administrativas que regulan supuestos específicos de encomiendas de gestión y bajo los cuales se engloba la realización de actuaciones de lo más heterogéneo. Excedería del alcance de nuestro trabajo hacer un estudio detallado de cada uno de estos supuestos, por lo que nos interesa simplemente dejar constancia de algunas de las más importantes aplicaciones prácticas de la encomienda de gestión que se prevén en nuestro ordenamiento, al efecto de contextualizar aún más las posibles virtualidades de esta institución jurídico-administrativa.

a) La encomienda de gestión y la nueva realidad tecnológica y científica. A pesar de que, en rigor, no nos referimos a un específico sector de actuación administrativa, queremos empezar este epígrafe poniendo de relieve la potencialidad de la figura de la encomienda de gestión en una sociedad globalizada, dónde los imparables desarrollos tecnológicos y científicos resultan cada vez más sorprendentes. En este sentido, como ha puesto de relieve la doctrina, la figura de la encomienda de gestión puede presentarse como un mecanismo muy útil de cara a conseguir una mejor eficacia en la prestación de aquellos servicios públicos que exigen una mayor infraestructura técnica o especializada[211], neutrali-

---

Posteriormente, se han referido también a dicha categoría de acuerdos entre sujetos públicos, entre otros, RODRÍGUEZ DE SANTIAGO, José María: *Los convenios entre Administraciones Públicas, op. cit.*, p. 363-366; XIOL RÍOS, Juan Antonio: «La utilización de técnicas de relación con particulares entre administraciones públicas: concesión, licencias, sanciones. La ejecutividad entre administraciones públicas», en *Cuadernos de Derecho Local*, núm. 8, junio 2005, p. 61 o ÁVILA ORIVE, José Luis: *Los convenios de colaboración excluidos de la Ley de Contratos de las Administraciones Públicas, op. cit.*, p. 92-94.

211. En este sentido, por ejemplo, ORTEGA ÁLVAREZ, Luis: «Órganos de las Administraciones Públicas», *op. cit.*, p. 77-78 y MAURI MAJÓS, Joan: «Administraciones públicas, sus relaciones y los órganos administrativos», *op. cit.*, p. 102. MARTÍNEZ-ALONSO CAMPS se ha referido también a esta novedosa aplicación de la encomienda, al analizar la

zando así los altos costes de su implementación y permanente puesta al día. Mediante su encomienda a aquellas entidades que disponen de los mejores medios y de la experiencia necesaria, puede obtenerse no sólo un mejor servicio al ciudadano sino también una evidente optimización del uso de los recursos públicos, contribuyendo con ello a reactivar el sector servicios en el seno de las administraciones públicas especializadas, fomentando, por ejemplo, el papel de las universidades como centros de referencia técnica al servicio de las administraciones públicas de su entorno.

De hecho, así sucede en la práctica, pues no son pocos los supuestos en los que se encarga a centros investigadores de primer nivel la realización de determinadas actuaciones que pueden contribuir a un mejor desarrollo de las funciones públicas atribuidas a los diferentes Poderes Públicos, como, por ejemplo, la Resolución de 8 de julio de 2010 por la que se encomienda al Instituto Español de Oceanografía la gestión de determinadas actuaciones en materia de pesca y ciencias marinas, con el objetivo de que dichas actuaciones científicas puedan ser posteriormente objeto de transferencia o aprovechamiento por el sector pesquero español (BOE núm. 180, de 26 de julio de 2010, p. 65511). O, en términos parecidos, podemos destacar también la Resolución de 21 de septiembre de 2010 del Instituto de Mayores y Servicios Sociales (IMSERSO) por la que se encomienda a la Agencia Estatal del Consejo Superior de Investigaciones Científicas el mantenimiento y desarrollo de un sistema de información en Internet sobre personas mayores y dependencia (BOE núm. 245, de 9 de octubre de 2010, p. 85835-85840). En este caso, apoyándose en los conocimientos y medios tecnológicos y humanos altamente cualificados de que dispone el Consejo Superior de Investigaciones Científicas se pretende conseguir un mayor conocimiento de la realidad social de las personas mayores y de las personas en situación de dependencia en España, mejorando la información y gestión de las prestaciones y servicios dirigidos a este colectivo.

b) *La encomienda de la tramitación de determinados procedimientos administrativos.* El carácter instrumental con el que se ha venido configurando la encomienda de gestión ha puesto de relieve también que uno

---

posibilidad de que las diputaciones provinciales asumieran mediante dicha técnica la gestión informatizada de los padrones municipales de habitantes. Véase MARTÍNEZ-ALONSO CAMPS, José Luis: «La encomienda de la gestión informatizada de los padrones municipales de habitantes: un ejemplo de colaboración entre Administraciones Públicas», en *Revista de Estudios de la Administración Local y Autonómica* (REALA), núm. 276, enero-abril 1998, p. 151-177.

de los principales ámbitos de aplicación de esta figura podría recaer en la realización de actividades preparatorias del procedimiento administrativo, encomendando a un tercero la gestión de las actividades de carácter burocrático previas al dictado de la resolución final del expediente.

En el apartado anterior nos hemos referido ya a los posibles inconvenientes que puede comportar un entendimiento demasiado amplio de esta posible funcionalidad de la encomienda de gestión, por cuanto el sujeto encomendado podría acabar sustituyendo, si no en el plano formal si en el material, al órgano administrativo inicialmente legitimado para resolver un determinado expediente. Pero, teniendo esto presente, no hay que despreciar tampoco la potencialidad de la figura de la encomienda de gestión en la tramitación de aquellos expedientes que requieren un alto contenido técnico y que las administraciones públicas –especialmente aquéllas que disponen de menos medios materiales y económicos a su alcance– no siempre están en condiciones de asumir con las exigencias de rapidez y rigor que se les demanda por parte de la sociedad[212]. Por lo que nuestra doctrina ha destacado también el relevante papel que, en algunos casos, la encomienda de gestión podría jugar en el ámbito de la simplificación administrativa permitiendo superar los déficits de gestión de una determinada administración pública[213].

212. Un buen ejemplo práctico puede verse en Cholbi Chachá, Francisco Antonio; López Ocaña, Francisco Manuel y Pérez Company, Jorge: «Una solución a la gestión en el ámbito sancionador: la gestión compartida en el Ayuntamiento de Benidorm», en *El Consultor de los Ayuntamientos y de los Juzgados*, núm. 23-24, diciembre 2011, p. 2804-2816. A pesar de tratarse un ámbito sensible, como es el de la potestad sancionadora, los autores exponen el caso del Ayuntamiento de Benidorm, en el que, ante las dificultades que plantea el ejercicio de la potestad sancionadora como consecuencia de la diversidad de operadores con competencias atribuidas, los múltiples trámites procedimentales según la materia denunciada y la multiplicidad de órganos instructores dentro de una misma administración local, ha acordado no sólo la centralización de la tramitación de todas las sanciones en un único órgano instructor municipal especializado, sino también la encomienda a otro órgano gestor de la tramitación de aquellas actividades administrativas no sustantivas del procedimiento sancionador (tales como la grabación de las actas y denuncias del Ayuntamiento, la recepción material de las alegaciones y recursos, etc.). Posibilitando, así, un mejor reparto de funciones para que se realicen de manera más eficiente pero sin pérdida de garantías para los ciudadanos.

213. Font i Llovet, Tomàs: «La simplificación de la Administración periférica estatal: técnicas para avanzar en el proceso y medios de supervisión», en AAVV: *La Administración del Estado en las Comunidades Autónomas*, Institut d'Estudis Autonòmics, Barcelona 1997, p. 366. En el mismo sentido, Mauri Majós, Joan: «Administraciones públicas, sus relaciones y los órganos administrativos», *op. cit.*, afirmándose que, en estos supuestos, se establecería un subprocedimiento de uno principal en el que acabará confluyendo, en el que el órgano o la entidad pública encomendada actúa

Consciente de ello, el Derecho Positivo se ha ocupado de prever expresamente esta posibilidad, vinculando en varias ocasiones la figura de la encomienda de gestión con la tramitación de determinados aspectos procedimentales. Las referencias normativas en este caso podrían ser muchas. Incluso antes de la entrada en vigor de la LRJPAC, la Ley de Aguas de 1985 ya había previsto la posibilidad de que la tramitación de determinadas autorizaciones relativas al dominio público hidráulico de competencia estatal pudiera encomendarse a las comunidades autónomas o a las confederaciones hidrográficas [art. 15. d) de la Ley 29/1985, de 2 de agosto]. Así, la legislación más actual ha seguido haciendo referencia a esta posibilidad en ámbitos de lo más dispares: desde la contratación pública[214], hasta la tramitación de determinados instrumentos de planificación urbanística[215], pasando por la gestión de determinadas autorizaciones para el desarrollo de actividades económicas[216] o de aquéllas relativas al dominio público hidráulico[217].

Es también dentro de este apartado donde podríamos valorar la

---

para la formulación de una propuesta, en clave técnico-administrativa, quedando reservado al encomendado la debida ponderación de intereses y la decisión político-administrativa (p. 102).

214. Como establece la Disposición Adicional Segunda del TRLCSP que prevé la posibilidad de que las diputaciones provinciales o las comunidades autónomas uniprovinciales puedan asumir, mediante convenio de encomienda, la gestión de los procedimientos de contratación de aquellos municipios de menos de 5.000 habitantes.

215. Véase, por ejemplo, el artículo 82.4 del Decreto Legislativo 1/2010, de 3 de agosto, por el que se aprueba el Texto refundido de la Ley de Urbanismo de Cataluña, que permite a los ayuntamientos catalanes encomendar a las comisiones territoriales de urbanismo que correspondan la tramitación de los planes de ordenación urbanística municipal.

216. Sin movernos del ámbito catalán, podemos hacer referencia al Decreto 106/2008, de 6 de mayo, de medidas para la eliminación de trámites y la simplificación de procedimientos para facilitar la actividad económica, que, entre otras cuestiones, crea la Oficina de Gestión Empresarial (OGE) que, con rango de Secretaría General y adscrita al Departamento de Industria, canaliza las relaciones de servicios de la Generalidad catalana con las empresas (art. 13-16 Decreto 106/2008) Dicho Decreto prevé que, sin perjuicio de las funciones de asesoramiento, tramitación, etc. que se reconocen a la OGE como propias, las administraciones públicas catalanas puedan encomendarle también la tramitación de determinados procedimientos administrativos relacionados con la actividad empresarial (art. 21 Decreto 106/2008), con el objetivo de promover la simplificación administrativa.

217. Y es que el artículo 17 d) del vigente Real Decreto Legislativo 1/2001, de 20 de junio, por el que se aprueba el Texto refundido de la Ley de Aguas, tal y como ya sucedía con la regulación anterior, sigue refiriéndose de forma expresa a la posibilidad de que el Estado encomiende a las comunidades autónomas la tramitación del otorgamiento de determinadas autorizaciones referentes al dominio público hidráulico.

posible inclusión como un supuesto de encomienda de los convenios administrativos a los que se refiere el artículo 106.3 de la LBRL, así como el artículo 7.1 del Texto refundido de la Ley de Haciendas Locales, y a través de los cuales se permite a las entidades locales *delegar* en las diputaciones provinciales o en las comunidades autónomas determinadas funciones en materia de gestión tributaria.

Como expusimos en el capítulo anterior, la encomienda del servicio recaudatorio prevista en las normas locales españolas de la primera mitad del siglo XX puede considerarse como uno de los antecedentes normativos más inmediatos de la actual encomienda de gestión, por lo que la *delegación* de las competencias de gestión, liquidación, inspección y recaudación tributarias prevista actualmente por la legislación de régimen local podría verse también, y de forma equivalente, como un supuesto de auxilio en la tramitación burocrática de dichas funciones. Supuesto especialmente destacable si tenemos en cuenta que éste es uno de los ámbitos en los que, como ha puesto de relieve la doctrina más especializada, se da una más variada multiplicidad y complejidad de relaciones entre administraciones públicas[218].

Aunque es verdad que resulta muy complejo diferenciar ambos supuestos, creemos que la respuesta en este caso debe de ser negativa, entendiendo que el término *delegación* se utiliza aquí de forma acertada y con toda la significación técnico-jurídica que ello implica. Aunque ciertamente la delegación prevista en la legislación local se configure también como una relación de carácter bilateral –entre las entidades locales y las comunidades autónomas u otras entidades locales– que recae sobre funciones de carácter esencialmente material –las funciones gestoras, inspectoras, liquidadoras o recaudatorias a las que se refieren los artículo 106.3 de la LBRL y 7.1 del TRLHL– y que, además, parecería fundamentarse, al igual que la encomienda de gestión, en la insuficiencia de los medios materiales necesarios para su ejercicio[219]; podemos

---

218. Añadiéndose que dicha complejidad no deriva sólo de la diversidad de sujetos públicos que intervienen en la gestión tributaria, sino también por la constelación de funciones y potestades que se engloban bajo este concepto genérico; atribuidas, a veces, sin prestar mucha atención a los medios materiales, personales o técnicos de que se dispone para llevarlas a cabo. RAMALLO MASSANET, Juan: «Las relaciones interadministrativas en la aplicación de tributos», en *Documentación Administrativa*, núm. 240, octubre-diciembre 1994, p. 166-169; RODRÍGUEZ DE SANTIAGO, José María: *Los convenios entre Administraciones Públicas, op. cit.*, p. 282-283 o ESEVERRI MARTÍNEZ, Ernesto: «La organización de los servicios de gestión. Delegaciones y colaboración administrativa», en FERREIRO LAPATZA, José Juan (Coord.): *Tratado de Derecho Financiero y Tributario Local*, Ed. Marcial Pons, Madrid 1993, p. 204-205.

219. En este sentido, por ejemplo, BARQUERO ESTEVAN afirma que mediante la delegación de dichas funciones se trata de corregir el déficit producido por el reparto compe-

encontrar un argumento suficientemente importante como para mantener dicha diferenciación. Y es que, en nuestra opinión, si leemos con atención el artículo 7.3 del TRLHL, según el cual, «los actos de gestión que se realicen en ejercicio de dicha delegación serán impugnables con arreglo al procedimiento que corresponda al ente gestor, y, en último término, ante la jurisdicción contenciosa-administrativa», comprobaremos que la actividad gestora que se atribuye se realiza siempre en nombre propio y bajo la responsabilidad de la entidad pública delegada.

Por lo tanto, en cuanto que ejercicio propio de una determinada competencia, parecería que este encargo gestor previsto en la legislación de régimen local se aparta de la figura de la encomienda de gestión del artículo 15 de la LRJPAC, que habíamos conceptuado como una mera gestión material de negocios ajenos pero sin trascendencia jurídica *ad extra*[220]. Como decíamos, en la encomienda de gestión no se afecta a la titularidad ni al ejercicio formal de la competencia (art. 15.2 LRJPAC), pues el órgano o entidad encomendada actúa siempre en nombre de la administración encomendante. A diferencia de lo que ocurre en la delegación de la gestión tributaria local, mediante la encomienda no se produce ninguna alteración en la imputación final de la actividad material realizada, de ahí que podamos fundamentar la diferenciación entre estas dos figuras sobre la base de dicho argumento[221].

c) Otras posibles aplicaciones prácticas de la encomienda de gestión. Más allá de estas dos ideas generales resulta difícil fijar un criterio claro en relación a los ámbitos materiales específicos en los que se ha venido utilizando con mayor frecuencia la figura de la encomienda de gestión. Y es que, como avanzábamos, los sectores en los que se ha utilizado

---

tencial desde la perspectiva de la eficacia. BARQUERO ESTEVAN, Juan Manuel: «Delegaciones, convenios y otras técnicas de colaboración en la gestión de los tributos locales», en *Revista de Hacienda Local*, núm. 86, 1999, p. 379.

220. En el mismo sentido, por ejemplo, RODRÍGUEZ DE SANTIAGO, José María: *Los convenios entre Administraciones Públicas, op. cit.*, p. 284; ARIMANY LAMOGLIA, Esteban y PICH FRUTOS, Eva: «Las Diputaciones Provinciales y su función como entes de auxilio a los Municipios. Confirmación jurisprudencial», en *Revista de Administración Pública*, núm. 140, mayo-agosto 1996, p. 175.

221. Somos conscientes, sin embargo, de la enorme proximidad entre estas dos figuras y de la dificultad que plantea conceptualmente la distinción entre estas dos instituciones. Dificultad que ha sido también puesta de relieve por parte de la doctrina más especializada, entre otros, ESEVERRI MARTÍNEZ, Ernesto: «La organización de los servicios de gestión. Delegaciones y colaboración administrativa», *op. cit.*, p. 203-209 o ACÍN FERRER, Ángela: «La organización de los servicios de gestión en la Diputación de Barcelona, en FERREIRO LAPATZA, José Juan (Coord.): *Tratado de Derecho Financiero y Tributario Local, op. cit.*, p. 263-284.

esta figura son de lo más variados y extensos[222], comprendiendo –sin ánimo de exhaustividad– desde la realización de determinadas obras hidráulicas[223], hasta la posibilidad de encomendar la ejecución de concretas intervenciones arqueológicas[224], pasando por la gestión de pruebas selectivas para el acceso a determinados cuerpos de empleados públicos[225] o la gestión de medidas de protección, conservación y mejora de los recursos pesqueros[226].

En cualquier caso, y de acuerdo con la interpretación que venimos manteniendo a lo largo de toda nuestra exposición, creemos que en todos estos supuestos debe huirse del automatismo y de la menor complejidad técnica que supone la figura de la encomienda de gestión, y defen-

---

222. Otras referencias ulteriores a las posibles aplicaciones concretas de la encomienda de gestión pueden verse también en FERNÁNDEZ FARRERES, Germán: «Las encomiendas de gestión», *op. cit.*, p. 677-683 y en BERNADÍ GIL, Xavier: *El poder d'administrar en l'Estat Autonòmic: cap a una reconstrucció dogmàtica de les competències autonòmiques d'execució*, Institut d'Estudis Autonòmics, colección Institut d'Estudis Autonòmics, núm. 51, Barcelona 2007, p. 353-360.

223. El artículo 124 del citado Real Decreto Legislativo 1/2001, de 20 de junio, por el que se aprueba el Texto refundido de la Ley de Aguas, afirma que la gestión y explotación de las obras hidráulicas de interés general podrá realizarse directamente por los órganos competentes del Ministerio de Medio Ambiente o mediante encomienda a las comunidades autónomas o confederaciones hidrográficas. Y en términos parecidos se pronuncia la gran mayoría de la legislación autonómica en esta materia, que prevé expresamente la posibilidad de encomendar a otras administraciones públicas la ejecución o gestión de determinadas obras hidráulicas de su competencia (como, por ejemplo, el artículo 39.1 de la Ley 1/2006, de 23 de junio, de Aguas del País Vasco o la Disposición Adicional Segunda de la Ley castellano-manchega 12/2002, de 27 de junio, de Ciclo Integral del Agua).
FERNÁNDEZ FARRERES menciona también las obras hidráulicas como uno de los ámbitos en los que la técnica de la encomienda de gestión ha encontrado una mayor aplicación práctica. FERNÁNDEZ FARRERES, Germán: «Las encomiendas de gestión», *op. cit.*, p. 677-683.

224. Como prevé el artículo 6.1 e) de la Ley 4/1999, de 15 de marzo, de Patrimonio Histórico de Canarias, que señala la posibilidad de que la Comunidad Autónoma canaria encomiende la gestión de determinadas funciones arqueológicas a los cabildos insulares.

225. Tal y como establece, por ejemplo, el artículo 4 del Decreto 366/2010, de 31 de agosto, por el que se aprueba la Oferta de Empleo Público para el año 2010 del Funcionariado de la Administración Local con habilitación de carácter estatal en el ámbito de la Comunidad Autónoma de Andalucía, en el que se encomienda al Instituto Andaluz de Administración Pública la gestión material de algunos aspectos de las pruebas selectivas ofertadas por dicha Comunidad Autónoma.

226. Posibilidad contemplada en la Disposición Adicional Octava de la Ley 3/2001, de 26 de marzo, de Pesca Marítima del Estado, que faculta a la Administración estatal a celebrar convenios de encomienda de gestión con las comunidades autónomas para garantizar el cumplimiento de dichas medidas de protección, conservación y mejora de los recursos pesqueros.

der una aplicación restrictiva o proporcionada de la misma. Y es que, si como hemos dicho, se considera objetivamente que, por las circunstancias que eventualmente puedan concurrir, la tramitación material de determinados asuntos no debería corresponder a una determinada unidad administrativa, o el desarrollo de una concreta función requiere unos medios que, ordinariamente y por el motivo que sea, no están al alcance de una administración pública, la solución no debería buscarse en la figura de la encomienda, sino en un replanteamiento general de la estructura orgánica de que se trate o en la delegación o transferencia de dicha competencia a aquella entidad pública que esté en mejores condiciones de llevarla a la práctica. De otra forma, el recurso más fácil a la encomienda de gestión enmascararía una deficiente estructuración de una determinada organización administrativa, incapaz de hacer frente de un modo eficaz a los cometidos que le asigna el ordenamiento jurídico.

C. Diferenciación de figuras afines en función de su objeto

Finalmente, y como ya hemos ido avanzando en diferentes apartados, el carácter material que caracteriza a las actividades que pueden ser objeto de encomienda es uno de los principales elementos que nos permitiría diferenciar la encomienda de gestión de otros mecanismos translativos del ejercicio de funciones administrativas que se prevén en nuestro ordenamiento, en particular, de la delegación de competencias, la avocación y la delegación de firma. Hagamos, siquiera brevemente, un rápido repaso a dichas diferenciaciones.

a) Diferencias respecto de la delegación de competencias. En primer lugar, debemos recordar que la encomienda de gestión se diferencia de la delegación de competencias regulada en el artículo 13 de la LRJPAC por el hecho de que ésta supone una transferencia real del ejercicio de las competencias delegadas[227]. Es decir, es la entidad delegada quien actúa o ejercita directamente dicha competencia, bajo su propia responsabilidad, si bien, en nombre del delegante, que mantiene su titularidad. En cambio, como hemos expuesto, en la encomienda de gestión no se produce una transferencia plena ni de la titularidad ni del ejercicio de la

---

227. En el mismo sentido, entre otros, SANTAMARÍA PASTOR, Juan Alfonso: *Principios de Derecho Administrativo General*, volumen I, *op. cit.*, p. 457; HERNANDO OREJANA, Luis Carlos: *La encomienda de gestión op. cit.*, p. 157, SOSA WAGNER, Francisco y DE MIGUEL GARCÍA, Pedro: *Las competencias de las Corporaciones Locales*, *op. cit.*, p. 94 o FERNÁNDEZ FARRERES, Germán: «La delegación de competencias y la encomienda de gestión», *op. cit.*, p. 146-147.

competencia (art. 15.2 LRJPAC). Al no afectar a los «elementos sustantivos» de la competencia, mediante la encomienda de gestión no se modifica ni se altera el órgano o entidad que ejerce formalmente la competencia, sino que solamente supone una habilitación a otro órgano o entidad de derecho público para el desarrollo de una actuación material, técnica o de servicios concreta y determinada dentro de este ejercicio.

Esta diferenciación, no obstante, resulta muy sutil y abstracta, por cuanto las consecuencias jurídicas que se derivan de ella pueden ser muy difíciles de observar en la práctica[228]. De ahí que creamos oportuno completar esta argumentación, añadiendo otro aspecto que sí nos permitiría diferenciar un poco más la encomienda de gestión de la figura de la delegación de competencias: el relativo a la extensión del objeto de la delegación, notablemente mayor que el de la encomienda. Partiéndose de la regla general de que todas las competencias son, en principio, delegables, la institución de la delegación admitiría no sólo el traspaso de actuaciones materiales sino también, y sobretodo, de actuaciones de carácter jurídico o resolutorio[229]. Actuaciones que, como ya hemos visto, resultan vetadas para la encomienda de gestión cuyo ámbito material de aplicación se limita solamente a la realización de actividades de carácter material, técnico o de servicios (art. 15.1 LRJPAC)[230].

Por lo tanto, la diferenciación podría venirnos dada no sólo por la

---

228. En efecto, en ambos supuestos, como ha puesto de relieve GALLEGO ANABITARTE, no se produce ninguna modificación del orden objetivo de distribución de competencias, por cuanto el órgano o entidad delegada o encomendada no ejerce ninguna competencia propia, sino que actúa en nombre ajeno. De ahí que dicho autor agrupe tanto la delegación de competencias del artículo 13 de la LRJPAC como la encomienda de gestión del artículo 15 de la LRJPAC bajo la categoría genérica de mandato jurídico-público. GALLEGO ANABITARTE, Alfredo: *Conceptos y principios fundamentales del Derecho de Organización, op. cit.*, p. 111-117.

229. En la delegación de competencias, el objeto de transferencia no sería solamente la prestación de un servicio o la realización de una obra, sino la función pública, que implicaría ejercicio de autoridad. Si bien esta mayor amplitud de la delegación no impide que nuestro Derecho Positivo enumere algunas funciones específicas que, por su trascendencia o por su carácter personalísimo, no puedan ser objeto de delegación (como la adopción de disposiciones de carácter general o las competencias que se ejerzan por delegación, art. 13.2 LRJPAC).

230. Nuestra jurisprudencia ha puesto también el acento en dicha distinción, diferenciando claramente las funciones resolutorias que pueden ser objeto de delegación por parte de las administraciones públicas y las funciones meramente materiales que caracterizarían la encomienda de gestión. En este sentido, podemos citar, entre muchas otras, la Sentencia del Tribunal Superior de Justicia de Murcia núm. 95/2004, de 18 de febrero, ponente: Sr. Joaquín Moreno Grau (FJ 4) o la Sentencia del Tribunal Superior de Justicia de Burgos núm. 407/2005, de 23 de septiembre, ponente: Sr. Valentín Jesús Varona Gutiérrez (FJ 5).

alteración del ejercicio de la competencia que supone la delegación de competencias del artículo 13 de la LRJPAC, sino también por la afectación, o no, a los aspectos jurídicos que, formalmente, integran la noción de competencia administrativa. Así, la encomienda de gestión se limitaría solamente a aspectos materiales vinculados a dicha competencia, mientras que la delegación de competencias podría extenderse a cualquier ámbito de actuación de ésta y, muy especialmente, a las facultades jurídicas o decisorias que la integran.

Es importante retener esta última idea, por cuanto, como veremos más adelante, el hecho de limitarse únicamente a la realización de tareas materiales sin trascendencia jurídica *ad extra*, que, por lo tanto, no suponen una cesión de poder público entre entidades territoriales, puede tener también importancia a la hora de analizar el régimen contractual de la encomienda de gestión.

Por lo demás, la diversidad en el ámbito de aplicación objetivo de estas instituciones puede servirnos de indicio para afirmar que, en realidad, las finalidades perseguidas por ambas responden también a fundamentos distintos. Mientras que, como hemos visto, la encomienda de gestión responde esencialmente a la falta de capacidad de gestión o a la voluntad de dotar de mayor eficacia la actuación pública (art. 15.1 LRJPAC), la delegación de competencias ha venido considerándose no sólo como un instrumento para dotar de mayor coherencia a la organización administrativa sino también, y muy especialmente en el ámbito de las relaciones interadministrativas, como una técnica para conseguir otros objetivos de carácter político-administrativo, como pueden ser el acercamiento de la gestión administrativa a los particulares –tal y como prevé el ya citado artículo 27.1 LBRL– o la atribución de nuevos ámbitos de responsabilidad y de capacidad de actuación a determinadas entidades públicas[231].

---

231. De hecho, en ocasiones, la normativa sectorial reguladora de la delegación de competencias se refiere ya a estas circunstancias. Así, por ejemplo, el artículo 27.1 de la LBRL prevé que la delegación de competencias del Estado o las comunidades autónomas a los municipios se realizará solamente en materias que afecten a los intereses propios de estos y «siempre que con ello se mejore la eficacia de la gestión pública o se alcance una mayor participación ciudadana». O también el artículo 67.1 del TRRL que prevé que la delegación a los municipios habrá de referirse a funciones en cuya gestión sea conveniente la participación de los representantes de los intereses locales, por razón de su trascendencia municipal o provincial.

Sobre estas cuestiones pueden verse, entre otros muchos, GONZÁLEZ NAVARRO, Francisco: «De la delegación, avocación y sustitución interorgánica, y de algunos de sus falsos hermanos», *op. cit.*, p. 310-333; LUCAS MURILLO DE LA CUEVA, Enrique: «Órganos de las Administraciones Públicas (artículos 11 a 29)» en PENDÁS GARCÍA, Benigno (Coord.): *Administraciones Públicas y ciudadanos (Comentario sistemático de la*

b) Diferencias respecto de la avocación. Por las mismas razones anteriores, la encomienda de gestión puede diferenciarse igualmente de la avocación prevista en el artículo 14 de la LRJPAC. Como es sabido, la avocación consiste en la transferencia del ejercicio de la competencia decisoria en un asunto concreto a favor de un órgano superior a aquél que la tiene atribuida o delegada con carácter general por razón de la materia, la jerarquía o el territorio[232]. Por lo que, desde el momento en que la avocación recae únicamente sobre el ejercicio de una competencia decisoria, podemos establecer una clara diferenciación con la figura de la encomienda de gestión, limitada a actividades de carácter material y sin trascendencia jurídica *ad extra* –sin perjuicio, obviamente, de los efectos materiales que, de forma meramente indirecta y tal y como mencionábamos anteriormente, la encomienda de gestión pueda producir sobre los ciudadanos–.

Nuevamente, podemos pensar que, como en el caso anterior, las diferencias en el objeto de ambas figuras no son más que un reflejo de las distintas finalidades para las que cada una de ellas ha sido diseñada. Y es que, a diferencia de la encomienda de gestión, la avocación no se fundamenta en la ausencia de medios materiales o de gestión suficientes para llevar a cabo una determinada actividad material, sino en la concurrencia de circunstancias de «índole técnica, económica, social, jurídica o territorial» (art. 14.1 LRJPAC) que hagan conveniente su resolución por el órgano superior de aquél que tiene atribuida inicialmente la competencia[233]. Por lo tanto, la avocación no responde necesariamente a

---

Ley 30/1992, de 26 de noviembre, de Régimen Jurídico de las Administraciones Públicas y del Procedimiento Administrativo Común, op. cit., p. 235-242 o GALLEGO ANABITARTE, Alfredo: *Conceptos y principios fundamentales del Derecho de Organización, op. cit.,* p. 111-116. Asimismo, poniendo de relieve las diferencias de esta figura con la encomienda de gestión podemos mencionar nuevamente a FERNÁNDEZ FARRERES, Germán: «La delegación de competencias y la encomienda de gestión», *op. cit.,* p. 119-152.

232. Sobre el régimen jurídico de la avocación podemos remitirnos, entre muchos otros, a GONZÁLEZ NAVARRO, Francisco: «De la delegación, avocación y sustitución interorgánica, y de algunos de sus falsos hermanos», *op. cit.,* p. 333-347, GONZÁLEZ NAVARRO, Francisco: «De la delegación, avocación y sustitución interorgánica, y de algunos de sus falsos hermanos», *op. cit.,* p. 363-368 o GALLEGO ANABITARTE, Alfredo: *Conceptos y principios fundamentales del Derecho de Organización, op. cit.,* p. 119-121.

233. En este punto GONZÁLEZ NAVARRO afirma que, aunque no deben desconocerse los riesgos que comporta esta institución –por lo fácil que resultaría servirse de esta unidad jurídica para sustraer el conocimiento de una causa que se está tramitando en una sede presuntamente neutral y llevarla a otra sede donde se tiene la certeza de que la *auctorictas* se ha puesto al servicio de la *potestas*– si algún fundamento tiene esta figura jurídica en un Estado de Derecho es, precisamente, la de garantizar la neutralidad, imparcialidad, objetividad y acierto en la decisión. De manera que se concluye que, cuando son otros los fines para los que ésta es utilizada, entonces

supuestos de ineficacia del órgano gestor, sino que se justifica por la existencia de otras circunstancias que aconsejan la resolución de un determinado asunto por el órgano superior a aquél que inicialmente tenía reconocida esta competencia.

c) Diferencias respecto de la delegación de firma. Por último, y en atención exclusivamente a su objeto, podríamos diferenciar también la encomienda de gestión de la *delegación de firma* recogida en el artículo 16 de la LRJPAC. De acuerdo con este último precepto, dicha institución administrativa limita su objeto únicamente a la rúbrica de determinadas resoluciones o actos administrativos.

Por lo tanto, en este supuesto, no hay, en rigor, ninguna transferencia de la titularidad de una competencia administrativa ni tampoco el desarrollo de una actividad ejecutiva, sino que lo único que se transfiere es la materialidad de la firma, adoptándose la resolución en forma verbal por el titular de la competencia[234]. A diferencia de la encomienda de gestión la funcionalidad de la delegación de firma no es en ningún caso la de aportar una cooperación gestora en el desarrollo de una determinada actuación administrativa de carácter material sino, mucho más simplemente, una técnica de colaboración física entre el titular de un órgano y sus subordinados, mediante la cual éstos asumen la obligación o la tarea de estampar la firma al pie de las resoluciones adoptadas verbalmente por su superior.

4. ASPECTOS FORMALES DE LA ENCOMIENDA DE GESTIÓN

Una vez analizados los presupuestos habilitantes de la encomienda de gestión, los sujetos legitimados para hacer uso de la misma, así como su ámbito objetivo, debemos pasar ahora a estudiar los requisitos que se prevén para su formalización. Y es que, como veremos a continuación, tanto el artículo 15 de la LRJPAC como la legislación autonómica complementaria han previsto determinadas especialidades formales a la hora de concluir este negocio jurídico.

---

carece de justificación. GONZÁLEZ NAVARRO, Francisco: «De la delegación, avocación y sustitución interorgánica y de algunos de sus falsos hermanos», *op. cit.*, p. 338.

234. Sobre el régimen jurídico de la delegación de firma pueden verse, entre otros, GONZÁLEZ NAVARRO, Francisco: «De la delegación, avocación y sustitución interorgánica, y de algunos de sus falsos hermanos», *op. cit.*, p. 363-368; GALLEGO ANABITARTE, Alfredo: *Conceptos y principios fundamentales del Derecho de Organización, op. cit.*, p.117-119 o MESEGUER YEBRA, Joaquín: «La delegación de firma como técnica de modulación competencial interorgánica: régimen jurídico y aplicación práctica: virtudes y defectos», en *Revista Aragonesa de Administración Pública*, núm. 25, 2004, p. 265-284.

Como punto de partida para nuestro análisis es necesario destacar que la encomienda de gestión debe de formalizarse siempre por escrito. Esta exigencia, lógica por otra parte, se halla implícita en la propia redacción del artículo 15 de la LRJPAC, que exige la publicación del instrumento de formalización de la encomienda. Sin embargo, podría hacerse derivar también de las reglas generales de actuación administrativa –que imponen el carácter escrito de los actos administrativos (art. 55 LRJPAC)– así como de los principios generales de la contratación administrativa –por cuanto el Real Decreto Legislativo 3/2011, de 14 de noviembre, por el que se aprueba el Texto Refundido de la Ley de Contratos del Sector Público, prevé expresamente que los entes, organismos y entidades que integran el sector público no pueden contratar verbalmente, salvo cuando el contrato tenga carácter de emergencia (art. 28.1 TRLCSP)–.

Pero, como decíamos, junto con su carácter escrito, tanto la Ley 30/1992, de 26 de noviembre, como la legislación autonómica, prevén otras exigencias formales que no podemos obviar por cuanto de ellas se haría depender la propia eficacia o validez de la relación de encomienda. Estas exigencias, como veremos a continuación, varían sustancialmente en función de los sujetos intervinientes, por lo que, para facilitar nuestra exposición, nos referiremos separadamente a los acuerdos de encomienda de gestión entre órganos o entidades pertenecientes a la misma administración pública para pasar, seguidamente, a los convenios de encomienda entre órganos o entidades pertenecientes a diferentes administraciones.

4.1. LOS ACUERDOS DE ENCOMIENDA INTRA-ADMINISTRATIVOS

El artículo 15.3 de la Ley 30/1992, de 26 de noviembre, afirma que las encomiendas de gestión entre órganos administrativos o entidades de derecho público pertenecientes a la misma administración deberán formalizarse en los términos que establezca su propia normativa y, en su defecto, por acuerdo expreso de los intervinientes. Añadiéndose que, en cualquier caso, el instrumento de formalización y su resolución deberán de ser publicados en el diario oficial correspondiente.

Así pues, la LRJPAC remite a la normativa propia de cada administración pública la determinación de los trámites necesarios para la celebración de la encomienda de gestión *intra-administrativa*. Y es que, en efecto, la potestad de autoorganización propia de las diferentes entidades públicas justifica que sean éstas las que determinen de un modo expreso como articular la encomienda de gestión en cada caso. Pero a pesar de que dicha circunstancia limita nuestro análisis –que, comprensiblemente, no puede llegar a abarcar detalladamente la normativa orgánica propia de todas y cada una de las diferentes administraciones públicas existentes en nuestro ordenamiento–, creemos que, desde un punto de vista general, es posible identificar diferentes momentos procedimentales comunes a todas ellas, respecto de los cuales sí que resulta conveniente hacer algunas observaciones, por cuanto, como apuntábamos y como veremos a continuación, de ellos depende en ocasiones la validez o la eficacia de la encomienda de gestión.

4.2.1. Órganos competentes para la formalización de los acuerdos de encomienda de gestión

La determinación de qué órgano o entidad está habilitada en cada caso concreto para concluir un determinado acuerdo de encomienda es una circunstancia que no puede ser prevista directamente y de un modo preciso por la propia LRJPAC, por lo que éste es uno de los aspectos que se remiten a la normativa específica de cada administración pública. En cualquier caso, debemos recordar que, como poníamos de manifiesto al referirnos al principio de irrenunciabilidad de las competencias administrativas (art. 12 LRJPAC), la decisión de formalizar una encomienda de gestión correspondería, en todo caso, al titular de las funciones materiales cuya ejecución pretende encomendarse.

En algunos supuestos puntuales, y para dotar de validez la encomienda de gestión, la legislación autonómica que se ha ocupado de desarrollar esta figura exige un requisito previo, imponiendo la intervención de un tercero –supraordenado a las partes de la encomienda– que debe aprobar su formalización[235]. En estos casos, por lo tanto, nos encontraríamos ante un procedimiento *bifásico*, en que la resolución final dependería de la concurrencia de la voluntad de varios órganos: por un

---

235. En este sentido, cuando la encomienda de gestión afecta solamente a órganos o entidades de un mismo departamento o consejería de la administración autonómica su autorización normalmente corresponde al titular de dicha consejería, como se afirma, por ejemplo, en el artículo 75.2 de la Ley 1/2002, de 28 de febrero, del Gobierno y Administración de Extremadura o en el artículo 18.2 de la Ley 2/1995, de 13 de marzo, de Régimen Jurídico de la Administración de Asturias. En cambio, cuando la encomienda de gestión afecta a dos departamentos diferentes, generalmente se atribuye su autorización al consejo de gobierno, como ocurre, por ejemplo, en el artículo 24.2 de la Ley 4/2005, de 1 de junio, de Funcionamiento y Régimen Jurídico de la Administración de la Rioja.

lado, los sujetos entre los que se concluye la relación de encomienda y, por otro, la necesaria autorización del superior jerárquico[236].

La intervención del superior jerárquico podría justificarse, a nuestro entender, por la necesidad de garantizar la coherencia en la actuación de un determinado departamento administrativo, así como en la posibilidad de supervisar las implicaciones competenciales o económicas que ello supone. No obstante, entendemos también que su actuación debe referirse generalmente a una mera verificación formal del contenido de la encomienda, pero no a la determinación concreta de las cláusulas que regirán específicamente la relación de encomienda, las cuales, con toda probabilidad, vendrán ya fijadas por los órganos o entidades afectadas[237].

En cualquier caso, el sometimiento de la encomienda de gestión al requisito de la participación de un tercero –aunque se limite solamente a algunas comunidades autónomas– nos pone ya de relieve la peculiar naturaleza jurídica de las relaciones intraadministrativas, por cuanto la intervención del superior jerárquico resulta un indicio que podría llevarnos a cuestionar su verdadero carácter contractual y bilateral. Y es que, como puede pensarse, la existencia de dicho negocio jurídico no dependería ya de la sola voluntad de las dos partes implicadas en la relación de encomienda sino también de un tercero. Posteriormente, al analizar el tratamiento contractual de la encomienda de gestión, volveremos nuevamente sobre todas estas cuestiones.

Por lo que se refiere a la Administración estatal, hay que señalar que la Ley 6/1997, de 14 de abril, de Organización y Funcionamiento de la Administración General del Estado, no contiene ningún precepto dirigido expresamente a regular la encomienda de gestión. Aunque esta Ley sí que hace referencia a la formalización de los supuestos de delegación de competencias, avocación y delegación de firma, respecto de los

---

236. Si bien, en este ámbito, la casuística es también muy variada, dando lugar a esquemas procedimentales diversos. Así, por ejemplo, la Ley Foral 15/2004, de 3 de diciembre, de Administración de la Comunidad Foral de Navarra, no responde a la lógica anterior, precisando que, en caso de encomiendas entre diferentes consejerías, será necesario únicamente la autorización de los respectivos consejeros (art. 39.3 Ley Foral 15/2004).

237. Y es que, como ha puesto de relieve HUERGO LORA al estudiar los contratos sobre los actos y potestades administrativas, si entendiéramos que la competencia del superior jerárquico va más allá de la mera formalización nos encontraríamos ante un vaciamiento de la competencia del órgano al que le correspondería inicialmente su ejercicio. HUERGO LORA, Alejandro: *Los contratos sobre los actos y las potestades administrativas*, Ed. Civitas, Madrid, 1998, p. 358-359.

cuales se prevé, como en los casos anteriores y cuando no se trate de órganos relacionados jerárquicamente, la intervención del superior del que dependan las diferentes entidades participantes (Disposición Adicional Decimotercera LOFAGE). Rápidamente ello nos plantea la duda sobre la posible extensión de dichas reglas generales, por analogía, también a la figura de la encomienda de gestión y, en particular: ¿debe la encomienda de gestión intraadministrativa aprobarse previamente por el superior jerárquico común?

En nuestra opinión, la respuesta a dicha extensión debe de ser negativa. Si tenemos presente que el legislador estatal en el año 1997 al aprobar la LOFAGE era ya consciente de la existencia de los actuales mecanismos de translación de funciones administrativas previstos en la LRJPAC –entre ellos la encomienda de gestión del artículo 15 de la LRJPAC– y, aún así, no previó ningún requisito específico para la formalización de la encomienda de gestión, significa entonces que voluntariamente –y conscientemente– no quiso darse un tratamiento diferenciado a dicha institución, aplicándosele, en todo caso, lo previsto con carácter básico en el artículo 15 de la LRJPAC. Siendo suficiente, por lo tanto, con el simple «acuerdo expreso de los órganos o entidades intervinientes» (art. 15.3 LRJPAC).

Y, efectivamente, ésta parecer ser también la interpretación asumida por la propia Administración estatal, puesto que un repaso general a las encomiendas de gestión formalizadas en dicho ámbito territorial nos demuestra que, con carácter general, la competencia para concluir los acuerdos de encomienda de gestión se delega normalmente en otros órganos ministeriales inferiores, sin necesidad de intervención o aprobación ulterior por parte del Ministro o del Consejo de Ministros. Podemos citar, entre otras, la Orden del Ministerio de Ciencia y Tecnología CIN/2181/2010, de 29 de julio, que atribuye directamente la competencia para suscribir acuerdos de encomienda de gestión a los titulares de determinadas secretarías de estado, en el ámbito de sus respectivas competencias.

Finalmente, las mismas consideraciones podemos hacer para el ámbito de la administración local, puesto que ni la LBRL ni el Real Decreto 2568/1986, de 28 de noviembre, por el que se aprueba el Reglamento de Organización, Funcionamiento y Régimen Jurídico de las Entidades Locales (en adelante ROF), ni tampoco la normativa autonómica en materia de régimen local, no contienen ninguna indicación expresa sobre la formalización de las encomiendas de gestión *intra-administrativas*[238].

---

238. Cfr., por ejemplo, con la Ley 20/2006, de 15 de diciembre, Municipal y de Régimen

Por lo que deberíamos concluir que, excepto que las propias normas locales –en particular, los reglamentos orgánicos de cada una de las entidades afectadas– previeran alguna otra cosa, la regla general aplicable a estos supuestos es que sería suficiente, en principio, con el acuerdo de los órganos o entidades interesadas para formalizar el acuerdo de encomienda de gestión[239], sin que fuera necesaria la intervención de un tercero que, con su aprobación, dotara de validez el negocio jurídico celebrado entre los intervinientes.

4.2.2. Contenido formal del acuerdo de encomienda

En segundo lugar, el artículo 15.3 de la LRJPAC contiene también una serie de previsiones legales sobre el propio contenido del acuerdo de encomienda, exigiendo que éste incluya, al menos, «expresa mención de la actividad o actividades a las que afecten, el plazo de vigencia y la naturaleza y alcance de la gestión encomendada», a los que deberíamos añadir, obviamente, la identificación de los órganos o entidades que concluyen el acuerdo de encomienda.

Ciertamente, la exigencia de un contenido formal mínimo no constituye ninguna novedad en nuestro ordenamiento jurídico, sino que se configura como una práctica común en todos los negocios jurídicos de carácter bilateral –y que, como veremos, la LRJPAC exige también en el caso de los convenios entre diferentes administraciones públicas–. Sin embargo, desde nuestro punto de vista, sí que resulta criticable el carácter críptico con el que se expresa la Ley; y es que ¿a qué se refiere el artículo 15.3 de la LRJPAC cuando habla de «la naturaleza y alcance de la gestión encomendada»?

Podría pensarse que ésta es una cuestión menor, pero no es así, especialmente por el hecho de que, como diremos más adelante, este contenido mínimo constituye un requisito de validez de la encomienda de gestión.

Local de las Illes Balears, con la Ley 6/1990, de 2 de julio, de la Administración Local de Navarra o con la más reciente Ley 8/2010, de 23 de junio, de Régimen Local de la Comunidad Valenciana, en las que no se prevé ninguna disposición específica reguladora de la formalización de las encomiendas de gestión concluidas en el seno de una misma administración local.

239. En este sentido hay que recordar que, precisamente, una de las funciones del reglamento orgánico local no es sólo determinar la estructura organizativa en sentido estricto, sino también los aspectos relativos a su funcionamiento. Sobre esta cuestión pueden verse GALÁN GALÁN, Alfredo: *El reglamento orgánico local*, INAP, Madrid 2004, p. 47-50 y FERNÁNDEZ FARRERES, Germán: «La potestad local de autoorganización: contenido y límites», *op. cit.*, p. 1068.

En nuestra opinión, resulta ciertamente complejo dotar a dichas expresiones –«naturaleza y alcance»– de un contenido jurídico concreto que pueda ser compartido inequívocamente por todos nosotros, –¿pues el «alcance» de la encomienda de gestión se refiere a todas las obligaciones derivadas de la relación jurídica creada? ¿O acaso quiere designar solamente la actividad material concreta a realizar? O, por otro lado, ¿qué posibles «naturalezas» puede tener la gestión encomendada?–.

Esta indefinición con la que se expresa la LRJPAC nos lleva a pensar que, en este punto, la Ley ha querido expresarse de un modo amplio, sin la voluntad de establecer un listado preciso y cerrado de cuestiones que deban de preverse expresamente en el acuerdo de encomienda de gestión, sino con la intención de enfatizar la necesidad de que las partes identifiquen de un modo claro y preciso los elementos esenciales que caracterizarían dicha relación jurídica. Pero sin que, en realidad, se fijen legalmente cuáles son dichos requisitos mínimos.

Por otro lado, conviene señalar que el artículo 15.3 de la LRJPAC se refiere solamente a los elementos mínimos e indispensables que deben aparecer en el instrumento de formalización de la encomienda. El artículo 15.3 de la LRJPAC lo prevé claramente al establecer que los acuerdos «por lo menos» deberán constar de dichas indicaciones, pero remite a la normativa propia de cada administración pública la posibilidad de que se exija la identificación de otros requisitos complementarios. En este aspecto, sin embargo, debemos afirmar que, nuevamente, las comunidades autónomas no han sido tampoco muy innovadoras, limitándose a reproducir la legislación básica estatal, si bien con algunas matizaciones, como la necesidad de identificar los supuestos en que proceda la finalización anticipada de la encomienda o su prórroga –prevista en el artículo 46.8 de la Ley 6/2002, de 10 de diciembre, de Régimen Jurídico del Gobierno y Administración de la Comunidad Autónoma de Cantabria– o la determinación de los mecanismos de control y evaluación del desarrollo de la actividad a la que se refieran y, en su caso, del cumplimiento de los objetivos señalados –a la que se alude en el artículo 105.5 de la Ley 9/2007, de 22 de octubre, de Régimen Jurídico de la Junta de Andalucía–. En estos casos, la introducción de estas indicaciones puede contribuir a un mejor ejercicio de la encomienda, comprobando, por un lado, el grado de cumplimiento de las actividades encomendadas o evitando, por el otro, un funcionamiento fraudulento de la misma mediante su prórroga indefinida.

Finalmente, como avanzábamos, debemos preguntarnos también sobre las consecuencias jurídicas que derivarían del incumplimiento de dichos preceptos, cuestionándonos si dichos elementos formales se configuran como requisitos *ad solemnitatem* o, simplemente, como meras indicaciones ejemplificativas. En nuestra opinión, partiendo del tenor literal con el que se expresa el artículo 15.3 de la LRJPAC, entendemos que el contenido mínimo al que se refiere dicho precepto se configura como un verdadero requisito de validez del instrumento de formalización del acuerdo de encomienda, puesto que, como señala el propio precepto, aunque cada administración podrá regular otros requisitos necesarios, como mínimo («al menos»), deberán de incluirse los expresamente indicados. Y la misma consideración se desprende del análisis de la legislación autonómica, puesto que la introducción en el acuerdo de encomienda de gestión de las indicaciones que, expresamente, se prevén por las distintas leyes autonómicas se considera también como obligatoria. Así nos lo demuestra, por ejemplo, el artículo 105.5 de la Ley andaluza 9/2007, de 22 de octubre, que prevé que el instrumento de formalización de la encomienda deberá contener «al menos» las indicaciones que se prevén en dicha norma; o también el artículo 18.5 de la Ley 2/1995, de 13 de marzo, sobre el Régimen Jurídico de la Administración del Principado de Asturias, que, en términos similares, al regular el instrumento de formalización de la encomienda de gestión señala que «*En todo caso será contenido mínimo* del mismo: a) La actividad o actividades a que afecten, b) La naturaleza y alcance de la gestión encomendada y c) El plazo de vigencia y los supuestos en que proceda la finalización anticipada de la encomienda o su prórroga»[240].

De este modo, atendiendo al carácter imperativo con el que se expresa tanto la LRJPAC como la legislación autonómica podríamos concluir que la vulneración por las partes intervinientes de dicho contenido formal no sólo daría lugar a una irregularidad formal no invalidante, sino que podría dar lugar también a la anulabilidad del acuerdo de encomienda, siempre que éste careciera de los requisitos indispensables para alcanzar su fin (art. 63.2 LRJPAC). No obstante, como apuntábamos anteriormente, la ambigüedad con la que se expresa el artículo 15.3 de la LRJPAC al señalar el contenido del acuerdo de encomienda hace ciertamente difícil establecer qué previsiones concretas, más allá de las mínimas indispensables para identificar a las partes y las prestaciones objeto de encargo, deberían de incluirse en dicho documento.

Finalmente, y al margen de las indicaciones legalmente obligatorias, debemos tener presente que, obviamente, las partes del acuerdo de en-

---

240. La cursiva es nuestra.

comienda también pueden hacer constar en el documento de formalización, y de forma voluntaria, todas aquellas otras cuestiones que consideren oportunas al efecto de identificar mejor el contenido de las prestaciones objeto del encargo, su vigencia, los mecanismos de control de su cumplimiento, entre otras muchas. Por lo que, en atención al contenido formal del acuerdo de encomienda, podríamos diferenciar entre un contenido mínimo y necesario –fijado expresamente por el artículo 15.3 de la LRJPAC– y un contenido voluntario o dispositivo que las partes pueden acordar libremente, si bien respetando las limitaciones objetivas a las que nos referíamos anteriormente y, por supuesto, siempre que sean conformes con el interés público y el resto del ordenamiento jurídico.

4.2.3. Publicación del acuerdo de encomienda

Por último, el artículo 15.3 de la LRJPAC, de acuerdo con los principios de publicidad y transparencia que rigen la actuación administrativa (art. 3.5 LRJPAC), exige, para su eficacia, que el instrumento de formalización de la encomienda y su resolución se publiquen en el diario oficial correspondiente. De este modo, la publicación se convierte no solamente en una práctica positiva a efectos de garantizar el respeto a los principios de buena administración y seguridad jurídica, sino en un requisito indispensable para su eficacia. De manera que, a pesar de que el acuerdo de encomienda sería plenamente válido desde el momento en que las partes manifiestan su consentimiento, el nacimiento de su eficacia se hace depender de su efectiva publicación.

Hay que indicar que la Ley se refiere a la publicación del «instrumento de formalización de la encomienda de gestión», por lo que entendemos que la eficacia de la encomienda quedaría condicionada no sólo al mero anuncio de la celebración de la encomienda de gestión o de un extracto de la misma, sino que seria exigible la publicación del contenido completo del acuerdo de encomienda[241]. La legislación autonómica que ha desarrollado esta figura se ha ocupado de precisar también este extremo, señalando no sólo que, para la eficacia de la encomienda de gestión entre órganos, organismos o entidades que pertenezcan a una misma administración pública, será necesario que el instrumento de for-

---

241. En este punto deberíamos añadir que la publicación relevante en todos estos casos sería la realizada en el diario oficial que corresponda, sin perjuicio de que ésta publicación pueda complementarse –que no sustituirse– con la publicación o divulgación a través de otros medios de comunicación, como podrían ser, por ejemplo, los portales institucionales de las diferentes administraciones públicas en Internet.

malización de la encomienda y la resolución se publiquen en el boletín oficial correspondiente –como ocurre en el artículo 10.3 de la Ley catalana 26/2010, de 3 de agosto–, sino que algunas leyes autonómicas exigen incluso la «íntegra publicación» de la encomienda en el diario oficial correspondiente –como sucede, por ejemplo, en el artículo 30.3 de la Ley 3/2003, de 26 de marzo, de Régimen Jurídico de la Administración de las Illes Balears–.

4.2. LOS CONVENIOS DE ENCOMIENDA DE GESTIÓN INTER-ADMINISTRATIVOS

Junto con los anteriores, la Ley 30/1992, de 26 de noviembre, de Régimen Jurídico de las Administraciones Públicas y del Procedimiento Administrativo Común se refiere también a los requisitos formales que deben cumplirse cuando la encomienda de gestión se constituya entre órganos o entidades que pertenezcan a diferentes administraciones públicas, exigiendo, en este caso, la conclusión del correspondiente convenio entre ellas (art. 15.4 LRJPAC).

Dado el carácter básico de la Ley, la exigencia de convenio cuando la encomienda de gestión pretenda concluirse entre diferentes administraciones públicas se ha plasmado también en todas las normas autonómicas que han desarrollado el régimen jurídico de esta figura[242]. La única excepción la constituye, quizá, la Ley balear 3/2003, de 26 de marzo, de Régimen Jurídico de la Administración de dicha Comunidad Autónoma, en la que no se hace referencia expresa al instrumento de formalización de estas encomiendas (art. 30.2 Ley 3/2003). Sin embargo, este precepto remite la formalización de la encomienda a lo establecido en la normativa básica estatal, por lo que podemos entender que la exigencia de convenio le vendría impuesta indirectamente por esta vía supletoria; a la vez que la Ley 20/2006, de 15 de diciembre, Municipal y de Régimen Local de las Illes Balears, sí que se exige convenio para encomendar la realización de actividades de carácter material, técnico o de servicios de la Administración autonómica a las entidades locales (art. 63 Ley 20/2006).

---

242. Podemos citar, por ejemplo, los artículos 18.4 y 18.6 de la Ley 2/1995, de 13 de marzo, de Régimen Jurídico de la Administración de Asturias; el artículo 38 del Decreto aragonés 2/2001, de 3 de julio, por el que se aprueba el Texto refundido de la Ley de Administración de dicha Comunidad Autónoma o también la mencionada Ley 8/2010, de 23 de junio, de Régimen Local de la Comunidad Valenciana que, al regular la encomienda de gestión entre la Generalitat y las entidades locales valencianas, prevé su formalización mediante convenio (art. 151.3 Ley 8/2010).

La principal consecuencia que se deriva de la exigencia de convenio en el caso de las encomiendas de gestión *inter-administrativas* reside en la necesidad de completar su régimen jurídico no sólo con el artículo 15 de la LRJPAC y la normativa autonómica complementaria, sino atendiendo también a la normativa que regula hoy en día dichos instrumentos de colaboración y que, como ha puesto de relieve la doctrina, se caracteriza por su carácter fragmentario y, en algunos aspectos, incompleto[243].

En este sentido, para determinar el régimen jurídico de la encomienda de gestión *inter-administrativa* debería tomarse en consideración, en primer lugar, lo establecido en el artículo 145.2 de la Constitución, regulador de los convenios entre comunidades autónomas, así como las previsiones de los diferentes estatutos de autonomía que se han ocupado de regular también esta materia, que son la gran mayoría. Como ejemplo, podemos citar con los artículos 177 y 178 del nuevo Estatuto catalán, que se refieren específicamente al régimen de los convenios celebrados entre la Generalidad de Cataluña y el Estado u otras comunidades autónomas. En segundo lugar, debe acudirse también a lo previsto por la propia Ley de Régimen Jurídico de las Administraciones Públicas y del Procedimiento Administrativo Común que regula, con carácter básico, los convenios entre el Estado y las comunidades autónomas (art. 6 y 8 LRJPAC), disposiciones que son aplicables supletoriamente a las relaciones con las entidades locales. En este último caso, aunque la LBRL no regula directamente el régimen de los convenios en el ámbito de la administración local, el artículo 57 de la LBRL admite con carácter general esta figura, considerándola como uno de los principales instrumentos de cooperación económica, técnica y administrativa al servicio de las entidades locales[244].

Pero es que, además, toda esta regulación básica y general debe

---

243. En este sentido, Martín Huerta, Pablo: *Los convenios interadministrativos, op. cit.*, p. 44-52 y Albertí Rovira, Enoch: «Relaciones entre las Administraciones Públicas», *op. cit.*, p. 45. Por su parte, González-Antón Álvarez se refiere también a dicha circunstancia, afirmando que «no existe ni mucho menos, un corpus regulador de los convenios interadministrativos; si merece una calificación, es la de fragmentaria y mínima». González-Antón Álvarez Carlos: *Los convenios interadministrativos de los entes locales, op. cit.*, p. 203.

244. El artículo 57 de la LBRL establece lo siguiente: «La cooperación económica, técnica y administrativa entre la Administración local y las Administraciones del Estado y de las Comunidades Autónomas, tanto en servicios locales como en asuntos de interés común, se desarrollará con carácter voluntario, bajo las formas y en los términos previstos en las Leyes, pudiendo tener lugar, en todo caso, mediante los consorcios o *convenios administrativos* que suscriban [...]». Las cursivas son nuestras.

completarse también con otras muchas referencias normativas relativas a los convenios que se prevén en las diferentes leyes que desarrollan el régimen jurídico de las administraciones autonómicas o que se dictan en materia de régimen local[245]. De ahí que, como en el caso anterior y ante la imposibilidad de explicar de forma detallada cada una de dichas regulaciones, para poder exponer claramente cuáles son los principales trámites formales a la hora de concluir una encomienda de gestión *interadministrativa*, centraremos nuestra atención solamente en los aspectos procedimentales que hemos examinado anteriormente, a saber: los órganos competentes para la formalización de la encomienda, el contenido formal del convenio de encomienda y, finalmente, su publicación.

A. Órganos competentes para la formalización de los convenios de encomienda de gestión

La determinación de los órganos competentes para formalizar las encomiendas de gestión *interadministrativas*, como ya se ha dicho, dependerá primariamente de la autonomía organizativa de las diferentes administraciones públicas intervinientes. Así, son las propias normas de cada una de ellas las encargadas de precisar qué órganos son los competentes para suscribir los convenios de encomienda de gestión.

Sin embargo, debemos ya indicar que las normas reguladoras de la organización y funcionamiento de las diferentes administraciones públicas no acostumbran a prever una competencia específica y separada para la formalización de los convenios de encomienda de gestión, sino que éstos se rigen por las mismas disposiciones que regulan, con carácter general, la tramitación y la formalización de los convenios de colaboración interadministrativos.

Así, en el caso de la Administración General del Estado y de sus organismos públicos debemos acudir, en primer lugar, a la Disposición Adicional Decimotercera de la LRJPAC que prevé la competencia de los titulares de los departamentos ministeriales y de los presidentes o directores de los diferentes entes públicos vinculados o dependientes

---

245. Como, por ejemplo, los artículos 11 a 13 de la Ley 4/2005, de 1 de junio, de Funcionamiento y Régimen Jurídico de la Comunidad Autónoma de la Rioja, los artículos 11 y 12 de la Ley 2/2995, de 13 de marzo, de Régimen Jurídico de la Administración de Asturias, que regulan con cierta exhaustividad el régimen jurídico de los convenios de colaboración o, más reciente, la Ley 1/2011, de 10 febrero, de Convenios de la Comunidad Autónoma de Aragón, cuyo objeto es regular los convenios y acuerdos que dicha Comunidad Autónoma suscriba en el ámbito propio de su actuación.

para la celebración de los convenios de colaboración previstos en el artículo 6 de la LRJPAC[246]. Por lo tanto, debemos entender que la competencia para formalizar los convenios de encomienda, en representación de la Administración General del Estado, correspondería inicialmente al ministro, en su condición de titular de un departamento ministerial y como encargado de la dirección de los sectores de actividad administrativa integrados en éste (art. 12.1 LOFAGE). No obstante, como poníamos de relieve en el caso anterior, dicha competencia, en muchas ocasiones, se delega en otros órganos ministeriales de rango inferior. Sirva nuevamente como ejemplo la citada Orden del Ministerio de Ciencia y Tecnología CIN/2181/2010, de 29 de julio, que atribuye la competencia para suscribir convenios de encomienda de gestión con otras comunidades autónomas a los titulares de determinadas secretarías de estado, en el ámbito de sus respectivas competencias.

Por lo que se refiere al ámbito de las comunidades autónomas, debemos resaltar el importante papel que, a la hora de concluir convenios con el Estado o con otras comunidades autónomas, los estatutos de autonomía atribuyen a los parlamentos autonómicos. En este sentido, es habitual que los estatutos requieran la previa autorización de las asambleas legislativas autonómicas para concluir dichos acuerdos, si bien en algunos supuestos esta intervención previa se hace depender del objeto concreto del convenio, exigiéndose su consentimiento únicamente cuando mediante dicho negocio jurídico pueda afectarse a sus competencias o se asuman nuevas obligaciones económicas[247]. Si bien hay que tener presente que en esta materia la casuística es también muy variada,

---

246. Legitimación que se reitera en la propia Ley 6/1997, de 14 de abril, de Organización y Funcionamiento de la Administración General del Estado, que atribuye la competencia para la celebración de convenios a los ministros, salvo cuando correspondan al Consejo de Ministros (art. 13.3 LOFAGE).

247. Una buena muestra de ello la encontramos en el artículo 178.3 del nuevo Estatuto de Autonomía de Cataluña donde se prevé que la suscripción de convenios de colaboración con otras comunidades autónomas requerirá la aprobación del Parlamento catalán solamente «en los casos que se afecte a las facultades legislativas». En los demás casos, el Gobierno sólo debe informar al Parlamento de su suscripción.

Para un análisis más detallado de esta cuestión puede verse RODRÍGUEZ DE SANTIAGO, José María: *Los convenios entre Administraciones Públicas, op. cit.*, p. 371-379, cuya exposición tomamos como referencia en esta apartado. Asimismo, un excelente análisis de la intervención de los Parlamentos autonómicos en la formalización de los convenios interadministrativos puede verse en GARCÍA MORALES, María Jesús: «la intervención de los Parlamentos en los convenios suscritos entre el Estado y las Comunidades Autónomas», en *Revista Jurídica de Navarra*, núm. 14, julio-diciembre 1992, p. 71-76.

pudiendo encontrar supuestos aún más complejos en los que la formalización de los convenios de colaboración entre comunidades autónomas se dota siempre de un plus de garantías formales, exigiéndose en todo caso la previa aprobación por el parlamento autonómico, sin distinguir por razón de su objeto o de las partes que intervienen en su conclusión[248].

Por lo que se refiere a los demás convenios celebrados con otras administraciones públicas no incluidos dentro de las anteriores previsiones estatutarias (entre los que, en muchos casos, nos encontraremos los convenios de colaboración que se formalizan con las entidades que integran la Administración local), las diferentes leyes de gobierno y administración autonómicas acostumbran a remitir la competencia para su celebración al consejo de gobierno[249]. Si bien, nuevamente, debemos tener presente que podemos encontrar algunas excepciones a esta regla general, habilitándose ocasionalmente también a los titulares de los diferentes departamentos en los que se organiza la administración autonómica para la conclusión de dichos acuerdos[250].

Finalmente, en lo que se refiere a la Administración local, como

---

248. Como, por ejemplo, el artículo 9.4 del Estatuto de Autonomía de Cantabria, que dispone la competencia del Parlamento de dicha Comunidad Autónoma para «Aprobar los convenios a realizar con otras Comunidades Autónomas y los acuerdos de cooperación con las mismas» o también el artículo 9.2 d) del Estatuto de Autonomía de Castilla-La Mancha que atribuye a las Cortes castellano-manchegas la competencia para «Aprobar los convenios que acuerde el Consejo de Gobiernos con otras comunidades autónomas [...]».
   RODRÍGUEZ DE SANTIAGO ha criticado la oportunidad o el acierto de una norma que somete en bloque a la autorización de la asamblea legislativa autonómica todos los convenios que la comunidad autónoma pretenda celebrar, por el hecho de que la rigidez de dichos requisitos lleva, normalmente, a su incumplimiento. RODRÍGUEZ DE SANTIAGO, José María: *Los convenios entre Administraciones Públicas, op. cit.*, p. 379. Por su parte, y en términos similares, ALBERTÍ ROVIRA ha considerado que la exigencia de la intervención parlamentaria puede llevar a una pérdida de la fluidez de las relaciones de colaboración «cuya sede natural son los ejecutivos y las Administraciones». ALBERTÍ ROVIRA, Enoch: «Los convenios entre Comunidades Autónomas», en AAVV: *Las relaciones interadministrativas de cooperación y colaboración (Seminario celebrado en Barcelona el 7 de mayo de 1993)*, Institut d'Estudis Autonòmics, Barcelona 1993, p. 79.
249. Tal como prevén, por ejemplo, el artículo 18.3 de la Ley 2/1995, de 13 de marzo, de Régimen Jurídico de la Administración de Asturias o el artículo 28.1 de la Ley 1/2011, de 10 de febrero, de Convenios de la Comunidad Autónoma de Aragón.
250. Como sucede, por ejemplo, en el artículo 9.2 de la Ley 9/2007, de 22 de octubre, de Administración de la Junta de Andalucía o en el artículo 7.2 de la Ley 7/2004, de 28 de diciembre, de Organización y Régimen Jurídico de la Administración Pública de la Comunidad Autónoma de la Región de Murcia.

apuntábamos anteriormente, ni la LBRL ni el ROF no regulan de forma expresa la encomienda de gestión, ni señalan tampoco con carácter general a quien corresponde la competencia para la celebración de los convenios con las restantes administraciones públicas (art. 57 LBRL). Sin embargo, las normas autonómicas que han regulado esta materia sí que se han ocupado de colmar dicha laguna, atribuyendo la competencia para formalizar la encomienda de gestión al pleno de la entidad local afectada. Podemos citar, por ejemplo, el artículo 126.4 f) de la Ley 7/1999, de 9 de abril, de Administración Local de Aragón, que prevé que deban aprobarse por la mayoría absoluta del número legal de miembros del pleno de cada corporación «la transferencia de funciones o actividades a otras Administraciones públicas, así como la aceptación de las delegaciones o encomiendas de gestión realizadas por otras Administraciones»; o, en términos similares, podemos destacar la Ley 22/2006, de 4 de julio, de Capitalidad y Régimen Especial de Madrid, que prevé que la encomienda de gestión de determinadas actividades de carácter material, técnico o de servicios, derivadas de competencias administrativas de la Administración General del Estado y de la Comunidad de Madrid, requerirá la aceptación por el Pleno y se formalizará mediante el correspondiente convenio (art. 34.2 Ley 22/2006).

En este sentido, podemos afirmar que la normativa autonómica en materia de régimen local no hace sino positivizar la postura doctrinal y jurisprudencial mayoritaria que, al analizar el régimen jurídico de los convenios interadministrativos en el ámbito local y en atención a su carácter contractual, a su objeto –referido normalmente al ejercicio de las competencias locales– o al hecho de que éstos pueden implicar la asunción de nuevos compromisos presupuestarios, concluyen que el órgano competente para aprobarlos debe ser, en todo caso, el pleno de la entidad local afectada[251].

---

251. Podemos citar, a tal efecto, la Sentencia de la Sala de lo Contencioso del Tribunal Supremo de 11 de julio de 2000 (Ponente: Sr. Juan José González Rivas, núm. recurso 1556/1997), en la que, después de reconocerse el carácter negocial de los convenios se afirma «son las normas reguladoras de la organización de cada ente las que regulan la competencia para celebrar convenios y en el ámbito de las entidades locales, el órgano competente es el Pleno, por acuerdo adoptado con el quórum de mayoría absoluta» (FJ 6).
En el ámbito doctrinal, podemos citar, entre muchos otros, a LLISET BORRELL, Francisco: «Los convenios interadministrativos de los entes locales», en *Civitas. Revista Española de Derecho Administrativo*, núm. 67, julio-septiembre 1990, p. 339; MARTÍN HUERTA, Pablo: *Los convenios interadministrativos, op. cit.*, p. 282-283 o GRIFO BENEDICTO, Mª Amparo: *Las entidades locales y las relaciones interadministrativas*, Ed. Iustel, Madrid 2009, p. 138.

B. Contenido formal del convenio de encomienda de gestión

Por lo que se refiere al contenido formal del convenio de encomienda de gestión, nuevamente debemos partir de la idea que el artículo 15.4 de la LRJPAC no establece expresamente el contenido mínimo de dichos convenios, sino que remite a lo que se establezca por las partes. Sin embargo, la normativa autonómica que ha desarrollado dicha institución sí que se ha ocupado, en algunas ocasiones, de precisar qué extremos deben de contenerse en el instrumento de formalización de las encomiendas de gestión entre diferentes administraciones públicas, si bien con las matizaciones que, seguidamente, explicaremos.

Hay que advertir, en primer lugar, que la mayoría de leyes autonómicas que han regulado la figura de la encomienda de gestión no distinguen entre el acuerdo o convenio de encomienda de gestión en relación a su contenido, exigiéndose los mismos requisitos formales para ambos supuestos. Este sería el caso, por ejemplo, del artículo 105.5 de la citada Ley 9/2007, de 22 de octubre, de Administración de la Junta de Andalucía o del artículo 18.5 de la Ley asturiana 2/1995, de 13 de marzo, de Régimen Jurídico de la Administración de Asturias, que exigen al «instrumento de formalización» de las encomiendas –sin diferenciar si se trata de un acuerdo entre órganos o entidades pertenecientes a una misma administración o de un convenio de encomienda interadministrativo– la inclusión de ciertas determinaciones (como las actividades a que afectan, la naturaleza y alcance de la gestión encomendada, el plazo de vigencia, los supuestos de prórroga de la encomienda, etc.).

En cambio, otras comunidades autónomas, en particular Cataluña, sí que exigen algunos requisitos específicos para la formalización del convenio de encomienda de gestión entre administraciones públicas diferenciadas. Así, el ya citado artículo 10.5 de la Ley catalana 26/2010, de 3 de agosto, de Régimen Jurídico y Procedimiento de las Administraciones Públicas de Cataluña, enumera las indicaciones mínimas que deben de contenerse en dicho instrumento, entre las que destacan, por ejemplo, la especificación de las razones que justifican el encargo, el alcance y contenido de la actividad encargada o la concreción de la fórmula de financiación de la actividad.

Y, finalmente, nos encontraríamos con aquellas otras comunidades autónomas –como, por ejemplo, la Comunidad Autónoma de Castilla y León[252]– que no han regulado específicamente esta figura en sus respec-

---

252. Cfr. con la Ley 3/2001, de 3 de julio, del Gobierno y Administración de la Comunidad de Castilla y León. Al regularse el régimen de las competencias administrativas de dicha Comunidad Autónoma, la mencionada Ley se refiere solamente a las

tivos ordenamientos jurídicos y que, por lo tanto, no han previsto una disciplina específica para los convenios de encomienda de gestión. En estos casos, ello no significa que las partes tengan absoluta libertad para determinar el contenido formal del convenio sino que debemos tener presente que, en el supuesto de que la normativa autonómica no haga ninguna otra referencia expresa a ello, los convenios de encomienda de gestión deberán cumplir, como mínimo, con los requisitos formales exigidos específicamente en cada comunidad autónoma para la celebración de convenios con otras administraciones públicas o, en su defecto, con los establecidos por la normativa básica estatal (art. 6.2 LRJPAC)[253].

En definitiva, a diferencia de la libertad de forma que rige en el ámbito jurídico-privado, podemos afirmar que la actividad convencional de la administración pública es básicamente formalista, lo que nos lleva, nuevamente, a preguntarnos por las consecuencias jurídicas que podría tener el eventual incumplimiento de dichos requisitos formales; cuestión cuya respuesta, necesariamente, debe tomar en consideración la diversidad de situaciones a la que hemos aludido.

En primer lugar, siendo coherentes con lo que exponíamos en el apartado anterior, debemos considerar que, para aquellas comunidades autónomas que han establecido una regulación conjunta para los acuerdos y convenios de encomienda de gestión, dichos elementos formales deben de considerarse como requisitos mínimos o necesarios para la validez del convenio de encomienda. Como decíamos antes, al regular el instrumento de formalización de la encomienda de gestión, la legislación autonómica se expresaba de un modo claramente imperativo, por lo que llegábamos a la conclusión que, sin perjuicio del contenido que las partes voluntariamente quisieran pactar, dichos documentos debían de hacer constar, como mínimo, los elementos expresamente enumerados en las distintas leyes autonómicas. Este mismo resultado fácilmente puede extenderse también al caso de Cataluña en que el mencionado

---

figuras de la desconcentración, delegación y sustitución (art. 46-49 Ley 3/2001), sin prever expresamente la encomienda de gestión.

253. El artículo 6.2 de la LRJPAC establece: «Los instrumentos de formalización de los convenios deberán especificar, cuando así proceda: a) los órganos que celebran el convenio y la capacidad jurídica con la que actúa cada una de las partes; b) La competencia que ejerce cada Administración; c) Su financiación; d) Las actuaciones se acuerde desarrollar para su cumplimiento; e) La necesidad o no de establecer una organización para su gestión; f) El plazo de vigencia, lo que no impedirá su prórroga si así lo acuerdan las partes firmantes del convenio; g) La extinción por causa distinta a la prevista en el apartado anterior, así como la forma de terminar las actuaciones en curso para el supuesto de extinción».

artículo 10.5 de la Ley 26/2010, de 3 de agosto, prevé ya de forma expresa que el convenio de encomienda debe establecer, «al menos», determinadas indicaciones. Por lo que claramente se pone de relieve el carácter obligatorio de la enumeración prevista en dicho precepto.

Para aquellas comunidades autónomas que no han regulado dicha figura y que se remiten a la regulación básica estatal y, en particular, a los requisitos generales de los convenios de colaboración previstos en el artículo 6.2 de la LRJPAC, debemos advertir que la posición de la doctrina no es del todo unánime. Mientras que algunos autores han considerado que solamente sería determinante de la invalidez del convenio la omisión de los requisitos formales que supongan una plasmación de los elementos esenciales de su existencia (como, por ejemplo, los sujetos, su objeto o las correspondientes manifestaciones de voluntad)[254]; otros, en cambio, entienden que, en la medida que las determinaciones del artículo 6.2 de la LRJPAC se configuran como elementos básicos en cuanto a la determinación de la forma en que deben exteriorizarse los convenios, éstas deben de considerarse en todo caso como verdaderos requisitos de validez del convenio[255].

Desde nuestro punto de vista, pensamos que el tenor literal con el que se expresa el artículo 6.2 de la LRJPAC hace que su carácter imperativo aparezca muy matizado, exigiéndose dichas determinaciones sólo «cuando así proceda». De esta manera podríamos entender que, efectivamente, solo sería necesario cumplir con la integridad de las circunstancias previstas en dicho precepto cuando éstas se configuren realmente como elementos esenciales del régimen jurídico del convenio –los elementos formales indispensables a los que se refiere el artículo 63.2 LRJPAC–, siendo la inclusión de los demás aconsejable desde el punto de vista de la seguridad jurídica, en cuanto contribuyen a clarificar su contenido, evitando futuras impugnaciones o controversias frente a terceros, pero no un requisito de validez del convenio[256].

---

254. En este sentido, PARADA VÁZQUEZ, Ramón: *Régimen Jurídico de las Administraciones Públicas y Procedimiento Administrativo Común (Estudio, comentarios y texto de la Ley 30/1992, de 26 de noviembre), op. cit.*, p. 97, afirma que el contenido del artículo 6.2 de la LRJPAC «es meramente ejemplificativo y didáctico en el sentido que el convenio será válido al margen de que se recojan u omitan alguno o algunos de los puntos referidos siempre, obviamente, que se recojan los esenciales, partes intervinientes, objeto y firma». En términos similares, MARTÍN HUERTA, Pablo: *Los convenios interadministrativos, op. cit.*, p. 291.

255. ALBERTÍ ROVIRA, Enoch: «Relaciones entre las Administraciones Públicas», *op. cit.*, p. 64.

256. En el mismo sentido se expresan, por ejemplo, HERNANDO OREJANA, Luis Carlos: *La encomienda de gestión, op. cit.*, p. 139-140 y SÁNCHEZ SÁEZ, Antonio José: «Algunas reflexiones sobre la encomienda de gestión como instrumento racionalizador del

Ciertamente, a partir de esta interpretación se nos plantearía la paradoja de que, en estos últimos supuestos, el régimen jurídico de los acuerdos de encomienda de gestión celebrados dentro de una misma administración pública podría llegar a ser más restrictivo o complejo que el previsto para los convenios de encomienda entre administraciones públicas diferenciadas. Mientras que el artículo 15.3 de la LRJPAC exigiría un mínimo contenido formal para dichos acuerdos, el artículo 6.2 de la LRJPAC dejaría un mayor margen de libertad a la partes para dotar de contenido al convenios. No obstante, si tenemos presente que, en todo caso, sería exigible también en estos últimos supuestos la inclusión de todos aquellos aspectos que resulten necesarios para la identificación de los elementos esenciales del negocio jurídico, podríamos llegar a la conclusión de que, en realidad, el contenido formal de ambos instrumentos será muy similar pues, precisamente, tanto la regulación prevista en el artículo 15.3 de la LRJPAC como en el artículo 6.2 de la LRJPAC lo que pretenden es garantizar una correcta plasmación de aquellos elementos indispensables para determinar el contenido y alcance de la relación jurídica que pretende establecerse entre las partes.

C. Publicación del convenio de encomienda de gestión

Y, por último, llegamos al requisito de la publicación del convenio de encomienda de gestión. En este caso debemos partir también, como en el caso anterior, de la regla general de que cualquier acuerdo de voluntades –como es la encomienda de gestión– se perfecciona por el simple consentimiento de las partes, quedando éstas desde entonces obligadas a cumplir con lo pactado. Regla general que, por lo demás, se aplica también en el caso de los convenios administrativos, pues así lo prevé expresamente el artículo 8.2 de la LRJPAC al afirmar que, salvo que en ellos se establezca otra cosa, los convenios «obligarán a las Administraciones intervinientes desde el momento de su firma». Sin embargo, y como ya hemos hecho alusión, la entrada en vigor de los acuerdos o convenios en el ámbito jurídico-público se somete habitualmente a determinados requisitos de eficacia, entre los cuales, en lo que ahora

---

ejercicio de las competencias administrativas», *op. cit.*, quien considera que la locución «cuando así proceda» del artículo 6.2 de la LRJPAC significa que no existe obligación de que todos los convenios tengan cláusulas relativas a todos los extremos especificados por dicho precepto. Añadiendo que «Esto nos reafirma de nuevo en el relativismo jurídico al que parece estar abocada la encomienda de gestión, pues, según esto, los convenios en que se plasmen sólo tendrán que incluir las cláusulas relativas a la sustancia recognoscible de la institución tal y como viene regulada por el artículo 15 de la LRJPAC» (p. 250).

nos interesa, cobra especial relevancia su publicación en los diarios oficiales que correspondan.

Si trasladamos estas consideraciones al marco específico de los convenios de encomienda de gestión entre diferentes administraciones públicas podremos observar que, a diferencia de lo que ocurría con los acuerdos de encomienda entre órganos o entidades de derecho público pertenecientes a la misma administración (art. 15.3 LRJPAC) a los que nos referíamos anteriormente, el artículo 15.4 de la LRJPAC no hace referencia alguna a la necesidad de que los convenios de encomienda interadministrativos deban de publicarse, con lo que rápidamente se nos plantea la duda de si, efectivamente, éste debe de considerarse o no como un requisito de eficacia para la entrada en vigor de dichos instrumentos de colaboración[257].

Para dar respuesta a esta pregunta, nuevamente, debemos diferenciar entre varias situaciones, en función de la regulación concreta que resulte aplicable a dichos negocios jurídicos. En primer lugar, nos encontraríamos con aquellas comunidades autónomas en las que al regularse conjuntamente el instrumento de formalización tanto de los acuerdos como de los convenios de encomienda, podríamos extenderles las consideraciones que realizábamos hace un momento acerca de la necesidad de publicar el acuerdo de encomienda entre órganos o entidades pertenecientes a una misma administración pública. Por lo tanto, considerando que la publicación del convenio de encomienda en el diario oficial correspondiente se configuraría como un requisito de eficacia del mismo[258]. Frente a estas comunidades autónomas, nos encontraríamos con aquéllas que, o bien no han regulado expresamente esta figura en

---

257. Ante el silencio de la LRJPAC en este punto, Lucas Murillo de la Cueva afirma que es posible mantener «que su incidencia en el ejercicio competencial es tan pequeña que no merece la pena darle trascendencia pública», si bien, a continuación, dicho autor añade que «lo que no se entiende es el diferente trato dado en este aspecto a una y otra variedad» de encomienda. Lucas Murillo de la Cueva, Enrique: «Órganos de las Administraciones Públicas (Artículos 11 a 29)», *op. cit.*, p. 247.

258. En este sentido se expresarían, entre otros, el artículo 18.5 de la Ley asturiana 2/1995, de 13 de marzo, cuando subraya que «para su efectividad, el instrumento en que la encomienda se formalice, deberá de ser publicado en el Boletín Oficial del Principado de Asturias»; el artículo 24.2 de la Ley 4/2005, de 1 de junio, de Funcionamiento y Régimen Jurídico de la Comunidad Autónoma de la Rioja, que exige, en todo caso, la publicación del instrumento de formalización de la encomienda en el «Boletín Oficial de la Rioja» o, en términos similares, el artículo 39.5 de la Ley Foral 15/2004, de 3 de diciembre, de Administración Foral de Navarra, en el que también se establece que, para su eficacia, el convenio de encomienda de gestión deberá publicarse íntegramente en el Boletín Oficial de Navarra.

sus respectivos ordenamientos jurídicos –y, por lo tanto, no han establecido ninguna previsión acerca de su publicación–; o bien aquéllas que, a pesar de hacerlo, no han previsto tampoco ninguna regla específica a tal efecto[259]. Es precisamente en estos dos supuestos en los que se nos plantea la duda acerca de la exigencia obligatoria o no de publicidad del convenio de encomienda como un requisito para su eficacia.

En nuestra opinión, la respuesta a esta pregunta debe de ser positiva, entendiendo que, en estos casos, la publicación del convenio de encomienda de gestión debe de considerarse igualmente como un requisito de eficacia del convenio de encomienda. Y ello por varias razones. Primeramente, por el hecho de que dicha exigencia, tal y como ha puesto de relieve la doctrina, derivaría de su entendimiento abstracto como un medio para garantizar la objetividad, la transparencia o el control de la actividad de la Administración Pública[260]. Pero, sobretodo, porque la exigencia de publicación se impone también como un requisito necesario de la encomienda de gestión a partir de la remisión que el propio artículo 15.4 de la LRJPAC realiza a la normativa reguladora de los convenios interadministrativos. Dicha remisión supone declarar aplicable a estos supuestos el último inciso del artículo 8.2 de la LRJPAC que, precisamente, requiere obligatoriamente la publicación de los convenios administrativos en el BOE o en los diarios oficiales de las comunidades autónomas para su entrada en vigor[261].

---

259. Éste podría ser el caso, por ejemplo, de la Comunidad Autónoma de Cataluña en el que ni el artículo 10.5 de la Ley 26/2010, de 3 de agosto, al regular con carácter general la figura de la encomienda de gestión, ni tampoco el artículo 116.2 de la misma Ley, al regular las encomiendas de gestión interadministrativas, no se refieren en ningún momento a la necesaria publicación del convenio de encomienda.

260. La doctrina jurídica se ha ocupado de analizar con carácter general la exigencia de publicación de los convenios entre administraciones públicas, justificándola en argumentos muy diversos. No obstante, nos interesa destacar a BAÑO LEÓN quién sistematiza en cinco grandes razones la importancia de la publicación de los convenios interadministrativos. La primera es que los convenios son relevantes para el interés público y para el funcionamiento de los servicios públicos, a la vez que pueden repercutir en la hacienda de cada uno de los entes que los suscriben. En segundo lugar, la publicación garantizaría un mejor control de los acuerdos entre los entes participantes. La tercera razón que aporta dicho autor reside en el hecho de que no puede olvidarse que el contenido material de algunos convenios puede incidir en el ejercicio de derechos fundamentales; a la vez que los principios de buena administración y de seguridad jurídica demandan la exigencia de publicación. Y por último, la publicación del convenio se justificaría en las exigencias propias de su control judicial. BAÑO LEÓN, José María: *Los convenios interadministrativos y los consorcios*, INAP, Madrid 1988, p. 17 y sigs., citado por MARTÍN HUERTA, Pablo: *Los convenios interadministrativos, op. cit.*, p. 271-272.

261. Previsión que, por lo demás, se reitera y se refuerza también en algunas de las leyes autonómicas que han regulado el régimen jurídico de los convenios de co-

Pero con dicha argumentación aún no podemos dar por concluido este apartado. Y es que, sin perjuicio de lo apuntado anteriormente, hay que recordar que la obligación de publicar los convenios de colaboración que se deriva del artículo 8.2 de la LRJPAC no vincula a la Administración Local (art. 9 LRJPAC). Por lo que, a pesar de que en el ámbito estatal y autonómico los convenios de encomienda de gestión entre órganos o entidades de derecho público pertenecientes a distintas administraciones públicas requieran para su eficacia respecto a terceros la publicación en el boletín oficial correspondiente, los convenios de encomienda de gestión entre entidades locales se regirían, excepto que la legislación autonómica de desarrollo previera otra cosa, por el artículo 57 de la LBRL, precepto que no exige de forma expresa la publicación del convenio formalizado en los diarios oficiales. Por lo que podríamos entender que estos convenios de encomienda en el ámbito local serían plenamente válidos y eficaces desde el momento de su formalización[262].

En todo caso, aunque dicha publicación no sea obligatoria es evidente que ésta resulta siempre muy recomendable, tanto para garantizar su publicidad como para evitar supuestos de utilización fraudulenta. Teniendo en cuenta, además, que cada una de las administraciones que suscriben el convenio de encomienda de gestión puede estar obligada a publicarlo en un medio distinto, por lo que es probable que para su eficacia deban coexistir varias publicaciones[263].

---

laboración entre administraciones públicas, en las que normalmente, para dotar de eficacia dichos convenios, se exige obligatoriamente su publicación en el diario oficial de la comunidad autónoma. En este sentido, podemos citar, por ejemplo, el artículo 112.2 de la Ley catalana 26/2010, de 3 de agosto; el artículo 32 de la Ley 1/2011, de 10 de febrero, de Convenios de la Comunidad Autónoma de Aragón o también el artículo 11.6 de la mencionada Ley 2/1995, de 13 de marzo, de la Administración del Principado de Asturias.

En el mismo sentido, MESEGUER YEBRA, Joaquín: «La encomienda de gestión como técnica de modulación competencial interorgánica. Régimen jurídico y aplicación práctica: virtudes y defectos», op. cit., p. 133, quien apoya su argumentación citando la Sentencia del Tribunal Superior de Justicia de Navarra, núm. 532/2003, de 20 de mayo, que considera, a la luz de la LRJPAC, que el requisito de la publicación sólo es preceptivo con respecto a los acuerdos entre órganos administrativos o entidades de derecho público pertenecientes a la misma Administración, por lo que su omisión para el supuesto de los convenios del artículo 15.4 de la LRJPAC no sería un motivo de nulidad, sino un mero requisito para la eficacia.

262. Con ocasión del análisis de la gestión informatizada de los padrones municipales de habitantes en Cataluña insiste también en esta idea MARTÍNEZ-ALONSO CAMPS, José Luis: «La encomienda de la gestión informatizada de los padrones municipales de habitantes: un ejemplo de colaboración entre Administraciones Públicas», op. cit., p. 167-168.

263. Aunque no podamos detenernos más en ello, creemos oportuno mencionar que el hecho de que coexistan varias publicaciones puede plantear algunos problemas

5. EFECTOS DE LA ENCOMIENDA DE GESTIÓN

De acuerdo con el plan inicial de exposición del régimen jurídico de la encomienda de gestión que habíamos definido en el inicio de este capítulo, nos quedaría referirnos finalmente a los efectos jurídicos que se derivan de la constitución de la relación de encomienda y es que ésta, como toda relación jurídica bilateral, da lugar la nacimiento de derechos y deberes mutuos para cada una de las partes intervinientes.

Antes de avanzar, sin embargo, hay que advertir que, como dijimos al analizar su marco normativo, en nuestro ordenamiento jurídico coexisten diferentes regulaciones sectoriales de la figura de la encomienda de gestión que, sin duda, pueden modular los efectos concretos que se derivan de ésta en cada uno de dichos supuestos. En efecto, aunque el esquema relacional resultante de la encomienda sea el mismo, no es igual la encomienda de gestión de la tramitación de determinados procedimientos administrativos que la posible encomienda de la realización de complejas obras hidráulicas. Aún así, creemos que, al menos desde un punto de vista abstracto, sí que resulta posible identificar un núcleo de consecuencias jurídicas generales predicables en todo caso a esta institución administrativa.

5.1. LA POSICIÓN JURÍDICA DEL ENCOMENDADO

En primer lugar, centraremos nuestra atención en la posición jurídica del órgano o entidad encomendada que, como vimos, es aquel sujeto que mediante la formalización de la encomienda de gestión se compromete a llevar a cabo, por cuenta del encomendante, la actuación material que constituye el objeto de la relación de encomienda. Antes de avanzar con esta cuestión, sin embargo, creemos oportuno realizar una primera matización acerca de la posición jurídica que caracterizaría al sujeto encomendado, y es que, en nuestra opinión, no debe confundirse la figura de la encomienda de gestión del artículo 15 de la LRJPAC con la institución de la representación propia del Derecho Civil.

---

prácticos, y es que ¿a partir de que momento la encomienda de gestión deviene eficaz? ¿Es necesario para ello que sea publicada por las dos administraciones actuantes o sería suficiente con la publicación por una de ellas? Teniendo presente, al mismo tiempo, que esta duplicidad de publicaciones supone también un mayor coste para las partes intervinientes que deben sufragar los gastos derivados de la publicación en los respectivos periódicos oficiales. Sobre todas estas cuestiones resultan de interés las reflexiones efectuadas por GALÁN GALÁN al hilo del análisis de la figura del reglamento orgánico local. GALÁN GALÁN, Alfredo: *El reglamento orgánico local, op. cit.*, p. 148-150 y 167-173.

A pesar de que la figura de la representación se nos presenta como una institución enormemente compleja, con unos perfiles no siempre bien delineados y que, además, carece de una regulación específica en nuestro ordenamiento jurídico[264], creemos que existen algunas razones de peso que nos permitirían poder diferenciarla de la encomienda de gestión. El principal argumento en el que podríamos fundamentar nuestra hipótesis es que, como ya hemos puesto de relieve anteriormente, del artículo 15.2 de la LRJPAC puede deducirse claramente que la encomienda de gestión no implica la celebración de negocios jurídicos con terceros por medio de una persona que actúa en nombre de otra, a la que se imputan directamente los efectos jurídicos derivados de aquéllos, sino al contrario. La actuación del encomendado –a diferencia de la posición que caracteriza al representante– supone la prestación de una actividad material, técnica o de servicios únicamente hacia el encomendante y no hacia el tráfico jurídico con terceros –sin perjuicio de los efectos indirectos que esta prestación pudiera tener sobre los particulares a los que hacíamos referencia anteriormente–. De este modo, podemos entender que el marco de referencia de ambas instituciones es completamente diferente. Mientras que la encomienda se refiere a relaciones *internas* entre el encomendado y el encomendante, la representación se proyecta hacia las relaciones *externas*, entabladas con terceras personas por el que gestiona el interés ajeno. Al mismo tiempo debemos recordar que, como indicábamos, el objeto de la encomienda de gestión se limita únicamente a la realización de actuaciones de carácter no jurídico; limitación que resulta totalmente opuesta a la figura de la representación, que presupone la capacidad del representante para celebrar cualquier tipo de negocio jurídico con efectos directos para el representado.

De este modo, entendemos que en la encomienda de gestión no puede hablarse propiamente de representación, sino que cuando utilizamos la expresión «por cuenta del encomendante» lo que pretendemos enfatizar es la idea de ajenidad que caracterizaría las actividades materiales gestionadas a través de la encomienda. El encomendado actúa siempre por encargo de otro, realizando actuaciones administrativas ajenas y que, en principio, le estarían vetadas por corresponder a la competencia de otro órgano o entidad de derecho público.

---

264. Sobre el concepto y clases de representación existentes en nuestro ordenamiento debemos remitirnos a la bibliografía existente sobre esta materia en el ámbito del Derecho Civil, pudiendo citar, por ejemplo y entre muchos otros, De Paula Blasco Gascó, Francisco et alii: *Derecho Civil. Parte General. Derecho de la Persona*, Ed. Tirant lo Blanch, cuarta edición, Valencia 2003, p. 227 y sigs. o Diez-Picazo, Luis: *La representación en el Derecho Privado*, Ed. Civitas, Madrid 1979.

Dicho esto, podemos volver al análisis de la posición jurídica del encomendado. Así, partiendo nuevamente de la definición general anterior, podríamos caracterizar el contenido de dicha posición jurídica a través de dos aspectos esenciales: en primer lugar, el deber del encomendado de cumplir el encargo asumido y, en segundo lugar, la necesaria rendición de cuentas y la transferencia de resultados al encomendante; de los cuales nos ocuparemos a continuación.

5.1.1. Cumplimiento del encargo

La primera y fundamental obligación del encomendado consiste en el cumplimiento del encargo conferido. En efecto, la encomienda de gestión no sólo supone, desde un punto de vista positivo, reconocer al encomendado un título habilitante para actuar en un ámbito competencial que inicialmente le estaba vedado, sino que se configura, al mismo tiempo, como un deber de cumplimiento de la actuación material a la que se ha comprometido.

El contenido de dicho deber dependerá, obviamente, de aquello que las partes hayan pactado en el acuerdo o convenio de encomienda. En todo caso, si entendemos que la encomienda de gestión supone siempre la realización de una actividad por parte de la entidad encomendada (ya sea ésta de carácter material, técnico o de servicios), podemos afirmar también, en consecuencia, que ésta daría lugar al nacimiento de una *obligación de hacer* por parte del encomendado[265]. Más discutible, sin embargo, puede resultar la consideración de dicho deber también como una *obligación de resultados*.

Como vimos al inicio de este capítulo, el recurso a la figura de la encomienda de gestión se justificaba por la ausencia de los medios materiales idóneos o por la falta de capacidad de gestión del encomendante, que venían a suplirse, precisamente, por los de la entidad encomendada. En este sentido, ninguna duda habría en afirmar que la encomienda es también una *obligación de medios*, por cuanto se exigen al encomendado los medios necesarios para cumplir el encargo que voluntariamente se ha asumido; pero ¿sería exigible, además, la obtención de un determinado resultado?

La cuestión, aunque pueda parecerlo, no resulta solamente teórica, sino que tiene una importante repercusión práctica, puesto que deviene

---

265. En el mismo sentido, MORELL OCAÑA, Luis: «Encomiendas de funciones», *op. cit.*, p. 3134 y MANTECA VALDELANDE, Víctor: «La encomienda de gestión (I)», en *Actualidad Administrativa*, núm. 4, febrero 2009, p. 499.

determinante para establecer el momento exacto del cumplimiento del encargo. Morell Ocaña, al examinar esta figura, entendía que la encomienda de gestión no podía configurarse jurídicamente, en ningún caso, como una obligación de resultados[266]. Desde nuestro punto de vista, a pesar de que compartimos con dicho autor la idea de que a través de la relación de encomienda aquello a lo que se obliga el encomendado es, principalmente, a poner los medios precisos para el cumplimiento del encargo, creemos que en muchos supuestos de encomienda sí que puede exigirse la obtención de un resultado concreto, ya sea porque así se ha pactado expresamente en su instrumento de formalización o bien porque dicha característica puede inferirse directamente de su objeto. Sería el caso, por ejemplo, en que se encomienda la realización de una determinada obra o la redacción de un informe concreto, en los que al finalizar el plazo fijado a tal efecto debería ser posible verificar la obtención de un resultado real o un producto definido, susceptible de aprovechamiento por parte del encomendante.

En cualquier caso, el cumplimiento del encargo debe realizarse del modo y en el tiempo previsto en el instrumento de formalización de la encomienda de gestión; así como de acuerdo con las instrucciones que dicte el encomendante. Y es que, como veremos en el apartado siguiente, uno de los elementos que caracteriza la posición jurídica de la administración encomendante es la de mantener un poder de dirección sobre la actividad objeto de encomienda. Sólo de este modo el encomendado se liberaría, en sentido jurídico, del deber asumido mediante la encomienda. Obviamente, hay que prever que la forma normal de extinción de la relación de encomienda será el cumplimiento exacto de las prestaciones correspondientes a las obligaciones contraídas. Pero en el caso de que no fuera así, el órgano o entidad encomendante podría resolver la encomienda conferida, revocándola y recuperando la gestión de las actuaciones materiales objeto de encomienda. En términos parecidos, pero en sentido inverso, debemos admitir también la renuncia o resolución efectuada por el encomendado como efecto del incumplimiento por parte de la administración pública encomendante[267].

---

266. Morell Ocaña, Luis: «Encomiendas de funciones», *op. cit.*, p. 3134.
267. De hecho, el incumplimiento de las condiciones establecidas en los acuerdos o convenios de encomienda es uno de los motivos que, de forma más habitual, se prevén en la práctica para justificar la extinción de la relación de encomienda. Podemos citar, por ejemplo, la Cláusula Séptima de la ya mencionada Resolución de 8 de julio de 2010, por la que se publica el Acuerdo de encomienda de gestión entre la Secretaría de Estado de Investigación y el Instituto Español de Oceanografía para la gestión y coordinación de determinadas actuaciones en materia de pesca y ciencias marinas.

En todo caso, entendemos que debe hacerse un uso limitado de los supuestos de resolución por incumplimiento, aplicándolos solamente en los casos más graves y que pudieran poner en cuestión la viabilidad del encargo efectuado. Desde nuestro punto de vista, teniendo en cuenta las graves consecuencias que puede tener la facultad de resolución, así como el deber de colaboración que debe presidir las relaciones entre las diferentes administraciones públicas y los principios de buena fe y confianza legítima (art. 3 LRJPAC), consideramos más oportuno hacer una lectura restrictiva de la aplicación de dicha prerrogativa, buscando posibles medidas alternativas para lograr el correcto cumplimiento. Pero sin que ello deba entenderse, en ningún caso, como la necesidad de aceptar una mala gestión ajena

Sin embargo, más allá del régimen de extinción de la encomienda de gestión –que, por otra parte, se asemeja al de cualquier relación jurídica obligatoria– nos interesa señalar un elemento importante de su régimen jurídico, consecuencia del hecho de que mediante la encomienda no se produce una transmisión plena ni de la titularidad ni del ejercicio de las competencias administrativas. En este sentido, y en cuanto el encomendante retiene la plena disposición sobre sus competencias, debería reconocérsele también la posibilidad de resolver o denunciar el acuerdo o convenio de encomienda con carácter unilateral y sin causa justificada.

En nuestra opinión, la capacidad de revocar unilateralmente la encomienda de gestión se configura no sólo como una facultad inherente a la posición jurídica del encomendante, en el mismo plano que el crearla, sino también, y sobretodo, como un límite necesario ligado al principio de irrenunciabilidad de las competencias (art. 12 LRJPAC). En efecto, desde el punto de vista de este principio jurídico, la posibilidad de revocar la encomienda permitiría a su titular recuperar en cualquier momento la plena gestión de todas aquellas actuaciones que había vinculado a través de la relación de encomienda ya que, en caso contrario, si una vez acordado con otra entidad un determinado modo de ejercer una competencia propia, su titular se encontrara en una situación de no disponibilidad unilateral de la misma, deberíamos concluir que, en realidad, se estaría afectando a la propia titularidad de la competencia, aún cuando las partes solamente hubieran establecido un acuerdo sobre su ejercicio[268]. Obviamente, en estos supuestos la revocación unilateral

---

268.   ALBERTÍ ROVIRA, Enoch: «El régimen de los convenios de colaboración entre Administraciones: un problema pendiente», *op. cit.*, p. 636.

debería ir precedida de la correspondiente valoración y compensación de los daños sufridos por el encomendado. Pero la necesidad de resarcir patrimonialmente dichos daños no debería excluir, por sí misma, la posibilidad de revocación.

5.1.2. Transferencia de resultados y liquidación económica del encargo

Como hemos visto, el encomendante actúa siempre por cuenta del órgano o entidad que le ha conferido el encargo, ello supone no sólo que está obligado a cumplir dicho encargo sino que, además, debe revertir al encomendante los resultados finales obtenidos de su gestión. Esta obligación de dar traslado al encomendante de los resultados conseguidos no es más que una consecuencia lógica de la configuración de la encomienda de gestión como una forma de ejercicio de actividades materiales ajenas, y podría definirse como el último acto de gestión que corresponde realizar al encomendado.

La transferencia de resultados debe de ser lo suficientemente amplia y detallada como para permitir al órgano o entidad encomendante comprobar la corrección en la ejecución del encargo, de ahí que los instrumentos de formalización de la encomienda de gestión acostumbren a referirse también a estos elementos, previendo el modo de poner a disposición del aquél, en su caso, los resultados derivados de la relación de encomienda[269]. En el supuesto de que la encomienda se limite a la realización de determinadas actividades o la prestación de servicios, pero sin que derive de ellos un resultado material concreto, lo que se prevé son mecanismos de seguimiento y control del cumplimiento de los acuerdos, creando para ello órganos colegiados formados por representantes de las diferentes partes intervinientes, a los que se asigna la función de velar por la correcta ejecución de la encomienda, así como la de realizar un seguimiento de las actuaciones llevadas a cabo[270].

---

269.   Por poner un ejemplo concreto, podemos citar el Convenio de Encomienda de Gestión entre la Consejería de Educación, Cultura y Deportes de Canarias y el Ayuntamiento de la Orotava, de 14 de octubre de 2005 (BOC núm. 221, de 10 de noviembre de 2005, p. 21531-21533) por el que se encomienda a dicho Ayuntamiento la construcción de la cubierta del polideportivo del IES La Orotava. En el clausulado del Convenio se fijan, entre otras cuestiones, las obligaciones de las partes, regulándose la recepción de la obra encomendada por parte de la Consejería encomendante. Así se señala que el Ayuntamiento deberá formalizar las correspondientes actas de recepción, comunicándolo, con suficiente antelación, a la Dirección General de Centros Infraestructuras Educativas de la citada Consejería, a los efectos de designar un representante para dichas actas.

270.   En este sentido se expresa, por ejemplo, la reciente Resolución de 27 de junio de 2011 por la que el SAMUR – Protección Civil del Ayuntamiento de Madrid enco-

Este deber de transferencia de los resultados obtenidos, no obstante, debería acompañarse también del derecho del órgano o entidad encomendada a obtener la compensación económica que se haya pactado. Y es que, como fácilmente puede deducirse, la realización de las actividades materiales objeto de encomienda supone siempre un coste económico para el sujeto encomendado. El recurso a los medios materiales y humanos del encomendado para el desarrollo de las actividades encargadas comportará siempre, aunque pueda ser mínimo, un coste susceptible de ser valorado económicamente. No son sólo los gastos derivados del coste de personal y del tiempo de dedicación a la actividad encomendada, sino también los costes de amortización de los bienes propios del encomendado, los costes financieros o los derivados del consumo de productos fungibles, entre otros, los aspectos contables que deben de tenerse presentes al formalizar la relación de encomienda y que, evidentemente, deberán de ser sufragados, al menos inicialmente, por las partes intervinientes.

Ni la LRJPAC ni la legislación autonómica, sin embargo, no prevén una regla uniforme sobre esta cuestión sino que normalmente remiten al acuerdo o convenio de encomienda la determinación acerca de la forma de financiación de la encomienda de gestión, esto es, la concreción de quién debe correr con los gastos que ésta comporta. En nuestra opinión, y en cuanto la encomienda supone un coste añadido a la actividad ordinaria del ente gestor, parece lógico que dichos gastos sean asumidos principalmente por el órgano o entidad encomendante[271]. No

---

mienda, de conformidad al artículo 15.3 de la LRJPAC, la gestión del servicio de farmacia al Organismo Autónomo local Madrid Salud (BOAM, núm. 6463, de 29 de junio de 2011, p. 5-6). En la Cláusula Cuarta de dicha Resolución se acuerda la creación de una Comité Mixto de Seguimiento, compuesto por, al menos, un representante designado por cada una de las partes, que deberá velar por el buen fin de lo previsto en el acuerdo de encomienda.

271. Comparten también dicha opinión, Fernández Farreres, Germán: «Las encomiendas de gestión», *op. cit.*, p. 675, Morell Ocaña, Luis: «Encomiendas de funciones», *op. cit.*, p. 3134 o González Pérez, Jesús y González Navarro, Francisco: *Comentarios a la Ley de Régimen Jurídico de las Administraciones Públicas y del Procedimientos Administrativo Común*, *op. cit.*, quienes destacan, precisamente, que los sujetos de la encomienda de gestión se encuentran recíprocamente vinculados, por cuanto el encomendado normalmente recibirá una contraprestación por la actividad material que debe realizar (p. 765).
En este punto, Meseguer Yebra afirma también, muy acertadamente, que resultaría ciertamente extravagante justificar que cualquier órgano pudiera despreocuparse económicamente de las actividades materiales necesarias para el ejercicio de las competencias de su titularidad aprovechándose de la encomienda de su gestión a otros órganos. Meseguer Yebra, Joaquín: «La encomienda de gestión como técnica de modulación competencial interorgánica. Régimen jurídico y aplicación práctica: virtudes y defectos», *op. cit.*, p. 138.

sólo porque es a éste a quien repercuten directamente los beneficios de la actividad realizada por el encomendado sino también porque, a su vez, en cuanto que titular de la competencia debería de contar presupuestariamente con la financiación precisa para sufragar su ejercicio.

En este punto podría objetarse, quizá, que el hecho de que la encomienda de gestión se justifique en la ausencia de los medios materiales o personales necesarios para llevar a cabo una determinada actuación o en la insuficiente capacidad de gestión del encomendante (art. 15.1 LRJPAC) podría avalar la hipótesis contraria, en el sentido de que fuera el propio encomendado quien asumiera completamente, y de forma exclusiva, el coste de la actividad encomendada[272]. De hecho, esta parece ser la opción introducida en Galicia por la reciente Ley 16/2010, de 17 de diciembre, de Organización y Funcionamiento de la Administración general y del sector público autonómico de Galicia, que solamente admite la encomienda de gestión entre órganos o entidades pertenecientes a diferentes administraciones públicas cuando «el órgano que realice la actividad encomendada lo haga a título gratuito» [art 9.1 a) Ley 16/2010].

No obstante, sin negar que jurídicamente las encomiendas de gestión gratuitas puedan ser admisibles en nuestro ordenamiento, nuestra opinión sería la contraria. En primer lugar, porque, tal y como ha señalado nuestra Jurisprudencia, la colaboración interadministrativa no excluye automáticamente la compensación de los gastos que puedan ocasionarse por la prestación de un determinado servicio[273]. Y es que no

---

272. En este punto hay que insistir nuevamente en la deficiente utilización del término «encomienda de gestión» que se realiza en nuestro ordenamiento jurídico. Y es que, en ocasiones, se identifican como tales a supuestos que nada tienen que ver con dicha figura y que, en lo que ahora nos ocupa, pueden tener naturaleza esencialmente gratuita.

Es el caso, por ejemplo, de la Sentencia de la Sala de lo Contencioso Administrativo del Tribunal Supremo de 28 de marzo de 2007 (núm. recurso 76/2005, ponente: Sra. Margarita Robles Fernández) en la que se definía como encomienda de gestión del artículo 15 de la LRJPAC la atribución que el Real Decreto 685/2005, de 10 de junio, realizaba al Colegio de Registradores de la Propiedad, Mercantiles y de Bienes Inmuebles de España de la gestión material de un registro público de determinadas resoluciones judiciales; atribución que no generaba ninguna contraprestación a cargo de la Administración, sino que su gestión se realizaba a expensas del Colegio (FJ 6 y 7). No obstante, no compartimos el criterio calificador de la Sala por cuanto la realización del encargo no derivaba de un acuerdo voluntario entre dos administraciones públicas sino directamente de una norma jurídica. Por lo que, más que una encomienda de gestión administrativa, podría calificarse, como de hecho hace el propio Tribunal, como una «atribución de funciones a un ente público» (FJ 6), es decir, un supuesto de transferencia o delegación de competencias.

273. En este sentido pueden verse, por ejemplo, la Sentencia de la Sala de lo Conten-

puede confundirse el hecho de que no se dispongan de los medios materiales necesarios para una determinada actuación con la posibilidad de que, mediante la encomienda de gestión, un determinado órgano o entidad pública pueda desentenderse totalmente del coste que supone dicha actividad[274]. En nuestra opinión, el hecho de que, como veremos más adelante, la encomienda de gestión no se rija por consideraciones relativas a la obtención de una rentabilidad económica por parte del encomendado no implica automáticamente que exista una *donación* de bienes o servicios de éste hacia el encomendante.

Como es sabido, toda donación supone siempre el enriquecimiento del donatario con el correlativo empobrecimiento del donante. Y es precisamente este posible ánimo de liberalidad del encomendado el que, a nuestro entender, resultaría difícil de encajar, como regla general, en nuestro sistema administrativo. Por varios motivos. En primer lugar, porque la actuación meramente gratuita del encomendado podría resultar contraria a la lógica de los principios de gestión presupuestaria. No sólo porque una determinada entidad pública vendría obligada a asumir como propios y cubrir económicamente unos gastos por la realización de tareas materiales *ajenas* –lo que, al suponer un endeudamiento del encomendado, podría poner en riesgo los principios de estabilidad presupuestaria (art. 135.1 CE)– sino también porque podría dar lugar a una situación contable claramente contraria al principio de racionalidad o eficiencia en la asignación de los recursos públicos[275]. El ente gestor

---

cioso-Administrativo del Tribunal Supremo, de 1 de julio de 2003 (Ponente: Sr. Jaime Rouanet Moscardó núm. rec. 8493/1998) o la Sentencia de la misma Sala de 1 de junio de 2001 (Ponente: Sr. Alfonso Gota Losada, núm. rec. 2874/1996) en las que se afirma que en las relaciones interadministrativas nacidas *ex voluntatis*, de acuerdos de gestión entre entidades públicas, es perfectamente posible establecer ciertas retribuciones o compensaciones económicas por los servicios prestados (FJ 3).

274. De hecho, el artículo 15.1 de la LRJPAC se refiere únicamente a la ausencia de los «medios técnicos idóneos» para el desempeño de las actividades materiales objeto de encomienda; lo que, a nuestro entender, no debe traducirse necesariamente con la carencia de otros tipos de medios económicos o recursos materiales por parte del encomendante.

275. Véase el artículo 6 del vigente Real Decreto Legislativo 2/2007, de 28 de diciembre, por el que se aprueba el Texto refundido de la Ley General de Estabilidad Presupuestaria, en el que se recoge el principio de eficiencia en la utilización de los recursos públicos. En este se establece que las políticas de gastos públicos se ejecutarán mediante una gestión orientada por la eficacia, la eficiencia y la calidad; añadiéndose en su apartado segundo que, entre otros, los actos administrativos, los contratos y los convenios de colaboración de las diferentes administraciones públicas españolas que afecten a los gastos públicos deberán valorar sus repercusiones y efectos, y supeditarse de forma estricta al cumplimiento de las exigencias del principio de estabilidad presupuestaria.

tendría que asumir un pasivo que, presupuestariamente, correspondería a otra administración pública. Con lo que, a pesar de que el encomendado tendría que crear un crédito extraordinario para poder sufragar los costes de la prestación de dicha actividad material, el encomendado podría mantener intacto el crédito que inicialmente había previsto en su presupuesto para financiar el ejercicio de dicha competencia. Sin disminución alguna en su patrimonio.

Pero al mismo tiempo tenemos que referirnos también a motivos ligados más a la propia coherencia de la actuación pública en el momento presente. Y es que en el actual escenario de crisis económica y de reducción drástica de los ingresos públicos parece ciertamente difícil imaginar que una determinada administración pública asuma voluntariamente, sin ningún tipo de contraprestación, el coste económico derivado de la realización de una actuación material ajena[276]. Ante la ya de por sí muy difícil situación económica de nuestras administraciones públicas resulta complejo pensar que éstas puedan, además, asumir y prestar correctamente nuevas actividades o servicios sin remuneración alguna por parte del encomendante.

Es por ello que parece más razonable entender, como regla general, que el encomendante debería contribuir a la financiación de la gestión material encomendada. De hecho, la propia regulación de la LRJPAC (art. 15.4 y 6.2 LRJPAC) y también de la gran mayoría de la normativa autonómica que la desarrolla parecen moverse en esta dirección. Aunque es verdad que las distintas leyes se expresan en términos neutros, sin imponer expresamente a una de las partes el peso de sufragar el coste de la actividad, el hecho de que, necesariamente, uno de los aspectos que haya de hacerse constar en el acuerdo o convenio de encomienda sea su forma de financiación –como se precisa, por ejemplo, en el artículo 10.5 de la LRJCat o en el artículo 150.4 Ley 8/2010, de 23 de junio, de Régimen Local de la Comunitat Valenciana– o la previa comprobación de la existencia de los créditos presupuestarios suficientes –como señala el artículo 38.3 del Decreto Legislativo 2/2001, de 3 de julio, del Gobierno de Aragón– parecen presuponer que ésta normalmente no se formalizará con carácter gratuito.

Esta solución, insistimos, no es sólo la que nos parece más razona-

---

276. Quedarían excluidos de esta afirmación aquellos supuestos en que, precisamente, el auxilio o asistencia a otras entidades públicas se configura como una competencia propia de una determinada administración pública, como ocurre, por ejemplo, con las diputaciones provinciales en su función de cooperación y asistencia económica a los municipios (art. 36.1 LBRL).

ble actualmente, sino que es también la tendencia que indudablemente arroga la práctica convencional de las administraciones públicas españolas. De forma generalizada, tanto los acuerdos como los convenios de encomienda de gestión suscritos en España atribuyen normalmente a la entidad encomendante la cobertura financiera y presupuestaria de la actividad encomendada; concretando también otras muchas prescripciones relativas, por ejemplo, a la forma de pago y abono de las cantidades, a la justificación de las partidas presupuestarias, a la emisión de facturas o certificaciones, etc[277].

No obstante, sin perjuicio de lo anterior, lo que ya no nos resulta tan claro es determinar hasta donde debe llegar la remuneración del encomendante. En un principio, podríamos considerar que la encomienda de gestión exigiría, como mínimo, que el patrimonio del órgano o entidad pública encomendada quedara indemne, debiendo el encomendante reintegrar todos los posibles gastos en que aquél hubiera podido incurrir al realizar las actividades objeto de encomienda. Pero ¿debe limitarse únicamente al coste real de la actividad material gestionada? ¿O la retribución pactada podría ir más allá y suponer también un beneficio económico para el órgano u entidad encomendada? Como ya hemos señalado, la LRJPAC no se refiere a estos extremos, por lo que ésta será una de las cuestiones que deban de fijarse por las partes en el instrumento de formalización de la encomienda de gestión.

En todo caso, en nuestra opinión, la respuesta a esta pregunta debe pasar, otra vez más, por tener presentes los fundamentos constitucionales que caracterizan a esta institución jurídico-administrativa. En efecto, la encomienda de gestión no se configura como un mecanismo a dispo-

---

277. Son muchos los ejemplos concretos que podrían traerse a colación en este momento. Como muestra podemos referirnos, nuevamente, a la ya citada Resolución de 8 de junio de 2010 por la que se publica el Acuerdo de encomienda de gestión entre la Secretaría de Estado de Investigación y el Instituto Oceanográfico para la gestión de determinadas actuaciones en materia de pesca y ciencias marinas, cuya Cláusula Tercera se refiere expresamente a la financiación de las actuaciones que son objeto de encomienda, previendo para su ejecución la puesta a disposición inmediata al Instituto, tras la firma del Acuerdo, de la cantidad de 400.000 euros; cantidad que, en el caso de que se desarrollasen actividades complementarias a las expresamente previstas, podría ampliarse mediante una addenda a dicho Acuerdo. Igualmente podemos mencionar la Resolución de 17 de mayo de 2010, por la que la Consejería de Empleo, Mujer e Inmigración de la Comunidad de Madrid encomienda a la Cámara Oficial de Comercio e Industria de Madrid la gestión del Plan de Fomento del Empleo Autónomo en dicha Comunidad Autónoma (BOCM, núm. 128, de 31 de mayo de 2010, p. 63-68), cuya Estipulación Sexta prevé que la Cámara recibirá como compensación de los costes en que incurra una determinada cantidad a abonar por el Servicio Regional de Empleo de la Comunidad de Madrid.

sición de las administraciones públicas para obtener una financiación extraordinaria o un enriquecimiento patrimonial, sino que se prevé como un mecanismo de auxilio entre administraciones publicas que se justifica en razones de eficacia o de falta de capacidad de medios. De este modo, partiendo del hecho de que la utilización de la encomienda de gestión no puede estar incentivada por criterios de rentabilidad económica, podemos entender que la obligación de retribuir el encargo deba dirigirse, principalmente, a compensar al encomendado de todos los posibles gastos en que éste haya podido incurrir durante el desempeño del encargo, pero no a otros conceptos que puedan ir más allá y que pudieran suponer la voluntad de obtener un lucro económico derivado de la realización de actividades de interés general.

En este punto, sin embargo, debemos añadir que resulta ciertamente difícil poder contrastar con nuestra praxis administrativa si la actuación de las administraciones públicas españolas se ajusta realmente a las anteriores conclusiones. El hecho de que los acuerdos o convenios de encomienda de gestión se limiten la mayoría de los casos a señalar simplemente un importe global para la realización de las actuaciones materiales encomendadas, pero sin detallar o desglosar qué conceptos concretos se incluyen en dicha retribución, limita notablemente nuestras posibilidades de valorar dicha circunstancia.

No obstante, en algunos supuestos el tenor literal con el que se expresan los instrumentos de formalización de las encomiendas sí que constituye un indicio a través del cual podemos sostener las afirmaciones anteriores. Así, podemos traer a colación nuevamente la Resolución de 17 de mayo de 2010, por la que la Consejería de Empleo, Mujer e Inmigración de la Comunidad de Madrid encomienda a la Cámara Oficial de Comercio e Industria de Madrid la gestión del Plan de Fomento del Empleo Autónomo en dicha Comunidad Autónoma, en la que, como decíamos hace un momento, la Estipulación Sexta se ocupa de precisar que la retribución a recibir por la Cámara Oficial de Comercio e Industria de Madrid por la gestión del Plan autonómico se dirige únicamente a compensar los costes en los que aquél haya podido incurrir, pero sin que se prevea la posible obtención de un beneficio económico derivado de la gestión de una actividad material ajena o la inclusión de otros conceptos que no vayan ligados directamente a atender exclusivamente los gastos generados por la realización de las actividades encomendadas.

5.2. LA POSICIÓN JURÍDICA DEL ENCOMENDANTE

Para complementar la exposición acerca de los efectos derivados de la formalización de la encomienda de gestión, debemos referirnos también al contenido que caracteriza la posición jurídica del encomendante, esto es, del sujeto público que realiza el encargo y que, por tanto, adquiere el derecho a la ejecución de la prestación material de la que está necesitado y que, por carencia de medios o por razones de eficacia, no puede realizar por sí mismo. Sin embargo, la posición jurídica del encomendante no se limita únicamente a la posibilidad de exigir el cumplimiento de lo acordado. Ciertamente, ésta constituye quizá la parte más visible de la encomienda, y de la que nos ocuparemos en primer lugar, pero no debemos olvidar tampoco los restantes derechos y deberes que confluyen también en la figura del encomendante –como pueden ser la capacidad de dirigir la realización de la actividad encomendada o el deber de retribuir el encargo– y que son igualmente imprescindibles para comprender y articular correctamente la relación de encomienda. De ahí que los examinemos separadamente.

5.2.1. El derecho a la ejecución de la prestación material

Como dijimos al inicio de nuestro trabajo, la encomienda de gestión se caracteriza por la voluntad de las partes de obligarse jurídicamente, por lo que, en atención a este ánimo subjetivo de las entidades intervinientes, debemos presumir su predisposición al cumplimiento de lo acordado. Pero, en caso contrario, ¿se puede realmente exigir al encomendado el cumplimiento del encargo efectuado? La respuesta a esta pregunta resulta particularmente importante, puesto que si no resultase posible controlar judicialmente el cumplimiento de las obligaciones contraídas, difícilmente podríamos calificar a la encomienda de gestión como un acuerdo de naturaleza contractual, debiendo reconocer que estamos ante una simple declaración de intenciones sin carácter vinculante. Todo ello nos lleva consecuentemente a tener que referirnos, siquiera brevemente, a la eficacia vinculante de la relación de encomienda.

Uno de los principales interrogantes que se ha planteado la doctrina jurídica a la hora de analizar los acuerdos o convenios entre administraciones públicas ha sido el determinar su verdadero carácter jurídico, por cuanto podía entenderse que la posibilidad de exigir judicialmente el cumplimiento de una determinada obligación asumida convencionalmente presupondría una renuncia a las propias competencias. Mayoritariamente, sin embargo, se ha negado tal equiparación, entendiendo que el carácter obligatorio de los convenios no deriva solamente del reconocimiento legal previsto en el artículo 8.2 de la LRJPAC[278], sino afirmando también que la vinculación del ejercicio de una determinada competencia administrativa para un supuesto concreto no debe verse como una cesión o pérdida de dicha competencia sino más bien como una forma de ejercicio de las mismas. En la medida que el convenio se basa en el libre acuerdo de las partes interesadas y recae sobre el ámbito competencial propio se concluye que estamos ante acuerdos de carácter vinculante[279].

Del mismo modo ha parecido entenderlo el Tribunal Constitucional en su Sentencia núm. 44/1986, de 17 de abril (Ponente: Sr. Fernando García-Mon y González Regueral), en la que ha identificado como uno de los elementos diferenciadores de los convenios entre comunidades autónomas previstos en el artículo 145 de la Constitución su carácter jurídico vinculante; distinguiéndolos, por este motivo, de otros supuestos que no merecen tal consideración, como pudieran ser declaraciones conjuntas de intenciones o propósitos sin contenido vinculante o la mera exposición de directrices (FJ 3). Por su parte, la Sala de lo Contencioso-Administrativo del Tribunal Supremo también ha hecho referencia a estas cuestiones, por ejemplo, en la Sentencia núm. 278/1987, de 23 de febrero (Ponente: Sr. Francisco Javier Delgado Barrio), cuando se señala que, al ser aplicables a los convenios entre administraciones públicas los principios esenciales de los negocios jurídicos bilaterales, hay que concluir reconociendo su fuerza jurídica vinculante (FJ 2), o también en la Sentencia de la Sala de lo Contencioso-Administrativo de 4 de julio de 2003 (Ponente: Sr. Juan José González Rivas, núm. recurso 9304/1997)

---

278. Este precepto, al regular con carácter básico el régimen jurídico de los convenios de colaboración entre administraciones públicas, señala que éstos «*obligarán* a las administraciones intervinientes desde el momento de su firma» [...]. La cursiva es nuestra.

279. Un detallado examen sobre la eficacia de los convenios interadministrativos, así como a los diferentes argumentos aportados en dicha discusión, puede verse en RODRÍGUEZ DE SANTIAGO, José María: *Los convenios entre Administraciones Públicas, op. cit.*, p. 339-349 y MARTÍN HUERTA, Pablo: *Los convenios interadministrativos, op. cit.*, p. 34-37. Asimismo, en favor del carácter vinculante de los convenios interadministrativos se expresa también MARTÍN REBOLLO, Luis y PANTALEÓN PRIETO, Fernando: «Exigibilidad de los convenios interadministrativos y consecuencias patrimoniales de su incumplimiento», en AAVV: *Escritos jurídicos en memoria de Luis Mateo Rodríguez*, tomo I, Universidad de Cantabria, Santander 1993, p. 308-316; mientras que, por su parte, ALBERTÍ ROVIRA afirma que si no fuera por el carácter vinculante de los convenios «que obliga a diseñar la entera configuración de este instituto para que pueda producirse tal resultado, seguramente no valdría la pena perder demasiado tiempo en su examen». ALBERTÍ ROVIRA, Enoch: «El régimen de los convenios de colaboración entre Administraciones: un problema pendiente», *op. cit.*, p. 635.

en la que se considera que los convenios de colaboración entre entidades públicas son vinculantes para las partes, conforme al principio general del derecho *«Pacta sunt servanda»* (FJ 3).

Estas mismas consideraciones podemos hacerlas extensivas a la figura de la encomienda de gestión. Al constituir una manifestación del ejercicio de las propias competencias, que tiene su fundamento en el principio de eficacia en la actuación pública y de colaboración entre administraciones, entendemos que podemos afirmar también su carácter vinculante, pudiendo hacer valer el efectivo cumplimiento de los compromisos asumidos en sede jurisdiccional. Otra cosa es que, en atención al carácter de las tareas que se encomiendan –que, como veíamos suponen una obligación de hacer por parte del encomendado– y a la vista de nuestro sistema de control jurisdiccional de la actividad administrativa, resulte ciertamente difícil exigir judicialmente el cumplimiento de aquello establecido en el instrumento de formalización de la encomienda[280]. No obstante, en nuestra opinión, ello no es impedimento para afirmar el carácter vinculante de dicho negocio jurídico, sino para poner de relieve la necesidad de actualizar las vías procesales oportunas para obtener tal fin y para remarcar la necesidad de las partes de que, si quieren garantizar la eficacia de los compromisos adquiridos, prevean otros posibles mecanismos sustitutivos de responsabilidad por incumplimiento (como, por ejemplo, la introducción de cláusulas penales)[281].

---

280. PARADA VÁZQUEZ, Ramón: *Régimen Jurídico de las Administraciones Públicas y del Procedimiento Administrativo Común (Estudio, comentarios y texto de la Ley 30/1992, de 26 de noviembre), op., cit.*, p. 98. JIMÉNEZ BLANCO hace también referencia a estas limitaciones procesales con respecto a los convenios entre el Estado y las comunidades autónomas afirmando que, aunque ciertamente existe una vinculación jurídica que puede ser controlada por el juez, «el controlador no va bien pertrechado para su tarea. Si las obligaciones burladas eran de dar, porque el dinero público es inembargable. Y si eran de hacer, porque los poderes de sustitución están muy achicados a causa de mil circunstancias históricas y actuales. JIMÉNEZ BLANCO, Antonio: «Convenios de colaboración entre el Estado y las Comunidades Autónomas», en *Documentación Administrativa*, núm. 240, octubre-diciembre 1994, p. 104.

281. En el mismo sentido, RODRÍGUEZ DE SANTIAGO, José María: *Los convenios entre Administraciones Públicas, op. cit.*, p. 345-348. No obstante, hay que señalar que normalmente los acuerdos o convenios de encomienda de gestión que se formalizan en nuestro ordenamiento no acostumbran a prever ninguna medida sustitutiva que garantice el cumplimiento del encargo, limitándose a señalar que las cuestiones litigiosas que pudieran derivarse de la relación, en el caso en que no pudieran ser solucionadas en el seno de las comisiones de seguimiento previstas a tal efecto, serán resueltas por la Jurisdicción Contenciosa Administrativa. Así se expresa, por ejemplo, el Apartado Sexto del Convenio de encomienda de gestión entre la Comunidad Autónoma de Aragón y la Comarca de la Ribagorza de 14 de enero de 2003, en materia de inspección turística (BOA, núm. 11, de 29 de enero de 2003, p. 1854-1855) o la Cláusula Sexta del ya citado Convenio de encomienda de gestión entre

Ahora bien, en el caso de la encomienda de gestión debemos realizar aún una matización más. Y es que cuando la relación de encomienda recae sobre órganos o entidades pertenecientes a una misma administración pública, el ordenamiento administrativo sí que articula mecanismos para forzar el cumplimiento de lo pactado en el acuerdo de encomienda. En efecto, como ya hemos indicado, el principio de jerarquía utilizado como criterio de organización en el seno de cada una de las administraciones públicas implica la atribución al órgano superior de la capacidad para ordenar y dirigir las tareas de los órganos o entidades inferiores. Por lo que, en estos casos, el posible conflicto intraadministrativo se solucionaría acudiendo al superior jerárquico común que podría dirimir el conflicto, ordenando a quien correspondiera la realización de las tareas correspondientes[282].

5.2.2. El poder de dirección de la actividad encomendada

En segundo lugar, la posición jurídica de la administración pública encomendante se caracteriza también por la capacidad de dirigir la actuación del encomendado y la posibilidad de establecer unos cánones determinados en cuanto a su actuación. De modo que la actividad material o técnica de la entidad encomendada aparecería enmarcada y ordenada a través de la actividad jurídica que se reserva al encomendante. Por ello, a pesar de que la LRJPAC no haga una referencia expresa a este efecto derivado de la relación de encomienda, podemos entender que es ésta una consideración implícita en la obligación del encomen-

---

el Ayuntamiento de Bembibre y el Ayuntamiento de Fabero de 12 de febrero de 2010, para la instrucción de expedientes sancionadores del personal municipal (BOP-León, núm. 35, de 19 de febrero de 2010, p. 9-10).

282. La regulación de los mecanismos de solución de los conflictos entre los órganos o entidades pertenecientes a una misma administración pública se prevé en las normas reguladoras propias de cada una de dichas administraciones. Así, con carácter general, podemos mencionar el artículo 2.2 l) de la Ley 50/1997, de 27 de noviembre, del Gobierno, que atribuye al Presidente del Gobierno la resolución de los conflictos de atribuciones que pudieran plantearse entre diferentes Ministerios; en el ámbito autonómico podemos mencionar, por ejemplo, el artículo 12.1 e) de la Ley catalana 13/2008, de 5 de noviembre, de la Presidencia de la Generalidad y del Gobierno, que atribuye al Presidente de dicha Comunidad Autónoma la función de resolver los conflictos de atribuciones entre consejeros y entre órganos o departamentos dependientes de varios departamentos; finalmente, en el ámbito de la Administración local, podemos citar el artículo 50.1 de la LBRL que atribuye el conocimiento de los conflictos que puedan surgir entre órganos y entidades dependientes de una misma corporación local al pleno, cuando afecten a órganos colegiados o entidades de ámbito territorial inferior al municipio, o al alcalde o presidente de la entidad local de que se trate en los restantes supuestos.

dante de dictar los actos o resoluciones jurídicas que den soporte o en los que se integre la actividad material objeto de encomienda (art. 15.1 LRJPAC); a la vez que es ésta una consecuencia habitualmente reconocida por los instrumentos a través de los cuales se formalizan las diferentes encomiendas de gestión.

La normativa autonómica, en su gran mayoría, al limitarse a reproducir la redacción de la legislación básica estatal tampoco nos aporta más detalles sobre esta cuestión, si bien, en el ámbito sectorial, algunas leyes autonómicas sí que han previsto de forma expresa esta capacidad de dirección. Por ejemplo, la Ley 8/2010, de 23 de junio, de Régimen Local de la Comunidad Valenciana, al regular las encomiendas de gestión de la Generalidad valenciana a los entes locales de dicha Comunidad subraya que éstos deberán actuar con sujeción plena a las instrucciones generales y particulares que se dicten (art. 150.1 Ley 8/2010).

Por otro lado, la justificación de dicho poder de dirección no debe buscarse, en ningún caso, en una teórica posición jerárquica superior del encomendante, sino en el principio de irrenunciabilidad de competencias previsto en el artículo 12 de la LRJPAC. Como vimos anteriormente, el órgano o entidad que realiza el encargo no cede ni la titularidad ni el ejercicio formal de sus competencias propias, sino simplemente reconoce al encomendado una habilitación para desarrollar determinadas tareas materiales. Por lo tanto, el reconocimiento de este poder de dirección no es sino un reflejo de su obligación de velar por el correcto desarrollo de sus competencias y de los fines públicos que le han sido asignados. En efecto, como señalábamos anteriormente, al recaer la encomienda de gestión sobre una competencia administrativa propia del órgano o entidad encomendante la consecuencia lógica que se deriva es que éste no puede desentenderse por completo de la ejecución material de dicha actividad sino que, tanto del principio de irrenunciabilidad de las competencias (art. 12 LRJPAC) como de los principios derivados del deber constitucional de lealtad institucional (art. 4 LRJPAC), se desprende que a él le corresponde tanto la dirección del asunto como la obligación de velar por el correcto desarrollo de la actividad encomendada; pudiendo recabar, a tal efecto, cuanta información sea oportuna para ello.

Igualmente, de la ausencia de una teórica situación de superioridad derivada de la formalización de dicho negocio, podemos deducir también la idea de que la posición jurídica del encomendante difícilmente puede comprender la posibilidad de dictar verdaderas órdenes de servicio, en los términos del artículo 21 de la LRJPAC, pues la relación que une a los sujetos intervinientes en la encomienda es distinta del vínculo de jerarquía que se da entre los órganos de una misma organización administrativa[283]. Por ello, el poder de dirección se manifestará esencialmente a través de la emanación de instrucciones que interpreten y desarrollen los términos del acuerdo o convenio de encomienda, en la fijación de determinadas prescripciones técnicas que concreten el objeto del encargo, así como la posibilidad de requerir información sobre la gestión encomendada o formular requerimientos para intentar subsanar las deficiencias que pudieran detectarse.

En este sentido, y como mencionábamos anteriormente, hay que tener presente que el incumplimiento de las directrices fijadas por el encomendante podría constituir un motivo de revocación o suspensión de la encomienda de gestión[284]. Es por ello que, con la voluntad de evitar llegar a este extremo, es también habitual que en los instrumentos de formalización de las encomiendas de gestión se prevea la creación de órganos conjuntos de seguimiento y evaluación de las actuaciones encomendadas, encargados de dirimir amistosamente los posibles conflictos que pudieran surgir en el desarrollo de la encomienda de gestión e interpretar las cláusulas del acuerdo o convenio de encomienda[285].

En cualquier caso, debemos finalizar este punto poniendo de relieve la necesidad de hacer una interpretación matizada de este poder de dirección de la actividad por parte del encomendante. Y es que, si la encomienda de gestión se justifica por la falta de capacidad de gestión del encomendante y por la especial capacitación material del órgano o

---

283. En efecto, la capacidad de los órganos administrativos de dirigir la actividad de sus órganos jerárquicamente dependientes mediante órdenes de servicio se ha considerado como el núcleo principal de la relación jerárquica. En este sentido, puede verse, por ejemplo, MORENO REBATO, Mar: «Circulares, instrucciones y órdenes de servicio», en *Revista de Administración Pública*, núm. 147, septiembre-diciembre 1998, p. 159-200.

284. Así lo prevé, por ejemplo, la Ley valenciana 8/2010, de 23 de junio, en la que se señala que, en caso de incumplimiento de las directrices y medidas contenidas en el convenio de encomienda, la Consejería correspondiente en materia de Administración Local advertirá formalmente a las entidades locales implicadas y, si éstas mantuviesen su actitud, podría revocarse o dejarse sin efecto la encomienda de gestión conferida (art. 150.5 Ley 8/2010, de 23 de junio).

285. Por ejemplo, la Resolución de 8 de julio de 2010, por la que se publica el Acuerdo de encomienda de gestión entre la Secretaría de Estado de Investigación y el Instituto Español de Oceanografía para la gestión y coordinación de determinadas actuaciones en materia de pesca y ciencias marinas, prevé la creación de una Comisión de Seguimiento paritaria para resolver las dudas y controversias que pudieran surgir, rigiéndose por el régimen jurídico de los órganos colegiados previsto en la LRJPAC (Cláusula Segunda).

entidad encomendada, podemos ya imaginarnos que resultará difícil que, más allá de la fijación de un marco general y unos objetivos concretos, dicha capacidad de dirección se refiera a aspectos muy técnicos o específicos. Toda vez que ello podría resultar incluso contradictorio con la propia lógica de la figura de la encomienda de gestión[286]. De ahí que en algunas ocasiones –como en la ya citada Resolución de la Consejería de Empleo, Mujer e Inmigración de la Comunidad de Madrid, de 17 de mayo de 2010, por la que se encomienda a la Cámara Oficial de Comercio e Industria de Madrid la gestión del Plan de Fomento del Empleo Autónomo en dicha Comunidad Autónoma– se prevea que las condiciones de la gestión del encargo efectuado sean establecidas conjuntamente por las dos partes intervinientes, de común acuerdo.

5.2.3. La liquidación económica de la encomienda de gestión

Como hemos visto anteriormente, la realización de las actividades materiales, técnicas o de servicios objeto de encomienda supone siempre un coste económico. A pesar de que ni la LRJPAC ni la legislación autonómica de desarrollo no prevean expresamente quien deba asumir los costes derivados de la ejecución material de la actividad encomendada, en el apartado anterior llegábamos a la conclusión de que nos parecía coherente que éstos debieran de ser asumidos principalmente por la administración encomendante. De este modo, la obligación de retribuir el encargo efectuado se configuraría como la principal obligación del órgano o entidad encomendante, con carácter recíproco a la obligación de ejecutar el encargo que asume el encomendado.

Por lo demás, en lo que se refiere al régimen económico de la encomienda de gestión, podríamos añadir que, normalmente, su cobertura económica se habrá consignado previamente a la realización de la actuación de que se trate. De esta manera, la administración encomendante asumiría, ya desde el inicio de la relación jurídica, una posición deudora frente al órgano o entidad encomendada. Sin embargo, son también muy habituales los supuestos en que la retribución por las actividades

---

286. Esta misma problemática, derivada sobretodo del déficit de conocimientos técnicos de las administraciones públicas, se plantea también al analizar la relación de éstas con las llamadas entidades colaboradoras de la administración y al analizarse el control sobre su actividad. Sobre estas cuestiones pueden verse, entre otros, CANALS AMETLLER, Dolors: *El ejercicio por particulares de funciones de autoridad*, *op. cit.*, p. 65 y sigs; PADRÓS REIG, Carlos: «La articulación del concepto de colaboración desde el punto de vista del ordenamiento administrativo», *op. cit.*, p. 253 o GALÁN GALÁN, Alfredo y PRIETO ROMERO, Cayetano (Dirs.): *El ejercicio de funciones públicas por entidades privadas colaboradoras de la Administración*, *op. cit.*, p. 19-121.

gestionadas se hace efectiva una vez finalizado el encargo. En estos casos, como es lógico, el pago efectivo se hace depender de la verificación del correcto cumplimiento de las prestaciones comprometidas.

Son muchos los ejemplos prácticos que podemos encontrar en este ámbito. Por citar uno de ellos, podemos hacer referencia a la mencionada Resolución de 5 de octubre de 2005, por la que se publica el Convenio de encomienda de gestión entre el Ministerio de Agricultura, Pesca y Alimentación y el Instituto de Investigación y Tecnología Agroalimentaria de Cataluña para la realización de los trabajos relacionados con los preceptivos exámenes técnicos para el registro de variedades de avellano, en cuya Cláusula Cuarta se fija la financiación y forma de pago de las actividades encomendadas. Así, se señala que las cantidades debidas por el Ministerio de Agricultura, Pesca y Alimentación serán satisfechas tras la presentación del informe anual de los ensayos, una vez finalizados los trabajos realizados y, sobretodo, previa comprobación de que dicho informe se ha presentado de acuerdo con los protocolos en vigor y con arreglo al programa de trabajo previsto en el propio Convenio.

Capítulo III

La encomienda de gestión desde el punto de vista contractual

Hasta el momento hemos venido analizando el concepto y el régimen jurídico de la figura de la encomienda de gestión tal y como tradicionalmente ha venido configurándose en nuestro ordenamiento. Sin embargo, nos interesa ahora dar un paso más y profundizar en el examen de su concreta naturaleza jurídica, analizando especialmente esta figura desde una óptica contractual.

En nuestra opinión, ésta es una tarea que ha quedado, en gran parte, al margen de los trabajos doctrinales que han centrado su atención sobre dicha institución. El hecho de que ésta se haya abordado casi exclusivamente desde la vertiente de la organización administrativa –situando siempre la encomienda de gestión en el llamado *Derecho de Organización*[287]– ha supuesto dejar de lado, en muchas ocasiones, su estudio también como un negocio jurídico bilateral por el que se conviene la realización de una determinada actividad material a cambio de una contraprestación económica.

El hecho de que la anterior Ley de Contratos de las Administraciones Públicas de 1995 permitiera excluir de su ámbito de aplicación cualquier relación convencional entre entidades públicas [(art. 3.1 c) TRLCAP] seguramente explica el escaso interés doctrinal sobre estos aspectos. Al fin y al cabo, independientemente de su objeto, la propia Ley se declaraba no aplicable a dichos negocios jurídicos. Sin embargo,

---

287. Por ejemplo, GALLEGO ANABITARTE, Alfredo: *Conceptos y principios fundamentales del Derecho de Organización, op. cit., in totum*; PARADA VÁZQUEZ, Ramón: *Régimen Jurídico de las Administraciones Públicas y del Procedimiento Administrativo Común (Estudio, comentarios y texto de la Ley 30/1992, de 26 de noviembre), op. cit.*, p. 116-119 o HERNANDO OREJANA, Luis Carlos: *La encomienda de gestión, op. cit.*, p. 126 y 140.

la situación hoy día es radicalmente diferente. La modificación del marco legislativo español sobre contratación pública –mediante la aprobación de la ya citada Ley de Contratos del Sector Público de 2007 y del Texto refundido de 2011–, así como la cada vez mayor incidencia del Derecho europeo sobre nuestro ordenamiento, nos obliga a replantear si la tradicional consideración de la encomienda de gestión como un instrumento al margen de la aplicación de las reglas ordinarias de contratación es hoy día aún vigente y, en su caso, en qué condiciones.

Es por ello que consideramos oportuno dedicar el tercer capítulo de nuestra exposición a analizar la figura de la encomienda de gestión desde un punto de vista contractual, al efecto de intentar dar respuesta a algunos de los principales interrogantes que aún nos plantea esta figura, esto es ¿puede el intercambio de prestaciones entre diferentes sujetos públicos articulado a través de la encomienda de gestión configurarse como un contrato? Y, si así fuera, ¿qué tratamiento prevé la vigente Ley de Contratos del Sector Público para estos supuestos?

La respuesta a estas preguntas, como luego se verá, no resulta baladí, pues no debemos olvidar que la posibilidad de calificar la encomienda de gestión como un negocio jurídico contractual y, en su caso, sujeto a la normativa sobre contratación pública, podría tener como resultado una completa modulación de su régimen jurídico; limitándose, por ejemplo, las posibilidades de las administraciones públicas de adjudicar directamente, y al margen de los procedimientos de selección previstos en el TRLCSP, dicho encargo o exigiéndose un régimen de publicidad adecuado que garantizase la concurrencia de todos los posibles interesados.

1. EL NUEVO MARCO REGULADOR DE LOS CONTRATOS DEL SECTOR PÚBLICO

No obstante, antes de adentrarnos en el estudio de estas cuestiones, consideramos pertinente realizar una primera aproximación general al nuevo marco regulador de los contratos del sector público, y es que la importante incidencia del Derecho europeo en esta materia aconseja realizar, siquiera brevemente, alguna alusión a ello, no sólo porque la Ley española ha incorporado conceptos provenientes de las normas europeas, sino porque, además y como se ha afirmado, la legislación española sobre contratación pública ya sólo puede ser correctamente interpretada desde el contexto europeo[288].

---

288. PIÑAR MAÑAS, José Luis: «El Derecho Comunitario como marco de referencia del Derecho Español de contratos públicos», en GÓMEZ-FERRER MORANT, Rafael (Dir.):

Como es sabido, la actual Unión Europea es fruto de la convergencia de diferentes factores, derivados tanto de las diferentes formas de cooperación política desarrolladas tradicionalmente por los Estados miembros como del largo proceso de integración económica iniciado durante la segunda mitad del Siglo XX. Y ha sido, precisamente, en el aspecto económico donde la Unión Europea ha podido avanzar de una forma más eficaz, hasta rozar la plena consecución de uno de los objetivos enunciados en el artículo 3.3 del vigente Tratado de la Unión Europea: el establecimiento de un mercado interior, basado en un crecimiento económico estable y en una economía social de mercado altamente competitiva.

La efectiva realización de dicho mercado interior, entendido como la creación de un espacio económico sin fronteras en unas condiciones análogas a las existentes en un mercado interno de un Estado, ha supuesto una transformación sin precedentes de nuestro sistema, que no sólo se ha materializado en el establecimiento de unos objetivos comunes y en la implementación de una política económica basada en la estrecha coordinación, sino también en una progresiva aproximación de las legislaciones nacionales de los estados miembros. En este sentido, y dada la especial trascendencia que la contratación pública puede tener en la vida social y económica de los Estados[289], éste ha sido uno de los ámbitos en los que la legislación europea ha encontrado un mayor desarrollo, llegándose a conformar un verdadero «Derecho común de los contratos públicos»[290].

Comentarios a la Ley de Contratos de las Administraciones Públicas, op. cit., p. 27. En el mismo sentido, entre otros muchos, BAÑO LEÓN, José Mª: «La influencia del Derecho Comunitario en la interpretación de la Ley de Contratos de las Administraciones Públicas», *Revista de Administración Pública,* núm. 151, enero-abril 2000, p. 11.
Igualmente, en este punto podemos recordar las palabras de SCHMIDT-ASSMAN cuando afirma que el Derecho europeo se ha convertido hoy día en un factor omnipresente en la actividad cotidiana de la Administración Pública, que no sólo atañe a las administraciones especializadas, sino que puede cobrar importancia para la actuación de cualquier órgano administrativo, hasta la última actividad de la administración local. SCHMIDT-ASSMAN, Eberhard, *La teoría general del Derecho Administrativo como sistema,* Ed. Marcial Pons, Madrid 2003, p. 42.

289. Para hacernos una idea del impacto económico de la contratación pública basta hacer referencia al documento de trabajo publicado por la Comisión Europea sobre los recursos destinados por los diferentes Estados de la Unión Europea a la adquisición de bienes, obras y servicios durante el período 2004-2008. A pesar de que la importancia varía significativamente entre los diferentes Estados miembros, solamente en el año 2008 el gasto público contratado se cifra en 2.155 billones de euros. Véase, Comisión Europea: *Public Procurement Indicators 2008,* [En línea]. *http://ec.europa.eu/internal_market/publicprocurement/docs/indicators2008_en.pdf*

290. En este sentido, por ejemplo, RAZQUÍN LIZARRAGA, Martín Mª: *Contratos públicos y Derecho Comunitario,* Ed. Aranzadi, Pamplona 1996, p. 35 o MORENO MOLINA, José

En efecto, la necesidad de asegurar la existencia de un marco jurídico uniforme y sin exclusiones a todos los Estados miembros que garantizase el funcionamiento de una economía de mercado, evitando el establecimiento a nivel interno de prácticas restrictivas de la libre competencia, explica que, a partir de los años 70, se hayan venido adoptando una serie de directivas relativas a la coordinación de las diferentes legislaciones nacionales en esta materia; especialmente en lo que se refiere a los procedimientos de adjudicación de los contratos públicos de obras, servicios y suministros, así como al establecimiento de un sistema específico de recursos y de procedimientos para garantizar la aplicación y el respeto a dichas disposiciones[291].

Actualmente, el marco normativo europeo relativo a la contratación pública se encuentra regulado principalmente en dos Directivas –la Directiva 2004/17/CE, del Parlamento Europeo y del Consejo, de 31 de marzo, sobre la coordinación de los procedimientos de adjudicación de los contratos en los sectores del agua, la energía, los transportes y los servicios postales, y la Directiva 2004/18/CE, de 31 del Parlamento y del Consejo, de 31 de marzo, sobre la coordinación de los procedimientos de adjudicación de los contratos públicos de obras, suministros y de servicios– que, sobre la base de la simplificación y modernización de los procedimientos contractuales, pretenden garantizar el respeto a las libertades comunitarias y a los principios de no discriminación, proporcionalidad y transparencia que se derivan de ellas.

Y es en el marco de estas Directivas en el que debemos situar el vigente Texto refundido de la Ley de Contratos del Sector Público, cuyo

---

Antonio:Reciente evolución del derecho público en el ámbito de la contratación pública. La tendencia hacia la formación de un derecho común», en *Contratación Administrativa Práctica*, núm. 34, 2004, p. 28-53. En términos parecidos se expresa Piñar Mañas al considerar que estamos ante uno de los ejemplos más significativos de la comunitarización de los ordenamientos nacionales, Piñar Mañas, José Luis: «El Derecho Comunitario como marco de referencia del Derecho Español de contratos públicos», *op. cit.*, p. 28.

291. Sobre la evolución de la normativa comunitaria sobre contratación pública es preciso citar Razquín Lizarraga, Martín Mª: *Contratos públicos y Derecho Comunitario*, *op. cit.*, p. 39-47, en el que se agrupa el desarrollo de dicha normativa en tres fases o etapas diferenciadas: desde los inicios, el año 1961, a través de los Programas generales de supresión de las restricciones a las libertades de establecimiento, libre prestación de servicios, hasta los nuevos horizontes que plantea la ampliación de la Unión Europea. En términos parecidos, y entre otros muchos, Gimeno Feliú, José María: *La nueva contratación pública europea y su incidencia en la legislación española. La necesaria adopción de una nueva Ley de contratos públicos y propuestas de reforma*, *op. cit.*, p. 23-63 o Piñar Mañas, José Luis: «El Derecho Comunitario como marco de referencia del Derecho Español de contratos públicos», *op. cit.*, p. 25-27.

principal objetivo, tal y como se afirma en su Exposición de Motivos, no es otro que completar la transposición de dichas normas europeas a nuestro ordenamiento jurídico, garantizando que la contratación de las entidades que conforman el sector público español se ajustan a las libertades comunitarias y a los principios que de ellas se derivan. Para ello se introducen importantes modificaciones tanto en lo que a la preparación y adjudicación de los contratos del sector público se refiere (permitiendo introducir, por ejemplo, consideraciones de tipo social o medioambiental como criterios de valoración de las ofertas, o introduciendo el concepto de «oferta económicamente más ventajosa») como en la gestión del ciclo contractual (apostando por las nuevas tecnologías y simplificando la tramitación y gestión los procedimientos contractuales).

Desgraciadamente no podemos detenernos más en el estudio del contenido y sistemática de la nueva Ley. A pesar de su interés y actualidad, dicha cuestión sobrepasa con mucho el objetivo principal de nuestro trabajo[292]. Por lo tanto, a partir de ahora centraremos ya nuestra atención en intentar dar respuesta a las preguntas que nos planteábamos al inicio de esta exposición, para lo cual resultará esencial referirse al ámbito de aplicación del TRLCSP. Y es que será precisamente dicho ámbito de aplicación el que nos ayudará a determinar si la encomienda de gestión debe o no considerarse como un verdadero contrato público y, en su caso, si debe de sujetarse también a las prescripciones normativas contenidas en dicha norma legal.

2. EL ÁMBITO DE APLICACIÓN MATERIAL DEL TRLCSP. ¿PUEDE LA ENCOMIENDA DE GESTIÓN CONCEPTUARSE COMO UN *CONTRATO PÚBLICO* A EFECTOS DEL TRLCSP?

Según su artículo primero, el nuevo TRLCSP tiene por objeto regu-

---

292. Son muchos los trabajos doctrinales publicados recientemente y que analizan detalladamente el contenido de la nueva Ley de Contratos del Sector Público y sus principales novedades. Así, pueden verse, entre otros muchos, BERMEJO VERA, José (Dir.): *Diccionario de Contratación Pública*, Ed. Iustel, Madrid 2009; DEL SAZ, Silvia: «La nueva Ley de Contratos del Sector Público. ¿Un nuevo traje con las mismas rayas?», en *Revista de Administración Pública*, núm. 174, septiembre-diciembre 2007, p. 335-366; GIMENO FELIU, José María: *Novedades de la Ley 30/2007 de 30 de octubre en la regulación de la adjudicación de los contratos públicos*, Ed. Aranzadi, Madrid 2010; MORENO MOLINA, José Antonio: *La nueva Ley de Contratos del Sector Público. Estudio sistemático*, Ed. La Ley, Madrid 2009; PAREJO ALFONSO, Luciano y PALOMAR OLMEDA, Alberto (Dir.): *Comentarios a la Ley de Contratos del Sector Público*, Ed. Bosch, Barcelona, 2009 o COLAS TENÁS, Jesús y MEDINA GUERRERO, Manuel (Coord.): *Estudios sobre la Ley de Contratos del Sector Público*, Fundación Democracia y Gobierno Local, Madrid 2009.

lar la contratación del sector público, incluyendo dentro de esta categoría –y, en consecuencia, sometiéndolos a lo previsto en dicho texto normativo– todos los contratos onerosos, cualquiera que sea su naturaleza jurídica, que celebren los entes, organismos y entidades comprendidos en su ámbito de aplicación (art. 2.1 TRLCSP).

De este modo, la Ley fija con claridad los elementos necesarios para determinar su aplicabilidad, articulándola alrededor de tres aspectos: 1) que se trate de un contrato, 2) que tenga carácter oneroso y 3) que haya sido celebrado por una de las entidades que la Ley considera comprendidas dentro del sector público. Estos tres elementos tienen que concurrir de modo acumulativo, de manera que si un determinado negocio jurídico carece simultáneamente de alguno de ellos no podremos hablar, en rigor, de la existencia de un *contrato del sector público* a efectos del TRLCSP y, por lo tanto, su regulación quedaría fuera del ámbito de aplicación de dicha norma jurídica[293].

En consecuencia, debemos comenzar este capítulo descomponiendo cada uno de estos tres elementos para analizar si la figura de la encomienda de gestión, tal y como la hemos venido configurando hasta ahora, reúne todos los requisitos para ser calificada, efectivamente, como un «contrato del sector público» a efectos del TRLCSP.

2.1. LA ENCOMIENDA DE GESTIÓN COMO *CONTRATO*

El primer requisito indispensable para la aplicación del TRLCSP reside en la existencia de un *contrato*. La definición de qué debemos entender como tal es una tarea que el TRLCSP no asume por sí misma, sino que ésta se remite a la idea de contrato como una categoría conceptual preexistente. Y es que, como sucede con otras tantas muchas instituciones del Derecho Público, no existe en el Derecho Administrativo un concepto propio de contrato, como categoría jurídica, sino que éste se ha venido construyendo a partir de los esquemas clásicos del Derecho Civil[294].

---

293. Estos tres elementos son también los que, con carácter general, ha utilizado el TJUE para identificar la existencia de un contrato público. Podemos citar, por ejemplo, la STJUE de 13 de enero de 2005, asunto C-84/03, *Comisión de las Comunidades Europeas / Reino de España*, FJ 37. En el ámbito doctrinal, se refiere también específicamente a dichos elementos del contrato BERNAL BLAY, Miguel Ángel: «Acerca de la transposición de las Directivas comunitarias sobre contratación pública. Comentario a la STJCE de 13 de enero de 2005, As. C-84-03 (Comisión vs. Reino de España), y el Real Decreto-Ley 5/2005, de 11 de marzo», en *Revista de Administración Pública*, núm. 168, septiembre-diciembre 2005, p. 177.

294. Sobre el origen ius-privatista del contrato administrativo pueden verse, entre otros, MARTÍN-RETORTILLO BAQUER, Sebastián: *El Derecho Civil en la génesis del Derecho Admi-*

De este modo, y partiendo de la definición del artículo 1254 del Código Civil, podríamos pensar que con el término *contrato* el TRLCSP se está refiriendo a todo acuerdo de voluntades entre dos o más personas, dirigido a la configuración, modificación o extinción de un vínculo obligatorio entre ellas. Como puede observarse, nos referimos a un concepto muy amplio de contrato –a un supraconcepto, recordando las palabras de DÍEZ-PICAZO[295]–, aplicable no sólo al ámbito jurídico privado, sino también a otros muchos campos jurídicos (entre ellos el relativo a la actuación de la Administración Pública), y que serviría de base común para explicar el nacimiento de obligaciones entre dos sujetos distintos. Ha sido también este concepto amplio de contrato el que, tradicionalmente, ha venido utilizando nuestra doctrina para explicar la figura del *contrato* en el ámbito del Derecho Administrativo; entendiendo como tal todo acuerdo de dos o más voluntades en vista a la creación de un vínculo jurídico[296]. Si bien, como decíamos y como se deriva también del TRLCSP, ello no ha impedido que, sobre la base de este esquema clásico, para poder hablar hoy día de la existencia de un *contrato del sector público* se exija la concurrencia de otros requisitos sustantivos específicos.

En este punto, debemos añadir que, a pesar de que desde las instituciones europeas no se ha ofrecido tampoco una definición general del

nistrativo, Ed. Civitas, Madrid 1996, p. 24 y sigs.; GARCÍA DE ENTERRÍA, Eduardo: «La figura del contrato administrativo», en *Revista de Administración Pública*, núm. 41, mayo-agosto 1963, p. 111-116; GARCÍA DE ENTERRÍA, Eduardo y FERNÁNDEZ RODRÍGUEZ, Tomás Ramón: *Curso de Derecho Administrativo I, op. cit.*, p. 672-673. Más recientemente, BUSTILLO BOLADO, Roberto O.: *Convenios y contratos administrativos: transacción, arbitraje y terminación convencional del procedimiento*, Ed. Thomson-Aranzadi, segunda edición, Madrid 2004, p. 44 y 101-105.
Nuestra Jurisprudencia también ha insistido en esta idea, afirmándose, por ejemplo, en la Sentencia de la Sala de lo Civil del Tribunal Supremo de 11 de mayo de 1982 (Ponente: Sr. Rafael Casares Córdoba, RJ 1982/2566) que la contratación administrativa y la civil tienen una «común plataforma sustentadora, constituida por la elaboración iuscivilística del contrato» (FJ 2). En el mismo sentido, entre otras, la Sentencia de lo Contencioso-Administrativo del Tribunal Supremo, de 18 de diciembre de 2001 (Ponente: Sr. Francisco González Rivas, núm. recurso 9233/1997, FJ 2).

295. DÍEZ-PICAZO, Luis: *Fundamentos de Derecho Civil Patrimonial, op. cit.*, p. 76. En términos parecidos se expresa ALBALADEJO que se refiere también a la idea de contrato en sentido amplio, como un negocio jurídico bilateral dirigido a la creación de obligaciones. ALBALADEJO, Manuel: *Derecho Civil II. Derecho de obligaciones*, volumen I, séptima edición, Ed. Bosch, Barcelona 1983, p. 367 y sigs.

296. GARCÍA DE ENTERRÍA, Eduardo y FERNÁNDEZ RODRÍGUEZ, Tomás Ramón: *Curso de Derecho Administrativo I, op. cit.*, pp. 672-673 o MORELL OCAÑA, Luis: *Curso de Derecho Administrativo*, Tomo II, Ed. Aranzadi, tercera edición, Pamplona, 1998, p. 264.

concepto *contrato*[297], el Tribunal de Justicia de la Unión Europea sí que se ha referido al concepto de «contrato público» previsto en las Directivas europeas, delimitándolo de una manera muy amplia, en la que, prescindiendo de definiciones dogmáticas, lo ha entendido aplicable a todo «convenio entre dos personas distintas». Es decir, de forma similar a la que comentábamos anteriormente, configurándolo también de modo genérico como la prestación voluntaria de un consentimiento entre dos personas, dirigido al establecimiento de una relación jurídica entre ellas[298].

Por lo tanto, es a partir de estas consideraciones que debemos pasar a analizar si la figura de la encomienda de gestión puede calificarse realmente como un *contrato*. Y para ello tomaremos como referencia los requisitos que el artículo 1261 del Código Civil exige para que podamos hablar de la existencia de un contrato, esto es: consentimiento, objeto y causa[299]. Dichos requisitos, consustanciales a la propia definición de

---

297.   En el ámbito del Derecho Privado Europeo sí que se han formulado algunas consideraciones relativas a la aproximación de las legislaciones nacionales en materia de obligaciones y contratos. Sin embargo, las enormes diferencias existentes entre los Estados miembros explican que, de momento, la meta de la unificación del Derecho Privado Europeo se haya movido esencialmente en el ámbito doctrinal, donde podemos destacar, por ejemplo, el Proyecto de Código Europeo de Contratos elaborado por el *Grupo de Pavía*. En éste se define al contrato de un modo similar al que proponíamos anteriormente, como «el acuerdo de dos o más personas, destinado a crear, regular modificar o extinguir una relación jurídica, de la que pueden derivarse obligaciones y otros efectos, incluso a cargo de una sola parte» (art. 1 Proyecto Código Europeo de Contratos). Para una aproximación a estas cuestiones, puede verse DE LOS MOZOS DE LOS MOZOS, José Luis: *Estudios de Derecho de los contratos, integración europea y codificación*, Centro de Estudios Registrales, Madrid 2005.
298.   En este sentido, por ejemplo, se expresa la citada STJUE de 18 de noviembre de 1999, asunto C-107/98, *Teckal Srl /Comune di Viano, Azienda Gas-Acqua Consorziale (AGAC) di Regio Emilia* (FJ 49) o la STJUE de 11 de mayo de 2006, asunto C-340/04, *Carbotermo SpA, Consorcio Alisei / Commune di Busto Arsizio, AGESP, SpA* (FJ 32). Asimismo, PERNAS GARCÍA nos recuerda que, entre otros, el Abogado General Sr. Phillippe Léger, ha hecho mención también a la consideración del contrato como un acuerdo entre dos personas jurídicas con capacidad para obligarse mediante la expresión de su libre voluntad. Conclusiones del Abogado General Phillippe Léger presentadas el 15 de junio de 2000, asunto C-94/99, *ARGE Gewässerschutz/Bundesministerium für Land – und Forstwirtschaft*, FJ 49; citado por PERNÁS GARCÍA, Juan José: *Las operaciones in house y el Derecho comunitario de los contratos públicos, op. cit.*, p. 32.
299.   Aunque ha sido la doctrina civilística la que principalmente se ha ocupado de analizar los requisitos esenciales de los contratos, la doctrina jurídico-administrativa se ha referido también a ellos a la hora de analizar la validez de los contratos administrativos, afirmándose mayoritariamente que para poder hablar de la existencia de un contrato administrativo es requisito previo y necesario que concurra un acuerdo de voluntades, un objeto cierto y una causa.

contrato que manteníamos anteriormente, han de integrar todo contrato; de tal manera que para poder configurar la encomienda de gestión como un negocio jurídico contractual será preciso que esta figura reúna también estos elementos esenciales.

2.1.1. La encomienda de gestión como un acuerdo de voluntades de carácter bilateral

Para poder hablar de *contrato*, en primer lugar, es necesario que se produzca un acuerdo de voluntades entre dos personas diferentes. En efecto, el contrato es, técnicamente, una estructura consensual que encuentra su base en la concurrencia de dos o más declaraciones de voluntad a través de las cuales las partes se proponen conseguir un determinado resultado. Así lo exige el artículo 1254 del Código Civil, al prever que el contrato sólo existe desde que una persona (o varias) consiente en obligarse respecto de otra (u otras). De modo que deben de quedar excluidos de la calificación contractual tanto aquellos actos jurídicos de carácter estrictamente unilateral –es decir, que tienen su origen en la declaración de voluntad de una sola de las partes–, como aquéllos que vienen impuestos directamente por el ordenamiento jurídico, sin que las partes puedan configurar las consecuencias jurídicas que se derivan de sus recíprocas manifestaciones de voluntad.

En nuestra definición inicial de la encomienda de gestión subrayábamos el hecho de que ésta, por su propia naturaleza, exigía siempre la intervención de dos sujetos distintos –el encomendante y el encomendado– que se constituían como las partes de la relación jurídica creada (art. 15.1 LRJPAC). Ello nos llevaba a calificar genéricamente a esta forma de colaboración administrativa como una relación de carácter bi-

---

En este sentido, por ejemplo, MARTÍN REBOLLO, Luis y PANTALEÓN PRIETO, Fernando: «Exigibilidad de los convenios interadministrativos y consecuencias patrimoniales de su incumplimiento», en AA VV: *Escritos jurídicos en memoria de Luis Mateo Rodríguez, op. cit.*, p. 308; BOQUERA OLIVER, José Mª: «La caracterización del contrato administrativo en la reciente jurisprudencia francesa y española», en *Revista de Administración Pública*, núm. 23, enero-abril 1957, p. 201; PENDÁS GARCÍA, Benigno (Coord.): *Derecho de los contratos públicos (Estudio sistemático de la Ley 13/1995, de 18 de mayo, de Contratos de las Administraciones Públicas)*, Ed. Praxis – Wolters Kluwer, Barcelona, 1995, p. 273-300; VELÁZQUEZ CURBELO, Fernando: *Manual Práctico de Contratación Administrativa*, Ed. Marcial Pons, Madrid 2003, p. 8-10; GARRIDO FALLA, Fernando, PALOMAR OLMEDA, Alberto y LOSADA GONZÁLEZ, Herminio: *Tratado de Derecho Administrativo, op. cit.*, p. 67 o, más recientemente, GARCÍA GÓMEZ DE MERCADO, Francisco (Coord.): *Manual de contratación del Sector Público. Estudio sistemático de las obligaciones de la Hacienda Pública, los contratos y convenios de la Administración y del resto del Sector Público*, Ed. Comares, Granada 2011, p. 249-251.

lateral, consecuencia de la confluencia del acuerdo entre la Administración Pública carente de medios o capacidad de gestión para actuar por sí misma y aquella otra entidad pública a la que se encomienda el auxilio en la gestión de determinadas tareas materiales. No obstante, el hecho de que la relación de encomienda recaiga siempre entre entidades públicas, que deben actuar con pleno sometimiento al principio de legalidad y orientar su actuación a la satisfacción del interés general (art. 103.1 CE); así como la posibilidad de que la encomienda pueda formalizarse también entre órganos o entidades pertenecientes a la misma administración pública (art. 15.1 LRJPAC), han llevado a la doctrina y a la jurisprudencia a cuestionarse si, efectivamente, en estos supuestos puede hablarse también de la existencia de un nexo contractual *voluntario* entre dos sujetos *diferentes*. Por lo que, ante la importancia de dicha calificación, creemos oportuno detenernos un momento y analizar con más detalle la concurrencia de cada uno de dichos elementos.

A. La encomienda de gestión como negocio jurídico bilateral

Cuando la encomienda de gestión se formaliza entre dos administraciones públicas distintas (art. 15.4 LRJPAC), en mi opinión, no habría mayores impedimentos para poder calificar, desde un punto de vista subjetivo, este negocio jurídico como bilateral. En efecto, en este supuesto nos encontraríamos ante dos personas diferentes, con personalidad jurídica plena para la gestión de sus respectivos intereses, que libremente convienen la realización de determinadas tareas de carácter material, técnico o de servicios; por lo que la encomienda de gestión no sería más que una técnica jurídica para ordenar las relaciones entre los diferentes sujetos públicos en los que se estructura nuestro ordenamiento jurídico-administrativo. Obviamente, en esta categoría podríamos incluir tanto las relaciones entre administraciones territoriales diferentes, como aquéllas formalizadas entre éstas y otras entidades jurídico-públicas de naturaleza institucional o corporativa pertenecientes a diferentes administraciones públicas.

Sin embargo, junto a los anteriores, el artículo 15 de la LRJPAC podría dar cobertura también a otros supuestos de transferencia de la realización de actividades materiales, técnicas o de servicios cuya calificación bilateral resulta mucho más dudosa. Ello se debe esencialmente a dos factores: bien porque nos encontramos ante una simple relación entre órganos de una misma administración pública o bien porque se formaliza respecto de entidades que, aunque formalmente se dotan de personalidad jurídica propia, se hallan unidas a una administración pública territorial por una relación de vinculación o dependencia. Detengámonos un momento a analizar cada una de estas cuestiones.

a) Las encomiendas de gestión interorgánicas. Como ya ha quedado dicho, el artículo 15.3 de la LRJPAC permite que las encomiendas de gestión se formalicen entre órganos administrativos –supuestos que denominábamos encomiendas de gestión *interorgánicas*–. En estos casos, el hecho de que, por principio, los órganos administrativos carezcan de personalidad jurídica propia y, por tanto, no puedan ser sujetos de Derecho, impide que podamos hablar propiamente de la existencia de un verdadero negocio jurídico bilateral[300].

Ciertamente hoy día no puede negarse la juridicidad de las relaciones de funcionamiento que pueden establecerse entre las distintas unidades funcionales de una misma organización administrativa –de hecho, el propio artículo 18.1 de la LRJPAC se refiere a ellas, al señalar que los órganos administrativos ajustarán su actividad a los principios previstos por la propia Ley[301]– pero lo cierto es que al tratarse de relaciones organizativas puramente internas de una misma persona jurídica, sin trascendencia en el ámbito de las relaciones intersubjetivas, se sitúan fuera de la consideración contractual. Y es que en estos casos falta uno de los elementos esenciales para poder hablar de contrato: la alteridad de las partes contratantes.

En consecuencia, cuando la Administración, a la hora de gestionar sus servicios acude a sus propios medios administrativos, sin recurrir a ninguna entidad externa y ajena a su propia organización, no tendría sentido tampoco plantearse el tratamiento normativo de dichas enco-

---

300. Nos referimos en este caso a encomiendas de gestión entre órganos administrativos pertenecientes a una misma administración pública, puesto que cuando la encomienda se formaliza entre órganos de diferentes administraciones nos encontraríamos ante un supuesto diferente –el de las encomiendas de gestión *interadministrativas*–. En estos supuestos, como veremos posteriormente, sí que existe una relación entre dos sujetos diferenciados puesto que, a pesar de que la Administración actúa a través de los órganos competentes, su actuación es imputada a la persona jurídica a la que pertenecen.

301. Algunos autores, a la hora de explicar la existencia de relaciones jurídicas entre órganos de una misma administración, no dudan en reconocerles un cierto grado de personificación, hablándose, en algunos casos, de *capacidad jurídica parcial*. GALLEGO ANABITARTE, Alfredo: *Conceptos y principios fundamentales del Derecho de Organización, op. cit.,* p. 31; ARIÑO ORTIZ, Gaspar: *La Administración Institucional (Bases de su régimen jurídico). Mito y realidad de las personas jurídicas en el Estado,* Instituto de Estudios Administrativos, segunda edición, Madrid 1974, p. 120 y sigs. En el mismo sentido, y apoyándose en la doctrina italiana, MARTÍN HUERTA, Pablo: *Los convenios interadministrativos, op. cit.,* p. 62-67.

miendas a efectos de garantizar la igualdad de trato o la libre concurrencia de los particulares. El hecho que se trate de relaciones puramente internas, derivadas de la coordinación exigible en el seno de las administraciones públicas y del principio de jerarquía, que pretenden asegurar el correcto desarrollo de las funciones atribuidas a una determinada organización administrativa, las sitúa fuera de la lógica del mercado y de cualquier posible afectación al derecho de la competencia, lo que, en consecuencia, vendría a excluirlas de la aplicación de las normas sobre contratación pública[302].

Ésta ha sido, precisamente, la interpretación mantenida tanto por el Tribunal de Justicia de la Unión Europea como por el legislador español. Por lo que se refiere al primero de ellos, podemos señalar que el TJUE, al analizar el ámbito de aplicación de las Directivas, ha venido a afirmar de forma expresa el hecho de que las normas europeas sobre contratación pública toman sólo en consideración los contratos celebrados entre sujetos dotados de personalidad jurídica propia[303]. Según vimos anteriormente, el Derecho europeo de la contratación se dirige únicamente a garantizar la apertura a la concurrencia del mercado de la contratación pública, asegurando en este ámbito el respeto a los princi-

---

302. Por este mismo razonamiento, es decir, por el hecho de responder a principios organizativos propios de las administraciones públicas, tampoco tendría sentido plantearse la posible afectación de la encomienda de gestión hacía los demás órganos de la misma estructura administrativa que no han recibido dicho encargo. Y es que, en efecto, ninguna igualdad de trato o libre concurrencia debe garantizarse respecto de órganos que forman parte de una misma administración pública y que se organizan de acuerdo con los principios de jerarquía y dirección.

Sobre el tratamiento de las relaciones interorgánicas, pueden verse, entre otros, SANTAMARÍA PASTOR, Juan Alfonso: «La teoría del órgano en el Derecho Administrativo», *op. cit.*, p. 43-55; SANTAMARÍA PASTOR, Juan Alfonso: *Principios de Derecho Administrativo General, op. cit.*, 856 o GALLEGO ANABITARTE, Alfredo: *Conceptos y principios fundamentales del Derecho de Organización, op. cit.*, p. 30-32. Asimismo, sobre la imposibilidad de trabar relaciones convencionales entre órganos de una misma persona jurídica, GÁLVEZ, Javier: «Nulidad del convenio celebrado entre dos Ministerios y legitimación para recurrir», en *Civitas. Revista Española de Derecho Administrativo*, núm. 21, abril-junio, 1979, p. 286-288.

303. En este sentido puede verse, por ejemplo, la ya citada Sentencia del TJUE de 18 de noviembre de 1999, *Teckal*, en la que se subraya esta idea, considerando que para poder hablar de la existencia de un contrato público es preciso que éste haya sido celebrado por una entidad territorial y una persona *jurídicamente distinta de ésta* (FJ 50). O incluso se expresa de un modo más claro la STJUE de 13 de enero de 2005, *Stadt Halle, RPL Recyclingpark Lochau GMBH/Arbeitsgemeinschaft Termische Restabfall- und Enegieverwertungsanlage*, al declarar que cuando una autoridad pública realiza las tareas de interés público que le corresponden con sus propios medios no existirá un contrato oneroso celebrado entre dos personas *jurídicamente diferenciadas*, por lo que no habrá lugar a aplicar las normas sobre contratación pública (FJ 48).

pios de no discriminación, publicidad y transparencia; pero no prejuzga la forma en que las diferentes administraciones nacionales organizan y regulan el funcionamiento de sus propios servicios internos. Cuestión ésta que queda circunscrita a la autonomía institucional de cada Estado.

Por su parte, el vigente TRLCSP tampoco parece tomar en consideración las relaciones de carácter interorgánico, sino que limita su ámbito de aplicación únicamente a las relaciones entre personas jurídicas. Así, la Ley solamente regula los contratos celebrados entre, por una parte, los «entes, organismos y entidades» integrados en el sector público español –a los que el artículo 3 de la TRLCSP exige necesariamente estar dotados de personalidad jurídica propia– y, por otra, las personas naturales y jurídicas con plena capacidad de obrar (art. 2.1 y 54.1 TRLCSP).

De este modo, podemos concluir que cuando la encomienda de gestión pretende celebrarse entre órganos pertenecientes a una misma administración pública su formalización quedaría al margen de las reglas de la contratación pública. En estos casos, como se ha afirmado, no nos encontraríamos propiamente ante una excepción a la aplicación de dichas normas contractuales, sino ante una actuación que, por su propia naturaleza, queda *ab origine* fuera de su ámbito de aplicación[304]. Y es que, como dijimos, si no podemos hablar de la existencia de un *contrato*, menos aún de la existencia de un *contrato público* a efectos del TRLCSP. De este modo, la encomienda de gestión interorgánica se configuraría como un simple instrumento de carácter organizativo a disposición de las administraciones públicas a través del cual poder garantizar la eficacia y la coherencia en la actuación pública.

b) Las encomiendas de gestión a entidades con personalidad jurídica propia de la misma administración pública. Pero al margen de las encomiendas de gestión entre órganos, hemos visto como la LRJPAC preveía también la existencia de encomiendas de gestión *intersubjetivas*, y en particular, la posibilidad de encomendar directamente –por lo tanto, con la aparente voluntad de no someter dichas adjudicaciones al régimen ordinario de contratación– la realización de determinadas actividades materiales, técnicas o de servicios a otras entidades con personalidad jurídica propia pertenecientes a una misma administración (art. 15.1 LRJPAC)[305].

---

304. Pascual García comparte dicha reflexión cuando, de un modo rotundo, afirma que resulta tan obvio que las relaciones de la Administración Pública con sus propios servicios quedan excluidas de legislación contractual que el artículo 4 del actual TRLCSP ni tan siquiera las relaciona entre los negocios jurídicos excluidos. Pascual García, José: *Las encomiendas de gestión a la luz de la Ley de Contratos del Sector Público, op. cit.,* p. 20.

305. Excluyéndose únicamente de este régimen jurídico, como ya quedo dicho, aquellas

En estos supuestos, y desde un punto de vista meramente formal, podríamos afirmar que sí, que efectivamente nos encontraríamos ante un negocio jurídico bilateral, celebrado por dos sujetos, perfectamente individualizados, que gozan de personalidad jurídica propia y que se constituirían como partes de la relación jurídica creada. Por lo que, aparentemente, al concurrir la alteridad propia del contrato parecería que dicho acuerdo podría encajar, al menos desde un punto de vista subjetivo, dentro de la noción amplia de contrato que estamos manejando. Sin embargo, tanto la doctrina como la jurisprudencia han venido a matizar la noción de contrato público aplicable en el ámbito jurídico-administrativo, limitando notablemente su extensión subjetiva.

Así, se entiende que el requisito formal de la existencia de personalidad jurídica propia no es un elemento suficiente, por sí solo, para calificar dichas operaciones como contractuales. En esta concepción lo que se quiere destacar es que, en muchas ocasiones, el reconocimiento de una personalidad jurídica independiente es tan sólo una herramienta al servicio de la Administración, con la que se pretende asegurar la existencia de unas estructuras administrativas capaces de poder afrontar con eficacia el ejercicio de las funciones que les han sido conferidas por el ordenamiento. Pero esta personalidad diferenciada no implica, en ningún caso, la completa desvinculación de la organización instrumental de la entidad pública de la que trae causa.

De ahí que, teniendo presente las facultades de la administración matriz para regular y ordenar las actividades de sus propias entidades instrumentales, se afirma que carecería de sentido hablar de contrato en los supuestos en los que se encarga la ejecución de una determinada prestación material a una entidad puramente instrumental. Y es que, en estos supuestos, el carácter vinculante de la relación de encomienda no derivaría del acuerdo de voluntades entre los sujetos intervinientes, sino directamente de la situación jurídica de relación o dependencia que une dichas entidades con la administración pública encomendante[306].

---

encomiendas de gestión que tuvieran que recaer sobre personas jurídico-privadas, cuya regulación se remitía entonces a lo previsto por la legislación contractual (art. 15.5 LRJPAC).

306. Son muchos los autores que han analizado con detenimiento esta cuestión, llegando siempre a conclusiones similares. Por ejemplo REBOLLO PUIG afirma que el hecho de que se dote a dichas organizaciones de una forma de personificación pública no modifica su consideración como un puro instrumento de la administración matriz, como un conjunto de medios materiales y humanos a su servicio. Por lo que, en estos casos, no nos encontramos estrictamente con una persona distinta, sino ante una herramienta institucional de la propia administración. Añadiéndose, más adelante, que cualquier parecido con un contrato de las relaciones que se puedan establecer entre una administración pública y sus propias entidades instru-

En este sentido, el «acuerdo» al que hace referencia el artículo 15.3 de la LRJPAC se asemejaría más a un acto administrativo unilateral, necesitado de aceptación por su destinatario, que no realmente a un negocio jurídico contractual. La relación de encomienda, por lo tanto, nacería de la sola voluntad unilateral de la administración encomendante, en ejercicio de la habilitación prevista en la LRJPAC, si bien para su eficacia sería necesario incorporar, formalmente, la voluntad del encomendado. Desde esta perspectiva, el recurso a personificaciones instrumentales constituiría simplemente una manifestación más del principio de autoorganización y de la autonomía institucional de las Administraciones Públicas. Nos encontraríamos, como en el caso anterior, ante una relación de carácter meramente interno, en la que la Administración acude a sus propios medios materiales –aunque personificados– para el cumplimiento de los fines que tiene asignados, sin que el hecho de que haya de acudirse al envoltorio de un acuerdo o convenio implique que se modifique la naturaleza de dichas relaciones[307].

---

mentales es casual y superficial, puesto que en estos casos no se produce ningún acuerdo de voluntades sino, simplemente, un acto administrativo por el que se ordena una determinada actividad al ente institucional. REBOLLO PUIG, Manuel: «Los entes institucionales de la Junta de Andalucía y su utilización como medio propio», *op. cit.*, p. 380-384.

En el mismo sentido, y entre otros muchos, SOSA WAGNER, Francisco: «El empleo de recursos propios por las Administraciones Locales», *op. cit.*, p. 1317; HUERGO LORA, Alejandro: «La libertad de empresa y la colaboración preferente de las Administraciones con empresas públicas», *op. cit.*, p. 163; GARCÍA GÓMEZ DE MERCADO, Francisco (Coord.): *Manual de contratación del Sector Público. Estudio sistemático de las obligaciones de la Hacienda Pública, los contratos y convenios de la Administración y del resto del Sector Público, op. cit.*, p. 912 o BERNAL BLAY, Miguel Ángel: «Las encomiendas de gestión excluidas del ámbito de aplicación de la Ley de Contratos de las Administraciones Públicas. Una propuesta de interpretación del artículo 3.1. letra l) del TRLCAP», *op. cit.*, p. 81-82.

307. Al analizar las relaciones entre las administraciones públicas y sus entes instrumentales, FUERTES LÓPEZ afirma que si éstas han de envolverse en el celofán de un «contrato» o «convenio» se debe únicamente al reconocimiento de una personificación jurídica propia, un nombre propio, en el tráfico y en las relaciones jurídicas, pero sin que ello altere la naturaleza meramente interna de dichas relaciones. FUERTES LÓPEZ, Mercedes: «De la libertad para configurar empresas públicas (A propósito de la sentencia del Tribunal Supremo de 30 de enero de 2008)», en *Civitas. Revista española de Derecho Administrativo*, núm. 138, abril-junio 2008, p. 333-334. En términos parecidos, y entre muchos otros, REBOLLO PUIG, Manuel: «Los entes institucionales de la Junta de Andalucía y su utilización como medio propio», *op. cit.*, p. 379 o HUERGO LORA, Alejandro: «La libertad de empresa y la colaboración preferente de las Administraciones con empresas públicas», *op. cit.*, p. 161-163. AMOEDO SOUTO, por su parte, se muestra crítico con la posibilidad de articular mediante convenio los encargos para la realización de determinadas actividades materiales con entidades con personalidad jurídica vinculadas o dependientes de la misma Administración, así se afirma que «careciendo el medio instrumental de

El problema en estos casos no sería tanto admitir la posibilidad de que la Administración Pública se valga de sus propios medios –cuestión que, como decíamos, ha sido aceptada sin mayores dificultades por el Tribunal de Justicia de la Unión Europea– sino determinar, a efectos contractuales, cuando nos encontramos realmente ante una relación jurídica trabada con una entidad con personalidad jurídica propia *perteneciente a la misma administración pública*. Es decir, cuáles son los criterios que pueden llevarnos a afirmar que *no* nos encontramos ante una persona jurídico-pública diferente de aquélla que, en un determinado procedimiento, actúa como «poder adjudicador».

La respuesta a esta pregunta nos lleva, nuevamente, a tener que hacer referencia a la Jurisprudencia del Tribunal de Justicia de la Unión Europea y, en particular, a la ya citada Sentencia de 18 de noviembre de 1998, *Teckal*. En dicha resolución, y en ocasión del análisis de la naturaleza jurídica de un encargo directo para la realización de determinados servicios efectuada por un municipio a una mancomunidad en la que éste era parte, el TJUE sentó las bases de los que han venido a denominarse como contratos u operaciones «*in house providing*» (denominación que en nuestra terminología ha sido traducida como «contratos domésticos» o «auto-contratación»). Así, como ya hemos visto en el punto anterior, el TJUE afirmó que existirá un contrato público a efectos de las Directivas europeas siempre que éste haya sido celebrado por dos personas jurídicas diferenciadas, pero, y aquí reside la principal novedad, el Tribunal exige que, además, las relaciones entre los poderes adjudicadores y los operadores económicos se rijan por un principio de autonomía efectivo y no meramente formal.

En efecto, para el TJUE el requisito de la personalidad jurídica propia no constituye tampoco un elemento determinante para hablar de la existencia de un contrato público, sino que –además de la lógica concurrencia de los requisitos objetivos y formales necesarios– será la existencia de una voluntad decisoria propia de la entidad adjudicataria la que permita calificar dichas relaciones jurídicas como contractuales. Así se desprende claramente de la Sentencia *Teckal* al subrayarse, en primer lugar, que las Directivas europeas sólo resultaran aplicables cuando un poder adjudicador proyecte celebrar por escrito un contrato a título one-

---

voluntad propia, la encomienda de ejecución no puede instrumentarse a través de convenios interadministrativos, sino a través de mandatos u ordenes de ejecución». AMOEDO SOUTO, Carlos: «El nuevo régimen jurídico de la encomienda de ejecución y su repercusión sobre la configuración de los entes instrumentales de las Administraciones Públicas», *op. cit.*, p. 277.

roso con otra entidad jurídicamente diferenciada, pero siempre que, además, esta última resulte «autónoma respecto a ella desde un punto de vista decisorio» (FJ 51); y, sobretodo, cuando el TJUE añade que la presunción de la existencia de contrato quedará desvirtuada siempre que «a la vez, el ente territorial ejerza sobre la persona de que se trate un control análogo al que se ejerce sobre sus propios servicios y esta persona realice la parte esencial de su actividad con el ente o entes que la controlan» (FJ 50).

Como puede observarse, el TJUE adopta en este punto un concepto funcional de contrato público, que prescinde de criterios meramente formales y toma especialmente en consideración la relación de dependencia o vinculación existente entre los sujetos intervinientes en un determinado negocio[308]. Y es que, a pesar de la existencia de dos personas formalmente distintas, el TJUE considera que la ausencia de capacidad decisoria propia modularía la naturaleza jurídica de esa operación, impidiendo hablar, desde un punto de vista material, de la existencia de un concurso de dos voluntades diferenciadas. Nos encontraríamos, en cambio, ante una relación organizativa de carácter interno (*in house providing*) entre un poder adjudicador y sus propios medios técnicos o materiales.

Eso sí, para poder hablar de la existencia de *medios propios* el Tribunal de Justicia de la Unión Europea exige, en todo caso, la concurrencia simultánea y acumulativa de las dos condiciones o requisitos anteriores (de ahí que la doctrina se refiere comúnmente a ellos como «criterios *Teckal*»):

1) En primer lugar, que la entidad pública que adjudique el contrato tenga la posibilidad de ejercer sobre el tercero un control análogo al que ejerce sobre sus propios servicios; y

2) En segundo lugar, que éste último realice la parte esencial de su actividad para la entidad o entidades que lo controlan.

Esta importante doctrina jurisprudencial ha sido, posteriormente, reafirmada por el propio Tribunal de Justicia de la Unión Europea en

---

308. Se refieren expresamente al carácter *funcional* de la noción de contrato público manejada por el TJUE, entre otros, PASCUAL GARCÍA, José: *Las encomiendas de gestión a la luz de la Ley de Contratos del Sector Público, op. cit.*, p. 36; PERNÁS GARCÍA, Juan José: *Las operaciones in house y el Derecho comunitario de los contratos públicos, op. cit.*, p. 61 o GIMENO FELIU, José María: «La problemática derivada del encargo de prestaciones a entes instrumentales propios. Alcance la jurisprudencia comunitaria», en TORNOS MAS, Joaquín (Dir.): *Informe Comunidades Autónomas 2005*, Instituto de Derecho Público, Barcelona 2006, p. 843.

otras muchas sentencias, en las que no sólo se han consolidado dichos planteamientos, sino que, además, se han venido a delimitar con mayor precisión los supuestos que deben considerarse excluidos del ámbito de aplicación de las normas europeas sobre contratación pública y los requisitos que deben de cumplirse[309]. Pero, sobretodo, nos interesa ahora destacar dicha jurisprudencia por cuanto ha sido también positivizada en nuestro ordenamiento jurídico a través del Texto refundido de la Ley de Contratos del Sector Público que, como veremos posteriormente con más detalle, no sólo excluye expresamente de su ámbito de aplicación «los negocios jurídicos en cuya virtud se encargue a un entidad que [...] tenga atribuida la condición de medio propio y servicio técnico del mismo, la realización de una determinada prestación» [art. 4.1 n) TRLCSP], sino que, además, asume los criterios interpretativos elaborados por el TJUE y fija los requisitos necesarios para poder hablar de la existencia de un medio propio o servicio técnico de la Administración (art. 24.6 TRLCSP).

Por lo tanto, la respuesta a la pregunta de si las encomiendas de gestión efectuadas entre entidades públicas pertenecientes a una misma administración deben de considerarse, en todo caso, como supuestos no contractuales no puede responderse de un modo general y *a priori*. A pesar de que, en efecto, tanto la doctrina como la jurisprudencia, e incluso nuestro Derecho Positivo, aceptan que las relaciones organizativas internas no pueden ser consideradas propiamente como un contrato público, la determinación de qué supuestos pueden incluirse en este ámbito solamente puede efectuarse a partir del análisis concreto de la concurrencia o no de los requisitos previstos por el TRLCSP relativos a la

---

309. Podemos citar, entre otras, la STJUE de 7 de diciembre de 2000, asunto C-94/99, *ARGE Gewässerschutz / Bundesministerium für Land-und Forstwirtschaft*; la STJUE de 13 de octubre de 2005, asunto C-458/03, *Parking Brixen GMBH / Gemeinde Brixen, Stadtwerke Brixen AG*; la STJUE de 19 de abril de 2007, asunto C-295/05, *Asociación Nacional de Empresas Forestales (ASEMFO) / Transformación Agraria, SA. (TRAGSA), Administración del Estado* o la Sentencia del TJUE de 13 de noviembre de 2008, asunto C-324/07, *Coditel Brabant SA / Comune d'Uccle y Région de Bruxelles-Capitale*. Sobre la evolución de la doctrina jurisprudencial del TJUE en esta materia puede consultarse MONTOYA MARTÍN, Encarnación: *Los medios propios o servicios técnicos en la Ley de contratos del sector público. Su incidencia en la gestión de los servicios públicos locales*, Fundación Democracia y Gobierno Local, Serie claves del gobierno local, núm. 9, Barcelona 2009, donde se hace un repaso a los principales hitos de la jurisprudencia del TJUE entorno a los encargos *in house* (p. 26-42). Igualmente, el excelente trabajo de PERNÁS GARCÍA, Juan José: *Las operaciones in house y el Derecho comunitario de los contratos públicos*, *op. cit., in totum* o BOVIS, Christopher: «Developing public procurement regulation: jurisprudence and its influence on Law making», *op. cit.*, p. 461-495.

existencia de medios propios o servicios técnicos de la Administración (art. 24.6 TRLCSP). Pues sólo en los negocios jurídicos celebrados con medios propios pertenecientes a una misma organización administrativa, y más allá de una calificación formal como relaciones entre personas jurídicas, nos encontraremos, materialmente, ante un supuesto de autoorganización, concluido al margen del recurso a las figuras contractuales, pues en ellos no resulta posible hablar propiamente de un acuerdo de voluntades entre dos personas jurídicas diferenciadas.

De esta manera, debemos dejar abierta en este momento la cuestión relativa al tratamiento contractual de las encomiendas de gestión realizadas a entidades públicas pertenecientes a una misma administración pública, debiéndola retomar más adelante al analizar, de un modo más detallado, los requisitos exigidos por el TRLCSP para excluir de su ámbito de aplicación los negocios jurídicos que se concluyan con los medios propios o servicios técnicos de la Administración.

B. *La encomienda de gestión como un negocio jurídico voluntario*

Un segundo elemento imprescindible para poder hablar de la existencia de un acuerdo de voluntades entre dos personas jurídicas diferenciadas es, obviamente, que éste haya sido suscrito de forma voluntaria. En efecto, el requisito de la voluntariedad es un elemento inherente a la figura del contrato, de modo que cuando la realización de una determinada prestación no deriva del libre acuerdo entre dos sujetos sino de la ley o de una imposición unilateral de una de las partes sobre la otra, no podremos hablar en ningún caso, de un negocio jurídico contractual[310].

En este sentido, en nuestra definición inicial de la encomienda de gestión afirmábamos con carácter general que ésta se configuraba como una institución de carácter voluntario. El artículo 15 de la LRJPAC así parecía confirmárnoslo cuando hablaba de su formalización a través de

---

310. De hecho, debemos recordar que sobre estas ideas han venido girando buena parte de los argumentos esgrimidos por algunos de los principales teóricos del ámbito jurídico-público de la primera mitad del Siglo XX para negar a la Administración Pública la posibilidad de acudir a la figura del contrato. El carácter unilateral sobre el que se fundamentaba la actuación de la Administración, derivada de su situación jurídica de superioridad o «imperium» respecto al ciudadano, hacía imposible poder hablar en estos supuestos de verdaderos contratos. Sobre los diversos planteamientos entorno al concepto de contrato en el ámbito jurídico-administrativo pueden verse, entre otros muchos, BUSTILLO BOLADO, Roberto O.: *Convenios y contratos administrativos: transacción, arbitraje y terminación convencional del procedimiento, op. cit.*, p. 92-112 o HUERGO LORA, Alejandro: *Los contratos sobre los actos y las potestades administrativas, op. cit.*, p. 119-188.

acuerdo o *convenio*. De hecho, tal y como ha venido exponiendo nuestra doctrina mayoritaria, identificábamos también este requisito de la voluntariedad como uno de los aspectos novedosos de la regulación de la figura de la encomienda de gestión prevista en la Ley 30/1992, de 26 de noviembre[311]; a la vez que este elemento se nos presentaba como un criterio útil para diferenciar la encomienda de gestión de otras figuras similares (como la gestión ordinaria de los servicios autonómicos por las diputaciones provinciales o los cabildos insulares).

No obstante, como acertadamente se ha señalado y como ya hemos visto en el punto anterior, en nuestro ordenamiento muchas veces la designación de un acto jurídico con conceptos como «convenio», «acuerdo», más que remitir a un concreto régimen jurídico, pretende evitar un pronunciamiento expreso sobre la naturaleza jurídica de aquello que se describe con estos términos[312]. Y es que, más allá de que a través de la encomienda de gestión pueda suscribirse formalmente un acuerdo entre dos personas distintas, cuál sea el valor que deba conferirse a dicha concurrencia de voluntades es una cuestión que no puede responderse en abstracto y menos a partir del hecho que las partes o el ordenamiento se valgan de una determinada terminología. Por lo que consideramos conveniente realizar un examen más detallado de esta figura para determinar si, efectivamente, responde a una estructura consensual. Porque ¿realmente la Administración tiene capacidad para negociar el contenido de la encomienda de gestión? O, más aún, ¿una determinada entidad pública podría negarse a suscribir un convenio de encomienda de gestión?

Para responder a estas preguntas, debemos hacer referencia separada a dos cuestiones: en primer lugar, a la ya denunciada falta de voluntad contractual cuando la encomienda de gestión se celebra entre órganos o entidades pertenecientes a la misma organización administra-

---

311. E incluso, como hemos mencionado en el *Capítulo I*, la idea de voluntariedad sobre la que parece asentarse el régimen jurídico de la encomienda de gestión fue puesta ya de relieve por los distintos Grupos Parlamentarios en la misma tramitación de la LRJPAC en las Cortes Generales. Así, podemos recordar las palabras del Sr. Mayoral Cortes, del Grupo Parlamentario Socialista, en el debate de aprobación en comisión del Proyecto de LRJPAC, en el que se afirmaba que «uno de los factores fundamentales de la encomienda de gestión, sobretodo cuando se trata de órganos dependientes de distintas administraciones, hay que situarlo bien claramente desde la perspectiva de la voluntariedad». Diario de Sesiones del Congreso de los Diputados, núm. 483, de 16 de junio de 1992, p. 14225.

312. RODRÍGUEZ DE SANTIAGO, José María: *Los convenios entre Administraciones Públicas, op. cit.*, p. 95-96.

tiva y, en segundo lugar, al alcance de la libertad contractual de las administraciones públicas en los restantes supuestos.

a) La voluntariedad en las relaciones de encomienda intra-administrativas. En el apartado anterior poníamos de relieve como, cuando la encomienda de gestión se concluía entre entidades pertenecientes a una misma administración pública, aunque formalmente pudiéramos encontrarnos ante dos personas jurídicas diferentes, resultaba imposible hablar propiamente de un *contrato*, por cuanto, materialmente, no había un acuerdo de voluntades entre dos partes diferenciadas. Ha sido, precisamente, esta ausencia de alteridad en la relación jurídica otro de los argumentos que ha servido a la doctrina para cuestionar el carácter contractual de las relaciones de encomienda intra-administrativas, entendiendo que este hecho implicaba también excluir de estos supuestos el requisito de la voluntariedad propio de todo negocio jurídico contractual.

En efecto, cuando la encomienda de gestión se formaliza respecto de una entidad de la propia administración, la relación de jerarquía o dependencia que la vincula con la administración matriz implica que el encomendado carezca de una autentica autonomía desde el punto de vista decisorio[313]. Nuevamente, el reconocimiento de la personalidad jurídica y de la libertad contractual propia del encomendado revestiría un carácter meramente instrumental; sin que, en modo alguno, éste pudiera ostentar la condición de tercero que, libremente, determina el contenido de la relación jurídica en la que será parte.

Como adelantábamos anteriormente, y aunque formalmente nos encontráramos ante la concurrencia de dos declaraciones de voluntad emitidas por dos personas jurídicas diferentes, la fuerza vinculante o la obligatoriedad de la encomienda de gestión no procedería del acuerdo de voluntades entre las partes, sino de la situación jurídica de dependencia o vinculación respecto de la administración en la que dichas entidades se integran y de su decisión unilateral. Por lo que ahí donde lleguen las facultades de tutela de la organización matriz respecto de sus entes institucionales sería superfluo regular una determinada cuestión por contrato. La dificultad, otra vez más, estribaría en determinar, desde el punto de vista contractual, cuando nos encontramos ante un supuesto de encomienda de gestión realizado a una entidad *perteneciente a la*

---

313. GIMENO FELIÚ, José María: «Problemas actuales de la Administración Municipal desde la perspectiva del derecho comunitario: incidencia en la organización de las normas de contratación pública», *op. cit.*, p. 156.

misma administración. Para ello debemos remitirnos otra vez a los requisitos *Teckal* señalados en el punto anterior.

b) La libertad contractual de las Administraciones Públicas. Pero, aún dejando de lado los supuestos en que la encomienda de gestión recae sobre entidades públicas integradas en una misma organización administrativa, podríamos plantearnos también si, en los restantes casos, esta institución se configura verdaderamente como un mecanismo de carácter voluntario. Y es que, como nos preguntábamos anteriormente, ¿las administraciones públicas gozan realmente de libertad para dotar de contenido a la encomienda de gestión?

En nuestra opinión sí, por varias razones. En primer lugar, y a diferencia de los anteriores, entendemos que en estos supuestos el consentimiento de la administración encomendada no sólo tiene valor constitutivo de la relación de encomienda, sino que, además, se nos presenta como totalmente autónomo respecto del consentimiento del encomendante. En este sentido, no podemos olvidar que cuando la encomienda de gestión se formaliza entre administraciones públicas distintas, la autonomía para la gestión de sus respectivos intereses que nuestro ordenamiento jurídico reconoce a los diferentes niveles de gobierno y administración en los que se organiza territorialmente nuestro Estado (art. 137 CE) implica situar a las partes intervinientes en la relación de encomienda en una posición jurídica de igualdad. De ahí que no quepa hablar de la encomienda de gestión como la imposición unilateral de la voluntad de una administración sobre la otra, sino que su nacimiento y la fijación de su contenido es fruto de la delimitación conjunta de las partes intervinientes.

En nuestra opinión, al igual que sucede en el ámbito privado, en la encomienda de gestión entre administraciones públicas diferenciadas nos encontraríamos ante una relación trabada entre sujetos jurídicamente iguales que acuerdan el desarrollo de una determinada actuación material. Con la peculiaridad, sin embargo, de que en estos casos se trata de entidades públicas que convienen sobre el ejercicio de determinados intereses también públicos; hecho que, precisamente y a diferencia de las relaciones en el ámbito del Derecho Privado, explica y justifica el régimen jurídico específico con el que nuestro ordenamiento dota a esta institución.

Como ya vimos al analizar sus antecedentes normativos más inmediatos y su objeto, la encomienda de gestión entre administraciones públicas diferentes no puede configurarse como una simple relación orgánica a través de la cual una determinada entidad pública se somete, casi jerárquicamente, a la voluntad de otra administración. Sino que nos encontramos ante una relación entre dos poderes públicos situados jurídicamente en una posición paritaria. Y es, precisamente, esta específica posición de igualdad, no sólo formal sino también material, la que nos lleva, a diferencia de los anteriores supuestos, a rechazar que la encomienda de gestión pueda configurarse como un simple acto administrativo unilateral necesitado de aceptación.

A nuestro entender, la concurrencia de voluntades es aquí un elemento esencial de la relación de encomienda, no sólo porque a través de ella nace la relación jurídica, sino porque será a través de dicho consentimiento que se concretará los derechos y obligaciones específicas de cada una de las partes[314]. Por lo tanto, la libertad contractual de las administraciones públicas intervinientes juega aquí un papel decisivo y regulador del alcance de la relación de encomienda, proyectándose hacia una doble vertiente: en primer lugar, para decidir libremente contratar con la otra parte, pero, además y en segundo lugar, para determinar también libremente el contenido concreto de dicha relación jurídica obligatoria.

No obstante, dicho esto, debemos referirnos también a los límites que tienen las administraciones públicas para configurar el alcance de la encomienda de gestión. Y es que, como ha puesto de relieve nuestra doctrina, no resulta posible trasladar exactamente al ámbito de las administraciones públicas el principio de autonomía de la voluntad previsto en el ámbito jurídico privado (art. 1255 Código Civil), porque ésta es una manifestación jurídica de la libertad personal y la Administración Pública nunca es libre sino que se encuentra siempre supeditada tanto por el ordenamiento jurídico como por la satisfacción del interés general (art. 103.1 CE)[315].

---

314. En este sentido, hay que indicar que, precisamente, el reconocimiento por parte del ordenamiento de un margen de libertad de las partes para configurar el contenido de la relación jurídica creada entre ellas se ha considerado como uno de los elementos imprescindibles para poder hablar de la existencia de un contrato. BUSTILLO BOLADO, Roberto O.: *Convenios y contratos administrativos: transacción, arbitraje y terminación convencional del procedimiento, op. cit.*, p. 36 y 60.

315. En este sentido, por ejemplo, GARCÍA DE ENTERRÍA, Eduardo: «Ámbito de aplicación de la Ley (Arts. 1 a 9, inclusive», en GÓMEZ-FERRER MORANT, Rafael (Dir.): *Comentario a la Ley de Contratos de las Administraciones Públicas*, Ed. Thomson-Civitas, segunda edición, Navarra 2004, p. 109; REBOLLO PUIG, Manuel: «Principio de legalidad y autonomía de la voluntad en la contratación pública», en AA VV: *La contratación pública en el horizonte de la integración europea. V Congreso Luso-Hispano de profesores de Derecho Administrativo*, INAP, Madrid, 2004, p. 52-59; BUSTILLO BOLADO, Roberto O.: *Convenios y contratos administrativos: transacción, arbitraje y terminación convencio-*

Dentro de estos límites, además de la vinculación de la Administración al ordenamiento jurídico y de la necesidad de adecuar el contenido de la relación de encomienda a la consecución de los intereses públicos, cobra especial importancia también el principio de colaboración administrativa al que nos referíamos anteriormente como uno de los fundamentos constitucionales de la encomienda de gestión. Y es que ¿la necesaria colaboración entre las diferentes administraciones públicas puede modular su carácter voluntario hasta el punto de hacerlo desaparecer? Creemos que no. El principio de colaboración no supondría en ningún caso la obligatoriedad de formalizar una determinada encomienda de gestión, cuestión que entra dentro del margen de autonomía que debe reconocerse a los diferentes niveles de gobierno y administración en los que se organiza territorialmente nuestro Estado. En caso contrario, como ya expusimos al analizar los antecedentes de la encomienda de gestión y, más concretamente, la figura del *avvalimento degli uffici locali* italiano, se estaría situando al órgano o entidad encomendada en una situación de dependencia jerárquica respecto del encomendante, difícilmente compatible con la autonomía que nuestro texto constitucional reconoce a los diferentes centros de poder territorial. De todos modos, el principio de colaboración sí que podría implicar una mayor ponderación de los intereses afectados y del sistema administrativo en su conjunto a la hora de articular la relación de encomienda (art. 4.1 LRJPAC). De tal manera que, tal y como establece la LRJPAC, la colaboración requerida a través de la encomienda de gestión no podría negarse por simples motivos de oportunidad o conveniencia, sino sólo cuando el órgano o entidad de derecho público a la que se solicita dicho auxilio material no estuviera facultado para prestarlo, no dispusiera de medios suficientes para ello o cuando, de hacerlo, pudiera causar un grave perjuicio a los intereses cuya tutela tiene asignada o al cumplimiento de sus propias funciones; y siempre de forma debidamente motivada (art. 4.3 LRJPAC).

2.1.2. El objeto contractual

El segundo elemento al que debemos hacer referencia para poder

---

nal del procedimiento, *op. cit.*, p. 36.

Respecto dicha cuestión, MONEDERO GIL afirmaba que la diferencia sustancial entre los contratos de la Administración Pública y los contratos privados estriba en el distinto papel que desempeña el ordenamiento jurídico en cada uno de ellos, puesto que mientras que para la Administración, el Derecho es el fundamento de su ser y de su actuar, para los particulares sólo un límite de sus pactos y contratos que, en principio, se presumen lícitos y eficaces. Toda vez que la referencia al interés público y a la buena administración implican «una insalvable frontera para la libertad de pactos o autonomía de la voluntad del órgano administrativo». MONE-

hablar de la existencia de un contrato es el relativo a su objeto, es decir, al sector de la realidad social sobre el que recae el consentimiento de las partes. Como señala el Código Civil, en todo contrato las partes consienten en obligarse para dar alguna cosa o prestar algún servicio (art. 1251 CC), por lo que, junto al consentimiento y la causa, el objeto se convierte en uno de los requisitos indispensables de todo negocio jurídico contractual (art. 1261 del Código Civil)[316].

En nuestra opinión, tal y como ya examinamos en el *Capítulo II*, es evidente que este elemento objetivo del contrato concurre también en la figura de la encomienda de gestión. En efecto, el acuerdo de voluntades que supone la encomienda se produce también para la realización de un objeto concreto: las actividades materiales, técnicas o de servicios a las que se refiere el artículo 15.1 de la LRJPAC. Así, como hemos visto, las partes mediante la relación de encomienda se comprometen recíprocamente a la realización de una serie de prestaciones –el cumplimiento del encargo, por un lado, y el pago de la retribución acordada, por el otro–, la determinación de las cuales constituye el ámbito objetivo de dicha relación jurídica.

Resulta importante en este momento, no obstante, volver a recordar el carácter eminentemente material de las actuaciones objeto de encomienda y, sobretodo, la afirmación de que la encomienda de gestión no implica, en ningún caso, una cesión de la titularidad o ni del ejercicio formal de las competencias administrativas (art. 15.2 LRJPAC); cuestión que, por lo que diremos a continuación, adquiere ahora una importancia fundamental a la hora de analizar su tratamiento contractual.

Como es sabido, los procesos de organización y asignación del poder público dentro de las Administraciones Públicas nacionales son aspectos que conforman la autonomía institucional de cada uno de los Estados miembros[317]. En efecto, la actuación de la UE pretende garanti-

---

DERO GIL, José Ignacio: *La doctrina del Contrato del Estado*, Instituto Estudios Fiscales, Madrid 1977, p. 261-262.

316.   El TRLCSP se refiere también, aunque de forma indirecta, a este segundo elemento contractual, al prever expresamente «la definición del objeto del contrato» como uno de los elementos indispensables de todos los contratos del sector público [art. 26.1.c) TRLCSP].

317.   El propio Tratado de la Unión Europea así lo explicita al afirmar que la Unión respetará la igualdad de los Estados miembros ante los Tratados «así como su identidad nacional, inherente a las estructuras fundamentales políticas y constitucionales de éstos, también en lo referente a la autonomía local y regional. Respetará las funciones esenciales del Estado, especialmente las que tienen por objeto garantizar su integridad territorial, mantener el orden público y salvaguardar la seguridad nacional [...]». (art. 4.2 TUE).

zar solamente la correcta aplicación del Derecho europeo, pero no se pronuncia sobre el reparto de competencias establecido ni sobre las obligaciones que pueden incumbir a cada uno de los diferentes centros territoriales de poder[318]. De ahí que, al no afectar directamente las libertades comunitarias que justifican la adopción de la normativa sobre contratación pública, como ha declarado el TJUE, por ejemplo, en la Sentencia de 20 de octubre de 2005, asunto C-246/03, *Comisión de las Comunidades Europeas / República Francesa*, los supuestos de cesión de poder público entre administraciones dentro de un mismo Estado quedarían fuera del ámbito de aplicación de la normativa de contratación pública[319]. En realidad, en estos supuestos el acto jurídico-público a través del cual se lleva a cabo la cesión o reorganización de las competencias no remite a la categoría de contrato, sino que constituiría un verdadero acto normativo, que supone una modificación del orden objetivo regulador de las mismas[320].

Desde esta perspectiva, la consideración de la encomienda como una mera habilitación derivada para el ejercicio de actividades materiales de la competencia del encomendante dificulta notablemente su posi-

---

318. Sobre estas cuestiones, pueden verse, entre otras, la Sentencia del TJUE de 12 de junio de 1990, *Alemania / Comisión de las Comunidades Europeas*, asunto C-8/88 (FJ 13) o, en lo que se refiere a nuestro Tribunal Constitucional, la Sentencia núm. 80/1993, de 8 de marzo (Ponente: Sr. Vicente Gimeno Sendra), en la que se afirma que «la consolidada jurisprudencia del Tribunal de Justicia ha consagrado el llamado principio de autonomía institucional y procedimental, en virtud del cual, cuando las disposiciones de los tratados o demás normas comunitarias reconocen poderes a los Estados miembros o les imponen obligaciones en orden a la aplicación del Derecho comunitario, la cuestión de saber de qué forma el ejercicio de esos poderes y la ejecución de las obligaciones pueden ser confiadas por los Estados miembros a determinados órganos internos depende únicamente del sistema constitucional de cada Estado miembro» (FJ 3).

319. Véase la STJUE de 20 de octubre de 2005, asunto C-246/03, *Comisión de las Comunidades Europeas / República Francesa*, en la que el Tribunal de Justicia, para valorar la sujeción a las Directivas europeas del mandato representativo del titular de la obra previsto en la Ley francesa 85-704, analiza si esta relación debe considerarse como una cesión de poder político entre dos autoridades –supuesto éste que quedaría fuera del ámbito de aplicación de la normativa contractual– o constituye un mero contrato de servicios (FJ 47-54).

320. RODRÍGUEZ DE SANTIAGO, José María: *Los convenios entre Administraciones Públicas*, *op. cit.*, p. 263. En este sentido, se precisa que, en estos casos, la utilización del termino convenio o acuerdo simplemente pretende hacer alusión a la aceptación de la administración pública en quien se cede la competencia, pero el traslado competencial no se lleva a cabo en virtud de contrato alguno, sino de una norma con un procedimiento especial de elaboración o con un requisito adicional para desplegar efectos: la necesidad de que se exprese la aceptación por la organización que recibe las competencias.

ble calificación como un supuesto de estas características. El objeto de la encomienda de gestión, como ya se ha dicho, no consiste en un traslado de poder público entre autoridades territoriales, sino simplemente en un encargo para la realización de determinadas actividades esencialmente materiales –sin trascendencia jurídica *ad extra*–, susceptibles de contenido económico, a otra entidad pública[321]. Y es, precisamente, esta limitación objetiva, esta no asunción de nuevas competencias decisorias propias por parte del encomendado, la que nos impide poder caracterizarla como una cesión o reorganización de poder político entre organismos públicos.

Siguiendo el razonamiento del Abogado General Poiares Maduro en el citado asunto C-264/03, *Comisión de las Comunidades Europeas / República Francesa*, lo que caracterizaría una transferencia real de poder público en el contexto de la organización propia de una Administración nacional sería el hecho de que ésta fuera plena, en el sentido de que el beneficiario de la cesión ejerciera las competencias recibidas de manera independiente y autónomo, bajo su propia responsabilidad, sin requerir el consentimiento previo de la entidad pública inicialmente competente[322]. Circunstancias, todas ellas, que no concurren en la figura de la encomienda de gestión. Como hemos visto, en la relación de encomienda la administración encomendante no sólo retiene la titularidad y el ejercicio formal de la competencia –por lo que sigue siendo el responsable directo de éstas ante los ciudadanos– sino que, además, sigue conservando importantes ámbitos de actuación, dirigiendo la actividad del órgano o entidad gestora y debiendo dictar los actos o resoluciones jurídicas que den soporte a la actividad material encomendada.

---

321. Entre muchos otros, ORTEGA ÁLVAREZ, Luis: «Órganos de las Administraciones Públicas», *op. cit.*, p. 73 y 77; GONZÁLEZ NAVARRO, Francisco: «De la delegación, avocación y sustitución interorgánica, y de algunos de sus falsos hermanos», *op. cit.*, p. 309 y 358 o FERNÁNDEZ FARRERES, Germán: «Las encomiendas de gestión», *op. cit.*, p. 671.

322. Véanse las Conclusiones del Abogado General Poiares Maduro presentadas el 24 de noviembre de 2004, al asunto C-246/03, *Comisión de las Comunidades Europeas / República Francesa*, ap. 39-41. Posteriormente, en la Sentencia de 18 de diciembre de 2007, asunto C-532/03, *Comisión de las Comunidades Europeas / Irlanda*, el TJUE se ha referido también a la actuación en ejercicio de las propias competencias como criterio para negar la existencia de contrato en los servicios de transporte de urgencia en ambulancia prestados por el Dublín City Council (FJ 33-35).
La propia Comisión Europea, por su parte, se ha referido también a dicha interpretación en el reciente Documento de trabajo relativo a la aplicación de la normativa de la contratación pública de la UE a las relaciones entre poderes adjudicadores [SEC (2011) 1169, de 4 de octubre de 2011] al que más adelante volveremos a hacer referencia.

Por lo demás, en relación al objeto contractual, nos hemos referido anteriormente a los requisitos de determinación, licitud, posibilidad fáctica y ajenidad que debía cumplir el objeto de la encomienda de gestión, por lo que simplemente nos interesa añadir ahora que la similitud conceptual de la encomienda de gestión con la figura del contrato a la que nos estamos refiriendo se refuerza, además, por el hecho de que, como ya apuntáramos, la definición del ámbito de aplicación objetivo de la encomienda es tan amplio que, en muchas ocasiones, su objeto puede llegar a confundirse con la descripción de los diferentes tipos contractuales previstos actualmente en el TRLCSP.

En efecto, la gestión de cualesquiera actividades técnicas, materiales o de servicios que permite encomendar el artículo 15.1 LRJPAC podría englobar no sólo relaciones jurídicas cuyo objeto no estuviera integrado por prestaciones propias de los contratos, sino que también, y sobretodo, abarcaría la realización de actuaciones con un evidente contenido contractual y que, en muchas ocasiones, podrían ser fácilmente gestionadas por particulares a través de las figuras contractuales reguladas en el TRLCSP[323]. Más cuando, como se ha señalado por la doctrina, la gama de prestaciones que las empresas privadas o los particulares pueden llevar a cabo es amplísima, pudiendo abarcar la gran mayoría de activi-

---

323. En este punto podemos traer a colación el Informe de la Junta Consultiva de Contratación Administrativa de las Illes Balears 06/09, de 30 de marzo de 2010 en el que se afirma que la encomienda de gestión puede incluir no sólo actividades ajenas a la contratación pública sino también actividades reguladas en la legislación de contratos. «Así lo entendió el legislador en el año 1992. De hecho, atendiendo al sentido gramatical de la expresión «la realización de actividades de carácter material técnico o de servicios» no hay obstáculo para entender que el legislador consideró que incluía las prestaciones propias de los contratos de obras, de suministro y de servicios, dado que se podían –y se pueden– calificar como actividades materiales, técnicas o de servicios» (FJ 6).
Se refiere también a la idea de similitud entre el objeto contractual y de la encomienda de gestión, entre otros, PASCUAL GARCÍA, José: *Las encomiendas de gestión a la luz de la Ley de Contratos del Sector Público, op. cit.*, p. 91. RODRÍGUEZ DE SANTIAGO, por su parte, hace referencia también a dicha problemática mencionando la Sentencia de la Sala de lo Contencioso del Tribunal Supremo de 2 de enero de 1996 (Núm. recurso 5250/1991, ponente: Sr. Pedro Esteban Álamo), que resuelve un recurso planteado frente a un contrato administrativo de asistencia o servicios adjudicado por la Consejería de Obras Públicas y Ordenación del Territorio de la Comunidad Autónoma de las Illes Balears al Instituto Cartográfico de Barcelona. Así, se llama la atención acerca de la articulación de este supuesto como contrato administrativo cuando perfectamente habría podido también articularse como una encomienda de actividades de carácter material, técnico o de servicios del artículo 15 de la LRJPAC. RODRÍGUEZ DE SANTIAGO, José María: *Los convenios entre Administraciones Públicas, op. cit.*, p. 365-366.

dades que hoy día desarrolla la Administración Pública, con la excepción del ejercicio de autoridad[324].

Precisamente, como veíamos anteriormente, ha sido a partir de esta identidad de objeto que la doctrina y la jurisprudencia han venido a cuestionar el tratamiento contractual que nuestro ordenamiento jurídico ofrece, no sólo a la encomienda de gestión, sino también a la figura de los convenios de colaboración en su conjunto. Así, se entiende ahora que debe ser la naturaleza de las relaciones jurídicas que se establezcan entre las partes en un determinado acuerdo –en definitiva, su objeto–, y no solamente los sujetos intervinientes, el elemento que, principalmente, debe determinar la sumisión o no de dicho negocio jurídico a las reglas de la contratación pública[325].

2.1.3. La causa en la encomienda de gestión

Finalmente llegamos al último de los requisitos esenciales que el artículo 1261 del Código Civil exige para poder hablar de la existencia

---

324. Huergo Lora, Alejandro: «La libertad de empresa y la colaboración preferente de las Administraciones con empresas públicas», *op. cit.*, p. 154. En el mismo sentido, Desdentado Daroca, Eva: *La crisis de identidad del Derecho Administrativo. Privatización, huida de la regulación pública y autoridades independientes*, Ed. Tirant lo Blanch, Valencia, 1999, p. 155-164, donde se afirma que, desde la perspectiva económica, no existe una distinción necesaria entre actividades que exigen el ejercicio de autoridad pública y meras actividades industriales y comerciales, pues servicios que quedan comprendidos dentro de las tradicionales funciones públicas soberanas pueden ser, al mismo tiempo, actividades económicas rentables prestadas por particulares. Y es que, como avanzábamos en el *Capítulo I*, debemos recordar como incluso la tradicional exclusión de la gestión privada de actividades que impliquen el ejercicio de autoridad está hoy en día en cuestión. A pesar de las diferentes previsiones normativas contenidas, por ejemplo, en la Disposición Adicional Duodécima de la LOFAGE, el artículo 85.3 de la LBRL o el artículo 279.1 TRLCSP, es evidente que cada vez son más numerosos los ejemplos de sujetos privados colaboradores de la Administración Pública que realizan dicho tipo de actividades. Sobre estas cuestiones pueden verse, entre otros, Cueto Pérez, Miriam: *Procedimiento administrativo, sujetos privados y funciones públicas*, *op. cit.*, *in totum*; Canals Ametller, Dolors: *El ejercicio por particulares de funciones de autoridad*, *op. cit.*, p. 45 y sigs. o Galán Galán, Alfredo y Prieto Romero, Cayetano (Dirs.): *El ejercicio de funciones públicas por entidades privadas colaboradoras de la Administración*, *op. cit.*, p. 21-51.

325. En este sentido, debemos recordar lo citado anteriormente en la STJUE de 13 de enero de 2005, *Comisión Europea / Reino de España*. Se refiere también a esta idea Ávila Orive, José Luis: *Los convenios de colaboración excluidos de la Ley de Contratos de las Administraciones Públicas*, *op. cit.*, p. 95-102 o Xiol Ríos, Juan Antonio: «La utilización de técnicas de relación con particulares entre administraciones públicas: concesión, licencias, sanciones. La ejecutividad entre administraciones públicas», *op. cit.*, p. 61.

de un contrato: la causa contractual. A pesar de que el TRLCSP no se refiere de forma expresa al requisito causal del contrato, ello no supone que ésta no sea aplicable a los contratos del sector público sino que, por el contrario, como ya hemos apuntado anteriormente, la doctrina administrativista ha venido refiriéndose también al elemento causal como uno de los requisitos necesarios de todo contrato de la Administración Pública[326]. Como veremos seguidamente, es precisamente en este lugar donde, en nuestra opinión y sin perjuicio de las consideraciones que realizábamos en el punto 2.1.1 de este capítulo, se sitúa quizá uno de los aspectos más controvertidos, no sólo para considerar la encomienda de gestión como un verdadero contrato, sino también para determinar su concreto régimen jurídico y su posible tratamiento contractual. De manera que, antes de avanzar en el análisis de este elemento causal, debemos de hacer algunas matizaciones y referirnos previamente a qué entendemos por *causa contractual*.

A. *Breve delimitación del significado de la causa del contrato*

Como es sabido, la causa del contrato es una de las instituciones más complejas y controvertidas del Derecho Civil, no sólo por el hecho de que el Código Civil no prevé ninguna definición de la causa, sino también porque la doctrina y la jurisprudencia le han asignado tradicionalmente una pluralidad de significados diferentes[327]. Es por ello que nos resultaría ciertamente muy difícil poder entrar ahora en profundidad en el debate sobre el concepto de la causa –cuestión que, por otro lado, iría también mucho más allá del propósito de este trabajo–. Por lo tanto, nos limitaremos solamente a realizar algunas referencias genera-

---

326. Podemos remitirnos, nuevamente, a MARTÍN REBOLLO, Luis y PANTALEÓN PRIETO, Fernando: «Exigibilidad de los convenios interadministrativos y consecuencias patrimoniales de su incumplimiento», *op. cit.*, p. 308; BOQUERA OLIVER, José Mª: «La caracterización del contrato administrativo en la reciente jurisprudencia francesa y española», *op. cit.*, p. 201, PENDÁS GARCÍA, Benigno (Coord.): *Derecho de los contratos públicos (Estudio sistemático de la Ley 13/1995, de 18 de mayo, de Contratos de las Administraciones Públicas)*, *op. cit.*, p. 273-300 o GARCÍA GÓMEZ DE MERCADO, Francisco (Coord.): *Manual de contratación del Sector Público. Estudio sistemático de las obligaciones de la Hacienda Pública, los contratos y convenios de la Administración y del resto del Sector Público, op. cit.*, p. 342-348.

327. Es mucha la bibliografía existente en el ámbito jurídico-privado entorno la doctrina de la causa contractual. Así, como referencias generales, podríamos citar, entre muchos otros, DIEZ-PICAZO, Luis: *Fundamentos de Derecho Civil Patrimonial, op. cit.*, p. 135; PUIG FERRIOL, Lluis y GETE-ALONSO CALERA, María del Carmen: *Manual de Derecho Civil*, volumen III, Ed. Marcial Pons, Madrid 1996, p. 537-543; DE CASTRO Y BRAVO, Federico: *El negocio jurídico*, Instituto de Estudios Jurídicos, Madrid 1967, p. 164-190.

les a esta cuestión que, más adelante, nos pueden resultar importantes para poder continuar con nuestra exposición.

En este sentido, podemos referirnos genéricamente a la *causa del contrato* como el fundamento jurídico que justifica la producción de las obligaciones que nacen del contrato. Así, todo negocio jurídico requiere de una causa o razón suficiente que ampare su tutela por parte del ordenamiento jurídico y le imprima su carácter vinculante, y ésta ha de ser lícita y verdadera. De este modo, la principal función de la causa contractual consistiría, además de coadyuvar en la clasificación de los diferentes negocios jurídicos, en dotar de sentido jurídico a dicho negocio y limitar el alcance de la autonomía de la voluntad de las partes, haciendo posible un control sobre el uso que los sujetos hacen sobre la propia autonomía contractual[328].

Como decíamos, se ha discutido mucho acerca de la naturaleza jurídica de la causa, distinguiéndose una concepción *objetiva* de la causa –según la cual el contrato posee una específica función económico-social dentro del tráfico jurídico– y una concepción *subjetiva* –que otorga importancia también a la intención concreta perseguida por las partes al realizar el contrato–, si bien parece que hoy día se opta mayoritariamente por una concepción dualística de la causa, que conjuga adecuadamente ambas concepciones y define la causa como la función económico-social concreta querida por los contratantes al celebrar el contrato[329].

328. Debemos señalar que la determinación de la naturaleza y alcance de la causa del contrato no es una cuestión pacífica. No obstante, la doctrina más especializada define mayoritariamente la causa contractual en el sentido expuesto anteriormente. Así, pueden verse, entre otros, BERCOVITZ RODRÍGUEZ-CANO, Rodrigo (Coord.): *Manual de Derecho Civil. Contratos*, Ed. Bercal, Madrid 2003, p. 33; DIEZ-PICAZO, Luis: *Fundamentos de Derecho Civil Patrimonial, op. cit.*, p. 135; PUIG FERRIOL, Lluis y GETE-ALONSO CALERA, María del Carmen: *Manual de Derecho Civil, op. cit.*, p. 537-543; DE CASTRO, Federico: *El negocio jurídico, op. cit.*, p. 164-190.
En el ámbito administrativo la atención de la doctrina a esta cuestión ha sido mucho menor, si bien el elemento causal sí que ha sido objeto de estudio detallado en el ámbito de las potestades administrativas, distinguiéndose entre la causa y el fin o función de los actos administrativos. Podemos citar, por ejemplo, GARCÍA DE ENTERRÍA, Eduardo y FERNÁNDEZ RODRÍGUEZ, Tomás Ramón: *Curso de Derecho Administrativo I, op. cit.*, p. 551-556; CARRETERO PÉREZ, Adolfo: «Causa, motivo y fin del acto administrativo», en *Revista de Administración Pública*, núm. 58, 1969, p. 127-147; BOQUERA OLIVER, José María: *Estudios sobre el acto administrativo*, Ed. Civitas, séptima edición, Madrid 1993, p. 75-90.
329. Defienden dicha postura intermedia de la causa, entre otros, BERCOVITZ RODRÍGUEZ-CANO, Rodrigo (Coord.): *Manual de Derecho Civil. Contratos, op. cit.*, p. 33; CLAVERÍA GOSALBEZ, Luis Humberto: *La causa del contrato*. Publicaciones del Real Colegio de España. Studia Albornotiana, Bolonia, 1998, p. 108-113; SABORIDO SÁNCHEZ, Paloma: *La causa ilícita: delimitación y efectos*, Ed. Tirant lo Blanch, Valencia 2005, p. 102-105.

B. La aplicación de la causa contractual a la encomienda de gestión

En nuestra opinión, y partiendo de las anteriores consideraciones, no habría ningún obstáculo de principio para aplicar, desde el punto de vista de la causa, el esquema contractual a la figura de la encomienda de gestión. En su condición de acuerdo de voluntades sobre un objeto cierto podemos entender que ésta exige necesariamente la concurrencia de un nexo causal entre las obligaciones que asume cada una de las partes. En efecto, toda encomienda de gestión debe responder a una determinada finalidad jurídica que fundamente la posición que se atribuye a cada una de las partes intervinientes y que justifique también la disposición de determinados aspectos materiales del ejercicio de las competencias administrativas por parte de una administración pública.

Concretando un poco más, podríamos entender, en primer lugar, que la encomienda de gestión tiene como causa específica el propósito negocial que concretamente persiguen las partes en su celebración. Es decir, en función de su objeto concreto, la encomienda perseguirá uno u otro resultado práctico (ya sea la realización de una determinada obra, la prestación de un servicio, etc.), con la voluntad de suplir la insuficiente capacidad de gestión o la carencia de medios materiales idóneos del encomendante.

Por lo tanto, la causa específica de la encomienda de gestión se referiría al resultado típico que las partes pretenden conseguir mediante la formalización de dicho acuerdo, consistiendo esencialmente en su intención común de acordar el desarrollo de una determinada actuación material a cambio de una contraprestación. En efecto, la causa de la encomienda se concretaría en la colaboración gestora para el desarrollo de ciertas actuaciones materiales que, por cuenta ajena, presta una determinada entidad pública a otra entidad de la misma naturaleza que, por carecer de los medios necesarios o no disponer de suficiente capacidad de gestión, se vería imposibilitada de actuar por sí misma. De ahí que, como calificábamos anteriormente, la encomienda de gestión se nos presente como un negocio jurídico de carácter bilateral, en el que los derechos y obligaciones del encomendante encuentran su justificación precisamente en los recíprocos derechos y obligaciones del encomendado[330]. Reciprocidad que, explicaría también la fuerza vinculante de la enco-

---

330. Toda vez que, como veremos más adelante, es también esta consideración específica de la causa contractual la que nos permitirá calificar posteriormente la encomienda de gestión como un negocio jurídico de carácter *oneroso*, por cuanto supone el nacimiento de obligaciones recíprocas para las partes intervinientes.

mienda de gestión y, en su caso, la posibilidad de exigir la protección jurisdiccional en caso de incumplimiento.

Para reforzar nuestra interpretación sobre la existencia del nexo causal en esta figura jurídico-administrativa podríamos remitirnos a un criterio más práctico y añadir que, sin perjuicio del carácter público de los sujetos intervinientes –que es precisamente uno de los aspectos que singulariza la encomienda de gestión–, el esquema de relaciones que pueden crearse a través de la encomienda puede encontrar equivalentes muy similares en otras figuras contractuales, tanto públicas como privadas, cuya calificación contractual no plantea duda alguna[331]. En efecto, si trasladamos al ámbito de los particulares el encargo para la realización de unas determinadas actuaciones materiales que supone la encomienda de gestión, nos daremos cuenta como esta tipología de negocio jurídico podría coincidir con otros contratos civiles o administrativos típicos –que algunos autores han identificado con el contrato de mandato regulado en el artículo 1709 del Código Civil[332], con los supuestos de arrendamiento de obras o servicios previstos en el artículo 1544 del Código Civil[333] e, incluso, con una especie de concesión de servicios[334]– de cuya regulación legal como *contratos* se desprende ya el reconocimiento implícito de la existencia de un vínculo causal entre las partes.

No obstante, más allá de esta finalidad concreta, la encomienda de gestión responde también a otra funcionalidad jurídica esencial, muy ligada al fundamento constitucional que poníamos de relieve en el *Capítulo I* de nuestra exposición, esto es la colaboración entre administraciones públicas para mejorar la eficacia de la actuación pública y, de este modo, cumplir adecuadamente con las finalidades de interés general que nuestro ordenamiento jurídico asigna a la Administración Pública en su conjunto (art. 103.1 CE). Es evidente que la Administración en

---

331. A la búsqueda de equivalentes en el ámbito privado se han referido GARCÍA DE ENTERRÍA y FERNÁNDEZ RODRÍGUEZ como uno de los posibles criterios para contribuir a determinar la calificación como contratos de los llamados convenios de la Administración Pública. GARCÍA DE ENTERRÍA, Eduardo y FERNÁNDEZ RODRÍGUEZ, Tomás Ramón: *Curso de Derecho Administrativo I, op. cit.,* p. 681.
332. En este sentido, MORELL OCAÑA, Luis: «Encomiendas de funciones», *op. cit., in totum.*
333. GONZÁLEZ PÉREZ, Jesús y GONZÁLEZ NAVARRO, Francisco: *Comentarios a la Ley de Régimen Jurídico de las Administraciones Públicas y del Procedimientos Administrativo Común, op. cit.,* p. 762. En idénticos términos, GONZÁLEZ NAVARRO, Francisco: «De la delegación, avocación y sustitución interorgánica, y de algunos de sus falsos hermanos», *op. cit.,* p. 359.
334. GARRIDO FALLA, Fernando y FERNÁNDEZ PASTRANA, José Mª: *Régimen Jurídico y Procedimiento de las Administraciones Públicas (Un estudio de las Leyes 30/1992 y 4/1999), op. cit.,* p. 97.

toda actuación que lleve a cabo debe perseguir la satisfacción del interés público[335], sin embargo, como hemos venido afirmando, en la encomienda de gestión ello tiene una especial trascendencia, por cuanto ésta se nos presenta no sólo como un mecanismo para proveer a una determinada entidad de una actividad o servicio del que carece, sino que se nos configura, en abstracto, como un instrumento de colaboración administrativa cuyo objeto es contribuir al eficaz ejercicio de sus competencias por parte de las diferentes administraciones públicas, haciendo, así, compatible el principio de irrenunciabilidad de dichas funciones con las situaciones de carencia de medios materiales o insuficiente capacidad de gestión.

De este modo, podemos entender que la justificación objetiva de la encomienda de gestión se encontraría también en la voluntad de asegurar el correcto desarrollo de las funciones públicas atribuidas por nuestro ordenamiento jurídico a los diferentes niveles de gobierno y administración en que se organiza nuestro Estado; tratando de evitar, al mismo tiempo, su utilización para otros fines distintos y, muy especialmente, con la voluntad de eludir la distribución competencial establecida por nuestro ordenamiento jurídico. Por lo que, nuevamente, nos aparece la función de control de la causa contractual, a través de la cual se permite comprobar si, efectivamente, la relación de encomienda se dirige a satisfacer las necesidades públicas para las que ha sido prevista.

Desde esta perspectiva, afirmaríamos entonces que el elemento causal de la encomienda de gestión vendría integrado por estos dos aspectos: una causa específica, ligada al tipo de operación a realizar a través de la encomienda, y una finalidad más genérica, vinculada a la idea de colaboración en la consecución de un fin común: la garantía de la eficacia de la actuación administrativa. Pero más allá de esta constatación –que no hace más que reiterar la verdadera concurrencia del nexo causal en esta institución administrativa– nos interesa destacar este último elemento finalista de la encomienda de gestión porque, precisamente, ha sido a partir de este carácter colaborativo y de servicio al interés general

---

335. En este sentido, debemos recordar que el artículo 25.1 del TRLCSP limita la libertad de contratación de los entes del sector público al hecho de que los pactos, cláusulas y condiciones que quieran acordarse no sean contrarias al interés público, al ordenamiento jurídico y a los principios de buena administración. Se refieren también a estas cuestiones, entre otros, GARCÍA GÓMEZ DE MERCADO, Francisco (Coord.): *Manual de contratación del Sector Público. Estudio sistemático de las obligaciones de la Hacienda Pública, los contratos y convenios de la Administración y del resto del Sector Público*, op. cit., p. 344-345 o DE SOLAS RAFECAS, José María: *Contratos administrativos y contratos privados de la Administración*, Ed. Tecnos, Madrid 1990, p. 141-142.

implícito en la encomienda que, como veremos seguidamente, algunos autores han cuestionado la posibilidad de configurar dicha institución administrativa como un verdadero *contrato*.

C. *El posible cuestionamiento del nexo causal de la encomienda*

El punto de partida para dicho cuestionamiento se encuentra en una definición mucho más restrictiva del concepto de contrato, que entiende que una de las características esenciales a todo negocio jurídico contractual sería la de ordenar situaciones jurídicas presididas por una contraposición de intereses. De esta manera se considera que debería excluirse tal calificativo en todos aquellos supuestos en que los intereses en juego no sean contrapuestos sino paralelos[336].

Siguiendo este razonamiento, la noción de *contrato* se reservaría únicamente para aquellos negocios jurídicos de carácter conflictual, en el que el contrato se configura como un medio de auto-composición de intereses entre sujetos antagónicos, pero no para aquellos supuestos en que las partes persiguen objetivos comunes o complementarios. El hecho de que en estos acuerdos las prestaciones de las partes intervinientes no vayan a insertarse correlativamente en la esfera jurídica de la otra sino que coadyuvan en la consecución de un objetivo propio y común, impediría situar los diferentes compromisos asumidos en situación de reciprocidad y, consecuentemente, se negaría su relación causal[337].

---

336. En este sentido es habitual mencionar dentro de la doctrina italiana a BETTI, Emilio: *Teoría general del negocio jurídico*, Ed. Revista de Derecho Privado, Madrid, 1970, p. 225-228, citado por DÍEZ-PICAZO, Luis: *Fundamentos de Derecho Civil Patrimonial*, volumen I, Ed. Civitas, quinta edición, Madrid 1996, p. 76. Igualmente, puede verse, entre otros, OSSORIO MORALES, Juan: «Notas para una teoría general del contrato», en *Revista de Derecho Privado*, 1965, p. 1071-1080.
    En el ámbito jurídico-administrativo se han referido a dicha cuestión, por ejemplo, MORELL OCAÑA, quien diferenciaba los *contratos*, en sentido estricto, de otros acuerdos de carácter no contractual en función de la contraposición de los intereses en presencia. MORELL OCAÑA, Luis: *Curso de Derecho Administrativo*, Tomo II, *op. cit.*, 265-267. O, en términos parecidos, se ha expresado también ORTIZ MALLOL, José: «La causa como elemento definidor del contrato de consultoría y servicios: contrato *versus* convenio interadministrativo y entre Administración Pública y una entidad sin ánimo de lucro», [En línea] en *Diario la Ley*, 2000, [Consulta 13 de enero de 2011], p. 2-3.
337. En palabras de OSSORIO MORALES, si los sujetos intervinientes en una determinada relación jurídica persiguen un interés común y mediante el acuerdo de voluntades colaboran los unos junto a los otros en su realización, nos encontraríamos ante una figura jurídica a la que no debe en puridad denominarse contrato, ni pueden aplicársele la mayor parte de las normas específicas para regular la contratación. OSSORIO MORALES, Juan: «Notas para una teoría general del contrato», *op. cit.*, p. 1074.

Esta interpretación más restrictiva de la noción de contrato ha llevado a algunos autores administrativistas a negar el carácter contractual de la encomienda de gestión. Así, por ejemplo, MORELL OCAÑA, en su *Curso de Derecho Administrativo*, situaba la encomienda de gestión dentro de los acuerdos de carácter no contractual por el hecho de encontrarnos ante conductas no situadas en una relación de reciprocidad. En el mismo sentido, SÁNCHEZ SÁEZ califica también la encomienda de gestión, en atención a su elemento causal, como un negocio jurídico bilateral de carácter no contractual. La constatación que ninguna de las partes que celebra la encomienda lo haga con la intención de sacar un provecho propio sino con la voluntad de contribuir a la satisfacción de los intereses generales –en la medida que una determinada prestación o actividad es realizada por la entidad pública que mejor puede desempeñarla–, modularía, en atención a este autor, la naturaleza jurídica de dicho negocio, excluyendo su carácter contractual[338].

No obstante, no podemos compartir plenamente dichas opiniones. Y ello por dos razones fundamentales. En primer lugar, por cuanto, desde nuestro punto de vista, la contraposición de intereses no es un elemento determinante, por sí mismo, para la existencia de un contrato. En efecto, la existencia de posiciones contrapuestas puede ser un elemento común de los contratos de intercambio, pero no es ni un requisito esencial a todo contrato, ni el único nexo causal previsto en nuestro

---

338. Véase SÁNCHEZ SÁEZ, Antonio José: «Algunas reflexiones sobre la encomienda de gestión como instrumento racionalizador del ejercicio de las competencias administrativas», *op. cit.*, p. 240 y MORELL OCAÑA, Luis: *Curso de Derecho Administrativo*, Tomo II, *op. cit.*, 270. Si bien, como hemos apuntado, posteriormente este último autor matizó notablemente su entendimiento de la encomienda de gestión, definiéndola como un verdadero contrato. MORELL OCAÑA, Luis: «Encomiendas de funciones», *op. cit.*, *in totum*.
A ello hay que añadir que este argumento ha sido, en ocasiones, utilizado también por nuestra doctrina y jurisprudencia para negar, con carácter más general, no sólo la naturaleza contractual de la encomienda de gestión sino también de la figura de los convenios de colaboración entre administraciones públicas previstos en la LRJPAC. Podemos citar, por ejemplo, ARIÑO ORTIZ, Gaspar (Dir.): *Comentarios a la Ley de Contratos de las Administraciones Públicas*, Tomo I, Ed. Comares, Granada 2002, p. 130 y 146 o RIVERO YSERN, Enrique. «Las relaciones interadministrativas», *op. cit.*, p. 64.
Sin embargo, en la actualidad, la doctrina mayoritaria parece pronunciarse en el sentido contrario, reconociendo plenamente el carácter contractual de los convenios. Así, por ejemplo, MARTÍN HUERTA, Pablo: *Los convenios interadministrativos*, *op. cit.*, p. 37-43; RODRÍGUEZ DE SANTIAGO, José María: *Los convenios entre Administraciones Públicas*, *op. cit.*, p. 339-365; MENÉNDEZ REXACH, Ángel: *Los convenios entre Comunidades Autónomas: comentario al artículo 145.2 de la Constitución*, Instituto de Estudios de Administración Local, Madrid 1982, p. 63-64.

ordenamiento jurídico. Al contrario, la colaboración entre las partes para la consecución de un objetivo común constituye también un vínculo contractual lícito y plenamente admitido por nuestro ordenamiento para dotar de sentido a las relaciones jurídicas bilaterales[339]. De modo que exigir para la validez de todo contrato la existencia de un vinculo conflictual entre las partes contratantes es un aspecto que no puede derivarse directamente de la definición de esta institución prevista en el artículo 1254 del Código Civil y que, por tanto, no formaría parte necesariamente de la definición de la figura contractual[340].

Desde esta perspectiva, se entiende mayoritariamente que aquello determinante para poder hablar de un contrato es la existencia de intereses «distintos» entre los sujetos que intervienen, pero sin que sea necesario que dichos intereses sean, al mismo tiempo, contrapuestos. Sería, por lo tanto, la concurrencia de intereses diferentes lo que determinaría la existencia de diferentes situaciones jurídicas (las partes) en una misma relación obligacional[341].

---

339. De ahí que, por ejemplo, en el ámbito privado se prevean figuras como el contrato de mandato, regulado en el artículo 1709 del Código Civil, que se define unánimemente por la doctrina civil como un supuesto de cooperación jurídica; o como los contratos asociativos previstos en los artículos 1665 y siguientes del Código Civil, dirigidos a la consecución de fines comunes entre los diferentes socios. Sobre dichas figuras contractuales y en el sentido expuesto anteriormente, pueden verse, entre otros muchos, Martínez de Aguirre Aldaz, Carlos (Coord.): *Curso de Derecho Civil*, volumen II (Derecho de obligaciones), Ed. Colex, Madrid 2008, p. 714 o Delgado de Miguel, Juan Francisco (Coord.): *Instituciones de Derecho Privado*, tomo III (Obligaciones y contratos), volumen segundo, Ed. Thomson-Civitas – Consejo General del Notariado, Madrid 2003, p. 1141-1142.

340. En el ámbito jurídico-administrativo Huergo Lora se ha referido también a este aspecto, afirmando que un contrato en el que un tercero se compromete frente a la Administración a realizar conductas a favor de un interés público no es un contrato carente de causa para la Administración, aunque esas prestaciones no le supongan un enriquecimiento patrimonial. Huergo Lora, Alejandro: *Los contratos sobre los actos y las potestades administrativas, op. cit.*, p. 190.

341. En el ámbito jurídico privado podemos citar, por todos, Diez-Picazo, Luis: *Fundamentos de Derecho Civil Patrimonial, op. cit.*, p. 77-78. Por lo que se refiere al ámbito jurídico-administrativo, debemos señalar que algunos autores se han referido también a dicha cuestión. Así, por ejemplo, Bassols Coma, al analizar tempranamente la figura de los convenios de colaboración de la Administración con los particulares, había ya afirmado que el antagonismo patrimonial de las prestaciones no era un elemento consustancial del contrato administrativo. Bassols Coma, Martín: «Consideraciones sobre los convenios de colaboración de la Administración con los particulares para el fomento de actividades económicas privadas de interés público», en *Revista de Administración Pública*, núm. 82, enero-abril 1977, p. 81. Y en el mismo sentido se expresan, entre otros, Bustillo Bolado, Roberto O.: *Convenios y contratos administrativos: transacción, arbitraje y terminación convencional del procedimiento, op. cit.*, p. 106; Martín-Retortillo Baquer, Sebastián: *El Derecho Civil en la*

En este sentido podemos afirmar que, a pesar de que, como hemos visto, la idea de colaboración en la consecución de unas mismas finalidades de interés general, se encuentra implícita en la figura de la encomienda de gestión, no es menos cierto que ésta se configura principalmente como un negocio jurídico bilateral, que genera nuevos derechos y deberes para las partes intervinientes (en particular, la realización de las actuaciones materiales comprometidas, por una parte, y la retribución de los gastos ocasionados y el dictado de los actos jurídicos necesarios para ello, por otra). Por lo que, en nuestra opinión, no resulta posible sostener que la encomienda de gestión se configura solamente como una superposición de actuaciones dirigidas a la consecución de un mismo fin común, sino que ésta se nos presenta primeramente como un acuerdo de voluntades vinculante generador de verdaderas obligaciones recíprocas y en cuya virtud las partes asumen posiciones jurídicas distintas a las que tenían en anterioridad a su manifestación de voluntad. En efecto, la encomienda de gestión se articula entorno a dos sujetos que se colocan a la vez sobre una posición de poder y de deber jurídico, de manera que éstos pueden ser considerados recíprocamente como acreedores y deudores. Y es por ello, a partir del hecho de que la encomienda de gestión se caracterizaría por crear un nuevo vínculo obligatorio entre las partes, imponiéndoles un nuevo conjunto de derechos y deberes recíprocamente exigibles, que creemos que no resulta posible negarle su condición de negocio jurídico contractual.

La existencia de dos partes diferenciadas, con sus respectivas posiciones jurídicas, unidas por un evidente nexo de dependencia –pues la realización de las actuaciones materiales encomendadas carecería de sentido sin el concurso necesario del encomendante a la hora de retribuir dicho encargo y fijar los parámetros generales de su desarrollo– nos vendría a confirmar la existencia de un nexo causal entre las prestaciones. Como hemos expuesto, y como viene afirmando la doctrina civilista al hablar de la causa del contrato, podríamos entender que en la encomienda de gestión el contenido de cada una de las prestaciones justifica y dota de significado a la otra.

Pero es que además, y en segundo lugar, podríamos plantearnos también si resulta posible desligar cualquier actuación contractual de dicha voluntad de colaboración. Y es que, en nuestra opinión, este principio de colaboración se manifiesta en toda la sede contractual –inclu-

---

génesis del Derecho Administrativo, op. cit., p. 187-188 o Martín Huerta, Pablo: *Los convenios interadministrativos, op. cit.*, p. 225-227.

yendo también la categoría de los contratos de intercambio, en que los intereses son contrapuestos–. Así, en el ámbito de la contratación pública, a pesar de que la actuación del contratista de la Administración responde esencialmente a sus intereses privativos, no es menos cierto que éste también debe enfocar su gestión a un correcto desarrollo de las funciones públicas que le hayan sido encargadas, no sólo como una mera una exigencia contractual, sino que redundará también en un mayor aprovechamiento individual y económico de su específica posición jurídica. Por lo que, en el fondo, como ya destacó en su día ENTRENA CUESTA, un cierto componente de colaboración se encuentra siempre presente en toda actuación contractual en el ámbito público[342].

En definitiva, todos estos argumentos nos llevan a que debamos concluir este apartado con la afirmación de que, desde nuestro punto de vista, también en atención al elemento causal, la encomienda de gestión responde adecuadamente a la noción de *contrato* a la que nos estamos refiriendo. Sin embargo, llegados a este punto debemos realizar una matización importante. El hecho de que la finalidad de colaboración administrativa y de búsqueda de una mayor eficacia en la gestión pública que preside la encomienda de gestión no sea suficiente, por sí misma, para negar su consideración genérica como un negocio contractual no significa tampoco que ésta circunstancia no deba tener ninguna trascendencia pues, como veremos posteriormente con más detalle, esta especifica naturaleza colaborativa y de servicio al interés general será un elemento a tener muy presente a la hora de determinar el régimen jurídico particular de dicha institución, pudiendo llegar a modular en parte su tratamiento contractual.

En nuestra opinión, el hecho de que la encomienda de gestión con-

---

342. El profesor ENTRENA CUESTA al analizar la figura del contrato administrativo ponía de relieve como, precisamente, una de sus características fundamentales era la consideración del particular (u otro ente público contratante) como un colaborador de la Administración en la consecución del interés público. ENTRENA CUESTA, Rafael: «Consideraciones sobre la teoría general de los contratos de la Administración», *op. cit.*, p. 65. En el mismo sentido, entre otros, ARIÑO ORTIZ, Gaspar: *Teoría del equivalente económico en los contratos administrativos, Instituto de Estudios Administrativos*, Madrid, 1968, p. 230, BASSOLS COMA, Martín: «Consideraciones sobre los convenios de colaboración de la Administración con los particulares para el fomento de actividades económicas privadas de interés público», *op. cit.*, p. 81 o MARTÍN REBOLLO, Luis y PANTALEÓN PRIETO, Fernando: «Exigibilidad de los convenios interadministrativos y consecuencias patrimoniales de su incumplimiento», *op. cit.*, en el que se afirma que la idea de la colaboración impregna cada vez más la teoría del contrato administrativo, obviando así un posible obstáculo a la calificación contractual de la figura de los convenios de colaboración (p. 308).

tribuya a asegurar el correcto cumplimiento de las obligaciones públicas atribuidas a las diferentes administraciones, y responda, principalmente, a objetivos situados fuera de la órbita del mercado de bienes y servicios debe hacernos cuestionar si resulta coherente la estricta aplicación a estos supuestos de la normativa sobre contratación pública. Normativa que, como vimos, responde a finalidades sensiblemente diferentes: en particular, al respeto a la libre circulación y los principios de ella derivados. Así ha parecido entenderlo, en ocasiones, nuestra jurisprudencia al examinar, de un modo más general, la figura de los convenios de colaboración entre administraciones públicas. Por ejemplo, en la Sentencia de la Sala Contenciosa-Administrativa del Tribunal Supremo de 15 de julio de 2003 (Ponente: Sr. Juan José González Rivas, núm. recurso 3604/1997), se afirma que, aunque los convenios de colaboración interadministrativos tienen ciertas concomitancias con los contratos, en cuanto corresponden a una concurrencia de voluntades coincidentes sobre determinados objetivos orientados a una específica finalidad, por su elemento de colaboración rebasan o exceden el específico concepto de contrato (FJ 2). Pero, sobretodo, así lo ha entendido también el Tribunal de Justicia de la Unión Europea quién, recientemente, en la Sentencia de 9 de junio de 2009, asunto C-480/06, *Comisión de las Comunidades Europeas / República Federal de Alemania*, ha utilizado también todos estos argumentos para matizar la aplicación de las Directivas comunitarias a determinados supuestos de cooperación entre administraciones públicas, entendiendo que, en ocasiones, éstos no cuestionan los objetivos de las Directivas y, por lo tanto, puede modularse su sujeción al régimen contractual público (FJ 45-48)[343].

Más adelante retomaremos nuevamente estas consideraciones, pero, insistimos que, en lo que ahora nos interesa, conviene dejar claro que una cosa es el tratamiento de la encomienda de gestión a efectos normativos y otra, muy distinta, su posible consideración abstracta como *contrato*. Como hemos intentado demostrar en los apartados precedentes –y con todas las matizaciones que hemos venido haciendo– la

---

343. A dicha resolución judicial, entre otras cuestiones de interés, se refiere Noguera de la Muela, Belén: «Los encargos *in house* en la Ley de Contratos del Sector Público (LCSP): especial referencia a los mismos en el ámbito local a la luz de la reciente jurisprudencia comunitaria», en *Revista de Administración Pública*, núm. 182, mayo-agosto 2010, p. 172-175. Igualmente, acerca de la trascendencia que la idea de la colaboración puede tener en el ámbito de la contratación pública y su interpretación por parte del TJUE puede verse también Gimeno Feliú, José María: «Problemas actuales de la Administración Municipal desde la perspectiva del derecho comunitario: incidencia en la organización administrativa de las normas de contratación pública», *op. cit.*, p. 173-188.

encomienda de gestión entre administraciones públicas diferenciadas sí puede configurarse realmente como un negocio jurídico contractual, es decir, como un verdadero *contrato*. Por lo que, verificado este extremo, debemos continuar con nuestro estudio, pasando ahora a analizar si esta figura reúne también el segundo de los requisitos previstos en el TRLCSP para determinar su aplicabilidad, esto es, el requisito de la onerosidad del contrato.

2.2. LA POSIBLE CONSIDERACIÓN DE LA ENCOMIENDA DE GESTIÓN COMO CONTRATO *ONEROSO*

Como vimos al iniciar este apartado, el artículo 2.1 del TRLCSP limita la aplicación objetiva de la Ley de Contratos del Sector Público únicamente a los *contratos* que puedan calificarse como *onerosos*. Sin embargo, y como ya sucedía en el punto anterior, el TRLCSP no define qué deben entenderse como tales, sino que remite a las categorías tradicionales de nuestro derecho de las obligaciones y de los contratos. Por lo que, nuevamente, debemos empezar este punto refiriéndonos previamente a qué entendemos por *contrato oneroso*.

2.2.1. Breve referencia a la gratuidad u onerosidad de las relaciones contractuales

Son muchas las clasificaciones teóricas que, especialmente desde el ámbito académico, se han venido formulando sobre los diferentes tipos de contratos existentes en nuestro ordenamiento jurídico[344]. La mayoría de ellas obedecen meramente a un deseo de ordenar y sistematizar dogmáticamente la exposición de la institución contractual; otras, en cambio, adquieren una mayor relevancia desde el punto de vista práctico puesto que sirven para destacar notables diferencias de régimen jurídico entre los diferentes tipos contractuales. Es el caso, por ejemplo, de la clasificación que distingue entre los *contratos onerosos* y los *contratos gratuitos*, y que, más allá de las particularidades que impone el Código Civil para cada uno de ellos, nos sirve ahora como parámetro para determinar la aplicación del TRLCSP.

En este sentido, la doctrina jurídica más especializada utiliza la primera denominación –*contratos onerosos*– para referirse a aquellos contra-

---

344. Véanse, por ejemplo, los sistemas clasificatorios que se recogen en Santos Briz, Jaime. (Dir.): *Tratado de Derecho Civil*, tomo III, Ed. Bosch, Barcelona, 2003, p. 296-301; Castán Tobeñas, José: *Derecho Civil español Común y Foral*, tomo IV, Ed. Reus, decimoquinta edición, Barcelona 1995, p. 10-17 o Puig Brutau, José: *Fundamentos de Derecho Civil*, *op. cit.*, p. 400-405.

tos en los que se produce un sacrifico económico para las dos partes contratantes. De manera que la prestación de uno se corresponde naturalmente con la del otro. A dicha categoría contractual se contraponen los segundos –los llamados *contratos gratuitos*– en los que, en cambio, uno de los contratantes se compromete a proporcionar al otro una ventaja pero sin recibir equivalente alguno, es decir, con ausencia de una contraprestación[345].

Esta diferenciación conceptual, por lo tanto, toma su punto de referencia en la naturaleza esencialmente patrimonial del contrato –elemento que, por cierto, como veíamos en el *Capítulo II*, nos permitía excluir del concepto de encomienda de gestión a aquellos acuerdos de carácter meramente político o que establecían declaraciones de intenciones pero sin contenido económico– valorando la posición jurídica de cada una de las partes para determinar si efectivamente existe un intercambio de prestaciones entre ellas o no. Todo esto nos pone de relieve como la naturaleza onerosa de un determinado negocio jurídico se halla estrechamente ligada a su carácter bilateral, pues la configuración sinalagmática de una relación jurídica –creándose derechos y obligaciones recíprocas para cada una de las partes contractuales– implicará normalmente su carácter oneroso[346].

Esta configuración tradicional de lo que deba entenderse por onero-

---

345. El ejemplo más típico de *contrato oneroso* sería el contrato de compraventa, por el cual una de las partes se obliga a entregar una cosa concreta y la otra a pagar por ella un precio cierto (artículo 1445 del Código Civil); mientras que como paradigma de *contrato gratuito* podríamos mencionar el contrato de comodato, por el que una de las partes entrega gratuitamente al comodatario una cosa para que use de ella (art. 1741 del Código Civil).
A diferencia de lo que expresábamos al analizar la causa del contrato, la determinación del concepto de contrato oneroso o gratuito resulta mucho más pacífica entre la doctrina jurídica más especializada. A pesar de que los diferentes autores pueden discrepar en lo que se refiere a la onerosidad o gratuidad de un tipo contractual específico, sus opiniones no difieren mucho acerca del alcance que debe darse genéricamente a dichos conceptos. En este sentido, pueden verse, entre otros muchos, Puig Ferriol, Lluis y Gete-Alonso Calera, María del Carmen: *Manual de Derecho Civil, op. cit.*, p. 541; Puig Brutau, José: *Fundamentos de Derecho Civil, op. cit.*, p. 401; Castán Tobeñas, José: *Derecho Civil español Común y Foral, op. cit.*, p. 386.

346. Sin embargo, como se ha señalado, entre ambas cualidades no puede establecerse una relación de sinonimia, pues no toda relación jurídica onerosa es necesariamente siempre sinalagmática; a la vez que se matiza que tampoco la gratuidad del contrato significa que no puedan corresponder a las partes del contrato –por ejemplo, en la donación que imponga una carga al donatario– posiciones de acreedor y deudor. En este sentido, Puig Brutau, José: *Fundamentos de Derecho Civil, op. cit.*, p. 401 o AA VV: *Derecho Civil. Derecho de Obligaciones y Contratos*, Ed. Tirant lo Blanch, cuarta edición, Valencia, 2001, p. 225.

sidad de las relaciones contractuales, es también la que se ha defendido en el ámbito de la normativa europea sobre contratación pública. Aunque es cierto que el TJUE no ha realizado ningún tipo de consideración específica en relación con la naturaleza onerosa de los contratos públicos, sí que en algunas ocasiones se ha pronunciado al respecto, en unos términos muy parecidos a los expuestos más arriba. Así, por ejemplo, en la STJUE de 12 de julio de 2001, asunto C-399/98, *Ordine degli Architetti y otros*, se afirma que el carácter oneroso de un contrato público se refiere a la prestación que se ofrece al contratista por la realización del objeto del contrato (FJ 77) o, más recientemente, en la STJUE de 25 de marzo de 2010, asunto C-451/08, *Helmut Müller GbmH / Bundesanstalt für Immobilienaufgaben*, el Tribunal afirma que, para que pueda hablarse de la existencia de un contrato público de obras, es necesario que el poder adjudicador reciba una prestación –la realización de las obras– a cambio de una contraprestación (FJ 45).

Por lo tanto, el Tribunal de Justicia de la Unión Europea entiende que para poder hablar de la existencia de un contrato público debe producirse necesariamente un intercambio de prestaciones, una creación de derechos y obligaciones para las partes, que han de ser interdependientes[347]. De manera que sería la existencia de este intercambio el que determinaría el carácter oneroso de una determinada relación obligatoria.

2.2.2. El carácter oneroso de la encomienda de gestión

Una vez sentadas las anteriores precisiones conceptuales, debemos pasar ahora a aplicar dicha categorización a la figura de la encomienda de gestión, analizando si ésta se configura como un negocio jurídico de carácter oneroso o gratuito. Para ello nos serviremos de algunas de las consideraciones que ya hemos venido realizando hasta ahora y, muy especialmente, de las conclusiones a las que llegábamos en el capítulo anterior al estudiar los efectos jurídicos derivados de la formalización de la relación de encomienda.

Decíamos entonces que, a excepción de los supuestos de encomienda entre órganos pertenecientes a una misma administración pública, la encomienda de gestión podía configurarse como un negocio jurídico de carácter bilateral, que daba lugar al nacimiento de derechos y deberes mutuos para cada una de las entidades públicas intervinientes

---

347. En el mismo sentido, STJUE de 18 de enero de 2007, asunto C-200/05, *Jean Auroux y otros/Commune de Roanne*, FJ 45. Véase también, PERNÁS GARCÍA, Juan José: *Las operaciones in house y el Derecho comunitario de los contratos públicos, op. cit.*, p. 32 y 63-64.

–en particular, al encomendado se le atribuía el deber de cumplir con el encargo asignado y la transferencia de resultados al encomendante, mientras que a éste último se le imponía la obligación de retribuir los gastos ocasionados con la encomienda, así como el dictado de los actos o resoluciones jurídicas necesarias para que ésta pudiera llegar a completarse–. De ahí que, atendiendo al hecho de que, como puede verse, cada una de las partes de la relación de encomienda asumiría un sacrificio propio, que se explica y justifica en atención a la contraprestación que reciben de la otra parte, podríamos llegar a la conclusión de considerar realmente a la encomienda de gestión como un instrumento de carácter oneroso.

Al mismo tiempo debemos recordar que, como vimos en el *Capítulo II*, aun sin negarla nos resulta ciertamente difícil poder admitir la posibilidad de que la encomienda de gestión se establezca a título meramente gratuito –de manera que el encomendado no recibiera contraprestación alguna–. No sólo porque, como decíamos, nuestra jurisprudencia ha subrayado que la colaboración administrativa no excluye automáticamente la posible compensación de los gastos ocasionados por ésta[348] o por el hecho de que el análisis de la praxis administrativa actual nos demuestra que casi siempre se prevé expresamente una retribución económica para cubrir los gastos que supone la gestión material del encargo asignado, sino también porque los principios de estabilidad presupuestaria, racionalización y eficiencia en la utilización de los recursos públicos que rigen en el ámbito de nuestra Administración Pública (art. 135 CE) impedirían a las diferentes administraciones endeudarse libremente, y sin la correspondiente cobertura presupuestaria, asumiendo la realización de tareas materiales ajenas.

Es por todo ello que consideramos que, desde el momento en que la relación de encomienda supone un esfuerzo patrimonial para cada una de las entidades públicas que intervienen, podemos concluir que, por naturaleza, dicho acuerdo de voluntades puede definirse como un negocio jurídico de carácter oneroso[349]. Y esta misma hipótesis es tam-

---

348. Nuevamente, podemos mencionar la Sentencia de la Sala de lo Contencioso Administrativo del Tribunal Supremo de 1 de julio de 2003 (Ponente: Sr. Jaime Rouanet Moscardó núm. rec. 8493/1998) o también la Sentencia de la misma Sala de 8 de octubre de 2010 (Ponente: Sr. Ángel Avilés Aguallo, núm. rec. 4092/2009) que admite que la prestación de servicios entre administraciones públicas se pueda costear a través de fórmulas de colaboración voluntaria (FJ Cuarto).

349. Ahora bien, en caso contrario, si hipotéticamente nos encontráramos ante un supuesto en que la encomienda de gestión no fuera acompañada de ningún tipo de retribución, la ausencia de onerosidad en la relación nos conduciría también irremediablemente a la imposibilidad de poder calificar dicha operación como un

bién la que, a nuestro entender, parece mantener la gran mayoría de la doctrina jurídico-administrativa. Aunque es verdad que en muchas ocasiones los diferentes autores no se refieren de forma expresa a la categorización contractual de la encomienda de gestión, sí que normalmente muchos de ellos ponen de relieve como ésta se configura como una relación bilateral y sinalagmática, que supone el nacimiento de dos posiciones jurídicas diferenciadas que asumen cada una de ellas la realización de un conjunto de prestaciones a favor de la otra. Por lo que, teniendo presente lo que decíamos anteriormente, entendemos que la doctrina estaría también definiendo, siquiera implícitamente, a la encomienda de gestión como un negocio jurídico de carácter oneroso[350].

---

contrato oneroso y, por lo tanto, a la necesaria exclusión de dicho negocio jurídico del ámbito de aplicación del TRLCSP.

Este mismo criterio, como ya hemos visto, era el que utilizaba la Sala de lo Contencioso del Tribunal Supremo en la citada Sentencia de 28 de marzo de 2007 (Núm. recurso 76/2005, ponente: Sra. Margarita Robles Fernández) para negar el carácter contractual de la atribución que el Real Decreto 685/2005, de 10 de junio, realizaba al Colegio de Registradores de la Propiedad, Mercantiles y de Bienes Inmuebles de España de la gestión material de un registro público de determinadas resoluciones judiciales, pues dicha atribución no generaba ninguna contraprestación a cargo de la Administración, sino que su gestión se realizaba a expensas del Colegio (FJ 6 y 7). No obstante, sin perjuicio de que estas consideraciones puedan servirnos en este aspecto como mera referencia, hemos visto ya como no podíamos compartir el criterio mantenido por la Sala al calificar dicha atribución como una encomienda de gestión del artículo 15 de la LRJPAC, por cuanto, como decíamos, el encargo realizado no derivaba de un acuerdo entre dos administraciones públicas sino que venía impuesto directamente por una norma jurídica. Por lo que, más que una encomienda de gestión administrativa, podría calificarse, como una «atribución de funciones a un ente público», es decir, un supuesto de transferencia de competencias (aunque en este caso se limiten solamente a la gestión material del mencionado Registro).

350. En este sentido, por ejemplo, GONZÁLEZ PÉREZ y GONZÁLEZ NAVARRO no sólo reconocen a la encomienda de gestión la misma naturaleza que el arrendamiento de obras o servicios –contratos esencialmente onerosos– sino que destacan, además, como los sujetos de la relación de encomienda se encuentran recíprocamente vinculados, porque el encomendado normalmente recibirá una contraprestación por la actividad material que debe realizar. GONZÁLEZ PÉREZ, Jesús y GONZÁLEZ NAVARRO, Francisco: Comentarios a la Ley de Régimen Jurídico de las Administraciones Públicas y del Procedimientos Administrativo Común, op. cit., p. 765.

En el mismo sentido, GONZÁLEZ NAVARRO, Francisco: «De la delegación, avocación y sustitución interorgánica, y de algunos de sus falsos hermanos», op. cit., p. 362; MESEGUER YEBRA, Joaquín: «La encomienda de gestión como técnica de modulación competencial interorgánica. Régimen jurídico y aplicación práctica: virtudes y defectos», op. cit., p. 138; BERNAL BLAY, Miguel Ángel: «Las encomiendas de gestión excluidas del ámbito de aplicación de la Ley de Contratos de las Administraciones Públicas. Una propuesta de interpretación del artículo 3.1. letra l) del TRLCAP», op. cit., p. 79-80 o AMOEDO SOUTO, Carlos: «El nuevo régimen jurídico de la enco-

En este punto, no obstante, podría cuestionarse también la consideración de la encomienda de gestión como un negocio jurídico oneroso. Y es que, retomando algunos de los argumentos que habíamos puesto ya de relieve al analizar la causa contractual, podría oponerse que, en realidad, la prestación del encargo por parte del encomendado no derivaría directamente de la expectativa del pago de una determinada renumeración, sino de la búsqueda de un interés común por las partes. En efecto, podría decirse que en la relación de encomienda no hay una retribución por la realización de unas actividades sino una contribución económica a la consecución de unos mismos objetivos comunes. Pero aun siendo posible, no compartiríamos esta posible interpretación que, a nuestro entender, parecería dejar en un segundo plano la vertiente de la encomienda de gestión como un auténtico mecanismo creador de compromisos obligatorios entre las partes.

Como hemos venido afirmando, la encomienda de gestión no se limita solamente a un flujo económico de una entidad pública a otra para financiar o subvencionar la prestación de determinados servicios, sino que supone el establecimiento de una verdadera relación jurídica obligatoria, entre dos partes diferenciadas, que formalizan por escrito tanto sus respectivos derechos y deberes como las condiciones en las que debe desarrollarse una determinada actuación. No se trata solamente de una simple puesta a disposición de medios sino, insistimos, de la asunción por el encomendado de la realización de una actuación material ajena. Asunción que se justifica por el compromiso del encomendante de llevar a cabo, a su vez, determinadas prestaciones. En consecuencia, y desde nuestro punto de vista, mediante la relación de encomienda se estarían creando verdaderas obligaciones patrimoniales entre las partes, idénticas a las que pueden existir en la gran mayoría de contratos. Por lo que, *a priori*, no podría negarse su carácter oneroso.

Además, a efectos de reforzar nuestra argumentación, conviene también tener presente una segunda matización importante y es que este carácter oneroso que se exige a la institución contractual no debe confundirse, en ningún caso, con la existencia de finalidad de lucro por alguna de las partes contratantes. Así lo ha puesto de relieve el propio TJUE quien, por ejemplo, en la citada Sentencia de 23 de diciembre de 2009, asunto C-305/2008, *Consorcio Nazionale Interuniversitario per le Scienze*, afirma expresamente que bajo el concepto de operador econó-

mienda de ejecución y su repercusión sobre la configuración de los entes instrumentales de las Administraciones Públicas», *op. cit.*, p. 271.

mico utilizado por las Directivas pueden incluirse organismos cuya finalidad principal no sea la obtención de lucro, como pueden ser las universidades o centros de investigación, cuya finalidad principal no es actuar en el mercado (FJ 30).

Y en el mismo sentido se expresa nuestro TRLCSP cuando aquello que exige para someter un determinado negocio jurídico a la legislación contractual es simplemente que éste pueda calificarse como *oneroso* –es decir, con la existencia de una contraprestación– pero sin que se requiera que las partes que lo celebren lo hagan también con el ánimo subjetivo de conseguir un enriquecimiento económico o incremento patrimonial (art. 2.1 TRLCSP)[351]. En efecto, la noción amplia de *contrato público* que maneja el TRLCSP no implica necesariamente la existencia de una finalidad de lucro por las partes contratantes, sino solamente su carácter oneroso. Prueba de ello es que se admite con total normalidad que puedan ser contratistas de la Administración Pública no sólo los empresarios mercantiles, sino también las entidades que carezcan de finalidad

---

351. Es precisamente de esta misma argumentación de la que se sirve Bernal Blay para rebatir la interpretación de Sánchez Sáez sobre la naturaleza jurídica de la encomienda de gestión. Como pusimos de relieve anteriormente, Sánchez Sáez configura la encomienda de gestión como un negocio jurídico gratuito, en atención al hecho de que ninguna de las partes que celebra la encomienda lo hace para sacar un provecho propio. Sin embargo, Bernal Blay considera insostenible dicha interpretación pues teniendo presente que la encomienda de gestión podría tener el mismo objeto que los contratos administrativos no puede excluirse *a priori* su carácter oneroso. Véase, Bernal Blay, Miguel Ángel: «Las encomiendas de gestión excluidas del ámbito de aplicación de la Ley de Contratos de las Administraciones Públicas. Una propuesta de interpretación del artículo 3.1. letra l) del TRLCAP», *op. cit.*, p. 79 y Sánchez Sáez, Antonio José: «Algunas reflexiones sobre la encomienda de gestión como instrumento racionalizador del ejercicio de las competencias administrativas», *op. cit.*, p. 241.
Se refieren también a esta idea de onerosidad Gimeno Feliú, José María: «Problemas actuales de la Administración Municipal desde la perspectiva del derecho comunitario: incidencia en la organización administrativa de las normas de contratación pública», *op. cit.*, p. 173 y Arimany Lamoglia, Esteban:«La apertura al mercado de los encargos de ejecución de obras reurbanización conferidos directamente a sociedades del sector público (Crónica del caso "Centro de Ocio de la ciudad de Roanne")», en *Civitas. Revista española de Derecho Administrativo*, núm. 133, p. 79.
Algunos autores, sin embargo, se han mostrado críticos con esta apreciación del TJUE, afirmando que el carácter oneroso no se deriva directamente de la existencia de una contraprestación, sino del hecho de que el ente adjudicador dé cobertura, o no, al ente controlado y asuma los riesgos económicos de la actividad. Marchegiani, Giannangelo: «La Cour de Justice Européenne ignore sa jurisprudence en matière d'organismes de droit public lorsqu'ell examine des cas des marches inhouse», en *Revue du Marché Commun et de l'Unnion Européenne*, núm. 512, octubrenoviembre 2007, p. 594-595, citado por Pernás García, Juan José: *Las operaciones in house y el Derecho comunitario de los contratos públicos, op. cit.*, p. 64.

de lucro (como las organizaciones no gubernamentales, las fundaciones o hasta las propias administraciones)[352].

Incluso, como se ha señalado por el TJUE, la onerosidad del contrato no exigiría ni tan siquiera una contraprestación monetaria, sino que ésta podría ir ligada a cualquier ventaja o contraprestación a favor del contratista, identificada con todo tipo de obligación asumida por el poder adjudicador como contrapartida por la realización de una determinada prestación[353]. En el mismo sentido, la también mencionada STJUE de 25 de marzo de 2010, asunto C-451/08, *Helmut Müller GbmH / Bundesanstalt für Immobilienaufgaben*, subraya que el concepto de contrato público requiere únicamente que su ejecución conlleve un beneficio económico directo para el poder adjudicador, pero sin que sea necesario acreditar también la existencia de una ventaja económica para el contratista (FJ 48-53). Obviamente, ello no excluye que, en la gran mayoría de supuestos, sea precisamente el ánimo de lucro o de enriquecimiento el que motive la actuación de los operadores económicos, pero debe quedar claro que ello no constituye un elemento definitorio del contrato público.

Con ello no sólo queremos poner de relieve el carácter amplio con el que el Tribunal de Justicia de la Unión Europea se ha venido refiriendo últimamente al carácter oneroso de la institución contractual, sino que, además, queremos insistir en la posibilidad de considerar la encomienda de gestión como un negocio oneroso. El hecho de que, como decíamos

---

352. El artículo 54.1 del TRLCSP prevé que podrán contratar con el sector público las personas naturales o jurídicas, españolas o extranjeras que tengan plena capacidad de obrar, no estén incursas en una prohibición de contratar y acrediten su solvencia económica, financiera, técnica o profesional o, en los casos en que se exija, estén debidamente clasificadas. Por lo que se puede afirmar que, en principio, cualquier persona, con independencia de su naturaleza jurídica y de sus específicas finalidades, podría ser contratista de la Administración.

En este mismo sentido se expresan, por ejemplo, GIMENO FELIÚ, José María: «Problemas actuales de la Administración Municipal desde la perspectiva del derecho comunitario: incidencia en la organización administrativa de las normas de contratación pública», *op. cit.*, p. 173; GOSÁLBEZ PEQUEÑO, Humberto: *El contratista de la Administración Pública*, Ed. Marcial Pons, Madrid, 2000, p. 97-99 o FUERTES LÓPEZ, Mercedes: *El contratista y el subcontratista ante las Administraciones Públicas*, Ed. Marcial Pons, Madrid 1997, p. 23.

353. En este sentido, puede verse la STJUE de 12 de julio de 2001, asunto C-399-98, *Ordine degli Architetti y otros* (FJ 76-86) o la STJUE de 18 de enero de 2007, asunto C-220/05, *Jean Aroux y otros / Commune de Roanne* (FJ 45-54 y 65-68); así como ARIMANY LAMOGLIA, Esteban: «La apertura al mercado de los encargos de ejecución de obras reurbanización conferidos directamente a sociedades del sector público (Crónica del caso "Centro de Ocio de la ciudad de Roanne")», *op. cit.*, p. 78.

anteriormente, la contraprestación del encomendante deba dirigirse solamente a sufragar el coste real de la actividad gestionada por el encomendado, sin que se persiga ningún otro tipo de rentabilidad económica, no sería óbice, desde esta perspectiva amplia, para negar la onerosidad de la relación de encomienda.

Sin embargo, de forma similar a lo que apuntábamos en el apartado anterior, ello no quiere decir que esta ausencia de finalidad de lucro no deba de tener ninguna trascendencia jurídica relevante. Al contrario, como veremos más adelante, serán precisamente estos mismos argumentos ligados al hecho de que la encomienda de gestión persiga objetivos ajenos al mercado y al enriquecimiento patrimonial del encomendado los que nos llevarán a cuestionar el tratamiento al que actualmente el TRLCSP somete dicha institución; preguntándonos si no sería necesario un completo replanteamiento del marco normativo que regula esta figura a nivel contractual. Pero, nuevamente, ello no excluiría, *a priori*, su consideración genérica como un *contrato público* sino el régimen jurídico al que, en nuestra opinión, debiera de sujetarse.

En definitiva, una vez constatada la posibilidad de configurar la encomienda de gestión como un contrato –con todas las excepciones que hemos ido viendo– y como un negocio jurídico de carácter oneroso, debemos pasar ahora a analizar el tercer y último de los requisitos exigidos por el artículo 2.1 del TRLCSP para determinar la aplicabilidad de dicha Ley: que éste haya sido celebrado por una de las entidades comprendidas dentro del ámbito de aplicación subjetivo del TRLCSP, es decir, que se trate de un contrato celebrado por una entidad encuadrable dentro del llamado Sector Público.

2.3. EL POSIBLE ENCAJE DE LA ENCOMIENDA DE GESTIÓN DENTRO DEL ÁMBITO SUBJETIVO DEL TRLCSP

Si volvemos la vista atrás, veremos como en este *Capítulo* y para analizar la posible consideración de la encomienda de gestión como un contrato público, nos hemos referido principalmente a su vertiente objetiva. Es decir, al contenido y justificación de los compromisos adquiridos por las partes. Sin embargo, en este apartado debemos cambiar nuestro punto de referencia y centrarnos en su elemento subjetivo, puesto que la Ley de Contratos del Sector Público califica como *contrato público* solamente a aquéllos que hayan sido celebrados por los entes, entidades y organismos comprendidos dentro de su ámbito de aplicación (art. 2.1 TRLCSP). Por lo que, tomando como referencia la presencia subjetiva de una entidad del sector público como requisito *sine qua non* para hablar de la existencia de un contrato público a efectos del TRLCSP, nos corresponde ahora analizar si las entidades públicas que participan en la encomienda de gestión pueden, o no, encuadrarse dentro de dicha tipología de sujetos prevista por la Ley.

Antes de avanzar, no obstante, queremos hacer una puntualización importante. El objeto de nuestro trabajo no consiste en entrar a analizar los problemas que ha planteado la transposición a nuestro ordenamiento interno de los conceptos de poder adjudicador o organismo de derecho público manejados por las Directivas europeas, ni aventurarnos tampoco a ofrecer un posicionamiento sobre su posible extensión a las entidades instrumentales de la administración. Cuestiones, todas ellas, que han sido objeto de estudio específico por parte de la doctrina[354]. Nuestro

---

354. La noción de «Poder adjudicador» se configura como una de las más importantes en lo que a la normativa europea en materia de contratación pública se refiere. Y es que, de acuerdo con el artículo 2 de la Directiva 2004/18/CE, de 31 de marzo, solamente se consideran *contratos públicos* aquellos celebrados entre una entidad que pueda ser calificada como poder adjudicador y uno, o varios, operadores económicos. De este modo, la determinación de qué entidades pueden considerarse incluidas dentro de esta categoría deviene imprescindible para fijar el ámbito de aplicación subjetivo de las Directivas. Para facilitar dicha determinación, el artículo 9 de la Directiva 2004/18/CE se ocupa de precisar que serán considerados «poderes adjudicadores» tanto el Estado, como los entes territoriales, los organismos de derecho público y las asociaciones constituidas por uno o más de estos entes u organismos. Sin embargo, como es sabido, la concreción del alcance de la noción de «organismo de derecho público» manejada por las Directivas ha venido generando muchas dudas, derivadas, principalmente, de la diferente tipología de personas jurídicas públicas existentes en cada Estado, así como de las dificultades de trasladar, a veces, las categorías utilizadas por el Derecho europeo a los ordenamientos internos. En este sentido, el TJUE ha precisado que el concepto de organismo de Derecho público previsto en las Directivas debe interpretarse de manera funcional, entendiendo como tal toda entidad, que tenga personalidad jurídica propia, cualquiera que sea su forma jurídica (pública o privada), que realice actividades de interés general, siendo indiferente el hecho que ésta, además, realice otro tipo de funciones; y que dependa financiera u orgánicamente de una entidad pública.
Sobre la interpretación funcional efectuada por el TJUE de los requisitos enunciados por las Directivas, véase, por ejemplo, la STJUE de 15 de enero de 1998, asunto C-44/96, *Mannesmann Alagebau Austria / Strohal Rotationsdruck GesmbH*, FJ 17-35 o la STJUE de 1 de febrero de 2001, asunto C-237/99, *Comisión Europea / República Francesa*, FJ 44-62.
Precisamente, la reiterada jurisprudencia del TJUE llevó a que en el año 2003 se produjera una modificación parcial del TRLCAP, a través de la Ley 62/2003, de 30 de diciembre, de Medidas Fiscales, Administrativas y de Orden Social, por la que se daba una nueva redacción al artículo 2.1 del TRLCAP por el que se fijaba el ámbito de aplicación subjetivo de dicha Ley, al efecto de incluir dentro de éste no sólo a las entidades de Derecho público no incluidas en el artículo 1 del TRLCAP, sino también a las sociedades mercantiles, sujetas al derecho Privado, hasta entonces excluidas expresamente de dicho ámbito de aplicación.

planteamiento se basa simplemente en presentar los criterios que nos ofrece nuestro ordenamiento jurídico para poder responder a las cuestiones que nos habíamos planteado en el inicio de nuestra exposición y, muy particularmente, a la pregunta de si la encomienda de gestión puede configurarse realmente como un *contrato público* a efectos del TRLCSP.

2.3.1. Breve referencia al ámbito subjetivo de aplicación del TRLCSP

Una de las novedades más destacadas –y también más discutidas– de la nueva Ley de Contratos del Sector Público ha sido la determinación de su ámbito de aplicación subjetivo. Como decíamos, la necesidad de adaptar el concepto de «poder adjudicador» previsto en el artículo 9 de la Directiva 2004/18/CE, de 31 de marzo, a nuestro ordenamiento jurídico interno ha sido una de las principales tareas que ha tenido que afrontar el legislador español en la reforma de la legislación contractual[355]

En el ámbito doctrinal podemos citar, entre otros muchos, GIMENO FELIU, José María: «La necesaria interpretación subjetivo-funcional del concepto de poder adjudicador en la contratación pública», en *Revista de Administración Pública*, núm. 151, 2000, p. 425-440; MORENO MOLINA, José Antonio y PLEITE GUADAMILLAS, Francisco: *Nuevo régimen de contratación administrativa*, Ed. La Ley, Madrid 2003; FUERTES, Mercedes: «Personificaciones públicas y contratos administrativos. La última doctrina del Tribunal de Justicia de las Comunidades Europeas», en *Revista de Estudios de la Administración Local y Autonómica* (REALA), núm. 279, enero-abril 1999, p. 25-34; MONTOYA MARTÍN, Encarnación: «La reciente jurisprudencia del Tribunal de Justicia de la Unión Europea acerca del concepto de poder adjudicador en las Directivas de contratación pública, servicios, suministros y obras», en *Revista Andaluza de Administración Pública*, núm. 41, 2001, p. 121-154; BAÑO LEÓN, José Mª: «La influencia del Derecho Comunitario en la interpretación de la Ley de Contratos de las Administraciones Públicas», *op. cit.*, p. 27 o BERNAL BLAY, Miguel Ángel: «Acerca de la transposición de las Directivas comunitarias sobre contratación pública. Comentario a la STJCE de 13 de enero de 2005, As. C-84-03 (Comisión vs. Reino de España), y el Real Decreto-Ley 5/2005, de 11 de marzo», *op. cit.*, p. 167-185.

355.   El ámbito subjetivo de aplicación de la Ley 30/2007, de 30 de octubre, de Contratos del Sector Público (y que hoy día reproduce el Texto refundido del año 2011) ha sido objeto de atención y de estudio detallado por parte de muchos autores que no sólo han destacado su importancia para la correcta aplicación e interpretación de la Ley, sino también la dificultad que entraña su compleja redacción y la, en ocasiones, difícil compatibilidad con las Directivas europeas sobre contratación pública. En este sentido, podemos citar, entre otros muchos, GIMENO FELIU, José María: «El nuevo ámbito subjetivo de aplicación de la Ley de Contratos del Sector Público: luces y sombras», en *Revista de Administración Pública*, núm. 176, 2008, p. 9-54 o PAREJO ALFONSO, Luciano: «El ámbito subjetivo de aplicación de la Ley de Contratos del Sector Público», en COLÁS TENA, Jesús y MEDINA GUERRERO, Manuel (Coord.): *Estudios sobre la Ley de Contratos del Sector Público*, Fundación Democracia y Gobierno Local, Madrid 2009, p. 37-62.

Con anterioridad a la entrada en vigor de la LCSP, merecen también especial consi-

Desde esta perspectiva, el artículo 3 del TRLCSP parte de una triple tipología de entidades, a modo de círculos concéntricos, a través de la cual se apoya toda la estructura de la Ley. El primero, y más reducido, de estos círculos es el relativo a las *administraciones públicas*, en sentido estricto (art. 3.2 TRLCSP). Aquí se incluyen no sólo las administraciones públicas territoriales, sino también los organismos autónomos dependientes de éstas y las entidades de derecho público, vinculadas o dependientes de una o varias administraciones públicas siempre que cumplan alguno de los dos requisitos siguientes: a) que su actividad principal no consista en la producción en régimen de mercado de bienes y servicios destinados al consumo individual o colectivo, o que efectúen operaciones de redistribución de renta y de la riqueza nacional, en todo caso, sin ánimo de lucro; y b) que no se financien mayoritariamente con ingresos cualquiera que sea su naturaleza, obtenidos como contrapartida de la entrega de bienes o prestación de servicios. Sin embargo, se excluyen en todo caso de dicha calificación las entidades públicas empresariales y los organismos asimilados dependientes de las comunidades autónomas y de las entidades locales (art. 3.2 *in fine* TRLCSP). A este grupo de entidades se les aplica el TRLCSP en toda su integridad (salvo excepción expresa), tanto en relación con los contratos administrativos, sean estos sometidos o no a regulación armonizada, como respecto a los contratos privados que puedan celebrar.

En segundo lugar, ampliando el círculo de aplicación del TRLCSP, nos encontraríamos con los llamados *poderes adjudicadores* (art. 3.3 TRLCSP). Esta categoría vendría integrada tanto por las administraciones públicas en sentido estricto, como por todos los entes, organismos o entidades que tengan personalidad jurídica propia y que, además, a) hayan sido creadas para satisfacer necesidades de interés general que no tenga carácter industrial o mercantil y que b) otro poder adjudicador financie mayoritariamente su actividad, controle su gestión o nombre más de la mitad de los miembros de su órgano de administración, dirección o vigilancia. Por lo tanto, se englobarían todas aquellas entidades que cumplen con los requisitos establecidos en el artículo 1.9 de la citada Directiva 2004/18/CE, de 31 de marzo. El grado de vinculación de los poderes adjudicadores a los procedimientos y reglas establecidas por el TRLCSP es menor que el previsto para las administraciones públicas en

---

deración NOGUERA DE LA MUELA, Belén: *El ámbito de aplicación de la nueva Ley de Contratos de las Administraciones Públicas*, Ed. Atelier, Barcelona, 2001 y GIMENO FELIÚ, José Maria (Coord.): *Contratación de las Administraciones Públicas: análisis de la nueva normativa sobre contratación pública*, Ed. Atelier, Barcelona, 2004.

sentido estricto, ya que sólo estarán sujetos a las reglas de preparación del contrato y a las reglas de adjudicación de los contratos en los supuestos en que éstos, que serán siempre contratos privados, estén sometidos a regulación armonizada.

Y, por último, en el ámbito de aplicación más amplio de la Ley nos encontramos con el resto de *entes, organismos y entidades del sector público* (art. 3.1 TRLCSP), que no sólo comprende a los dos niveles anteriores, sino también a las entidades públicas empresariales, las sociedades mercantiles con participación mayoritaria, directa o indirecta, de otras entidades públicas, las fundaciones del sector público, los consorcios, las mutuas de accidentes de trabajo y enfermedades profesionales de la Seguridad Social, así como las asociaciones constituidas por cualesquiera entes del sector público. El grado de vinculación de dichas entidades al TRLCSP podríamos calificarlo de mínimo, pues solamente se les aplican ciertas disposiciones generales de la Ley sobre el régimen de contratación (como, por ejemplo, las relativas a la capacidad del contratista, solvencia, objeto y precio del contrato) y algunas normas más flexibles sobre la preparación y adjudicación de los contratos; ajustando, eso sí, su actuación a los principios comunitarios de publicidad, concurrencia, transparencia, confidencialidad, igualdad y no discriminación, para lo cual deben aprobar unas instrucciones internas que deberán ser publicadas en el perfil del contratante de la entidad.

Así pues, es a partir de estos tres niveles de aplicación subjetiva de nuestro Texto refundido de la Ley de Contratos del Sector Público que debemos pasar a valorar si resulta posible o no encuadrar en dichas categorías a los sujetos que, según el artículo 15 de la LRJPAC, pueden actuar como órganos o entidades encomendantes. En definitiva, comprobar si en la encomienda de gestión es posible hablar de un negocio jurídico celebrado por una entidad perteneciente al sector público.

2.3.2. La encomienda de gestión como instrumento al servicio del sector público

La respuesta a esta pregunta, en nuestra opinión y partiendo de las conclusiones a las que llegábamos al estudiar el ámbito subjetivo de la encomienda de gestión, resulta relativamente sencilla. En el capítulo anterior, al analizar el régimen jurídico de la encomienda de gestión, afirmábamos como el artículo 15.1 de la LRJPAC limitaba la asunción de la posición de encomendante solamente a entidades con forma de personificación jurídico-pública. En efecto, la interpretación de la noción de órganos administrativos y entidades de derecho público a los que se refiere dicha Ley nos llevaba, en primer lugar, a excluir del ámbito de aplicación de dicha institución a las formas de personificación privada (como pudieran ser las sociedades mercantiles o las fundaciones del sector público), así como a extender la consideración de encomendantes no sólo a las administraciones territoriales sino también a otras entidades públicas, con personalidad jurídica propia, de carácter instrumental, ya se encontraran directamente vinculadas o dependiendo de otra entidad pública o gozaran de un mayor margen de independencia en su funcionamiento.

Pues bien, en este punto nos interesa poner de relieve la plena coincidencia que puede establecerse entre dicha regulación y la enumeración de los sujetos que pueden configurarse como parte activa en los *contratos públicos* regulados por el TRLCSP. En efecto, si leemos con atención el anteriormente citado artículo 3 del TRLCSP veremos como éste permite incluir dentro del ámbito de aplicación subjetivo de esta Ley a todas aquellas entidades públicas que, en el capítulo anterior, habíamos identificado como sujetos encomendantes a efectos del artículo 15.1 de la LRJPAC.

Así, según dicho precepto, el TRLCSP se aplica no sólo a la Administración General del Estado, las administraciones de las comunidades autónomas y de las entidades que integran la administración local, sino también a los organismos autónomos, las entidades públicas empresariales, las universidades públicas, las agencias o cualesquiera entidades de derecho público con personalidad jurídica propia vinculada o dependiente de un sujeto que pertenezca al sector público, incluyendo aquellas que, con independencia funcional o con una especial autonomía reconocida por la Ley, tengan atribuidas funciones de regulación o control de carácter externo sobre un determinado sector o actividad (art. 3.1 TRLCSP). La coincidencia en este punto es fácilmente explicable, puesto que tanto el TRLCSP como la LRJPAC son normas dirigidas a regular una misma realidad material, la actuación de los diferentes niveles de gobierno y administración existentes en nuestro ordenamiento jurídico, si bien, la primera de ellas, se limita a la regulación de un aspecto más concreto como es su vertiente contractual.

Es verdad que, en atención a las categorías que mencionábamos anteriormente, el TRLCSP no se aplicará del mismo modo a todas estas entidades, pues del listado anterior se desprende también que no todas estas entidades gozan de la misma condición de administración pública o de poder adjudicador a efectos del TRLCSP[356]. Pero, en cualquier caso,

---

356. Nuevamente, sobre el ámbito de aplicación subjetivo del TRLCSP y sus distintos

resulta necesario retener que esta posible clasificación no excluye la sujeción de todas ellas a la Ley de Contratos del Sector Público. Al contrario, todas estas entidades constituyen el *Sector Público* y, como tal, sus contratos deben regirse por el TRLCSP. Pero es que además hay que tener presente también que esta clasificación subjetiva no afecta en nada a la posible consideración de dichas entidades como sujetos encomendantes. La clasificación tripartita del TRLCSP es completamente ajena a la LRJPAC que, como ya dijimos, únicamente toma en consideración el hecho de que un determinado sujeto pueda ser calificado como «órgano administrativo» o «entidad de derecho público» (art. 15.1 LRJPAC).

En consecuencia, debemos concluir este punto afirmando que también desde esta perspectiva subjetiva la encomienda de gestión puede ser calificada como un *contrato público* a efectos del TRLCSP. A la vista de los argumentos expuestos anteriormente y de la coincidencia que puede establecerse entre los órganos administrativos o entidades de derecho público que pueden actuar como encomendantes y las entidades del sector público a las que se refiere el TRLCSP, no resultaría posible tampoco excluir la encomienda de gestión del artículo 15.1 de la LRJPAC del ámbito de aplicación del TRLCSP en atención a la figura del encomendante.

2.3.3. El encomendado como contratista de la Administración Pública

No obstante, antes de adentrarnos en el tratamiento de la figura de la encomienda de gestión en el TRLCSP, consideramos oportuno hacer una breve referencia a la figura del contratista y, en particular, a la posibilidad de que una entidad pública pueda ser adjudicataria de un contrato público. Y es que, como vimos en su momento, una de las características principales de la encomienda de gestión introducida por la LRJPAC es que su destinatario –el *encomendado*– es siempre otro órgano o persona jurídico-pública, ya pertenezca a la misma o distinta administración (art. 15.1 LRJPAC).

En este sentido, aunque hasta ahora la configuración de la encomienda de gestión como un instrumento dirigido a la búsqueda de una mayor eficacia en el cumplimiento de las funciones públicas mediante la colaboración o auxilio recíproco entre administraciones no nos ha im-

---

grados de aplicación pueden verse, Gimeno Feliu, José María: «El nuevo ámbito subjetivo de aplicación de la Ley de Contratos del Sector Público: luces y sombras», *op. cit.*, p. 9-54 o Parejo Alfonso, Luciano: «El ámbito subjetivo de aplicación de la Ley de Contratos del Sector Público», *op. cit.*, p. 37-62

pedido poder calificarla como un verdadero contrato público oneroso a efectos del TRLCSP, el hecho de que ésta recaiga exclusivamente entre entidades jurídico-publicas puede plantearnos en este momento una última duda, y es que ¿pueden ser dichas entidades adjudicatarias de un contrato público a efectos del TRLCSP? En otras palabras ¿el TRLCSP admite que pueda celebrarse un contrato entre dos administraciones públicas?

En primer lugar, como vimos en el apartado 2.1.1 de este capítulo, debemos reiterar que cuando se trata de relaciones entre órganos de una misma administración pública no es posible hablar de la existencia de un contrato. El hecho de que en estos supuestos no estemos ante una relación de carácter bilateral, entre dos personas distintas, impide que podamos acudir a la figura del contrato. Por lo que las dudas anteriores se nos plantearían solamente en el caso de que estuviéramos ante dos personas jurídico-públicas formalmente diferenciadas, ya pertenezcan éstas a la misma o distinta administración. A pesar de que, como veremos posteriormente, esta pertenencia a una misma estructura administrativa puede llegar a modular de forma muy importante el tratamiento contractual de dichos negocios jurídicos, en lo que ahora nos interesa resulta indiferente por cuanto nuestra pregunta va dirigida a analizar únicamente si el TRLCSP establece alguna limitación a la capacidad de las administraciones públicas para ocupar la posición de contratistas.

En este sentido, debemos empezar señalando que, como ha venido siendo tradicional en nuestro ordenamiento jurídico, el Texto refundido de la Ley de Contratos del Sector Público ha regulado la posición del contratista de la Administración Pública pensando principalmente en su condición de sujeto privado. Es evidente, que la legislación sobre contratación pública está pensada originariamente para regular aquellos supuestos en que las diferentes administraciones acuden al mercado privado, como un consumidor más, para conseguir la dotación de aquellos bienes, obras o servicios de los que carecen. No obstante, hoy en día, se admite ampliamente que no sólo los empresarios particulares pueden actuar como contratistas sino que, en ocasiones, dicha condición puede extenderse también a las entidades sin ánimo de lucro[357] o, en lo que nos afecta más directamente, también a las personas jurídico-públicas[358].

---

357. Posibilidad que se recoge de forma expresa en la Disposición Adicional Cuarta del TRLCSP.

358. Son muchos los autores que han hecho referencia a esta cuestión en nuestro ordenamiento jurídico. Anteriormente vimos como ENTRENA CUESTA había admitido la posible existencia de contratos interadministrativos, ENTRENA CUESTA, Rafael: «Consideraciones sobre la teoría general de los contratos de la Administración», *op. cit.*, p. 72-73; pero en términos similares podemos citar también, entre otros, GARCÍA DE

En efecto, por lo que se refiere a estas últimas entidades, debe de tenerse presente, en primer lugar, que ningún precepto del TRLCSP les prohíbe expresamente poder contratar con la Administración. Al contrario, el TRLCSP parece amparar dicha posibilidad cuando, como ya pusimos de relieve en el apartado anterior, el artículo 54.1 del TRLCSP permite contratar con el sector público a *cualesquiera persona natural o jurídica*, española o extranjera, que tenga plena capacidad de obrar, no esté incursa en ninguna prohibición de contratar y reúna los requisitos de solvencia y calificación necesarios. Por lo tanto, al margen de las condiciones concretas de aptitud que puedan requerirse en un determinado contrato, toda entidad de derecho público que tenga personalidad jurídica propia podría actuar como contratista[359].

Por otro lado, debemos destacar como ya las propias Directivas europeas sobre contratación pública parecen admitir también el hecho de que una administración pública pueda ser adjudicataria de un contrato público. En efecto, el artículo 1.8 de la Directiva 2004/18/CE utiliza una noción amplia de contratista, designando como tal a «toda persona física o jurídica, *entidad pública* o agrupación de dichas personas»[360]. Por lo tanto, incluye a todas aquellas personas, tanto públicas como privadas, que pueden actuar como parte ofreciendo la realización de obras, pro-

---

ENTERRÍA, Eduardo y FERNÁNDEZ RODRÍGUEZ, Tomás Ramón: *Curso de Derecho Administrativo I, op. cit.*, p. 673; RODRÍGUEZ DE SANTIAGO, José María: *Los convenios entre Administraciones Públicas, op. cit.*, p. 364-366; GOSÁLBEZ PEQUEÑO, Humberto: *El contratista de la Administración Pública, op. cit.*, p. 120; PENDÁS GARCÍA, Benigno (Coord.): *Derecho de los contratos públicos (Estudio sistemático de la Ley 13/1995, de 18 de mayo, de Contratos de las Administraciones Públicas)*, p. 274-275 o RIVERO YSERN, Enrique: «Las relaciones interadministrativas», *op. cit.*, p. 48 y 64.

359. En este punto, podemos recordar una idea de GONZÁLEZ IGLESIAS que creemos que puede ser perfectamente extrapolable al actual TRLCSP. Dicho autor, al analizar el contrato administrativo de consultoría y asistencia previsto en la anterior Ley de Contratos de las Administraciones Públicas, afirmaba que el hecho de que la Ley se refiriera habitualmente al *empresario* no significaba que se restringiera a los particulares las posibilidades de contratar con la Administración, puesto que, aparte de que no exista en nuestro ordenamiento una definición de lo que deba entenderse por empresa o empresario, lo cierto es que la Ley utilizaba dicho concepto para evitar la reiteración de la expresión más genérica de persona física o jurídica. GONZÁLEZ IGLESIAS, Miguel: *El contrato administrativo de consultoría y asistencia*, Ed. Marcial Pons, Madrid 2002, p. 169.

360. Más claro aún resulta el artículo 1.7 de la Directiva 2004/17/CE, de 31 de marzo, que define como contratista a «una persona física o jurídica, *una entidad adjudicadora de las contempladas en las letra a) o b) del apartado 2 del artículo 2* [entre los que se incluyen, como poderes adjudicadores, al Estado, las entidades territoriales y los organismos de Derecho Público] o una agrupación de tales personas o entidades [...]». La cursiva, en ambas citas normativas, es nuestra.

ductos o servicios. Dicha conclusión, además, ha sido reforzada por la interpretación dada por el TJUE, quien ha llegado también a la misma consideración cuando, por ejemplo, en la ya citada Sentencia de 18 de noviembre de 1999, *Teckal*, afirma: «la Directiva 93/63 es aplicable cuando una entidad adjudicadora, como un ente territorial, proyecta celebrar por escrito, con una entidad formalmente distinta de ella [...] un contrato a título oneroso que tiene por objeto el suministro de productos, independientemente de que dicha entidad sea o no, en sí misma, una entidad adjudicadora» (FJ 51).

En la misma dirección se expresa también la STJUE de 7 de diciembre de 2000, asunto C-94/99, *ARGE Gewässerchutz/Bundesministerium für Land-und Forstwirtschaft*, en la que se considera que el hecho de que una entidad adjudicadora permita participar en un procedimiento de adjudicación de un contrato público a organismos que reciben de ella o de otras entidades adjudicadoras subvenciones, del tipo que sean, no vulnera el principio de igualdad de trato de los licitadores enunciados en las Directivas, ni constituye una discriminación encubierta[361].

Pero es que, además, dicha capacidad contractual de las diferentes

---

361. Más recientemente, también la STJUE de 23 de diciembre de 2009, asunto C-305/08, *Consorzio Nazionale Universitario per le Scienze del Mare (CONISMA) / Regione delle Marche*, se ocupa de precisar el concepto de operador económico manejado por las Directivas europeas, al efecto de determinar si dicha normativa se oponía a la participación en un contrato público de servicios a un consorcio constituido exclusivamente por universidades y administraciones públicas, que no tiene finalidad de lucro, ni una estructura organizativa empresarial y que no garantiza una presencia regular en el mercado. Así, el TJUE admite que los Estados miembros tienen la facultad de habilitar o no a determinadas categorías de operadores económicos para realizar determinadas prestaciones pudiendo habilitar a aquellas entidades que, como las universidades y los institutos de investigación, no tienen ánimo de lucro y cuyo objeto se refiere principalmente a la docencia y la investigación.
Igualmente, en este punto debemos señalar que ésta es también la interpretación mantenida actualmente por los órganos consultivos en materia de contratación pública existentes en nuestro Estado. Así, a pesar de que en algunos Informes se había considerado que las relaciones entre administraciones públicas no debían someterse a la legislación contractual –véase, por ejemplo, el Informe 36/1996, de 22 de julio– hoy en día se ha aceptado la postura contraria. Por ejemplo, la Junta Consultiva de Contratación Administrativa de la Administración General del Estado, en su Informe 12/1997, de 20 de marzo, admitió la posibilidad de celebrar un contrato de asistencia entre la Generalidad de Cataluña y un organismo autónomo dependiente de ésta. O, del mismo modo, la Junta Consultiva de Contratación de la Generalidad catalana en su Informe 2/2001, de 23 de noviembre, analiza la posibilidad de que un organismo autónomo comercial de carácter local pueda participar como licitador en un procedimiento de adjudicación de contratos administrativos.

administraciones públicas no sólo ha sido admitida jurisprudencialmente sino que ha sido ratificada de forma expresa por la legislación de contratos del sector público. Así, el propio TRLCSP prevé algunos supuestos en los que, explícitamente, se contempla a determinadas personas jurídico-públicas como posibles contratistas. Es el caso, por ejemplo, de las Disposiciones Adicionales Sexta y Séptima del TRLCSP en las que se exime de la exigencia de clasificación y de la necesidad de acreditar su solvencia para determinados contratos administrativos a las agencias estatales, organismos autónomos de investigación e universidades públicas. Con lo que, como decimos, se acepta expresamente que dichas entidades públicas puedan convertirse en adjudicatarias de ciertos contratos[362].

En definitiva, aunque la regulación legal de los procedimientos de adjudicación de los contratos públicos se establece pensando, principalmente, en la naturaleza privada de la parte que contrata con la Administración, ello no impide aceptar la capacidad de una persona jurídico-pública para aspirar, como sujeto de derecho que es, a la celebración de cualquier contrato público. Siempre, claro está, que una norma reguladora de la contratación en un sector concreto no prohíba dicha posibilidad o establezca alguna otra limitación material.

2.4. RECAPITULACIÓN

Una vez analizados los diferentes elementos que, tanto desde un punto de vista subjetivo, objetivo o material, configuran la noción de «contrato público» a efectos del Real Decreto Legislativo 3/2011, de 14 de noviembre, creemos oportuno realizar una pequeña recapitulación de las principales ideas a las que hemos venido refiriéndonos en las páginas precedentes y que, llegados a este punto, nos han permitido comprobar como, salvo las excepciones que enseguida recordaremos, la encomienda de gestión del artículo 15 de la LRJPAC responde realmente a la estructura de un negocio jurídico contractual.

Ciertamente, debemos matizar mucho esta afirmación general por

---

362. En nuestra opinión, dicho precepto legal no debe entenderse en el sentido de que se dirige únicamente a habilitar como posibles contratistas de la Administración a un determinado tipo de entidades públicas, pero excluyendo a las restantes personas jurídico-públicas existentes en nuestro ordenamiento. Desde nuestro punto de vista, lo que se pretende con este precepto no es establecer una única excepción legal, sino que responde a otra clase de razones derivadas de la propia naturaleza y contenido del requisito de la clasificación. En el mismo sentido, aunque en relación con el anterior TRLCAP, GOSÁLBEZ PEQUEÑO, Humberto: *El contratista de la Administración Pública, op. cit.*, p. 121-122.

cuanto, como hemos puesto de relieve, no todos los supuestos de enco-mienda de gestión responden a dicha estructura contractual. Así, en primer lugar, debemos recordar que excluíamos de la calificación con-tractual las relaciones de encomienda de carácter meramente interorgá-nico pues en estos casos no resultaba posible hablar de un acuerdo entre dos personas distintas. En segundo lugar, y sin perjuicio de lo que se dirá más adelante, destacábamos también como, cuando la encomienda de gestión se formalizaba entre entidades *pertenecientes* a una misma administración pública, la doctrina y la jurisprudencia modulaban su consideración como un verdadero contrato, puesto que, desde una pers-pectiva material, no era posible tampoco hablar propiamente de una relación bilateral y voluntaria entre dos partes diferenciadas. Posterior-mente analizaremos con más detalle todas estas cuestiones.

No obstante, al margen de dichas excepciones, hemos constatado como en los restantes supuestos, y muy especialmente en el caso de relaciones interadministrativas, la encomienda de gestión sí puede con-figurarse como un acuerdo causal de voluntades entre dos personas jurí-dico-públicas diferenciadas sobre un determinado sector de la realidad social. En el mismo sentido, hemos expuesto también como la relación de encomienda puede calificarse como onerosa, por cuanto genera recí-procas obligaciones y derechos para las dos partes intervinientes. Partes que, por último, no hemos encontrado obstáculo para incluir dentro del ámbito subjetivo de aplicación del TRLCSP, pues podían ser fácilmente definidas como entidades pertenecientes al sector público.

Por lo tanto, en atención a dichos argumentos y con las matizacio-nes oportunas, debemos concluir este apartado afirmando que, real-mente, la encomienda de gestión puede coincidir plenamente con la figura de los *contratos públicos* prevista por el TRLCSP. En consecuencia, al entrar dentro del ámbito de aplicación material de dicha Ley, su régi-men jurídico no puede venir determinado solamente por la considera-ción de esta figura como un instrumento de colaboración entre adminis-traciones públicas, sino que su regulación debe completarse también con las exigencias que, en su caso, se le impongan desde la legislación contractual. De este modo, y como ya avanzáramos al inicio de este capítulo, se nos plantea una última pregunta: si la encomienda de ges-tión puede considerarse teóricamente como un contrato público, ¿cuál es el tratamiento jurídico que, a efectos contractuales, debe darse a esta institución? ¿Cuál es la regulación concreta que el TRLCSP prevé para dicha figura? A intentar dar una respuesta concreta a todas estas cues-tiones dedicaremos íntegramente el siguiente apartado de nuestro trabajo.

3. EL TRATAMIENTO DE LA ENCOMIENDA DE GESTIÓN EN EL TRLCSP

Nuestro análisis sobre el tratamiento que el Texto refundido de la Ley de Contratos del Sector Público otorga a la figura de la encomienda de gestión debe comenzar con una primera constatación: y es que el TRLCSP no se refiere, al menos de forma expresa, a la figura de la encomienda de gestión regulada en el artículo 15 de la LRJPAC. Efectivamente, no hay en el TRLCSP ningún precepto concreto dirigido a regular específicamente la encomienda de gestión entre entidades públicas como un tipo de contrato o como una especialidad contractual. En nuestra opinión, éste es un aspecto que merece ser destacado por cuanto, en primer lugar, nos pone de relieve la imposibilidad de dar una respuesta rápida y directa a los interrogantes que planteábamos al finalizar el apartado anterior; pero también porque, como ya avanzamos en el *Capítulo II*, nos permite superar algunas de las dudas que se planteaban en relación con la anterior Ley de Contratos de las Administraciones Públicas, sobretodo a partir de la redacción dada por el ya citado Real Decreto-Ley 5/2005, de 11 de marzo.

Como dijimos, el hecho de que el TRLCSP –a diferencia del TRLCAP– no utilice la denominación «encomienda de gestión» para referirse a ninguno de los supuestos que regula, permite reforzar nuestras consideraciones acerca del ámbito subjetivo de aplicación de dicha norma. A partir de ahora parece quedar claro que el propósito de la Ley no ha sido el de precisar o perfilar los contornos que la LRJPAC prevé para dicha institución administrativa, sino que su objetivo fundamental consiste únicamente en fijar el régimen jurídico aplicable a los contratos onerosos y celebrados por escrito por los sujetos pertenecientes al sector público que entren dentro de su ámbito de aplicación[363].

Precisamente, esta última afirmación es la que nos sirve para introducir en nuestra exposición un nuevo elemento de la regulación contractual que, a partir de ahora, resultará de capital importancia en nuestra

---

363. Si bien, como ya puntualizamos anteriormente, el TRLCSP sigue refiriéndose, al menos en dos ocasiones, a la «encomienda de gestión». Concretamente en el artículo 24.6 TRLCSP (al regularse la consideración de medios propios y servicios técnicos) y en la Disposición Adicional Vigésimo Quinta de la Ley (al fijarse el régimen jurídico de TRAGSA y sus filiales). En ambos casos, en nuestra opinión, se está haciendo un uso incorrecto de dicha terminología, denominando como «encomienda de gestión», al simple reconocimiento de la posibilidad de que las administraciones públicas pueden asignar la realización de un determinado encargo a sus propios medios instrumentales.

tarea investigadora. Nos referimos al hecho de que, a pesar de que el TRLCSP se aplica generalmente a todos los contratos onerosos y celebrados por escrito por los sujetos pertenecientes al sector público, existen determinadas relaciones jurídicas que, aunque pudieran definirse técnicamente como *contratos públicos* a efectos del TRLCSP, quedan fuera de su ámbito de aplicación (art. 4.1 TRLCSP).

3.1. LA LIMITACIÓN DEL ÁMBITO OBJETIVO DEL TRLCSP: LOS NEGOCIOS Y CONTRATOS EXCLUIDOS DE LA LEY

Como viene siendo habitual en nuestro ordenamiento jurídico, el TRLCSP no sólo establece limitaciones en cuanto a su ámbito de aplicación subjetivo, sino que también acota su ámbito de aplicación objetivo[364]. De este modo, no todas las relaciones contractuales formalizadas por las entidades pertenecientes al sector público quedan sujetas a dicha Ley, sino que el artículo 4.1 del TRLCSP prevé un conjunto heterogéneo de figuras que, por propia decisión del legislador, se sitúan fuera del ámbito de aplicación de dicha norma, ya sea porque se trata de supuestos no regulados por las Directivas europeas –como los contratos relativos a servicios de arbitraje o conciliación [art. 4.1.k) TRLCSP] o los acuerdos que celebre el Estado con otros Estados o con entidades de derecho internacional público [art. 4.1.f) TRLCSP]– o bien por la propia especialidad de las relaciones contractuales que se establecen, que aconseja su remisión a una normativa más específica –como sucede, por ejemplo, con las relaciones de servicio de los funcionarios públicos y los contratos regulados en la legislación laboral [art. 4.1 a) TRLCSP]-[365].

---

364. En efecto, las limitaciones al ámbito objetivo de la legislación contractual han venido estando presentes en las diferentes normas reguladoras de dicho sector. Así, por ejemplo, puede verse el artículo 3.1 del anterior TRLCAP que, con el título «Negocios y contratos excluidos», dejaba fuera de su ámbito de aplicación toda una serie de relaciones jurídicas celebradas por las diferentes administraciones públicas.

365. Incluso, como ha puesto de relieve la doctrina, dentro del listado exhaustivo previsto en el artículo 4.1 del TRLCSP se englobarían algunos supuestos que, difícilmente, podrían ser calificadas *ab initio* como verdaderos contratos públicos, pues carecen de algunos de los requisitos que califican como tales a dichos negocios jurídicos. En este sentido se expresa, por ejemplo, GIMENO FELIÚ, José María: «Aproximación a las principales novedades de la Ley de Contratos del Sector Público», en GIMENO FELIÚ, José María (Ed.): *El Derecho de los Contratos del Sector Público*, Monografías de la Revista aragonesa de Administración Pública, Gobierno de Aragón, Zaragoza 2008, p. 31; del mismo autor y con la misma argumentación podemos citar también «El ámbito objetivo de aplicación de la LCSP. Tipología contractual y negocios jurídicos excluidos», en *Cuadernos de Derecho Local*, núm. 22, febrero de 2010, p. 43-46 o PASCUAL GARCÍA, José: *Las encomiendas de gestión a la luz de la Ley de Contratos del Sector Público, op. cit.,* p. 19

Todos estos supuestos se regularan por su propia normativa especial, aplicándose los principios del TRLCSP únicamente para resolver las dudas y lagunas que pudieran plantearse (art. 4.2 TRLCSP).

Más allá de poner de relieve la existencia de una serie de materias ajenas a la aplicación de las reglas de la contratación pública, nos interesa especialmente destacar dichas exclusiones por cuanto, como vimos en el *Capítulo I*, la encomienda de gestión ha venido considerándose, tradicionalmente, como uno de estos supuestos excluidos. Si recordamos lo que ya avanzáramos en ese momento, a pesar de que la mayoría de la doctrina española había venido configurando la encomienda de gestión como un negocio jurídico de carácter contractual, la posibilidad de incluir esta figura dentro del artículo 3.1 c) del anterior Texto Refundido de la Ley de Contratos de las Administraciones Públicas –que, al regular el ámbito objetivo de dicha Ley, dejaba fuera de su ámbito de aplicación todas las relaciones convencionales que celebrara la Administración General del Estado con la Seguridad Social, las comunidades autónomas, las entidades locales, sus respectivos organismos autónomos y las restantes entidades públicas o cualquiera de ellos entre si– supuso, en la práctica, dar cobertura jurídica suficiente para situar, automáticamente y de forma muy amplia, la encomienda de gestión al margen de la aplicación de las reglas ordinarias de la contratación pública y, en particular, de la sujeción a los principios de concurrencia, igualdad, publicidad y transparencia que la caracterizan. Al fin y al cabo, al ser la encomienda de gestión un simple acuerdo entre personas jurídico-publicas para la realización de una determinada prestación de carácter material se entendía subsumido dentro del presupuesto de hecho del artículo 3.1. c) de la LCAP y, por lo tanto, excluido de su ámbito de aplicación.

Pero si ésta era la situación derivada del entonces vigente TRLCAP, debemos preguntarnos ahora cuáles son las exigencias normativas concretas previstas actualmente por el TRLCSP en esta materia y, sobretodo, si realmente el TRLCSP permite seguir excluyendo de su ámbito de aplicación, y de manera incondicionada, la figura de la encomienda de gestión.

La respuesta a estos interrogantes, como ha quedado ya dicho, no puede darse *a priori* y de un modo general sino que exige un estudio detallado del nuevo marco legal establecido por el TRLCSP que, en este punto, ha introducido modificaciones ciertamente importantes. Así, por un lado, y a raíz de la ya citada STJUE de 13 de enero de 2005, asunto C-84/03, *Comisión de las Comunidades Europeas/Reino de España* –que, de modo contundente, declaró contraria a las Directivas europeas la total exclusión de la aplicación de la legislación de contratos públicos de las relaciones entre administraciones públicas, fuera cual fuera su naturaleza, que se contenía en la anterior normativa española– la Ley de Contratos del Sector Público ha venido a limitar notablemente los supuestos conveniales que pueden quedar al margen de la legislación contractual, excluyendo solamente aquéllos que, por su naturaleza, no tengan la consideración de contratos del sector público [art. 4.1.c) TRLCSP]–. Pero, por otro, el TRLCSP ha introducido también un nuevo supuesto de exclusión, a través del cual se viene a sistematizar y a incorporar a nuestro ordenamiento la jurisprudencia del TJUE sobre los llamados contratos *in house providing*, declarando que quedan fuera del ámbito de aplicación de la Ley los negocios jurídicos por los cuales se encargue a una entidad que tenga atribuida la condición de servicio técnico o medio propio la realización de una determinada prestación [art. 4.1.n) TRLCSP][366].

Por lo tanto, es a partir de esta nueva realidad normativa que debemos proceder a examinar si los supuestos de encomienda de gestión formalizados al amparo del artículo 15 de la LRJPAC entran dentro del ámbito objetivo de aplicación del TRLCSP o si, por el contrario, como ha venido sucediendo hasta ahora, a pesar de la posibilidad de configurarlos como un *contrato público*, deben considerarse como supuestos excluidos objetivamente de la legislación contractual.

Para ello, y para poder plantear mejor nuestros argumentos al respecto, creemos oportuno dividir nuestra exposición en tres nuevos subapartados, en función del tipo de encomienda de que se trate. Como veremos, esta diferenciación nos resultará muy útil para determinar más detalladamente el régimen legal al que deben de sujetarse dichas relaciones jurídicas. Así, en primer lugar, analizaremos el régimen *(no) contractual* de aquellas encomiendas de gestión que se formalizan entre órganos pertenecientes a una misma administración pública. En segundo lugar, estudiaremos el tratamiento, a efectos del TRLCSP, de las encomiendas de gestión celebradas respecto de entidades públicas con personalidad jurídica propia pero pertenecientes también a una misma administración pública y, por último, nos referiremos a las encomiendas de gestión *in-*

---

366. Ciertamente, la novedad de la Ley de Contratos del Sector Público no se encuentra en la exclusión de la ejecución directa de una determinada prestación por la propia Administración que, como ya hemos visto, ya se preveía en el anterior TRLCAP, sino que la novedad se encuentra en la regulación específica de la condición de medios propios de la Administración, atribuyendo dicha condición a entidades dotadas de personalidad jurídica propia diferenciada. Pascual García, José: *Las encomiendas de gestión a la luz de la Ley de Contratos del Sector Público, op. cit.*, p. 20.

ter-administrativas, es decir, aquellas que se concluyen entre sujetos pertenecientes a diferentes administraciones públicas.

3.2. EL CARÁCTER *NO CONTRACTUAL* DE LAS ENCOMIENDAS DE GESTIÓN ENTRE ÓRGANOS ADMINISTRATIVOS PERTENECIENTES A LA MISMA ADMINISTRACIÓN PÚBLICA

Como ya expusimos al estudiar el concepto de *contrato público* previsto en el TRLCSP, cuando la encomienda de gestión recae entre órganos administrativos –esto es, entre sujetos sin personalidad jurídica propia, que se integran dentro de una misma estructura organizativa más amplia– difícilmente podemos hablar de la existencia de un contrato. Argumentábamos entonces que la propia idea de *contrato* exige la necesaria concurrencia de dos *personas*, en sentido estricto, que se configuran como las partes de la relación contractual que se establece entre ellas. Por lo que, cuando dicha relación se establece entre simples unidades organizativas de una misma persona jurídica, entendíamos que no podíamos hablar, en ningún caso, de la existencia de una verdadera relación bilateral.

De hecho, hemos visto como ésta ha sido también la interpretación mantenida por el Tribunal de Justicia de la Unión Europea al examinar el ámbito de aplicación de las Directivas europeas sobre contratación pública. A pesar de que las mencionadas Directivas no se refieren expresamente a estos supuestos, el TJUE ha venido afirmando reiteradamente que deben de quedar fuera de su ámbito de aplicación aquellos casos en los que la Administración Pública ejerce las funciones públicas que le han sido asignadas a través de sus propios medios organizativos y sin recurrir a personas jurídicas externas. Las Directivas, como ha declarado el propio Tribunal de Justicia de la Unión Europea, tienen por objeto regular los contratos públicos celebrados entre un poder adjudicador y uno, o varios, operadores económicos [art. 1.2 a) Directiva 2004/18/CE, de 31 de marzo], de modo que, en caso de las relaciones meramente interorgánicas, al no existir una relación obligatoria entre dos personas formalmente distintas, no puede hablarse propiamente de la existencia de un *contrato público* y, por lo tanto, su regulación quedaría al margen de la normativa europea.

Un buen ejemplo de dicho entendimiento lo constituye la ya mencionada Sentencia del TJUE de 11 de enero de 2005, asunto C-26/03, *Stadt Halle, RPL Recyclingpark Lochau GMBH / Arbeitsgemeinschaft Termische Restabfall-und Enegieverwertungsanlage*, en la que se afirma expresamente que las administraciones públicas tienen la posibilidad de realizar las tareas de interés público que tienen asignadas a través de sus propios medios administrativos, técnicos o de cualquier otro tipo, sin verse obligadas a recurrir a entidades externas a sus servicios (FJ 48). Al tratarse de relaciones puramente internas no puede hablarse de la existencia de un contrato oneroso sino de una forma de gestión puramente interna que no trasciende la estructura organizativa propia de una misma persona jurídica y, por lo tanto, no habría lugar a aplicar las normas en materia de contratación pública[367].

Partiendo de esta perspectiva general, y como no podía ser de otro modo, el legislador español al transponer a nuestro ámbito jurídico interno la normativa comunitaria ha llegado a las mismas conclusiones. Así, al no poder configurarse rigurosamente como un *contrato*, el TRLCSP no toma tampoco en consideración las relaciones de carácter interorgánico sino que, siguiendo las premisas establecidas por el TJUE, limita su ámbito de aplicación únicamente a las relaciones trabadas entre sujetos dotados de personalidad jurídica propia. En efecto, el hecho de que el TRLCSP se dirija exclusivamente a regular los negocios jurídicos establecidos entre, por una parte, los «entes, organismos y entidades», con personalidad jurídica propia, integrados en el sector público español y, por otra, las *personas* naturales o jurídicas con plena capacidad de obrar (art. 2.1 y 54.1 TRLCSP), nos lleva a entender, siquiera implícitamente, que excluye de su ámbito material de aplicación las meras relaciones organizativas que pueden establecerse entre órganos administrativos[368]. En coherencia, la formalización de las encomiendas de gestión entre *órganos* de una misma administración pública, al no poder configurarse como un contrato público, quedarían plenamente fuera del ámbito de aplicación de la Ley de Contratos del Sector Público, debiendo de sujetarse a aquello que establezca la normativa propia de cada administración pública, así como a las prescripciones básicas establecidas por la LRJPAC.

La principal consecuencia que se derivaría de todo ello –en lo que

---

367. En este mismo sentido, por ejemplo, la ya citada STJUE de 18 de noviembre de 1999, *Teckal*, afirmaba que la Directiva 93/63 solamente era aplicable «cuando una entidad adjudicadora, como un ente territorial, proyecta celebrar por escrito, con una *entidad formalmente distinta de ella* [...] un contrato a título oneroso [...]» (FJ 51). O, entre otras, también la STJUE de 10 de noviembre de 1998, asunto C-360/96, *Gemeente Arnhem, Gemeente Rheden / BFI Holding BV* (FJ 25).

368. Comparten dicha opinión, por ejemplo, Pascual García, José: *Las encomiendas de gestión a la luz de la Ley de Contratos del Sector Público, op. cit.,* p. 20 y Pernás García, Juan José: *Las operaciones in house y el Derecho comunitario de los contratos públicos, op. cit.,* p. 32-38.

a efectos contractuales se refiere– residirá en la lógica innecesariedad de someter la decisión de adjudicar la ejecución de una determinada prestación material a un órgano perteneciente a la misma administración pública a un procedimiento competitivo que asegure la participación y concurrencia de todos aquellos posibles sujetos interesados en su realización –aunque ello no excluiría, tal y como prevé el artículo 15.3 de la LRJPAC, que esta adjudicación sí que debiera fundamentarse objetivamente en criterios de eficacia y de mejor capacidad de gestión–.

3.3. TRATAMIENTO CONTRACTUAL DE LAS ENCOMIENDAS DE GESTIÓN ENTRE ENTIDADES PÚBLICAS PERTENECIENTES A LA MISMA ADMINISTRACIÓN PÚBLICA. LA DOCTRINA DE LAS RELACIONES *IN HOUSE PROVIDING*

Junto con las encomiendas de gestión entre *órganos* pertenecientes a la misma administración pública vimos también como la LRJPAC admitía la posibilidad de que la realización de actividades materiales, técnicas o de servicios se encomendara a otras entidades públicas, con personalidad jurídica propia, pertenecientes a la misma organización administrativa (art. 15.3 LRJPAC). En estos casos, las consideraciones que realizábamos en el apartado anterior ya no nos sirven en su totalidad porque, a diferencia de aquéllas, en estas encomiendas de gestión *intersubjetivas* –aunque limitadas a una misma administración pública– sí que es posible hablar, al menos formalmente, de la existencia de un acuerdo de voluntades celebrado por una entidad del sector público y una persona jurídica diferente de ella. Acuerdo que, en la medida que su objeto fuera contractual, sería susceptible de encajar dentro de la definición amplia de *contrato público* prevista por el TLCSP y, en consecuencia, entrar directamente dentro del ámbito material de aplicación de dicha Ley.

No obstante, y a pesar de esta identificación, en las páginas precedentes pusimos ya de relieve como el hecho de que dichas encomiendas de gestión se sitúen principalmente en el ámbito interno de las diferentes administraciones públicas y muy estrechamente ligadas a la potestad autoorganizatoria inherente a cada una de ellas, había llevado a la doctrina y al propio TJUE a matizar también su carácter contractual. Así, se ha venido considerando que el requisito formal de la existencia de personalidad jurídica propia no es un elemento suficiente, por si mismo, para calificar dichas relaciones como un verdadero contrato público. Aunque formalmente pudiera hablarse de la existencia de una relación jurídica bilateral, la ausencia de una voluntad diferenciada o de una auténtica autonomía en el plano decisorio nos conduce a conceptuar dichas relaciones, desde un punto de vista material, como un supuesto de auto-provisión o de gestión interna, en el que la Administración acude a sus propios medios –aunque personificados– para el cumplimiento de sus fines de interés general. Y, por ello, atendiendo a su carácter interno y meramente organizativo, se llega a la conclusión de que dichas operaciones deben de quedar fuera del ámbito de aplicación de la normativa contractual.

Y ésta, precisamente, parece ser también la opción acogida por el vigente Texto refundido de la Ley de Contratos del Sector Público. Aunque, como ya dijimos, el TRLCSP no menciona específicamente a las encomiendas de gestión, sí que excluye expresamente de su ámbito de aplicación los negocios jurídicos en cuya virtud los entes del sector público encarguen la realización de una determinada prestación a un entidad que tenga atribuida la condición de medio propio o servicio técnico de los mismos [art. 4.1 n) TRLCSP]. De manera que, en tanto que simple utilización de medios propios, y siguiendo la doctrina jurisprudencial del TJUE (por ejemplo, en la ya citada STJUE *Stadt Halle* de 2005), se considera que se trata de una relación meramente interna, sin trascendencia fuera de la propia estructura administrativa y, como tal, dichos negocios deben exceptuarse de la aplicación del TRLCSP.

Desde esta perspectiva, nos interesa mencionar este precepto porque la notable amplitud con la que se expresa –que, como ya dijimos en el *Capítulo II*, permitiría incluir en su ámbito de aplicación a una gran tipología de figuras[369]– parecería admitir también la subsunción de los encargos de prestaciones materiales realizados al amparo del artículo 15.3 de la LRJPAC. Y es que, en definitiva, como hemos venido exponiendo, cuando hablamos de encomiendas de gestión entre entidades públicas pertenecientes a una misma administración nos referimos nada más, y nada menos, que a un negocio jurídico a través del cual las administraciones públicas encargarían la realización de determinadas actividades a otras personas jurídico-públicas adscritas a su propia organización. Por lo que las similitudes entre ambos supuestos fácticos, creemos, se nos presentan con bastante claridad. No obstante, dicha considera-

---

369. Como mencionábamos anteriormente, ésta es también la opinión, entre otros, Pascual García quien subraya el hecho de que el artículo 4.1 n) de la LCSP [referencia que hoy debe entenderse realizada al TRLCSP] permite incluir en su ámbito de aplicación una gran diversidad de figuras, entre las que dicho autor menciona las encomiendas de gestión. Pascual García, José: *Las encomiendas de gestión a la luz de la Ley de Contratos del Sector Público, op. cit.*, p. 21.

ción requiere de alguna matización previa, especialmente en lo que a los sujetos de la relación de encomienda se refiere. Y es que, como el lector puede observar fácilmente, el tenor literal de dichos preceptos no es del todo coincidente. En consecuencia, consideramos oportuno detenernos, siquiera brevemente, en analizar dicho precepto y los requisitos que de él se derivan.

3.3.1. Requisitos de las encomiendas de gestión entre entidades públicas pertenecientes a la misma Administración excluidas del TRLCSP

Si partimos de la definición prevista en el TRLCSP, podremos comprobar, en primer lugar, como el artículo 4.1 n) del TRLCSP se refiere, genéricamente, a los «negocios jurídicos». En nuestra opinión, el TRLCSP utiliza dicha denominación en un sentido amplio, con la voluntad de englobar todo acuerdo de voluntades entre dos personas distintas a través del cual las partes pretenden conseguir un determinado resultado jurídico. En este sentido, como ya hemos expuesto, entendemos que la encomienda de gestión entre entidades con personalidad jurídica propia pero pertenecientes a la misma administración a la que nos estamos refiriendo ahora no es más que un acuerdo entre dos sujetos formalmente distintos dirigido a crear o concretar una relación obligatoria entre ellos. Por lo que, en nuestra opinión, no encontraríamos ningún inconveniente de principio para conceptuarla –insistimos, al menos formalmente– como un verdadero negocio jurídico[370].

Seguidamente, y desde un punto de vista objetivo, puede constatarse también como los negocios a los que se refiere el artículo 4.1 n) del TRLCSP pueden tener por objeto cualquier tipo de prestación. Al referirse solamente a «la realización de una determinada prestación» el Texto refundido de la Ley de Contratos del Sector Público parece amparar todo tipo de encargos (ya sean obras, servicios,...) y con independencia de su cuantía. Por lo que, obviamente, podría incluirse también en su ámbito de aplicación la realización de las actividades materiales, técnicas y de servicios a las que nos referíamos anteriormente al analizar el régimen jurídico de la encomienda de gestión de la LRJPAC.

Pero, como apuntábamos más arriba, es cuando analizamos el ar-

---

370. En este punto nos remitimos nuevamente a las consideraciones que expusimos al analizar el carácter contractual de la encomienda de gestión y, sobretodo, a la excelente explicación de las categorías de hechos, actos y negocios jurídicos contenida en BUSTILLO BOLADO, Roberto O.: *Convenios y contratos administrativos: transacción, arbitraje y terminación convencional del procedimiento*, op. cit., p. 45-75.

tículo 4.1 n) del TRLCSP desde un punto de vista subjetivo que pueden plantéarsenos algunos interrogantes, ya que la terminología o las categorías conceptuales que se emplean en cada uno de estos supuestos no son del todo coincidentes. Así, aunque en ambos casos se hace referencia al establecimiento de una relación obligatoria entre dos personas formalmente distintas, el artículo 15.3 de la LRJPAC exige únicamente que se trate de entidades adscritas orgánicamente a una misma administración pública –«pertenecientes a la misma Administración»–. En cambio, para poder excluir dichos negocios jurídicos de su ámbito de aplicación, el TRLCSP nos exige que la entidad a la que se encargue la realización de una determinada prestación tenga la consideración de medio propio o servicio técnico. Consideración que nos vendrá determinada, no sólo por la pertenencia formal a una u otra estructura administrativa, sino por el cumplimiento de los requisitos previstos en el importante artículo 24.6 del TRLCSP, en el que se establece que, a los efectos previstos en el artículo 4.1 n) del TRLCSP,

> «[...] los entes, organismos y entidades del sector público podrán ser considerados medios propios y servicios técnicos de aquellos poderes adjudicadores para los que realicen la parte esencial de su actividad cuando éstos ostenten sobre los mismos un control análogo al que pueden ejercer sobre sus propios servicios [...]».

De este modo, a través del artículo 24.6 del TRLCSP, el legislador español viene a positivizar en nuestro ordenamiento jurídico los criterios que, en el ámbito jurisprudencial, el TJUE había venido utilizando para determinar cuando nos encontrábamos ante una relación jurídica de carácter interno susceptible de exceptuarse de la aplicación de las Directivas sobre contratación pública. Si recordamos lo que exponíamos anteriormente, a partir de la tantas veces citada Sentencia *Teckal* de 1999, el TJUE había venido delimitando las prestaciones excluidas de la normativa europea en base a la concurrencia acumulativa de dos requisitos: 1) que la entidad adjudicadora ejerciera sobre el ente de que se trate un control análogo al que ejerce sobre sus propios servicios y 2) que el ente encargado realizara la parte esencial de su actividad para el ente o entes que lo controlan. Requisitos que son ahora los que, precisamente, toma también en consideración el nuevo Texto refundido de la Ley de Contratos del Sector Público para limitar los supuestos excluidos de su ámbito de aplicación. A ellos se añade, no obstante, una condición ulterior, de carácter formal, requiriéndose igualmente que el reconocimiento del carácter de medio propio conste expresamente en la norma que cree dichas entidades o en sus estatutos, que deberán determinar las entidades respecto de las cuales tienen esa condición (art. 24.6, tercer párrafo, del TRLCSP)[371].

En este sentido, ante la divergencia de los dos preceptos en cuestión, se nos plantea rápidamente la pregunta siguiente: ¿en el caso de las encomiendas de gestión formalizadas con entidades públicas pertenecientes a la misma administración es posible hablar también de la existencia de medios propios o servicios técnicos? En nuestra opinión, podemos avanzar ya que sí, que en la gran mayoría de los casos resulta posible realizar dicha equiparación. Pero para poder dar una respuesta más concreta a estas cuestiones debemos analizar con mayor detalle la concurrencia o no de los requisitos fijados por el artículo 24.6 del TRLCSP.

3.3.2. Primer requisito: la existencia de un control análogo al que se ejerce sobre sus propios servicios

El primer requisito al que debemos hacer referencia es el relativo a la existencia, sobre la entidad encomendada, de un control análogo al que el encomendante ejerce sobre sus propios servicios. Se trata, en definitiva, de demostrar que dicha entidad no tiene, ante la administración encomendante, un verdadero ámbito de autonomía desde el punto de vista decisorio. Por lo que, como decíamos, aunque formalmente pudiera hablarse de un acuerdo entre dos personas jurídicamente distintas no sería posible afirmar que nos encontramos ante la formalización de un verdadero *contrato público* entre ellas. El requisito del *control análogo* –elemento clave en la configuración de los medios propios– supone la posibilidad del encomendante de influir de un modo determinante tanto sobre los objetivos estratégicos como sobre las decisiones más importantes de la entidad encomendada, de manera que pueda concluirse que las tareas que se le encomiendan no se gestionarían de forma distinta si las hubiera asumido como propias el ente encomendante. Evidenciando, por lo tanto, que en realidad ambas entidades son una única e idéntica persona, una única unidad organizativa[372].

---

371. En el caso de utilización como medios propios de sociedades, el artículo 24.6 del TRLCSP exige, además, otro requisito adicional, pues es necesario que la totalidad del capital social de dicha sociedad sea de titularidad pública. Al limitar subjetivamente la figura de la encomienda de gestión del artículo 15 de la LRJPAC solamente a las personas jurídico-públicas, este requisito quedará, de momento, al margen de nuestra exposición.

372. RAZQUÍN LIZARRAGA se refiere a este requisito de una forma muy gráfica, señalando que se trata de demostrar que la entidad que va a realizar la prestación material es «una entidad satélite», totalmente dependiente de la entidad encomendante y carente, por ello, de autonomía decisoria. RAZQUÍN LIZARRAGA, José Antonio: «Las encomiendas a entes instrumentales en la legislación foral de contratos públicos

Ha sido de este modo concreto –subrayando la idea de que la presencia de un control análogo implica la existencia de una voluntad decisoria única dirigida a la satisfacción de unos mismos intereses generales– como el TJUE se ha venido refiriendo, a través de su extensa jurisprudencia, a este requisito específico. En este sentido, para identificar la concurrencia de tal situación de control análogo, el TJUE ha ido detallando una serie de indicios o circunstancias que pueden ayudarnos a constatar su existencia[373]. Así, por ejemplo, se ha referido a la cuestión de la participación en el capital social del operador al que se atribuye un determinado encargo, a la composición de los órganos de dirección de éstos o al establecimiento y alcance de las facultades de control reconocidas al poder adjudicador, si bien, como se destaca en la Sentencia de 11 de mayo de 2006, asunto C-340/04, *Carbotermo SpA, Consorcio Alisei / Comune di Busto Arizio, AGESP, SpA*, éste es necesariamente un examen casuístico que debe tener en cuenta el conjunto de disposiciones legales y circunstancias pertinentes (FJ 36)[374].

de Navarra: contraste con el Derecho comunitario europeo y la legislación básica estatal», en *Revista Jurídica de Navarra*, núm. 47, enero-junio 2009, p. 48.

373. Y es que, como se ha señalado por la doctrina, dicho control análogo debe entenderse de un modo funcional –y no con carácter meramente formal– pues no basta con la simple declaración legal de su existencia, sino que el TJUE obliga a acreditar que, efectivamente, existe ese poder de influencia determinante. GIMENO FELIÚ, José María: «Problemas actuales de la Administración Municipal desde la perspectiva del derecho comunitario: incidencia en la organización de las normas de contratación pública», *op. cit.*, p. 160.

374. Podemos citar, entre otras, la STJUE de 13 de octubre de 2005, asunto C-458/03, *Parking Brixen GMBH / GemeindeBixen, Stadtwerke Brixen, AG* (FJ 65); la STJUE de 19 de abril de 2007, asunto C-295-05, *Asociación Nacional de Empresas Forestales (ASEMFO) / Transformación Agraria, SA. (TRAGSA), Administración del Estado* (FJ 57-65) o la STJUE de 13 de noviembre de 2008, asunto C-324/07, *Coditel Brabant SA / Commune d'Uccle y Région de Bruxelles-Capitale* (FJ 28).
CARBONELL PORRAS ha afirmado que concretar con carácter general qué se entiende por un control análogo al que se ejerce sobre los propios servicios depende del tipo de ente instrumental y de cuáles sean sus relaciones con la administración matriz, toda vez que para resolver esta cuestión hay que estar al Derecho de cada Estado miembro pero también al concreto estatuto jurídico del ente en cuestión. CARBONELL PORRAS, Eloísa: «La cooperación intermunicipal en la realización de las obras y los servicios locales (reflexiones a propósito de algunos mecanismos distintos de la creación de entidades supramunicipales)», en *Anuario de Derecho Municipal 2010*, núm. 4, Madrid 2011, p. 75.
Sobre el contenido concreto de dicho requisito, pueden verse también, y muy especialmente, los ya citados PERNAS GARCÍA, Juan José: *Las operaciones in house y el Derecho comunitario de contratos públicos. Análisis de la jurisprudencia del TJCE*, *op. cit.*, p. 65-174; MONTOYA MARTÍN, Encarnación: *Los medios propios o servicios técnicos en la Ley de contratos del sector público. Su incidencia en la gestión de los servicios públicos locales*, *op. cit.*, p. 93-95 o PASCUAL GARCÍA, José: *Las encomiendas de gestión a la luz de la Ley de Contratos del Sector Público*, *op. cit.*, p. 34-40.

En cualquier caso, y sin poder entrar ahora más en profundidad en el estudio del significado de cada uno de dichos indicios, nos interesa mencionarlos por cuanto, si los trasladamos a nuestro específico objeto de estudio y, sobretodo, a la posible tipología de sujetos encomendados que analizábamos en el capítulo anterior, podremos comprobar como, en nuestra opinión, no habría mayores inconvenientes en reconocer la existencia real de un control análogo en la gran mayoría de entidades de derecho público, vinculadas o dependientes de las administraciones públicas a las que nos referíamos en ese momento. Y, muy especialmente, en relación con la categoría de organismos públicos *típicos* que examinábamos entonces, esto es los organismos autónomos, las entidades públicas empresariales o las agencias reguladas por la LOFAGE, así como sus equivalentes en el ámbito autonómico y local.

A. *El carácter de medio propio de los organismos públicos regulados por la LOFAGE, así como sus equivalentes en el ámbito autonómico y local*

Si tomamos en consideración, en primer lugar, la categoría de los organismos públicos dependientes de las diferentes administraciones públicas territoriales, nos daremos cuenta como todas estas entidades, a pesar de gozar de personalidad jurídica diferenciada, se caracterizan por depender directamente de una única administración. No se trata, es verdad, de una dependencia jerárquica, puesto que se les reconoce una cierta autonomía funcional en su gestión, pero no hay duda, como ha reconocido unánimemente la doctrina, que dichos organismos no son más que una proyección de la propia estructura organizativa, persiguiéndose el cumplimiento de unos fines u objetivos convergentes con los de su administración matriz[375].

En esta misma lógica si acudimos a su normativa reguladora específica comprobaremos como, tanto la legislación estatal como autonómica, han venido destacando su carácter meramente instrumental[376]. Carácter

---

375. Son muchos los autores que se han pronunciado sobre la relación de instrumentalidad que liga dichos organismos con sus respectivas administraciones. Con carácter general, podemos citar, por ejemplo, GARCÍA DE ENTERRÍA, Eduardo y FERNÁNDEZ RODRÍGUEZ, Tomás Ramón: *Curso de Derecho Administrativo, op. cit.*, p. 400-404; ORTIZ MALLOL, José: «La relación de dependencia de las entidades instrumentales de la Administración Pública: algunas notas», *op. cit.*, 245-262 y ORTIZ VAAMONDE, Santiago: *El levantamiento del velo en el Derecho Administrativo. Régimen de contratación de los entes instrumentales de la Administración, entre sí y con terceros*, Ed. La Ley, Madrid 2004, p. 99-124.

376. En este sentido, podemos recordar como en el ámbito de la Administración General del Estado, el artículo 1 de la LOFAGE señala que los organismos públicos son las entidades de derecho público que desarrollan las actividades derivadas de la propia Administración General del Estado en calidad de *organizaciones instrumentales*

que se plasma en su adscripción orgánica a un determinado departamento administrativo, al que se le atribuye la dirección estratégica, la evaluación y el control de los resultados de su actividad. Y es que, en definitiva, aunque quizá no se prevean las mismas prerrogativas que se ejercen sobre los órganos administrativos en sentido estricto, sí que se reconocen a la administración matriz amplios poderes de control, referidos no sólo a su creación, la determinación de sus funciones y potestades o la dotación de su patrimonio, sino también a la dirección y fiscalización de su actividad ordinaria; llegando al extremo de poder imponerles, obligatoriamente, la realización de un determinado encargo material (tal y como prevé, por ejemplo, el artículo 47.2 de la citada Ley gallega 16/2010, de 17 de diciembre).

Y es importante destacar este último aspecto por cuanto no sólo, como ha señalado el TJUE en la citada Sentencia de 19 de abril de 2007, asunto C-295/05, *Tragsa*, la posibilidad de atribuir encargos de cumplimiento obligatorio es un claro indicio de la existencia de un control análogo al que se ejerce sobre los propios servicios (FJ 65) sino que, además, ésta ha sido asumida por el TRLCSP como una presunción *iuris tantum* de la existencia de dicho control. De modo que, cuando el ordenamiento jurídico confiere la posibilidad de encomendar obligatoriamente la realización de determinadas tareas, de acuerdo con las instrucciones fijadas unilateralmente por el encomendante y cuya retribución se fije por referencia a tarifas aprobadas también por esta última entidad, el artículo 24.6, segundo párrafo, del TRLCSP entiende que los poderes adjudicadores ostentan realmente un control análogo sobre la entidad de que se trate.

Por lo tanto, y como ha señalado ampliamente la doctrina, podríamos concluir que el reconocimiento de medio propio de estas entidades y organismos no presentaría mayores problemas de fondo pues, por su propia configuración, todos ellos son instrumentales de la administra-

---

diferenciadas pero *dependientes de ésta*. Características que se reiteran en otros muchos preceptos de la misma Ley, como en los artículos 41, 43 o 44.1 de la LOFAGE. Por lo que se refiere al ámbito autonómico, y expresándose en términos muy similares, podemos citar el artículo 46.4 de la reciente Ley 16/2010, de 17 de diciembre, de Organización y Funcionamiento de la Administración General y del Sector Público autonómico de Galicia o el artículo 39 de la Ley 7/2004, de 28 de diciembre, de Organización y Régimen Jurídico de la Administración Pública de la Comunidad Autónoma de Murcia. Y, finalmente, en el ámbito local, el artículo 85 bis de la Ley de Bases de Régimen Local se refiere también a los poderes de dirección y control que conforman la relación de instrumentalidad de dichas entidades.

ción de la que dependen[377]. No obstante, en este punto, y recogiendo algunas de las ideas que mencionábamos al clasificar las encomiendas de gestión por razón de los sujetos intervinientes, consideramos necesario hacer una breve mención a un supuesto que, en nuestra opinión, puede generarnos dudas acerca del cumplimiento o no del control análogo. Nos referimos a la inadecuada aplicación del requisito del control análogo respecto de las que anteriormente hemos venido a llamar entidades públicas de régimen singular.

B. La difícil ubicación de las llamadas entidades de régimen singular: en especial, las administraciones independientes

Cuando en las páginas precedentes analizábamos el ámbito subjetivo de la encomienda de gestión poníamos de relieve como, ante la enorme diversidad de entidades y de regímenes jurídicos existentes en nuestro ordenamiento, se nos hacía ciertamente difícil precisar a qué se refería el artículo 15 de la LRJPAC cuando hablaba de los órganos o entidades pertenecientes a la *misma* administración pública. En este sentido, nuestras dudas se planteaban, en primer lugar, en lo que denominábamos entidades de régimen singular, donde agrupábamos a un conjunto muy heterogéneo de organismos públicos regulados por la LOFAGE (y por la legislación autonómica) que, a pesar de tener algún tipo de vinculación con la Administración General del Estado (o, en su caso, con la administración de las comunidades autónomas y de las entidades locales), se caracterizan por dotarse de un régimen jurídico particular, diferente del previsto generalmente para los organismos públicos típicos.

Como dijimos entonces, la diversidad de regulaciones, pero sobre todo el notable grado de autonomía de gestión que se les reconoce, hacen ciertamente complejo poder determinar *a priori* el régimen de vinculación administrativa de dichas entidades respecto de las administraciones públicas territoriales. En cualquier caso, y sin poder entrar ahora más detalladamente en esta cuestión, nos interesa destacar como, independientemente de que a efectos de la LRJPAC estas personas jurídicas puedan calificarse o no como entidades *pertenecientes* a una misma estructura administrativa, a efectos del TRLCSP y de la jurisprudencia del TJUE resulta muy difícil poderlas considerar como verdade-

---

377. En el mismo sentido, PASCUAL GARCÍA, José: *Las encomiendas de gestión a la luz de la Ley de Contratos del Sector Público, op. cit.*, p. 46 y GALÁN DEL FRESNO, Juan Manuel: «Las encomiendas de gestión en la Ley de Contratos del Sector Público», en *Contratación Administrativa Práctica*, núm. 90, 2009, p. 33.

ros medios propios, a efectos contractuales, de las administraciones públicas territoriales.

Ello resulta especialmente evidente, a nuestro entender, en el caso de las llamadas administraciones independientes, es decir, de aquellas personificaciones públicas que se dotan de un mayor grado de autonomía en su actuación frente al Gobierno y los respectivos departamentos ministeriales, con la voluntad, como ha puesto de relieve nuestra mejor doctrina, de «neutralizar» políticamente su gestión, apartando su disponibilidad de la lucha partidista[378]. En estos casos, aún no romperse todos los lazos con la administración pública a la que orgánicamente se vinculan[379], sí que se proveen de un estatus singular que cuestionaría seriamente su posible consideración como medios propios. Y es que su «independencia» no sólo se garantiza por su autonomía presupuestaria o financiera o por la inamovilidad de sus miembros, sino también por la imposibilidad de impartirles instrucciones u órdenes para el ejercicio de sus funciones –tal y como prevé, el ya citado artículo 9.2 de la reciente Ley 2/2011, de 4 de marzo, en el que se señala que los organismos reguladores mencionados en dicha norma (Comisión Nacional de la Energía, Comisión Nacional del Mercado de Telecomunicaciones y Comisión Nacional del Sector Postal) no podrán aceptar o solicitar instrucciones de ninguna entidad pública o privada–.

Por lo tanto, difícilmente podría afirmarse que, en estos supuestos, la entidad encomendada no goza de una verdadera autonomía decisoria en el plano estratégico y de realización de las actuaciones más relevantes. Precisamente, la mayor autonomía que se reconoce a dichas autoridades independientes se dirige a excluir la interferencia externa en la adopción de sus principales decisiones y en el desarrollo de su actividad ordinaria; por lo que bien puede decirse que estas entidades *sí* son capaces de construir su propia voluntad en el ejercicio de sus competencias, al margen de la administración pública a la que se vinculan. De ahí

---

378. GARCÍA DE ENTERRÍA, Eduardo y FERNÁNDEZ RODRÍGUEZ, Tomás Ramón: *Curso de Derecho Administrativo, op. cit.*, p. 428. En el mismo sentido, SANTAMARÍA PASTOR nos recuerda que el desarrollo de las llamadas administraciones independientes surge, justamente, en negación dialéctica de la posición de dependencia que caracteriza las entidades instrumentales típicas. SANTAMARÍA PASTOR, Juan Alfonso: *Principios de Derecho Administrativo General, op. cit.*, p. 726-727.

379. Precisamente una de las incógnitas que presentan dichas entidades es la difícil compatibilidad que existe entre su funcionamiento independiente y su sometimiento al poder de dirección del Gobierno previsto constitucionalmente, y en el establecimiento de ámbitos de actuación no sometidos a niveles de control político efectivos.

que podamos concluir que, al no cumplirse el primero de los requisitos exigidos por el artículo 24.6 del TRLCSP, las encomiendas de gestión que las administraciones públicas territoriales pudieran formalizar con dichas entidades no quedarían amparadas por el artículo 4.1 n) del TRLCSP[380].

¿Ello supone automáticamente que dichas encomiendas deban de someterse a las exigencias de publicidad, transparencia y libre concurrencia previstas por el TRLCSP? No necesariamente. Significa, por el momento, que los posibles encargos para la realización de actividades de carácter material, técnico o de servicios que puedan recibir dichas entidades, para poder excluirse del ámbito de aplicación del TRLCSP deberían de poder reconducirse a otras de las categorías o excepciones previstas por la Ley. En este sentido, tal y como veremos más adelante, la encomienda de gestión a estas entidades podría encontrar acomodo en la figura de los convenios de colaboración entre administraciones públicas que el artículo 4.1 c) del TRLCSP también excluye de su ámbito de aplicación y que analizaremos posteriormente.

C. La ausencia del control análogo en el caso de las universidades públicas y las corporaciones de derecho público representativas de intereses

Las mismas conclusiones a las que hemos llegado en el apartado anterior pueden extenderse también a las universidades públicas y a las corporaciones de derecho público representativas de intereses a las que nos referíamos como posibles receptoras de las encomiendas de gestión. De un modo similar al planteado más arriba, aunque la determinación del carácter *intra* o *inter* administrativo de las relaciones de encomienda formalizadas con estas entidades nos genera serias dudas –por cuanto, aunque se les reconoce personalidad jurídica propia e independiente, es evidente que se trata también de entidades vinculadas, de algún modo, a las administraciones públicas territoriales y se dotan, por lo tanto, de un cierto grado de instrumentalidad respecto de la consecución de los fines públicos que ejercen– desde un punto de vista contractual la discusión nos parece menos problemática.

Si tomamos como referencia los criterios utilizados por el TJUE para constatar la existencia de un control análogo al que se ejerce sobre los propios servicios nos daremos cuenta como, tanto en el caso de las uni-

---

380. Comparte dicha opinión, ORTIZ MALLOL, José: «La relación de dependencia de las entidades instrumentales de la Administración Pública: algunas notas», *op. cit.*, p. 247-248.

versidades públicas como en el caso de las corporaciones de derecho público representativas de intereses, el grado de autonomía de gestión que se les reconoce es tal que resulta ciertamente difícil poder afirmar la concurrencia de aquel requisito. En efecto, en ambos supuestos nos encontramos con entidades cuyo máximo órgano de gobierno está compuesto exclusivamente por representantes de los miembros que agrupa[381], sin ningún tipo de vinculación política o administrativa obligatoria con la administración pública territorial de referencia; órgano que, además, dispone de la capacidad para organizar y ordenar, en el marco del ordenamiento jurídico, el ejercicio de las funciones públicas que se atribuyen a dichas corporaciones.

Por lo tanto, y sin perjuicio de la supervisión propia de la administración territorial que corresponda, el régimen jurídico de dichas entidades se caracterizaría por la capacidad de gestionar la representación y defensa de sus propios intereses, de un modo ciertamente autónomo y sin sujetarse a las posibles instrucciones que puedan dirigírseles. Así, no sólo disponen de plena capacidad de obrar en el tráfico jurídico, sino también de la potestad reglamentaria para aprobar sus propias normas de organización y funcionamiento[382] e, incluso, de autonomía presupuestaria para gestionar sus propios ingresos y gastos[383]. De hecho, merece destacarse esta última afirmación por cuanto debemos precisar que la circunstancia de que, por ejemplo, las universidades públicas encuen-

---

381. En el caso de las *universidades públicas,* el artículo 20 de la Ley Orgánica de Universidades prevé que el rector será la máxima autoridad de la misma, ejerciendo su dirección, gobierno y gestión; añadiéndose que éste será elegido por el claustro o comunidad universitaria mediante elección directa. Al mismo tiempo se prevé la existencia de un consejo de gobierno compuesto por el rector, el secretario general y el gerente, así como un máximo de 50 representantes de la comunidad universitaria, que será el órgano de gobierno de la universidad (art. 15 LOU).
Por lo que se refiere a los *colegios profesionales* –el ejemplo más típico de corporación de derecho público representativa de intereses– el artículo 7.3 de la Ley 2/1974, de 13 de febrero, sobre Colegios Profesionales, prevé también la existencia de una junta directiva elegida por los propios colegiados y que se configuraría como el máximo órgano de gobierno de dicha institución.

382. Así lo prevén los artículos 2.2 y 6.1 de la LOU o el artículo 6 de la citada Ley 2/1974, de 13 de febrero, sobre Colegios Profesionales, que atribuyen a dichas entidades la facultad de elaborar y aprobar sus propios estatutos y sus normas internas de organización y funcionamiento.

383. En este sentido, por ejemplo, el artículo 79.1 de la LOU reconoce autonomía económica y financiera a las universidades públicas, garantizándoles los recursos necesarios para el correcto desarrollo de sus funciones; mientras que, por su parte, el artículo 6.1 de la Ley 2/1974, de 13 de febrero, remite a los estatutos colegiales la fijación del régimen económico de los colegios profesionales que deberá asegurar el cumplimiento de los fines de dicha institución.

tren su principal fuente de financiación en las aportaciones económicas provenientes de otra administración territorial no nos permite identificar incondicionalmente a dichas entidades como un mero instrumento de la Administración. Como ha señalado el TJUE, aunque el modo de financiarse una determinada entidad pública es un indicio que puede resultar revelador de su estrecha dependencia respecto de otra entidad adjudicadora, éste no es un criterio absoluto, sino que debe verificarse realmente la existencia de una relación de dependencia estructural entre ambas[384].

Por todo ello, podemos considerar que, en estos supuestos y a efectos meramente contractuales, no resulta posible conceptuar automáticamente a dichas entidades como partes integrantes de una misma y única estructura organizativa. No nos encontramos ante un mismo complejo unitario, del que pueda inferirse inequívocamente una dependencia estructural, sino que nos hallamos realmente ante dos personas jurídicas diferenciadas que, aunque dirigidas en último término a la consecución de unos mismos objetivos de interés general, se dotan de unos instrumentos de dirección y gestión administrativa completamente autónomos o separados. No hay, por lo tanto, una subordinación o falta de independencia tal que nos lleve a afirmar la existencia de un control análogo al que se ejerce sobre los propios servicios. De modo que, como en el punto anterior, al no cumplirse con el primero de los requisitos previstos por el artículo 24.6 del TRLCSP, no podría hablarse a efectos contractuales de la existencia de un medio propio y servicio técnico de la Administración.

Por lo tanto, debemos concluir afirmando que las posibles encomiendas de gestión que quieran articularse con las universidades públicas o las corporaciones de derecho público representativas de intereses no quedarían tampoco excluidas del ámbito de aplicación de la legislación contractual al amparo del artículo 4.1 n) del TRLCSP. Aunque, reiterando la misma idea que mencionábamos al finalizar el apartado anterior, ello tampoco significa necesariamente su sujeción al TRLCSP, puesto que su exclusión podría fundamentarse en algún otro precepto

---

384. Éstas son, precisamente, las consideraciones explicitadas en la STJUE de 3 de octubre de 2000, asunto C-380/98, *University of Cambridge*, en la que el Tribunal analiza la posible consideración de esta Universidad británica como un poder adjudicador a los efectos de las Directivas europeas sobre contratación pública. En este sentido, aunque la resolución judicial se refiere a una cuestión distinta a la que estamos examinando, nos sirve para poner de relieve que el hecho de contar con financiación pública no es un requisito suficiente, por sí solo, para considerar la existencia de un medio propio (FJ 21-26).

legal y, en concreto, como veremos más adelante, su excepción podría encontrarse en el artículo 4.1 c) del Texto refundido de la Ley de Contratos del Sector Público. Dejemos ahora simplemente apuntado este planteamiento, remitiéndolo al punto 3.4 de este mismo capítulo en el que, específicamente, examinaremos esta cuestión.

3.3.3. Segundo requisito: la realización de la parte esencial de su actividad con el ente adjudicador

El segundo requisito que exige el TRLCSP para constatar la existencia de un medio propio de la Administración y, por lo tanto, para excluir de su ámbito de aplicación las relaciones jurídicas que puedan entablarse con ellos, consiste en que el encomendado realice la parte esencial de su actividad respecto al ente del que depende (art. 24.6, primer párrafo, del TRLCSP). Como se ha señalado, la influencia decisoria determinante de un poder adjudicador sobre una determinada entidad no basta, por sí sola, para distinguirla de otros posibles prestadores de actividades económicas, sino que para hablar de un medio propio es preciso, además, verificar que su actividad se dedica en gran parte a su entidad de origen[385]. Y es que, como ha subrayado el TJUE en la Sentencia de 11 de mayo de 2006, asunto C-340/04, *Carbotermo SpA., Consorcio Alisei / Commune di Busto Arsizio, AGESP, SpA.*, no puede considerarse que una entidad carece de libertad de acción por el mero hecho de que el ente territorial del que dependa controle sus principales decisiones cuando, a pesar de dicho control, puede desarrollar una parte importante de su actividad económica con otras entidades u operadores económicos (FJ 61).

De este modo, el requisito de la realización de la parte esencial se nos presenta como complementario del requisito del control análogo y opera en un segundo momento –una vez se ha verificado la concurrencia de dicho control– tratando de evitar que una determinada entidad actúe como medio propio de la Administración y, al mismo tiempo, compita en el mercado de bienes y servicios[386]. Nuevamente nos encon-

---

385. En este sentido, por ejemplo, PERNÁS GARCÍA, Juan José: *Las operaciones in house y el Derecho comunitario de los contratos públicos, op. cit.*, p. 154; ARIMANY LAMOGLIA, Esteban: «Ombres sobre els encàrrecs directes de gestió a les societats mercantils locals (crònica de la Sentència del TJCE de 13 d'octubre de 2005, assumpte C-458/03, Pàrquing Brixen GMBH)», en *Quaderns de Dret Local*, núm. 9, octubre 2005, p. 57-58.

386. En el mismo sentido, GIMENO FELIÚ subraya que el requisito de que el ente instrumental realice la parte esencial de su actividad económica con la entidad que lo controla es ciertamente coherente si se considera que todo el concepto gira en torno a la falta de autonomía contractual de dicho ente controlado. En efecto, si la exención del ámbito de la contratación pública se basa en que el contrato «in house» no es sino una forma de auto-provisión, tal exención perdería su sentido si el ente

tramos aquí ante un requisito que debe ser verificado caso por caso, tomando en consideración no sólo las actividades que una determinada entidad está facultada para llevar a cabo según el ordenamiento jurídico o sus propios estatutos internos, sino aquéllas que realmente realiza. Y ello con independencia de quién remunera dicha actividad o del territorio en que se ejerza. Pero más allá de estas consideraciones generales, la verdad es que nos encontramos con un concepto –el de «parte esencial»– que resulta notablemente indeterminado.

Más allá de su exigencia, el artículo 24.6 del TRLCSP no aporta ningún elemento más que nos permita ponderar adecuadamente cuando se entiende cumplido dicho requisito; toda vez que el TJUE tampoco ha definido criterios jurisprudenciales más específicos para ello[387].

---

instrumental se dedicara a proveer también a otros operadores públicos y privados como cualquier otro agente del mercado. GIMENO FELIÚ, José María: «La problemática derivada del encargo de prestaciones a entes instrumentales propios: el alcance de la jurisprudencia comunitaria», *op. cit.*, p. 845. Idea que se repite, por ejemplo, en GIMENO FELIÚ, José María: «Encargos de ejecución a medios propios», en BERMEJO VERA, José (Dir.): *Diccionario de contratación pública, op. cit.*, p. 317.
En el mismo sentido SOSA WAGNER y FUERTES LÓPEZ califican este requisito de elemental, considerando que «para que el contrato sea doméstico, la actividad ha de quedar en casa», de modo que si el operador económico interviene en el mercado y mantiene fructíferas relaciones económicas en el tráfico mercantil se estaría revelando su condición de empresaria y, por lo tanto, habría de reconocerse ese papel comercial y tratarla como al resto de entidades participantes en el mercado. SOSA WAGNER, Francisco y FUERTES LÓPEZ, Mercedes: «¿Pueden los contratos quedar en casa? (la polémica europea sobre la contratación in house)», [En línea] en *Revista la Ley*, núm. 6715, 17 mayo 2007.
http://www.wolterskluwer.es/SalaPrensa/White/white_3.html [Consulta: 12 de enero 2011] p. 4.
Por el contrario, GONZÁLEZ GARCÍA se muestra crítico con este elemento, al considerar que resulta el menos adecuado para determinar la noción de medios propios, a la vez que no tiene ninguna relación con los objetivos perseguidos por las Directivas europeas. GONZÁLEZ GARCÍA, Julio V.: «Medios propios de la Administración, colaboración interadministrativa y sometimiento la normativa comunitaria de contratación», en *Revista de Administración Pública*, núm. 173, mayo-agosto 2007, p. 233.

387. La doctrina ha destacado la menor atención que este requisito ha merecido en relación al requisito del control análogo. Menor atención que se explica seguramente por la interpretación restrictiva que el TJUE ha realizado de este último criterio, cuya ausencia ha generado que, en muchas ocasiones, el TJUE no haya entrado a valorar el cumplimiento del segundo requisito *Teckal*. Por ejemplo, se refieren a esta cuestión, entre otros, PERNÁS GARCÍA, Juan José: *Las operaciones in house y el Derecho comunitario de los contratos públicos, op. cit.*, p. 165-166; PASCUAL GARCÍA, José: *Las encomiendas de gestión a la luz de la Ley de Contratos del Sector Público, op. cit.*, p. 41 o GONZÁLEZ GARCÍA, Julio V.: «Medios propios de la Administración, colaboración interadministrativa y sometimiento la normativa comunitaria de contratación», *op. cit.*, p. 233, quien, continuando con la visión crítica que mencionábamos en la nota anterior, añade que se trata de un elemento que no resulta

En todo caso, la doctrina más especializada ha venido afirmando que este requisito parece exigir que la actividad del ente encomendado esté destinada principalmente a la administración pública de la que dependa, de manera que el resto de su actividad sea meramente marginal[388]. Y en este sentido, el TJUE ha venido utilizando como indicios para comprobar la existencia de este requisito, por ejemplo, el porcentaje del volumen de negocios o de ingresos totales que una determinada entidad obtenga de sus encargos públicos[389].

Es, pues, desde esta perspectiva incierta que debemos examinar la concurrencia de este requisito respecto de las encomiendas de gestión formalizadas con entidades públicas pertenecientes a la misma administración y, muy especialmente, respecto de la categoría de los organismos públicos (y entidades autonómicas y locales equivalentes) a los que nos hemos venido refiriendo como potenciales destinatarios de dichas encomiendas. Y en este punto entendemos que, tanto en el caso de los organismos autónomos, como en el de las agencias estatales e, incluso, en el de las entidades públicas empresariales dicho requisito puede entenderse fácilmente satisfecho. Como es sabido, estas entidades se dirigen al cumplimiento de actividades de interés general en régimen de descentralización funcional, por lo que el objeto de dichas entidades se compone principalmente de actividades públicas propias de la administración a la que se adscriben, configurándose como organizaciones especializadas cuyo destino no es otro que la realización de actividades que el ordenamiento jurídico asigna a la administración de la que dependen.

No puede considerarse, por lo tanto, que se trate de sujetos que actúan en el mercado como simples operadores económicos, sino que, como decimos, gestionan principalmente actividades dirigidas a cumplir con las finalidades propias de sus entes matrices. El artículo 1.2 de la LOFAGE se refiere expresamente a ello cuando señala que los organis-

---

demasiado concretado en la jurisprudencia comunitaria y que, por ello, produce un excesivo grado de indeterminación para que resulte totalmente aplicable.

388. En este sentido, entre otros, RAZQUÍN LIZARRAGA, José Antonio: «Las encomiendas a entes instrumentales en la legislación foral de contratos públicos de Navarra: contraste con el Derecho comunitario europeo y la legislación básica estatal», *op. cit.*, p. 51-52; PERNÁS GARCÍA, Juan José: *Las operaciones in house y el Derecho comunitario de los contratos públicos*, *op. cit.*, p. 165-166; PASCUAL GARCÍA, José: *Las encomiendas de gestión a la luz de la Ley de Contratos del Sector Público*, *op. cit.*, p. 40-43.

389. Podemos citar, por ejemplo, la STJUE de 18 de diciembre de 2007, asunto C-220/06, *Asociación Profesional de empresas de Reparto y Manipulado de Correspondencia / Administración del Estado* (FJ 59) o la ya mencionada STJUE de 11 de mayo de 2006, *Carbotermo* (FJ 57-72).

mos públicos «desarrollan actividades derivadas de la propia Administración General del Estado». Por lo que, al ejercer funciones directamente vinculadas a la satisfacción de los intereses públicos atribuidos a la entidad de la que dependen, es evidente que realizan la «parte esencial» con esta última. En nuestra opinión, el hecho de que algunas de dichas actividades puedan tener carácter mercantil y su coste sea sufragado por los usuarios no elimina el carácter instrumental de estas entidades, por cuanto, como decimos, se dirigen exclusivamente a la gestión de actividades o servicios públicos de su administración matriz, sin que su actuación se rija únicamente por criterios de rentabilidad económica o por la obtención de lucro. Al contrario, todas ellas desarrollan funciones públicas sufragadas, en su gran mayoría, por fondos públicos procedentes de las transferencias o las asignaciones realizadas por la administración matriz. De manera que, como ha señalado CASTRO PASCUAL, en el caso de los organismos públicos el requisito de la realización de la parte esencial de su actividad para el encomendante bien podría considerarse implícito en la propia atribución de funciones o en la descripción de su objeto social pues, citando un informe de la Intervención General del Estado, se subraya que en caso de no existir dichos organismos públicos estas actividades corresponderían automáticamente a la Administración General del Estado (o, añadiríamos, a la administración territorial que correspondiera)[390].

Hay que tener presente también que dicho criterio demanda solamente que los entes encomendados lleven a cabo la «parte esencial» de su actividad con el encomendante, pero no «exclusivamente»[391]. Por lo que, como hemos apuntado, no se excluye que puedan realizarse también otras actividades comerciales que escapen de dicho control, siempre que tengan un carácter meramente residual o marginal. En este sentido, la posible realización de actuaciones que le sean encargadas no ya por su administración matriz sino incluso por la iniciativa privada –como se prevé, por ejemplo, el artículo 4.4 del Real Decreto 1525/1999, de 1 de octubre, para la Entidad Pública Empresarial de Suelo (SEPES) o el artículo 2.1 h) del Real Decreto 1114/1999, de 25 de junio, para la

---

390. PASCUAL GARCÍA, José: *Las encomiendas de gestión a la luz de la Ley de Contratos del Sector Público, op. cit.*, p. 51-52.
391. Nuevamente la STJUE de 11 de mayo de 2006, asunto C-340/04, *Carbotermo* puede servirnos de referencia cuando afirma que «solo cabe considerar que la empresa de que se trata realiza la parte esencial de su actividad con el ente territorial que la controla [...] cuando la actividad de dicha empresa está destinada principalmente a dicho ente territorial, de modo que el resto de su actividad tiene un carácter meramente marginal» (FJ 63).

entidad pública empresarial Fábrica Nacional de Moneda y Timbre-Real Casa de la Moneda– no supone necesariamente romper su consideración como medio propio siempre, insistimos, que ésta tenga un carácter secundario.

Y, en este punto, conviene recordar como el TJUE, en la ya citada Sentencia la STJUE de 18 de diciembre de 2007, asunto C-220/06, *Asociación Profesional de Empresas de Reparto y Manipulado de Correspondencia / Administración del Estado* censuró el carácter de medio propio de la Administración General del Estado de la Sociedad Estatal de Correos y Telégrafos, SA por el hecho de que su clientela estaba formada no sólo por la Administración del Estado, sino por cualquier persona interesada en utilizar el servicio postal universal. De manera que, al actuar en el mercado postal y prestar sus servicios a un número indeterminado de clientes, no podía entenderse cumplido el requisito de realización de la parte esencial de su actividad con el ente que la controla (FJ 59 y 62).

3.3.4. Tercer requisito: reconocimiento formal de la condición de medio propio

Finalmente, para poder excluir las encomiendas de gestión intra-administrativas del ámbito de aplicación de la legislación contractual, el artículo 24.6 del TRLCSP nos exige aún un último requisito de carácter formal: que la condición de medio propio se reconozca expresamente por la norma que los cree o por sus estatutos, que deberán determinar las entidades respecto de las cuales tienen esta condición y precisar el régimen de las encomiendas que se les pueden conferir (art. 24.6, tercer párrafo, del TRLCSP).

Se trata, como ya se ha dicho, de un requisito no previsto por las Directivas europeas sobre contratación pública ni tampoco por la jurisprudencia del TJUE y que, en mi opinión, nada aporta a la consideración material como medio propio de una determinada entidad pública. Más bien al contrario, puesto que puede generar aún más confusión. Y es que la mera declaración formal de la relación de instrumentalidad existente entre dos entidades no puede excluir, en ningún caso, la necesaria verificación de la existencia de un vínculo real de subordinación y dedicación efectiva entre ellas. De modo que puede afirmarse que la norma reguladora de los diferentes organismos públicos no puede convertir automáticamente a éstos en medios propios de la administración de que se trate, sino que ello dependerá siempre de la constatación de que realmente dichas entidades cumplen con esta naturaleza de acuerdo con los criterios fijados por el TRLCSP[392].

No obstante, no debe despreciarse tampoco la importancia que este requisito formal cumple en el ámbito de la contratación pública. Y es que, a partir de la redacción del citado artículo 24.6 del TRLCSP, podemos considerar que la necesidad de declarar formalmente el carácter de medio propio de una determinada entidad se torna un requisito indispensable para poder excluir un determinado negocio jurídico del ámbito de aplicación del TRLCSP. En consecuencia, aunque un determinado organismo público, por su propia naturaleza, pudiera tener la consideración de medio instrumental de la Administración Pública (art. 44.1 LOFAGE), a efectos del TRLCSP no tendría la consideración de medio propio o servicio técnico sino a partir del reconocimiento formal y específico de dicha cualidad en su norma de creación o, en su caso, en su propio estatuto regulador. Así, podríamos entender que no resultaría suficiente con el reconocimiento genérico de dicha condición –tal y como se prevé, por ejemplo, en el artículo 47 de la Ley gallega 16/2010, de 17 de diciembre– en la norma general reguladora de la organización y funcionamiento de la administración de que se trate, puesto que entendemos que el TRLCSP lo que ha pretendido es que se identifique de manera concreta, expresa y precisa la condición de medio propio de cada una de las entidades públicas existentes en nuestro ordenamiento, indicando aquellas otras respecto de las cuales tienen dicha cualidad[393].

---

392. Así lo entienden también PERNAS GARCÍA, José: «Exigencias y límites a la configuración y a la actuación de los medios propios, como entes encomendados en el marco de las relaciones *in house*», *op. cit.*, p. 1429; ORTIZ MALLOL, José: «La relación de dependencia de las entidades instrumentales de la Administración Pública: algunas notas», *op. cit.*, p. 254 o REBOLLO PUIG, Manuel: «Los entes institucionales de la Junta de Andalucía y su utilización como medio propio», *op. cit.*, quien afirma expresamente que lo importante, de todas formas, no es que una norma pueda proclamar expresamente que tal o cual entidad es «medio propio», sino lo que realmente sea dicha entidad (p. 381).

393. Parece compartir esta opinión MONTOYA MARTÍN cuando subraya que, en aras del cumplimiento de esta exigencia legal, se imponen las necesarias modificaciones estatutarias de aquellas entidades cuyo grupo normativo no proclame *expresamente* la administración para la que tienen la condición de medios propios. MONTOYA MARTÍN, Encarnación: *Los medios propios o servicios técnicos en la Ley de contratos del sector público. Su incidencia en la gestión de los servicios públicos locales, op. cit.*, p. 101. Aunque, todo hay que decirlo, somos conscientes de lo absurdo que, en ocasiones, puede resultar dicha conclusión. Y es que podríamos preguntarnos: ¿cómo un organismo público, a pesar de cumplir con todos los demás requisitos, puede dejar de ser considerado como un medio instrumental de una determinada administración por el mero hecho de que formalmente no figure expresamente este carácter en sus propios estatutos? Es precisamente de la absurdidad de esta pregunta que

De no ser así, y entendiendo que es suficiente con una mera declaración general a tal efecto, no se alcanzaría a comprender muy bien lo que la introducción de dicho requisito en el TRLCSP podría aportar de cara a la mejor identificación de los medios propios y servicios técnicos de la Administración Pública.

Por otro lado, sería dicho componente obligatorio el que explicaría que, desde la entrada en vigor de la Ley y a pesar de lo previsto en la LOFAGE (o normas autonómicas o locales equivalentes), hayan sido muchos los organismos públicos existentes en nuestro ordenamiento jurídico que hayan procedido explícitamente a adaptar su marco regulador a las nuevas previsiones legales. Podemos citar, por ejemplo, el Real Decreto 1394/2009, de 28 de agosto, por el que se modifica el Estatuto del Organismo Autónomo Trabajo Penitenciario y Formación para el Empleo o, más recientemente, el Real Decreto 351/2011, de 11 de marzo, por el que se modifica el Estatuto de la entidad pública empresarial Red.es, cuyo objeto, en ambos supuestos, es casi exclusivamente el reconocimiento expreso de su carácter de medio propio y servicio técnico de la Administración General del Estado[394].

3.3.5. Recapitulación

En definitiva, llegados a este punto podemos concluir que las encomiendas de gestión formalizadas respecto de entidades con personalidad jurídica propia pertenecientes a la misma administración pública al amparo del artículo 15.3 de la LRJPAC podrían quedar, como ha venido siendo habitual en nuestro ordenamiento jurídico, excluidas del ámbito de aplicación del TRLCSP. El carácter meramente interno de estas operaciones administrativas nos permite incluirlas dentro del ámbito de aplicación del artículo 4.1.n) del TRLCSP. De este modo, al igual que ocurre con las encomiendas inter-orgánicas a las que nos referíamos en el apartado anterior, su formalización quedaría al margen de las reglas sobre

---

entendemos que la introducción de este nuevo requisito legal era del todo innecesaria.

394. En este punto, no obstante, debemos mencionar que la Junta Consultiva de Contratación Administrativa de Aragón, en su Informe núm. 26/2008, de 3 de noviembre, ha considerado que el requisito de la constancia expresa de la condición de medio propio en la norma de creación o en los estatutos ha de exigirse a las entidades creadas con posterioridad a la LCSP, pero no a las constituidas con anterioridad a su entrada en vigor, pues en estos casos dicha condición puede entenderse cumplida cuando así se desprenda de sus normas de creación. Sin perjuicio de que, voluntariamente, las entidades existentes con anterioridad a la LCSP puedan optar también por adaptar sus estatutos a la nueva regulación.

adjudicación de los contratos públicos, y muy especialmente, de aquéllas referidas a la selección de los contratistas, pudiendo articularse a
través del mero acuerdo entre las entidades interesadas.

En todo caso, sin embargo, para que ello sea posible, el sujeto encomendado deberá cumplir escrupulosamente con los requisitos fijados
por el artículo 24.6 del TRLCSP. Por lo que será preciso que pueda acre-
ditarse objetivamente la existencia de un control de la administración
encomendante sobre el sujeto encomendado análogo al que se ejerce
sobre sus propios servicios, así como la necesidad de que éste realice la
parte esencial de su actividad con aquélla; debiéndose de hacer constar
también expresamente en sus estatutos o normas de creación su condición de medio propio o servicio técnico de la administración encomendante.

Pero, nuevamente, ¿qué sucede cuando los encargos efectuados entre dos personas jurídico-públicas no cumplan correctamente con estos
tres requisitos? ¿Ello supone que dichos negocios quedan siempre sujetos a las prescripciones del TRLCSP? En nuestra opinión, tal y como
veremos a continuación, no siempre será así, sino que el Texto refundido
de la Ley de Contratos del Sector Público nos ofrece otras posibles alternativas a través de las cuales poder excluir de su ámbito de aplicación
las relaciones de colaboración trabadas entre diferentes administraciones públicas. Alternativas en las que podríamos plantearnos encuadrar
también todos estos supuestos. Seguidamente nos referiremos a ellos.

3.4. TRATAMIENTO DE LAS ENCOMIENDAS DE GESTIÓN FORMALIZA-
DAS ENTRE DISTINTAS ADMINISTRACIONES PÚBLICAS A EFECTOS
DEL TRLCSP

Siguiendo nuestro esquema expositivo inicial queda referirnos, en
último lugar, al tratamiento contractual de las encomiendas de gestión
inter-administrativas, es decir, de aquéllas que se formalizan mediante
convenio entre entidades pertenecientes a distintas administraciones públicas (art. 15.4 LRJPAC). Entendiendo, como señalábamos en los apartados precedentes, que la pertenencia a diferentes administraciones públicas nos vendrá dada principalmente por la adscripción orgánica de una
u otra entidad a una determinada administración pública de carácter territorial.

Por lo tanto, incluiríamos en este último apartado no sólo a las
encomiendas de gestión formalizadas entre la Administración General
del Estado y las comunidades autónomas, o entre cualquiera de éstos

y las entidades que integran la administración local –que constituyen supuestos muy habituales en nuestro ordenamiento jurídico– sino también a las encomiendas de gestión entre dichas administraciones territoriales y los organismos públicos instrumentales vinculados a otra administración pública territorial o, incluso, entre organismos públicos dependientes de diferentes administraciones públicas (ya sean estatales, autonómicos o locales)[395]. En todos estos supuestos, y como sucedía en el caso anterior, nos encontraremos ante un negocio jurídico voluntario entre dos personas jurídico-públicas formalmente distintas a través del cual se encarga a una de ellas la realización de una determinada prestación de carácter material, técnico o de servicios a cambio de una contraprestación. Por lo que, teniendo presente lo que decíamos acerca de los elementos del contrato y de la plasmación del carácter contractual de la encomienda de gestión, dicha relación jurídica sería susceptible de ser calificada, a efectos del TRLCSP, como un verdadero *contrato público*.

No obstante, a pesar de su evidente carácter contractual, como hemos señalado también previamente, en nuestro ordenamiento jurídico estos encargos tradicionalmente han venido excluyéndose de la aplicación de la legislación contractual. Su consideración como simples instrumentos de colaboración entre administraciones públicas al servicio del cumplimiento del interés general, llevó a la doctrina administrativista –sobre la base del anterior artículo 3.1 c) del TRLCAP– a considerarlos como un supuesto convencional específico ajeno a las reglas ordinarias de la contratación pública[396]. Los argumentos que se han venido utilizando para fundamentar dicha exclusión han sido muy diversos. Desde, por ejemplo, la dificultad de aplicar a la administración pública que deba considerarse como contratista los diferentes preceptos de la legislación contractual (en particular, los relativos a la solvencia, clasificación empresarial o garantías), hasta su consideración como negocios *intuitu*

---

395. Aunque ya hemos manifestado nuestras dudas acerca del carácter *intra* o *inter* administrativo que les atribuye el artículo 15 de la LRJPAC, de acuerdo con lo que decíamos al finalizar el apartado anterior, incluiremos también en este grupo a aquellas encomiendas de gestión que se formalizan respecto de las llamadas administraciones públicas independientes, las universidades públicas o las corporaciones de derecho público representativas de intereses, respecto de las cuales, como hemos visto, no resulta posible extender la condición de medio propio o servicio técnico de la Administración a las que se refieren los artículos 4.1 n) y 24.6 del Texto Refundido de la Ley de Contratos del Sector Público.

396. Con carácter general, podemos citar, por ejemplo, Cosculluela Montaner, Luis: *Manual de Derecho Administrativo*, Ed. Civitas, sexta edición, Madrid 1995, p. 382 o Ariño Ortiz, Gaspar (Dir.): *Comentarios a la Ley de Contratos de las Administraciones Públicas, op. cit.*, p. 130.

personae, es decir, en los que las cualidades técnicas y personales de las partes tienen tal relevancia que condicionan la propia configuración del contrato y sus procedimientos de formalización y ejecución[397].

Pero aún sin negar de entrada estas consideraciones –pues algunas de las cuales, como veremos más adelante, pueden seguir siéndonos útiles hoy en día– el problema que se nos plantea ahora es que con la regulación contractual vigente no nos resulta tan sencillo poder llegar a la misma conclusión. Las importantes modificaciones introducidas por el TRLCSP en esta materia nos obligan a replantearnos el fundamento normativo concreto en base al cual podemos, en su caso, extraer dichos negocios jurídicos del juego de las reglas ordinarias de la contratación pública. Teniendo muy presente, además, la ya citada Sentencia del Tribunal de Justicia de la Unión Europea de 13 de enero de 2005, *Comisión de las Comunidades Europeas / Reino de España*, en la que el TJUE entró a analizar la compatibilidad del anterior artículo 3.1 del TRLCAP con las Directivas europeas sobre contratación pública, llegando a la conclusión de que, dado que dicha normativa excluía *a priori* del ámbito del Texto Refundido las relaciones entre las administraciones públicas, sus organismos públicos y, en general, las entidades de derecho público, no mercantiles, fuera cual fuera la naturaleza de estas relaciones, la normativa española en cuestión constituía una adaptación incorrecta del derecho interno a las Directivas (FJ 40).

Por lo tanto, debemos analizar detalladamente qué posibilidades concretas nos ofrece hoy día el nuevo TRLCSP no sólo para seguir considerando las encomiendas de gestión celebradas entre administraciones públicas al amparo del artículo 15 de la LRJPAC como un instrumento jurídico al margen de la aplicación de las reglas de la contratación pública, sino también para justificar adecuadamente su exclusión del ámbito de aplicación del TRLCSP. En este sentido, la primera idea que rápidamente podríamos plantearnos es si sería posible encuadrar estas encomiendas de gestión, como en el caso anterior, en el ámbito del artículo 4.1 n) del TRLCSP, es decir, considerándolas como una relación jurídica de carácter meramente interno, ajena a las reglas de la concurrencia y del mercado.

---

397. En este sentido, por ejemplo, GARCÍA DE ENTERRÍA, Eduardo: «Ámbito de aplicación de la Ley (Arts. 1 a 9, inclusive)», *op. cit.*, p. 106 o PARADA VÁZQUEZ, Ramón: *Derecho Administrativo*, *op. cit.*, p. 282, en el que se afirma que la inaplicación del sistema normativo de la contratación administrativa a los convenios interadministrativos es evidente, ya que este sistema está pensado para seleccionar al contratista privado y para asegurar, a través del privilegio de la decisión ejecutoria, la prevalencia de la voluntad administrativa.

3.4.1. La difícil aplicación del artículo 4.1 n) del TRLCSP a las relaciones inter-administrativas

En efecto, la primera opción que debemos analizar consistiría en plantearnos si, a efectos del TRLCSP, cuando la encomienda de gestión se formaliza entre distintas administraciones públicas es posible aún poder hablar de la existencia de un negocio jurídico celebrado con una entidad que tenga la consideración de medio propio. En este caso, no sólo es la existencia formal de dos personas jurídicas diferenciadas la que nos plantea dudas acerca del tratamiento contractual que debemos dar a dicha relación jurídica, sino que, además, ello se complica por el hecho de que esta relación se celebra entre entidades, en principio, autónomas en la gestión de sus respectivos intereses, por lo que resulta ciertamente difícil poder identificar la existencia de un vínculo de instrumentalidad o dependencia entre ellas.

A. La imposibilidad de extender la consideración de medio propio a las relaciones entre diferentes administraciones públicas

Como vimos anteriormente y como no podía ser de otra manera, el TRLCSP ha reconocido la capacidad de las administraciones públicas para ordenar internamente la gestión de aquellos asuntos que les son propios, excluyendo de su ámbito de aplicación los negocios jurídicos cuya trascendencia se circunscribe solamente al interior de una misma estructura administrativa [art. 4.1 n) TRLCSP]. Sin embargo, amparándose en la jurisprudencia del TJUE, hemos visto también como este reconocimiento se hacía de un modo ciertamente restrictivo, exigiendo para dicha exclusión la concurrencia acumulativa de tres requisitos esenciales –los que denominábamos requisitos *Teckal*–, a saber: 1) Que la entidad encomendante ejerza un control sobre el encomendado análogo al que ejerce sobre sus propios servicios, 2) Que el encomendado realice la parte esencial de su actividad con el ente que lo controle y, finalmente, 3) Que se reconozca formalmente dicha condición en la norma que los cree o en sus estatutos (art. 24.6 TRLCSP).

Desde esta perspectiva, podemos ya avanzar que será, precisamente, en la ausencia de alguno de dichos requisitos –muy especialmente, en lo que se refiere al requisito de la existencia de un control análogo al que se ejerce sobre los propios servicios– en donde, como veremos a continuación, podremos situar el principal escollo la hora de extender la consideración de medio propio también a las relaciones de encomienda de gestión formalizadas entre entidades pertenecientes a diferentes administraciones públicas.

Como expusimos en el *Capítulo I*, nuestro ordenamiento jurídico reconoce autonomía a las diferentes administraciones públicas en las que se organiza territorialmente nuestro Estado para el ejercicio de las funciones públicas que tienen asignadas. El artículo 137 de la Constitución así lo proclama expresamente, al reconocer a municipios, provincias, comunidades autónomas –e implícitamente al Estado– autonomía para la gestión de sus respectivos intereses. Dicha autonomía se traduce, entre otros aspectos, en la capacidad de cada una de estas administraciones territoriales para orientar y dirigir política y administrativamente su propia comunidad, a través de sus propios medios personales y materiales. De modo que corresponde a cada una de ellas no sólo autodeterminar los fines públicos a perseguir, sino también organizar su realización o prestación, sin más limitaciones que su sometimiento a la Constitución y al resto del ordenamiento jurídico (art. 103.1 CE)[398].

Como ha señalado en muchas ocasiones la doctrina y nuestro Tribunal Constitucional –especialmente al examinar el contenido y alcance de la autonomía local– la autonomía significa, entre otros aspectos, el reconocimiento a los entes de quienes se predica de una indiscutible capacidad de autogestión o independencia funcional en el desempeño de las funciones que tienen atribuidas[399]. Capacidad que, por otra parte,

---

398.   García de Enterría, Eduardo y Fernández Rodríguez, Tomás Ramón: *Curso de Derecho Administrativo*, *op. cit.*, p. 381.
399.   En este sentido, es habitual citar las palabras de Giannini, quién definía la autonomía como la capacidad de las diferentes entidades de orientar y dirigir el gobierno y administración de la propia comunidad, de elegir, por tanto, opciones o directrices que pueden ser diferentes a las adoptadas por los restantes niveles organizativos y sin que se admitan injerencias injustificadas por parte de instancias superiores. Giannini, Masimo Severo: «Autonomia», en *Rivista Trimestrale di Diritto Pubblico*, núm. 4, 1951, p. 879.
    Se expresan en términos similares, entre otros muchos, Fanlo Loras, Antonio: *Fundamentos constitucionales de la autonomía local*, Centro de Estudios Constitucionales, Madrid 1990, p. 307-310; Galán Galán, Alfredo: *La potestad normativa autónoma local*, Ed. Atelier, Barcelona 2001, p. 41-123 o Font i Llovet, Tomàs: *Gobierno Local y Estado Autonómico*, *op. cit.*, p. 320.
    Por su parte, el Tribunal Constitucional se ha ocupado también de subrayar el contenido institucional de la autonomía constitucionalmente garantizada, afirmando, como ya hemos dicho, que ésta no sólo supone el reconocimiento de una cierta independencia funcional sino que se traduce también en la ausencia de condicionantes externos para la validez o eficacia de los actos o en la supresión de los mecanismos de control sobre su actuación que los puedan colocar en una posición de subordinación jerárquica respecto de otras entidades territoriales. Así se expresa, por ejemplo, la Sentencia del Tribunal Constitucional núm. 4/1981, de 2 de febrero, FJ 3 (Ponente Sr. Rafael Gómez-Ferrer Morant) o la Sentencia del Tribunal Constitucional núm. 213/1988, de 11 de noviembre, FJ 2 (Ponente: Sr. Ángel Latorre Segura).

es la que diferencia estos entes de aquellos otros sujetos a una relación de jerarquía. Así, para el ejercicio de sus funciones cada una de dichas entidades se dota de una estructura organizativa propia, distinta y separada de las demás, y que le permite actuar sin determinaciones exteriores. En el marco del sometimiento al ordenamiento jurídico, cada una de las administraciones públicas en las que se organiza territorialmente el Estado puede, no sólo decidir en el plano normativo sobre sus propios intereses, sino que puede gestionarlos directamente en el plano ejecutivo, dando actuación a sus propias decisiones, bajo su propia y exclusiva responsabilidad. Todo ello, evidentemente, sin perjuicio de la necesaria colaboración entre los distintos niveles de gobierno y administración a la que aludíamos anteriormente.

Desde esta perspectiva, cuando dos administraciones públicas diferenciadas convienen la realización de una determinada prestación de carácter material, técnico o de servicios de la competencia de una de ellas, resulta ciertamente difícil poder negar el carácter de *tercero* de la entidad encomendada. No nos encontramos aquí, a diferencia de los supuestos anteriores, ante una mera proyección instrumental de una misma organización administrativa, sino ante una relación jurídica entre dos sujetos públicos distintos, portadores de unos intereses propios, representativos de la comunidad territorial a la que personifican y con plena capacidad para actuar autónomamente sus decisiones, sin ningún vínculo de dependencia o subordinación entre ellos. Por lo que no puede afirmarse la existencia entre los sujetos intervinientes de un control análogo al que se ejerce sobre sus propios servicios[400].

Aunque, como dijimos en el capítulo anterior, es cierto que el encomendante puede dirigir la realización del encargo material específico en que consista la encomienda de gestión, estableciendo los criterios técnicos en los que debe desarrollarse el encargo, ello no supone situar a dicha entidad en una posición de jerarquía o control que le permita influir determinantemente sobre la dirección estratégica del sujeto encomendado. Puesto que, más allá de la capacidad genérica de dirección de la ejecución concreta del asunto de que se trate, la administración encomendante no goza de ningún poder de influencia sobre la actividad administrativa ordinaria del encomendado. En estos casos nos encontraríamos realmente ante un negocio jurídico de carácter voluntario, tra-

---

400. En el mismo sentido, por ejemplo, GIMENO FELIÚ, José María: *La nueva contratación pública europea y su incidencia en la legislación española. La necesaria adopción de una nueva Ley de contratos públicos y propuestas de reforma, op. cit.,* p. 143.

bado entre dos instituciones públicas diferenciadas y situadas en una posición de igualdad formal.

Por otro lado, en el caso de las encomiendas de gestión inter-administrativas tampoco se cumpliría el segundo de los requisitos previstos por el artículo 24.6 del TRLCSP: la realización de la parte esencial de su actividad con el ente encomendante. Como venimos insistiendo, en estos supuestos nos hallamos ante dos entidades públicas a las que el ordenamiento jurídico asigna unas finalidades propias y específicas, de modo que la realización de un determinado encargo material por una de ellas no es más que un supuesto puntual de colaboración administrativa, en una situación momentánea de ausencia de medios materiales o insuficiente capacidad de gestión. Pero, reiterando la idea anterior, más allá de esta colaboración esporádica, cada una de las entidades intervinientes mantiene intacto su ámbito de actuación, realizando su actividad al margen de la otra y con completa autonomía en su gestión.

En conclusión, resulta evidente que cuando la relación de encomienda se entabla entre dos administraciones públicas diferenciadas no nos encontramos ya en una relación de carácter meramente interno entre una determinada organización administrativa y sus propios medios materiales. Al contrario. Nos encontramos con una verdadera relación jurídica de carácter bilateral entre dos sujetos formal y materialmente distintos. De ahí que, al no poder hablar de la existencia de medios propios o servicios técnicos de la Administración en el sentido del artículo 24.6 del TRLCSP, la posible exclusión del ámbito de aplicación del Texto refundido de la Ley de Contratos del Sector Público de las relaciones contractuales entre dichas entidades no pueda encontrarse al amparo del artículo 4.1 n) del TRLCSP[401].

Como en los casos anteriores, ello no supone automáticamente la sujeción de dichos negocios jurídicos a las exigencias del TRLCSP, sino únicamente que, en su caso, su posible exclusión del ámbito de aplicación del TRLCSP debería de buscarse en otro lugar. Y este otro lugar, como ya hemos avanzado, podría encontrarse en el ámbito del artículo 4.1. c) del TRLCSP que exceptúa de la aplicación de dicha Ley a los convenios de colaboración que celebre la Administración del Estado con las entidades gestoras y servicios comunes de la Seguridad Social, las universidades públicas, las comunidades autónomas, las entidades que integran la administración local, los organismos autónomos y restantes

---

401. Llega a la misma conclusión Pascual García, José: *Las encomiendas de gestión a la luz de la Ley de Contratos del Sector Público, op. cit.,* p. 97-98.

entidades públicas o los que celebren estas entidades y organismos públicos entre sí, salvo que, por su naturaleza, tengan la consideración de contratos sujetos al TRLCSP.

Pero antes de pasar a examinar dicho precepto, y sin perjuicio de lo que hemos venido afirmando hasta ahora, debemos detenernos un momento para matizar alguna de las consideraciones anteriores. Y es que, en ocasiones, aunque administrativamente parecería claro poder hablar de la existencia de dos administraciones públicas distintas, el TJUE ha venido a considerar que, a efectos contractuales, ello no siempre es así, sino que partiendo nuevamente de una concepción funcional de la institución contractual, el Tribunal ha entendido que, a pesar de encontrarnos ante dos sujetos con personalidad jurídica propia y, aparentemente, autónomos, en determinadas condiciones es posible establecer una relación de instrumentalidad entre ellas. Considerándolos, de este modo –insistimos, solamente a efectos contractuales– como una única estructura organizativa. Nos referimos a aquellos casos en que la encomienda de gestión recae sobre una entidad pública formada por la asociación voluntaria de otras entidades públicas y, más concretamente, al caso de las mancomunidades de municipios previstas en nuestra legislación local y de los consorcios que tanto la LRJPAC como la normativa de régimen local permiten crear entre administraciones públicas de diferente orden[402].

---

402. Como es sabido, las *mancomunidades de municipios* se regulan, con carácter básico, en el artículo 44.1 de la LBRL que nos las define como asociaciones de varios municipios para la ejecución en común de obras y servicios determinados de su competencia. Sobre el régimen jurídico de las mancomunidades pueden verse, entre otros muchos, SOSA WAGNER, Francisco: «Mancomunidades y otras formas asociativas», en MUÑOZ MACHADO, Santiago (Dir.): *Tratado de Derecho Municipal*, Ed. Civitas, segunda edición, Madrid 2003, p. 1209-1218; QUINTANA LÓPEZ, Tomás: *Las mancomunidades en nuestro Derecho Local*, Ministerio de Administraciones Públicas, Madrid 1990; MARTÍN MATEO, Ramón: *Los entes locales complejos: mancomunidades, agrupaciones, consorcios, comarcas áreas metropolitanas*, Ed. Trivium, Madrid 1987 o, más recientemente, SÁNCHEZ BLANCO, Ángel: *Organización intermunicipal*, Ed. Iustel, Madrid 2006.
Por su parte, la figura de los *consorcios* tiene quizá unos límites conceptuales menos precisos, aludiéndose a ellos en el artículo 6.5 de la LRJPAC y, sobretodo, en la legislación local. En este ámbito es donde los consorcios han conseguido un mayor desarrollo a partir de que el artículo 57 de la LBRL los considere como uno de los instrumentos a través de los cuales canalizar la cooperación económica, técnica y administrativa entre la Administración Local y la de las Comunidades Autónomas y que el artículo 87.1 de la LBRL permita a las entidades locales constituir consorcios con otras Administraciones Públicas para fines de interés común o con entidades privadas sin ánimo de lucro que persigan finalidades de interés público, concurrentes con los de la Administraciones Públicas. Sobre los consorcios pueden verse, entre otros muchos, MARTÍN MATEO, Ramón: *Los consorcios locales*, Instituto de Estu-

B. La particularidad de los supuestos de asociaciones voluntarias de entidades públicas

La primera duda que se nos plantea al analizar estos supuestos es, como puede imaginarse, su clasificación a efectos administrativos y más concretamente a tenor del artículo 15.1 de la LRJPAC. Cuando la encomienda de gestión recae sobre una persona jurídica compuesta por la asociación voluntaria de diferentes entidades públicas –y de la que el encomendado es también miembro– ¿debe primar el dato formal de la personificación jurídico-pública? y, por lo tanto, estaríamos realmente ante una relación entre dos administraciones públicas diferenciadas o ¿nos encontraríamos simplemente ante una relación de carácter meramente interno o instrumental?

Como ya hemos dicho, ésta es una cuestión muy ligada al concepto de Administración Pública, que no podemos afrontar detenidamente en este momento, pues va mucho más allá de nuestro concreto objeto de estudio. No obstante, enunciándola queremos poner de relieve otra vez más las dificultades que se nos plantean a veces a la hora de encuadrar, dentro de los esquemas manejados por la LRJPAC, la multiplicidad de relaciones jurídicas que pueden establecerse entre las diferentes entidades públicas existentes en nuestro ordenamiento. Dificultades que cuando nos referimos a las mancomunidades de municipios o a los consorcios se nos presentan en toda su extensión. El hecho de que se les reconozca personalidad jurídica propia y diferenciada[403], en contraste con su composición plural y su carácter voluntario[404], o las limitaciones

---

dios de la Administración Local, Madrid 1970; NIETO GARRIDO, Eva: *El consorcio administrativo*, Ed. Marcial Pons, Barcelona 1997 o REBOLLO PUIG, Manuel: «El consorcio entre entes locales como forma de cooperación», en *Anuario del Gobierno Local 1997*, Ed. Marcial Pons – Institut de Dret Públic, Madrid 1997, p. 203-256.

403. En el caso de los consorcios, tanto el artículo 6.5 de la LRJPAC como el artículo 37.2 del Decreto de 17 de junio de 1955, por el que se aprueba el Reglamento de Servicios de las Corporaciones Locales o el artículo 110.2 del Real Decreto Legislativo 781/1986, de 18 de abril, por el que se aprueba el Texto refundido de las disposiciones legales vigentes en materia de régimen local (en adelante TRRL), les reconocen expresamente personalidad jurídica propia y diferenciada de las administraciones públicas consorciadas; mientras que para las mancomunidades de municipios la LBRL no sólo les atribuye dicha personalidad jurídica propia sino que, además, les reconoce también la consideración de entidades locales [art. 3.2 d) LBRL].

404. Quedarían al margen de esta definición los llamados «consorcios legales», los cuales, a diferencia de los anteriores, no son creados por el acuerdo voluntario de los diferentes entes públicos interesados sino que nacen directamente de la Ley para la gestión conjunta de funciones entre diferentes administraciones públicas. Sobre dicha cuestión, además de la bibliografía citada anteriormente, pueden verse, ORRIOLS I SALLÉS, Maria Àngels: «Los consorcios legales previstos en la Carta Munici-

de sus fines y competencias a los expresamente atribuidos por la entidades asociadas[405], hacen ciertamente complejo poder identificar de un modo general si debe primar su consideración como sujetos autónomos administrativamente o si existe, por el contrario, una relación de dependencia o vinculación tal que nos permita calificarlas, a efectos de la LRJPAC, como *pertenecientes* a una determinada administración pública. No en vano se ha llegado a afirmar, con razón, que estas asociaciones dan lugar a la aparición de una entidad-puente no integrada en la órbita de ninguna de las entidades participantes en la misma[406] –lo que, precisamente, las diferenciaría de los organismos públicos regulados por la LOFAGE (o equivalentes autonómicos y locales)–.

En cualquier caso, sin podernos detener más en ello, lo que nos interesa destacar en este momento es que el TJUE sí que ha tenido la ocasión de pronunciarse sobre el tratamiento contractual de dichas entidades, examinando el régimen legal al que deben de someterse las relaciones jurídicas que puedan establecerse entre dichas asociaciones de entidades públicas y otras administraciones. Y el Tribunal de Justicia de la Unión Europea, nuevamente, ha realizado su examen partiendo de un concepto funcional de contrato público, que relativiza los criterios formales –y, muy especialmente, el dato de la existencia de personalidad jurídica propia de los sujetos intervinientes–. De este modo, no ha dudado en extender a dichas entidades asociativas la consideración de medio propio de una determinada administración[407] y, por lo tanto, en

---

pal de Barcelona», en Font i Llovet, Tomàs y Jiménez Asensio, Rafael (Coords.): *La Carta Municipal de Barcelona. Diez Estudios*, Fundació Carles Pi i Sunyer – Ed. Marcial Pons, Madrid 2007, p. 199-214.

405. El artículo 44.2 de la LBRL prevé que las mancomunidades de municipios tienen personalidad jurídica propia para el cumplimiento de sus fines específicos, que deberán determinarse junto a su objeto en sus propios estatutos reguladores. Por su parte, los consorcios, como ha señalado Rebollo Puig, también responden al principio de especialidad, pues sus competencias y capacidades, como prevé el citado artículo 110 del TRRL, deben de limitarse a las de su objeto y fin público concreto que les asigna sus estatutos. Rebollo Puig, Manuel: «El consorcio entre entes locales como forma de cooperación», *op. cit.*, p. 205.

406. Santamaría Pastor, Juan Alfonso: *Principios de Derecho Administrativo General, op. cit.*, p. 690-691. En el mismo sentido, Orriols Sallés critica la «desubicación» política de los consorcios, pues la presencia de diferentes Administraciones Públicas difumina la responsabilidad política que corresponde a cada una de ellas. Orriols i Sallés, Maria Àngels: «Los consorcios legales previstos en la Carta Municipal de Barcelona», *op. cit.*, p. 207.

407. De hecho, uno de los principales hitos de la jurisprudencia del TJUE entorno a los llamados negocios o contratos *in house provindig* –la Sentencia de 18 de noviembre de 1999, *Teckal*– tiene su origen en un supuesto de este tipo. En particular, en dicha Sentencia el TJUE analiza la adjudicación directa, sin procedimiento alguno de licitación, de la gestión del servicio de calefacción de determinados edificios muni-

excluir del ámbito de aplicación de las Directivas europeas los negocios jurídicos celebrados con ellas, siempre que, obviamente, dichas operaciones cumplan con los requisitos jurisprudenciales antes citados: es decir, que el encomendado ejerza sobre dicha entidad un control análogo al que ejerce sobre sus propios servicios y que, a su vez, aquélla realice la parte esencial de su actividad con los sujetos que la controlan.

Como ha quedado ya expuesto, para el TJUE el dato esencial consiste en analizar si, desde un punto de vista material, es posible hablar o no de un contrato oneroso celebrado por escrito entre, por un lado, un poder adjudicador y, por el otro, un operador económico; siendo irrelevante la calificación formal que los sujetos intervinientes reciban en el derecho interno. Desde esta perspectiva, la particularidad en estos supuestos se centra en que el TJUE ha venido a admitir que el recurso a los propios medios materiales para el ejercicio de las funciones públicas puede hacerse en colaboración con otras entidades públicas; por lo que no es imprescindible que ni el control sobre la entidad encomendada sea ejercido solamente por una única entidad, ni que la parte esencial de su actividad se verifique con una sola administración pública, sino que es posible que, como en el caso de las mancomunidades y de los consorcios, éstos sean ejercidos conjuntamente por varias entidades públicas[408].

Respecto del primer requisito, el TJUE ha aceptado plenamente que la exigencia de un control análogo al que se ejerce sobre los propios servicios no sea meramente individual, sino que pueda considerarse compartido con otras entidades públicas. La STJUE de 13 de diciembre de 2008, asunto C-324-07, *Coditel Brabant, SA. / Commune d'Uccle y Región de Bruxelles-Capitale*, así lo declara de forma expresa, cuando entiende que el control conjunto ejercido sobre una sociedad cooperativa intermunicipal, cuyos socios eran exclusivamente municipios, puede considerarse como un control análogo al que se ejerce sobre los propios servicios. Pues, en caso contrario, la exigencia de un control meramente individual haría imposible la existencia de fórmulas asociativas y tendría como consecuencia la necesidad de convocar una licitación pública

---

cipales que el municipio italiano de Viano había realizado a un consorcio –*Azienda Gas-Acqua Consorziale*– del que él mismo era miembro. Adjudicación que fue recurrida por la empresa privada italiana Teckal Srl. que desarrollaba sus actividades mercantiles en el ámbito de los servicios de calefacción a particulares y organismos públicos y que dio lugar a dicha resolución judicial.

408. Razquín Lizarraga, José Antonio: «Las encomiendas a entes instrumentales en la legislación foral de contratos públicos de Navarra: contraste con el Derecho comunitario europeo y la legislación básica estatal», *op. cit.*, p. 53-54.

en la mayoría de los casos en que una determinada autoridad pública quisiera adherirse a un grupo formado por otras autoridades públicas (FJ 50-51).

Y, por lo que se refiere al segundo de los requisitos *Teckal*, el TJUE ha entendido también que el criterio de la realización de la parte esencial de la actividad puede entenderse referido al conjunto de entidades que controlan al sujeto encomendado. En este caso, es referencia obligada la STJUE de 11 de mayo de 2006, asunto C-340/04, *Carbotermo SpA, Consorzio Alisei / Commune di Busto Arsizio, AGESP, SpA.*, en la que se afirma que, cuando son varios los entes territoriales que controlan una determinada entidad, este requisito puede considerarse satisfecho si el operador económico realiza la parte esencial de su actividad, no con uno u otro de dichos entes territoriales, sino con todos ellos considerados conjuntamente (FJ 69-70). De este modo, al tomar como referencia la actividad realizada por el conjunto de poderes adjudicadores que controlan una determinada entidad, el Tribunal amplía el ámbito de aplicación de la excepción de los encargos realizados a medios propios a un mayor número de supuestos que si, por el contrario, se tomara en consideración solamente el hecho de que esta actividad se desarrollara individualmente respecto de cada uno de ellos[409].

Esta interpretación jurisprudencial, aunque no haya sido plasmada literalmente en nuestro Texto refundido de la Ley de Contratos del Sector Público, es también la que debemos entender aplicable en nuestro ordenamiento. No sólo porque, como ya hemos dicho, nuestra legislación sobre contratación pública solo puede ser entendida correctamente en el marco del contexto europeo, sino también porque implícitamente así parece declararlo el propio artículo 24.6 del TRLCSP al prever que la norma que cree al medio propio o sus estatutos deberán determinar, entre otros aspectos, las «entidades respecto de las cuales tienen esta condición» (art. 24.3, tercer párrafo, TRLCSP). Por lo tanto, parece que nuestro TRLCSP no exige que exista una sola administración pública titular del medio propio, sino que es posible predicar dicha consideración de una pluralidad de sujetos (como señala el precepto en cuestión, de diversas «entidades»).

En el caso concreto de las mancomunidades y de los consorcios existentes en nuestro ordenamiento la verificación de la concurrencia de dichos requisitos dependerá, obviamente, de aquello que prevean

---

409. PERNÁS GARCÍA, Juan José: *Las operaciones in house y el Derecho comunitario de los contratos públicos, op. cit.*, p. 154.

específicamente sus estatutos. Sin embargo, hay una serie de elementos importantes de su régimen jurídico que pueden orientarnos *a priori* en estas cuestiones. En primer lugar, deberíamos valorar el grado formal de participación de cada una de las entidades públicas asociadas, puesto que si su nivel de implicación en dicha asociación fuera mínimo entonces podríamos cuestionarnos si realmente nos encontramos materialmente ante una misma organización administrativa[410]. Precisamente, el nivel de participación en el capital social de las entidades que pretendían considerarse como medios propios (normalmente sociedades mercantiles) ha sido uno de los criterios utilizados por el TJUE para apreciar la concurrencia del requisito del control análogo al que se ejerce sobre sus propios servicios. Sin embargo, hay que advertir que la postura del TJUE ha sido bastante flexible, hasta el punto que en la citada Sentencia de 19 de abril de 2007, asunto C-295/05, *Asociación Nacional de Empresas forestales (ASEMFO) / Transformación Agraria, SA. (TRAGSA), Administración del Estado,* referida precisamente al ordenamiento español, el Tribunal afirma que, aunque las comunidades autónomas posean solamente el 1% de su capital social, es posible entender que éstas ejercen un control sobre dicha entidad análogo al que ejercen sobre sus propios servicios por cuanto las mencionadas comunidades pueden hacer valer su influencia a través de sus encargos de cumplimiento obligatorio y mediante la fijación unilateral de las tarifas. Elementos estos que reflejan una ausencia de la voluntad que debe concurrir para la existencia de un contrato público (FJ 65-69).

Por lo tanto, más allá de la estricta participación formal en la composición social de la persona jurídica asociativa de que se trate, nuestra doctrina ha destacado la importancia que, en estos supuestos, puede jugar la posibilidad de determinar o condicionar la actuación de sus órganos de gobierno, poniendo el acento en el hecho de que la capacidad de influencia en los órganos rectores de una determinada organización es un factor decisivo para apreciar la relación de instrumentalidad o dependencia que subyace entre dos entidades[411]. En este sentido, el

---

410. Sobre esta concreta resolución judicial pueden verse, entre otros, GONZÁLEZ GARCÍA, Julio V.: «Medios propios de la Administración, colaboración interadministrativa y sometimiento la normativa comunitaria de contratación», *op. cit., in totum;* PERNÁS GARCÍA, Juan José: *Las operaciones in house y el Derecho comunitario de los contratos públicos, op. cit.,* p. 101-111.

411. En este sentido, por ejemplo, ORTIZ MALLOL, José: «La relación de dependencia de las entidades instrumentales de la Administración Pública: algunas notas», *op. cit.,* p. 255. No obstante, hay que tener presente que el TJUE ha limitado en cierta medida el alcance de todas estas consideraciones porque en la ya citada Sentencia de 13 de octubre de 2005, asunto C-458/03, *Parking Brixen GMBH / Gemeinde Brixen, Stadtwerke Brixen AG,* entendió que, a pesar de que el municipio de Brixen tenía el

hecho de que los órganos de dirección de las mancomunidades de municipios y de los consorcios, encargados de adoptar las decisiones más trascendentes de dichas entidades, estén compuestos por representantes de todas las entidades públicas que agrupan y que, normalmente, sus decisiones deban adoptarse por mayoría o por consenso, sería un indicio que nos permitiría considerar que, efectivamente, las diferentes administraciones públicas pueden ejercer una influencia determinante sobre los objetivos estratégicos o sobre su gestión ordinaria[412].

Al mismo tiempo, su caracterización como una forma de personificación pública dirigida exclusivamente al cumplimiento de las finalidades de interés público de sus miembros podría reforzar también su consideración, a efectos contractuales, como un simple instrumento organizativo a disposición de las administraciones públicas. En efecto, dichas entidades actúan en una esfera que podríamos situar ajena al mercado, puesto que se dirigen principalmente a la consecución de fines públicos, guiados en buena medida por criterios no económicos. Así pues, la confusión entre las finalidades propias de las mancomunidades de municipios o de los consorcios y las de las administraciones participantes nos podría servir también para argumentar que dichas asociaciones no son más que un instrumento a través del cual las administraciones públicas pretenderían garantizar de una forma más eficaz los objetivos de interés público que ellas mismas tienen atribuidos.

Precisamente estas últimas consideraciones nos llevan, en el caso de los consorcios, a tener que realizar aún otra precisión. Como ya hemos visto, la legislación de régimen local permite constituir consorcios no sólo entre administraciones públicas de diferente orden, sino también con respecto a entidades privadas sin ánimo de lucro que persigan finalidades de interés público (art. 87.1 LBRL). A pesar de que la admisión de la posible participación de entidades privadas en los consorcios no desvirtúa su consideración como administraciones públicas, ello sí que

---

derecho a nombrar la mayoría de miembros del consejo de administración de la sociedad municipal Stadtwerke Brixen AG, no podía apreciarse la concurrencia de un control análogo al que se ejerce sobre los propios servicios, pues el control municipal se limitaba únicamente a las medidas que normalmente el Derecho de Sociedades atribuye a la mayoría de accionistas pero sin ir más allá (FJ 65-69).

412. A pesar de las amplias remisiones a sus estatutos reguladores, el artículo 44.2 de la LBRL prevé expresamente que los órganos de gobierno de las mancomunidades de municipios serán representativos de los ayuntamientos mancomunados; mientras que, en el caso de los consorcios, el artículo 110.4 del TRRL establece una prescripción similar, afirmando que los órganos de decisión de los consorcios locales estarán integrados por representantes de todas las entidades consorciadas, en la proporción que se fije en sus estatutos.

podría, sin embargo, alterar su calificación, a efectos contractuales, como medio propio y servicio técnico de la Administración.

El TJUE, al analizar la relación de instrumentalidad de los poderes adjudicadores respecto de las sociedades mercantiles, ha subrayado de forma expresa que la participación privada en el capital social de dichas sociedades, aunque sea minoritaria, excluye la posibilidad de que pueda hablarse de la existencia de un control análogo al que se ejerce sobre sus propios servicios. Como se afirma en la ya citada Sentencia del TJUE de 11 de enero de 2005, asunto C-26/03, *Stadt Halle, RPL Recyclingpark Lochau GMBH / Arbeitsgemeinschaft Termische Restabfall-und Enegieverwertungsanlage*, las relaciones entre una autoridad pública y sus propios servicios se rigen exclusivamente por consideraciones y exigencias características de la persecución de objetivos de interés general, mientras que, por el contrario, cualquier inversión de capital privado en una empresa obedece a consideraciones propias de los intereses privados y persigue objetivos de naturaleza distinta (FJ 50). De ahí que pudiéramos plantearnos si esta limitación subjetiva podría ser aplicable también a la figura de los consorcios.

En nuestra opinión, no resulta posible hacer una extensión automática de dicha doctrina jurisprudencial a todos los supuestos consorciales. No puede considerarse, de forma mecánica, que toda participación de socios privados en un consorcio debe excluir inevitablemente su consideración como medio propio[413], puesto que, como hemos mencionado, la LBRL condiciona la posible participación de personas privadas en un consorcio a la expresa exigencia de que éstas persigan «fines de interés público, concurrentes con los de la Administración» (art. 87.1 LBRL). Por lo que, en realidad, en estos supuestos habría una coincidencia de intereses entre las administraciones públicas y las personas privadas (como dice la Ley, una «concurrencia» de intereses), dirigidos a la consecución de unas mismas finalidades públicas.

---

413. Partiendo de la redacción del artículo 24.6 del TRLCSP –que señala que «si se trata de sociedades, además, la totalidad de su capital tendrá que ser de titularidad pública», PERNÁS GARCÍA ha planteado la posibilidad de que éste sea un límite aplicable solamente a las sociedades mercantiles. PERNAS GARCÍA, José: «Exigencias y límites a la configuración y a la actuación de los medios propios, como entes encomendados en el marco de las relaciones *in house*», *op. cit.*, p. 1430. Sin embargo, en nuestra opinión, teniendo presente que la argumentación del TJUE persigue evitar el acceso de los operadores privados a los beneficios de las operaciones económicas articuladas a través de encomiendas de ejecución, creemos que podría aplicarse no sólo a las sociedades mercantiles sino también a aquellas otras figuras jurídicas en las que pudiera preverse la posible participación de capital privado.

En otras palabras, en la medida que dichas entidades no obedecieran a consideraciones características de los intereses privados, podríamos plantearnos si ello no podría mitigar la interpretación tan estricta y formal que ha venido realizando el TJUE y admitir la posibilidad de extenderles también el carácter de medio propio de la Administración a efectos contractuales[414]. De hecho, así ha parecido entenderlo también la Junta Consultiva de Contratación Administrativa de Cataluña en su Informe 9/2009, de 3 de julio, en el que se analiza específicamente la posible consideración como medio propio de la Generalitat catalana de determinados consorcios sanitarios, y se considera que la participación minoritaria de personas jurídico-privadas sin ánimo de lucro (en concreto, de fundaciones) en estos consorcios, siempre que tengan objetivos y finalidades públicas coincidentes con los que son propios de la Administración, no afectaría al principio de libre circulación y no alteraría el juego de la libre competencia[415].

No obstante, en nuestra opinión, aunque es verdad que la sola presencia de entidades privadas sin ánimo de lucro no tiene porque alterar, por sí misma, los objetivos de interés general que persiguen los entes públicos que participan mayoritariamente en un consorcio, no se nos escapa que, por pequeña que sea dicha participación privada en el consorcio, difícilmente podríamos afirmar que su impacto en el mercado es totalmente neutro, o que no se afecta de ninguna manera al principio de igualdad de trato. Aunque estemos hablando siempre de una entidad sin ánimo de lucro, es evidente que admitir la posibilidad de encargar la realización de una determinada actividad material competencia de una determinada administración pública a un consorcio participado también por una entidad privada, supondría reconocer a dicha entidad

---

414. Una línea argumental similar fue, precisamente, la mantenida ante el TJUE por la Abogada General Sra. Christine Stix-Hackl en el citado asunto C-26/2003, *Stadt Halle*, en el que se defendía que el criterio del control análogo al que se ejerce sobre los propios servicios debía interpretarse también de un modo funcional, considerando las circunstancias de cada caso concreto y, sobre todo, entendiendo que el dato de la mera participación formal de un socio minoritario privado en el capital social de una determinada empresa no puede resultar, por sí solo, determinante.

415. Haciendo alusión al mencionado Informe de la Junta Consultiva de Contratación Administrativa de la Generalidad de Cataluña, NOGUERA DE LA MUELA se refiere también a la posible utilización de los consorcios con participación privada como medio propio de la Administración, afirmando que esta consideración sólo sería posible cuando dicho consorcio mixto lleve a cabo directamente las tareas que se le encomienden y siempre y cuando el servicio o actividad gestionada no tuviera carácter económico. NOGUERA DE LA MUELA, Belén: «Los encargos *in house* en la Ley de Contratos del Sector Público (LCSP): especial referencia a los mismos en el ámbito local a la luz de la reciente jurisprudencia comunitaria», *op. cit.*, p. 178.

privada una ventaja competitiva frente al resto de los operadores económicos.

En cualquier caso, como decíamos, es ésta una cuestión aún abierta, cuya concreción dependerá, en buena medida, de aquello que establezcan los estatutos y normas reguladoras propias de cada una de dichas entidades. Por lo que, ante la imposibilidad de adentrarnos más detalladamente en esta materia, pasaríamos a examinar ya la última cuestión que habíamos dejado pendiente: el tratamiento contractual de las encomiendas de gestión formalizadas entre diferentes administraciones públicas que *no* tienen el carácter de medio propio a efectos del artículo 4.1. n) del TRLCSP.

3.4.2. Los convenios de encomienda de gestión entre diferentes Administraciones Públicas a efectos del TRLCSP

Como hemos venido avanzando, el hecho de que la gran mayoría de las relaciones de encomienda de gestión que pueden establecerse entre los diferentes niveles de gobierno y administración territorial existentes en nuestro ordenamiento jurídico no puedan reconducirse a la noción –ciertamente restrictiva– de medios propios o servicios técnicos utilizada tanto por la jurisprudencia del TJUE como por el TRLCSP no significa tampoco que necesariamente dichos negocios jurídicos deban de quedar siempre sujetos a las reglas propias de la contratación pública.

Como exponíamos anteriormente, la tradicional exclusión de cualesquiera relaciones convencionales entre administraciones públicas que se preveía en el Texto refundido de la Ley de Contratos de las Administraciones Públicas [art. 3.1 c) TRLCAP], había venido permitiendo hasta ahora dejar fuera de los procedimientos de selección y adjudicación de los contratos administrativos a los convenios de encomienda de gestión celebrados entre administraciones públicas al amparo del artículo 15 de la LRJPAC. En este sentido, y en cuanto que el nuevo artículo 4.1 c) del TRLCSP excluye también de su ámbito de aplicación los convenios de colaboración entre administraciones, podríamos plantearnos si –como instrumento convencional que aparentemente es– la encomienda de gestión *inter-administrativa* puede incluirse también dentro de la excepción prevista por el TRLCSP y, de este modo, considerarse como un negocio jurídico formalizado al margen de los procedimientos ordinarios que rigen el ámbito de la contratación pública.

Para responder esta pregunta resulta obligado traer nuevamente a colación la ya citada Sentencia del TJUE de 13 de enero de 2005, *Comisión de las Comunidades Europeas / Reino de España*, que, sin duda alguna, ha marcado un punto de inflexión en la concepción que ha venido realizándose en nuestro ordenamiento jurídico sobre la institución convencional (y también, por vía indirecta, sobre la figura de la encomienda de gestión), hasta el punto que ha llevado desde entonces a un completo replanteamiento de dichas cuestiones.

En esta Sentencia, tal y como apuntábamos, en virtud de un recurso formulado por la Comisión Europea contra el Estado español, el TJUE se pronunció sobre la exclusión del ámbito de aplicación del TRLCAP de los convenios de colaboración celebrados entre entidades públicas. En este sentido, el Tribunal nos recuerda que, según las definiciones contenidas en las Directivas europeas, «un contrato público de suministro o de obras supone la existencia de un contrato a título oneroso celebrado por escrito entre, por una parte, un proveedor o un contratista y, por otra, una entidad adjudicadora [...] y que tenga por objeto la compra de productos o la ejecución de determinado tipo de obras» (FJ 37). Añadiéndose que conforme a las Directivas «basta, en principio, con que el contrato haya sido celebrado entre, por una parte, un ente territorial y, por otra, una persona jurídicamente distinta de éste. Solo puede ser de otra manera en el supuesto que, a la vez, el ente territorial ejerza sobre la persona de que se trate un control análogo al que se ejerce sobre sus propios servicios y esta persona realice la parte esencial de su actividad con el ente o entes que la controlan» (FJ 38). De este modo, el Tribunal viene a concluir que, en la medida que el TRLCAP excluía, de forma general y absoluta, todas las relaciones que pudieran establecerse entre las administraciones públicas, sus organismos públicos y las entidades de derecho público, cualesquiera que fuera su naturaleza, el artículo 3.1 c) del TRLCAP debía considerarse contrario a las Directivas europeas sobre contratación pública.

Este pronunciamiento judicial llevó al Gobierno español, en un esfuerzo de rapidez digno de mención, a aprobar el también citado Real Decreto-Ley 5/2005, de 11 de marzo, de reformas urgentes para el impulso de la productividad y para la mejora de la contratación pública, con el que se pretendía –tal y como señalaba su exposición de motivos– adaptar correctamente el Derecho español a los principios y criterios jurídicos europeos en esta materia, reforzando su publicidad y transparencia. Entre otros aspectos, este Real Decreto-Ley introdujo una importante modificación en el artículo 3.1 c) del TRLCAP, al efecto de recoger la jurisprudencia comunitaria en esta materia y, en consecuencia, ampliar el ámbito de aplicación de la Ley de Contratos de las Administraciones Públicas a los convenios de colaboración entre administraciones siempre que la materia sobre la que versaran fuera «objeto de un contrato de obras, de suministro, de consultoría y asistencia o de servicios» (art. 34 Decreto-Ley 5/2005, de 11 de marzo).

De este modo, aunque la Ley seguía dejando fuera del ámbito contractual a la gran mayoría de las relaciones de colaboración entre administraciones públicas que se dan en nuestro ordenamiento jurídico, sí que limitaba muy notablemente la extensión de dicha exclusión. A partir de este momento si el objeto de los convenios era alguno de los previstos expresamente por el TRLCAP, entonces estos negocios jurídicos debían de quedar sometidos obligatoriamente a las reglas sobre contratación pública. Con lo que, a pesar de su, quizá, escasa repercusión práctica –pues, como se ha denunciado en repetidas ocasiones, la praxis convencional española a menudo ha seguido omitiendo todas estas consideraciones[416]–, el cambio introducido por el Real Decreto-Ley fue realmente muy importante. Importancia que se manifiesta, aún más, en el ámbito de las encomiendas de gestión que estamos examinando.

Si recordamos aquello que decíamos en el *Capítulo II*, una de las características del ámbito objetivo de la encomienda de gestión era precisamente su notable amplitud, pues el artículo 15.1 de la LRJPAC permitía encomendar cualesquiera actividades materiales, técnicas o de servicios de la competencia de los órganos o entidades de derecho público. Actividades que, como poníamos también de relieve, en muchas ocasiones no guardaban ninguna diferencia sustancial con el contenido de los encargos que pueden articularse con los empresarios privados a través de las formas contractuales típicas existentes en nuestro ordenamiento jurídico. De esta manera, deberíamos entender que, a partir de la modificación legislativa del año 2005, ya no era posible seguir considerando la encomienda de gestión entre administraciones públicas como un supuesto completamente excluido del ámbito de aplicación de la legislación contractual. Sino que, en la medida que el encargo material efectuado por una administración pública a otro órgano o entidad perteneciente a otra administración pudiera encajar dentro de alguno

---

416. Se han referido de forma crítica a la utilización abusiva de los convenios de colaboración en nuestro ordenamiento jurídico, entre otros, MARTÍN HUERTA, Pablo: *Los convenios interadministrativos, op. cit.,* p. 167-168; ÁVILA ORIVE, José Luis: *Los convenios de colaboración excluidos de la Ley de Contratos de las Administraciones Públicas, op. cit.,* p. 102 y 216 o RODRÍGUEZ DE SANTIAGO, José María: *Los convenios entre Administraciones Públicas, op. cit.,* quien a lo largo de todo su trabajo nos identifica diferentes supuestos de utilización incorrecta de la institución convencional.

de los objetos previstos por el TRLCAP, su formalización y ejecución deberían de tomar en consideración no sólo las previsiones de la LRJPAC, sino también la normativa reguladora de los contratos públicos[417].

Y esta misma consideración es la que, *a priori*, puede predicarse también de la nueva regulación introducida por el Texto refundido de la Ley de Contratos del Sector Público que, en nuestra opinión, en este punto no es sino una continuación de aquélla. Así, a pesar de que el artículo 4.1 c) del TRLCSP –al igual que el anterior artículo 3.1 c) del TRLCAP– sigue excluyendo de su ámbito de aplicación, y con carácter general, los negocios jurídicos celebrados entre entidades públicas, tal y como ya sucediera con la modificación de 2005, esta exclusión no es absoluta e incondicionada sino que la propia Ley limita de forma muy significativa su alcance. En este sentido, y según dicho precepto, hoy día no quedan ya fuera de ámbito de aplicación del TRLCSP los convenios de colaboración entre administraciones que tengan un *objeto contractual*, sino que ahora se somete a dicha normativa todos los convenios que tengan *naturaleza contractual*. Concretamente, el artículo 4.1 del TRLCSP establece que están excluidos del ámbito de aplicación de la dicha Ley:

«c) Los convenios de colaboración que celebre la Administración General del Estado con las entidades gestoras y servicios comunes de la Seguridad Social, las Universidades Públicas, las Comunidades Autónomas, las Entidades locales, organismos autónomos y restantes entidades públicas, o los que celebren estos organismos y entidades entre sí, salvo que, por su naturaleza, tengan la consideración de contratos sujetos a esta Ley».

---

417. Así lo había ya señalado muy acertadamente Huergo Lora cuando, al analizar la exclusión de los convenios interadministrativos del ámbito de la legislación contractual, llegaba a la conclusión de que, a partir de la jurisprudencia del TJUE y de las modificaciones introducidas por el citado Real Decreto-Ley 5/2005, de 11 de marzo, ya no era posible seguir excluyendo del ámbito de aplicación de dicha normativa la encomienda de gestión del artículo 15 de la LRJPAC. Huergo Lora, Alejandro: «El Derecho español de contratos públicos y el Derecho comunitario», en *Civitas. Revista española de Derecho Administrativo*, núm. 126, abril-junio 2005, p. 239-242.
A la misma conclusión llega, entre otros, Miguez Macho, Luis: «Las formas de colaboración público-privada en el Derecho español», en *Revista de Administración Pública*, núm. 175, enero-abril 2008, p. 211-212. Igualmente, hemos ya mencionado anteriormente como Ávila Orive se había mostrado muy crítico con la regulación del TRLCAP que excluía los convenios de colaboración entre administraciones en función de elementos de carácter meramente subjetivo. Ávila Orive, José Luis: *Los convenios de colaboración excluidos de la Ley de Contratos de las Administraciones Públicas, op. cit.*, p. 146-158.

Por lo tanto, es a partir de este precepto concreto que debemos pasar a analizar qué tratamiento contractual merecen las encomiendas de gestión entre administraciones públicas a efectos del TRLCSP. Para ello, consideramos oportuno hacer referencia, siquiera brevemente, a tres de los aspectos esenciales que configuran dicho artículo: en primer lugar, la denominación como convenios de colaboración; en segundo lugar, los sujetos incluidos en dicha previsión y, por último, el significado de la naturaleza contractual del convenio.

A. La denominación «Convenios de colaboración»

El primer elemento que debemos valorar es si la figura de la encomienda de gestión del artículo 15 de la LRJPAC y, en particular, los convenios de encomienda entre distintas administraciones públicas a los que se refiere el artículo 15.4 de dicha Ley pueden calificarse, a efectos del artículo 4.1.c) del TRLCSP, como «convenios de colaboración». Aunque pueda parecer un poco artificial, creemos necesario realizar esta aproximación inicial, por cuanto, en el caso de que no fuera posible tal identificación, no tendría sentido seguir fundamentando en este precepto la posible exclusión de la encomienda de gestión *inter-administrativa* del ámbito de aplicación del TRLCSP.

Teniendo esto presente, creemos que cuando el TRLCSP utiliza esta terminología no lo hace pensando en una única tipología concreta de negocio jurídico entre sujetos públicos, ni con la voluntad de establecer una definición propia de dichos acuerdos a efectos contractuales, sino que la utiliza en un sentido muy amplio, meramente descriptivo, que pretende englobar en su ámbito de aplicación todos aquellos actos jurídicos en la formación de los cuales interviene la voluntad concurrente de dos o más personas jurídico-públicas. Por lo tanto, se refiere al «convenio» de un modo genérico, como acuerdo de carácter administrativo pero, como ha destacado RODRÍGUEZ DE SANTIAGO, sin que se remita a una única y precisa naturaleza jurídica de la figura a la que se refiere[418].

Esta indeterminación jurídica a la que nos estamos refiriendo, en nuestra opinión, se plasma directamente en el propio texto legal cuando,

---

418. RODRÍGUEZ DE SANTIAGO, José María: *Los convenios entre Administraciones Públicas, op. cit.*, p. 95-96. Esta misma opinión es compartida por MORENO MOLINA cuando subraya que, precisamente, una de las principales problemáticas derivadas del ámbito de aplicación de la LCSP es la ausencia de una definición legal del concepto «convenio de colaboración», o incluso de un concepto doctrinal netamente perfilado sobre su naturaleza. MORENO MOLINA, José Antonio: «El ámbito objetivo de aplicación de la Ley de Contratos del Sector Público», en *Documentación Administrativa*, núm. 274-275, enero-agosto 2006, p. 64.

el mismo artículo 4.1 c) del TRLCSP, parece diferenciar dentro de esta concepción amplia, como mínimo, dos clases de convenios: aquellos que tienen naturaleza contractual –que quedaran sujetos a las prescripciones del TRLCSP– y aquellos otros que no tienen esta naturaleza –que se excluirán del TRLCSP; sin perjuicio de que, tal y como prevé el artículo 4.2 del TRLCSP, se les apliquen los principios de dicha Ley para resolver las dudas o lagunas que pudieran presentarse–.

Por otro lado, la denominación como convenios «de colaboración» creemos que tampoco prejuzga el contenido de dichos acuerdos. Desde nuestro punto de vista, dicha precisión pretende, en primer lugar, destacar la posición de igualdad formal en la que se sitúan las entidades públicas intervinientes, de ahí que cuando la Administración Pública conviene con los particulares –situados en una posición de subordinación respecto al Poder Público– la Ley denomine a dichos acuerdo simplemente como «convenios» [art. 4.1.d) TRLCSP]. Pero, al mismo tiempo, creemos que esta terminología sirve también para centrar el campo en el que se mueven dichos convenios: el ámbito de la colaboración administrativa al que nos referíamos anteriormente en el *Capítulo I*.

De este modo, tal y como ya sucedía en el anterior artículo 3.1 c) del TRLCAP, del que este precepto del TRLCSP toma indudablemente la referencia, la adjetivación como convenios «de colaboración» prevista en el Texto refundido de la Ley de Contratos del Sector Público, a nuestro entender, se refiere simplemente a la consideración genérica de los convenios como «una aplicación del principio de colaboración» que ha de regir entre los diferentes niveles de gobierno y administración existentes en nuestro ordenamiento[419] y a través de los cuales las partes asumen compromisos jurídicamente vinculantes para la obtención de una finalidad de interés común, pero con independencia del objeto concreto de dicho acuerdo[420]. Nuevamente, el hecho de que el artículo 4.1

---

419. Así es como el Fundamento Jurídico 3 de la Sentencia del Tribunal Constitucional núm. 95/1986, de 10 de julio (Ponente: Sr. Jesús Leguina Villa) define a la figura de los convenios (en ese caso entre el Estado y las comunidades autónomas), situándolos como una técnica al servicio de la colaboración inter-administrativa.

420. En este sentido, Ávila Orive al analizar aquellas relaciones de colaboración entre administraciones en la que una de ellas colabora en los intereses propios de otra, al modo en que lo está un particular –los que denominábamos *contratos de subordinación*– afirma que esta concreta relación no se transforma en un convenio entre iguales por el hecho de realizarse a través de un «convenio de colaboración». Ávila Orive, José Luis: *Los convenios de colaboración excluidos de la Ley de Contratos de las Administraciones Públicas, op. cit.,* p. 98.

Entendemos también que el TRLCSP se expresa al margen de las múltiples denominaciones planteadas en este ámbito por la doctrina jurídica más especializada. Ésta, al analizar el régimen jurídico de los convenios entre administraciones públicas,

c) del TRLCSP diferencie el tratamiento contractual de los convenios de colaboración a los que se incluye en su ámbito de aplicación, según su naturaleza jurídica, nos da una buena muestra de la amplitud material de supuestos que pueden establecerse; pero sobretodo constituye un indicio más de la indeterminación con la que se ha expresado el legislador español, que ha renunciado a formular una definición propia con pretensiones de generalidad y acoge a la variedad de relaciones jurídicas entre Administraciones Públicas que pueden coexistir bajo la denominación formal de «convenio de colaboración».

Desde esta perspectiva, podemos afirmar con rotundidad que los convenios a través de los cuales se articulan las encomiendas de gestión

---

ha formulado diversas clasificaciones de los convenios en función de su objeto. No obstante, el hecho de que se trate de clasificaciones meramente dogmáticas que pretenden sistematizar las distintas actuaciones que normalmente se engloban genéricamente bajo la denominación de *convenios de colaboración* impide que podamos trasladar directamente dichas categorías –por lo demás muy sujetivas y, en consecuencia, muy diversas– al ámbito normativo.

Así, por ejemplo, RODRÍGUEZ DE SANTIAGO distingue entre los *convenios de colaboración en sentido estricto*, que son aquellos a través de los cuales las partes se obligan a prestaciones que constituyen manifestaciones simples y características del principio de cooperación interadministrativa; *los convenios de competencias*, que son aquellos que pretenden incidir en el sistema de distribución de competencias entre las diversas organizaciones jurídico-públicas [Grupo éste donde, precisamente, dicho autor incluye los convenios de encomienda de gestión del artículo 15 de la LRJPAC]; los *convenios normativos*, que son aquellos en que las partes pactan el texto de una determinada norma y se comprometen a adoptarla en su respectivo ordenamiento interno; y, por último, los *convenios para la creación de órganos u organizaciones mixtas* a través de los cuales se atribuirán competencias o tareas de una o varias administraciones, a dichas organizaciones, compuestas por representantes de todas las partes intervinientes pero sin que se integren en las estructura administrativa de ninguna de ellas. RODRÍGUEZ DE SANTIAGO, José María: *Los convenios entre Administraciones Públicas, op. cit.*, p. 144-145.

En términos parecidos, MARTÍN HUERTA distingue, por un lado, los *convenios de colaboración*, que son aquellos que tienen por objeto regular la colaboración de las administraciones públicas en el ejercicio de sus competencias, de los *convenios de competencias*, que tienen por objeto incidir en las propias competencias. MARTÍN HUERTA, Pablo: *Los convenios interadministrativos, op. cit.*, p. 121. Igualmente, una clasificación similar, aunque no coincidente, es la utilizada por ALBERTÍ ROVIRA cuando al estudiar los convenios entre administraciones territoriales prevé que éstos puedan cumplir tres finalidades principales: a) La delimitación competencial, al efecto de precisar sobre una determinada materia las competencias o funciones que corresponden a cada una de las administraciones públicas; b) Precisar fórmulas y mecanismos concretos de auxilio, coordinación y cooperación; c) Instrumentar actuaciones conjuntas de las administraciones públicas intervinientes en el convenio, por existir competencias concurrentes sobre una determinada materia. AJA, Eliseo; FONT I LLOVET, Tomàs; PERULLES, Juan Manuel; ALBERTÍ ROVIRA, Enoch: *El sistema jurídico de las Comunidades Autónomas*, Ed. Tecnos, Madrid 1986, p. 425.

inter-administrativas, aunque nominalmente puedan designarse como «convenios de encomienda», pueden definirse perfectamente como «convenios de colaboración» a efectos del TRLCSP. Ya hemos visto como dichos convenios de encomienda se configuraban como un negocio jurídico bilateral y voluntario, entre dos entidades con personalidad jurídica propia y plena capacidad de obrar, que encontraba su fundamento constitucional en el principio de autoorganización inherente a las Administraciones Públicas y en el principio de colaboración administrativa implícito en nuestro modelo de organización territorial del Estado. Por lo que, en nuestra opinión, no habría impedimento para situar el acuerdo derivado de la encomienda de gestión inter-administrativa del artículo 15.4 de la LRJPAC dentro de la categoría de «convenios de colaboración» manejada por el TRLCSP[421].

B. Los sujetos intervinientes

En segundo lugar, debemos hacer referencia al ámbito subjetivo de aplicación del artículo 4.1. c) del TRLCSP que, como señalábamos, permite amparar los convenios de colaboración que celebren tanto la Administración General del Estado con las entidades gestoras y servicios comunes de la Seguridad Social, las universidades públicas, las comunidades autónomas, las entidades locales, organismos autónomos y restantes entidades públicas; como los que celebren cualquiera de estos organismos y entidades entre sí. Una lectura rápida de este precepto nos pone ya de relieve la casi plena coincidencia que puede establecerse entre los diferentes sujetos que, como hemos visto en las páginas precedentes, pueden actuar como encomendantes y encomendados a efectos de la LRJPAC y los sujetos que pueden ser parte de los convenios de colaboración excluidos del TRLCSP. En efecto, tanto el artículo 15 de la LRJPAC como el artículo 4.1 c) del TRLCSP permiten el establecimiento de relaciones jurídicas entre las administraciones territoriales, las universidades públicas, los organismos autónomos, etc. por lo que, desde un punto de vista subjetivo, no resulta difícil poder encuadrar los convenios de encomienda de gestión formalizados entre dichas entidades públicas dentro del estricto ámbito de aplicación del artículo 4.1 c) del TRLCSP.

---

421. Compartiría esta opinión ÁVILA ORIVE quien, al analizar el tratamiento contractual de la encomienda de gestión en el anterior TRLCAP, situaba igualmente dicha figura dentro del concepto de convenios de colaboración excluidos por dicha normativa. Véase ÁVILA ORIVE, José Luis: *Los convenios de colaboración excluidos de la Ley de Contratos de las Administraciones Públicas, op. cit.*, p. 112-138 y 158-175.

No obstante, como decimos, dicha coincidencia no es total, puesto que, por ejemplo, la LCSP no menciona de forma expresa ni a las entidades públicas empresariales (o equivalentes autonómicos y locales) ni a las corporaciones de derecho público representativas de intereses, refiriéndose solamente a las «restantes entidades públicas». Por lo tanto, se nos plantea la duda ¿pueden dichas entidades –entidades públicas empresariales y corporaciones de derecho público– considerarse incluidas dentro del ámbito de aplicación del artículo 4.1 c) del TRLCSP? En nuestra opinión, la respuesta a dicha pregunta debe ser afirmativa, pues podemos entender que éstas quedarían comprendidas dentro de la tipología de *entidades públicas* mencionadas en dicho precepto. Sin embargo, dicha afirmación se ve necesitada de algunas precisiones adicionales.

En primer lugar, queremos poner de relieve que, en nuestra opinión, la regulación del TRLCSP en este punto resulta muy cuestionable. En efecto, la denominación «entidades públicas» se nos muestra extraña o, cuanto menos, difícil de encajar con el ámbito de aplicación subjetivo del TRLCSP que, como hemos visto anteriormente, se refiere a las «entidades del sector público», a los «poderes adjudicadores», o las «administraciones públicas» (art. 2 y 3 TRLCSP), pero en ningún momento a las «entidades públicas». La razón de esta evidente discordancia podría explicarse, quizá, por el hecho de que el artículo 4.1 c) del TRLCSP adopta casi miméticamente la misma terminología que anteriormente se había venido utilizando en el ya citado artículo 3.1 c) del TRLCAP –que, si recordamos, se refería en términos similares a «los convenios de colaboración que celebre la Administración General del Estado con la Seguridad Social, las Comunidades Autónomas, las Entidades locales, sus respectivos organismos autónomos y las *restantes entidades públicas* o cualquier de ellos entre sí»– pero sin adaptarla a sus propias categorías subjetivas.

Esta falta de adaptación resulta aún más censurable si se tiene presente que una de las principales dudas que se habían planteado al analizarse el anterior artículo 3.1 c) del TRLCAP consistía en la correcta determinación del alcance que debía darse a la noción de «entidades públicas» utilizada por este precepto. Así, mientras que algunos autores defendían que la denominación «entidades públicas» tomaba principalmente como referencia el dato formal de la personificación pública o privada de una determinada entidad, para limitarlo solamente a las entidades jurídico-públicas[422]; otros autores, en cambio, habían venido con-

---

422. En este sentido, pueden verse, por ejemplo, RODRÍGUEZ DE SANTIAGO, José María: *Los convenios entre Administraciones Públicas, op. cit.,* p. 140-141; CALAFELL FERRÁN, Vicente Juan: *Los convenios entre Comunidades Autónomas,* Centro de Estudios Políticos y

siderando que dicha expresión debía extenderse también a las sociedades mercantiles públicas o a las fundaciones del sector público[423].

En nuestra opinión, aunque sea éste un tema que escapa de nuestro específico objeto de estudio, nos decantamos por la primera opción pues consideramos que el artículo 4.1 c) del TRLCSP pretende regular exclusivamente los acuerdos que pueden celebrarse entre personas jurídico-públicas. Desde nuestro punto de vista, la denominación «entidades públicas» vendría a amparar a todos aquellos sujetos con forma de personificación pública, independientemente del régimen jurídico al que deban someter su actuación; excluyéndose de ella, en consecuencia, solamente los convenios celebrados con personas constituidas con arreglo a formas jurídico-privadas. Nuestra argumentación podría fundamentarse, en primer lugar, en el hecho de que ésta parece ser la interpretación que la doctrina mayoritaria había realizado del anterior artículo 3.1 c) del TRLCAP, del cual el vigente artículo 4.1 c) del TRLCSP toma su referencia[424]. Pero es que, además, podría fundamentarse también en el hecho de que, de forma coherente con la aquí expuesta, posteriormente el TRLCSP excluye de su ámbito de aplicación los convenios que, de acuerdo con sus normas específicas, puedan celebrarse «con personas físicas o jurídicas sujetas al Derecho Privado» [art. 4.1 d) del TRLCSP]. Referencia que entendemos realizada a las personas jurídico-privadas.

En cualquier caso, y con independencia de la amplitud que debamos reconocer a la expresión «entidades públicas» a efectos del TRLCSP, entendemos, en primer lugar, que no habría impedimento para considerar a las entidades públicas empresariales como tales. Su consideración como Administración Pública a efectos de la LRJPAC, así como su consideración como entidad del sector público a efectos de la legislación contractual [art. 3.1 h) del TRLCSP], vendría a corroborarnos su naturaleza

---

Constitucionales, Madrid 2006, p. 142 o González-Antón Álvarez, Carlos: *Los convenios interadministrativos de los entes locales, op. cit.*, p. 98.

423. Entre otros, Ávila Orive, José Luis: *Los convenios de colaboración excluidos de la Ley de Contratos de las Administraciones Públicas, op. cit.*, p. 165-167 o Martínez Pallarés, Pedro Luis: «Convenios», en Bermejo Vera, José (Dir.): *Diccionario de contratación pública, op. cit.*, p. 271.

424. Así, por ejemplo, se ha afirmado que el texto de la Ley de Contratos de las Administraciones Públicas realizaba una numeración cerrada de los entes públicos que podían celebrar tales convenios, si bien, a modo de cláusula de cierre de tal tipificación, se encontraba la referencia a «las restantes entidades públicas», expresión que se entendía comprensiva de las entidades de derecho público, distintas de los organismos públicos, a las que se refiere el artículo 2.2 de la LRJPAC, así como a los órganos constitucionales. Panizo García, Antonio: «Régimen jurídico de los convenios de colaboración», en *Diario la Ley*, 1995, p. 3-4.

pública y, por lo tanto, su inclusión dentro del artículo 4.1 c) del TRLCSP. Conclusión que también podemos hacer extensiva a las corporaciones de derecho público representativas de intereses. En este supuesto, aunque se trata de asociaciones de base privada, como hemos venido afirmando a lo largo de nuestra exposición, sería tanto su forma de personificación pública como el hecho de que el ordenamiento jurídico les reconozca potestades públicas para la consecución de fines de interés general, lo que nos permitiría situar también a dichas entidades dentro del sistema jurídico-público y, en consecuencia, teniendo presente su naturaleza pública, poder calificarlas como «entidades públicas» a efectos del artículo 4.1 c) del TRLCSP[425].

Pero es que además, en este apartado podríamos incluir también los acuerdos de encomienda que se formalicen respecto de aquellas entidades públicas de régimen singular a las que nos referíamos en el apartado anterior. Al faltar el criterio del control análogo al que se ejerce sobre los propios servicios, vimos como las relaciones jurídicas que se establecían con estas entidades no podían ser cualificadas como un negocio jurídico con un medio propio o servicio técnico de la Administración [art. 4.1 n) del TRLCSP]; pero ello no obsta para que, en la medida en que se trata de un acuerdo voluntario entre dos personas jurídico-públicas diferenciadas, estos negocios puedan ser considerados como un «convenio de colaboración» a efectos del artículo 4.1 c) del TRLCSP.

Finalmente, y sin perjuicio de lo anterior, resulta importante destacar también la última afirmación contenida en el artículo 4.1 c) del TRLCSP –«cualquiera de estos organismos y entidades *entre sí*»– por cuanto admite no sólo las relaciones *verticales* de colaboración entre las diferentes administraciones territoriales (es decir, entre la Administración General del Estado y la administración autonómica o local) y las restantes entidades públicas, sino también las relaciones de carácter *horizontal* entre cualquiera de ellas.

C. *Naturaleza contractual*

Finalmente, para poder excluir del ámbito de aplicación del

---

425. En contra de esta posibilidad, Martín Huerta, Pablo: *Los convenios interadministrativos, op. cit.*, p. 83-84. Partiendo del carácter privado de los intereses que sustentan dichas entidades, este autor entiende que en los convenios celebrados con dichas corporaciones no existe la posición de igualdad propia de las relaciones entre administraciones públicas, de ahí que su tratamiento contractual deba remitirse a los preceptos relativos a los convenios que la Administración pueda celebrar con las personas físicas o jurídicas sujetas al Derecho Privado.

TRLCSP los convenios de colaboración que celebren las administraciones públicas, el artículo 4.1 c) de la Ley exige la concurrencia de un último requisito: que la naturaleza jurídica de dicho acuerdo no sea de carácter contractual. Pero ¿a qué se refiere el TRLCSP cuando habla de la naturaleza contractual del convenio? ¿Cuál es el elemento concreto que atribuye esta naturaleza a un determinado acuerdo entre entidades públicas? ¿Es la existencia de una contraprestación? ¿Es quizá su objeto? ¿O, como tradicionalmente se había venido entendiendo, el hecho de que participen en este convenio dos administraciones públicas excluye siempre y en todo caso tal naturaleza?

Éstas y otras muchas preguntas similares son las que podríamos plantearnos en abstracto para poner de relieve el hecho de que, en nuestra opinión, hacer depender la sujeción o no de los convenios de colaboración al TRLCSP de una noción tan indeterminada como «la naturaleza jurídica» de una institución resulta del todo inadecuado, por cuanto añade aún más confusión a la determinación de qué negocios jurídicos concretos deben sujetarse a las prescripciones del TRLCSP. Sobretodo si se tiene en cuenta que, precisamente y ante la ya citada ausencia de una definición legal de los mismos, una de las cuestiones que más se han venido discutiendo y sobre la que aún se plantean muchas dudas es acerca de la naturaleza jurídica de los convenios inter-administrativos; especialmente por la amplitud y diversidad de supuestos que pueden englobarse bajo esta figura.

En cualquier caso, para intentar dotar de contenido esta precisión legal puede resultarnos adecuado recordar lo que hemos venido diciendo a lo largo de este capítulo sobre el ámbito de aplicación material del TRLCSP y, sobretodo, acerca de su limitación solamente a los acuerdos que pudieran calificarse como «contratos públicos» (art. 2.1 TRLCSP). En este sentido, el primer aspecto que tomábamos en consideración a la hora de analizar si la encomienda de gestión podía conceptuarse verdaderamente como un contrato público a efectos del TRLCSP era si ésta podía configurarse en realidad como un «contrato». Para ello, partíamos de un concepto muy amplio de contrato que descansaba sobre la concurrencia simultánea de tres elementos: la existencia de un acuerdo de voluntades entre dos sujetos diferentes –entre una entidad del sector público y un tercero, independientemente de que éste fuera, al mismo tiempo, otra entidad del sector público– fundamentado sobre una causa lícita y en relación con un determinado objeto contractual. En este sentido, podemos afirmar que si estos tres ingredientes eran los que nos permitían en ese momento averiguar cuando estábamos ante la presencia de un «contrato», será también la confluencia de estos tres elementos la que nos permitirá ahora determinar la naturaleza contractual de un determinado negocio jurídico y, en particular, de los convenios de colaboración celebrados entre administraciones públicas[426].

De este modo, con dicha terminología el TRLCSP pretendería sujetar a sus prescripciones todos aquellos negocios jurídicos celebrados entre entidades jurídico-públicas que, independientemente de su denominación, pudieran encajar dentro del esquema amplio de contrato que estamos manejando. Es decir, se dirigiría a incluir en su ámbito de aplicación todos aquellos acuerdos de voluntades entre dos personas diferenciadas que respondan a una causa onerosa y que, además, tengan por objeto alguna de las prestaciones materiales previstas por el propio Texto refundido de la Ley de Contratos del Sector Público. Y es que ésta era, precisamente, la idea subyacente en la ya citada Sentencia del TJUE de 13 de enero de 2005, *Comisión de las Comunidades Europeas / Reino de España*, que motivó la modificación del anterior artículo 3.1 c) del TRLCAP y que, indudablemente, ha servido también de referencia para el TRLCSP. Como ya dijimos, dicha resolución judicial vino a censurar la total exclusión de los convenios de colaboración inter-administrativos del ámbito de aplicación del hoy derogado TRLCAP por el hecho de que, según el TJUE, esos convenios podían considerarse en muchos casos como verdaderos *contratos* celebrados por un poder adjudicador. El mero hecho de que la otra parte fuera también un poder adjudicador a efectos de las Directivas europeas no constituía por sí solo un motivo suficiente para eludir el cumplimiento de la normativa sobre contratación pública. Y, insistimos, desde esta misma perspectiva, el TRLCSP pretende extender su ámbito de aplicación a todos los convenios de colaboración entre administraciones que puedan calificarse, en atención a los aspectos subjetivos, objetivos y causales a los que nos hemos referido, como un verdadero contrato.

En este punto, hay que advertir que, a pesar de que el TRLCSP

---

426. Esta misma argumentación es la utilizada también por MARTÍN REBOLLO y PANTALEÓN PRIETO a la hora de referirse al carácter contractual de los convenios de colaboración. Dichos autores afirman que, más allá de la denominación que éstos reciban, lo determinante para afirmar el carácter contractual de los acuerdos entre dos o más entes públicos reside en el hecho de que reúnan las características y elementos propios de los contratos –que, como ya hemos visto y al igual que nosotros, identificaban en tres: la existencia de un acuerdo de voluntades, un objeto cierto y la concurrencia de una causa–. MARTÍN REBOLLO, Luis y PANTALEÓN PRIETO, Fernando: «Exigibilidad de los convenios interadministrativos y consecuencias patrimoniales de su incumplimiento», *op. cit.*, p. 313.

parece expresarse de un modo más amplio que el anterior TRLCAP –que, a partir del Real Decreto Ley 5/2005, de 11 de marzo, hacia depender tal exclusión del elemento objetivo–, en nuestra opinión, esta amplitud es sólo aparente. Aunque el artículo 4.1. c) del TRLCSP se remita a la «naturaleza contractual» del acuerdo, podemos considerar que el elemento determinante para la calificación contractual de un determinado negocio jurídico seguirá siendo, en la gran mayoría de los casos, el relativo a su objeto[427]. Y es que, como ya hemos expuesto anteriormente, en el caso de que no pudiera hablarse de un negocio jurídico celebrado entre dos personas formalmente distintas o no pudiera definirse como un negocio oneroso, la operación convencional de que se tratara quedaría, en todo caso, fuera del ámbito de aplicación del TRLCSP. Pero no en virtud de la excepción prevista por el mencionado artículo 4.1 c) de la Ley sino porque dicho negocio no reuniría los requisitos mínimos a los que aludíamos antes para ser considerado como un verdadero «contrato público» –que, como ya hemos visto, se basaban en la bilateralidad y onerosidad del contrato (art. 2.1 TRLCSP)–. De manera que, coherentemente, al no poder definirse como un «contrato público», dicha operación quedaría excluida automáticamente del ámbito material de aplicación del TRLCSP.

Si trasladamos todas estas consideraciones al ámbito de la encomienda de gestión que estamos analizando, rápidamente se ponen de relieve las dificultades que, a partir de la anterior interpretación, se nos plantean para poder seguir considerando dicha institución administrativa como un instrumento al margen de los procedimientos ordinarios de la contratación pública. Y es que, como hemos puesto de manifiesto a lo largo de nuestra exposición, si no hay impedimento para considerar que las encomiendas de gestión celebradas entre dos administraciones públicas diferenciadas pueden considerarse como verdaderos contratos públicos a efectos del TRLCSP, menos dificultad habría aún para reconocer su naturaleza contractual[428]. En efecto, dichas encomiendas no sólo

---

427. De hecho, buena parte de los autores que más recientemente han analizado dichas cuestiones siguen haciendo derivar la exclusión de los convenios de colaboración del TRLCSP casi exclusivamente de su elemento objetivo, pareciendo dejar de lado la referencia a la *naturaleza contractual* de dicho acuerdo. En este sentido, por ejemplo, Moreno Molina, José Antonio: «El ámbito objetivo de aplicación de la Ley de Contratos del Sector Público», *op. cit.*, p. 63-64 o Pascual García, José: *Las encomiendas de gestión a la luz de la Ley de Contratos del Sector Público*, *op. cit.*, p. 97.

428. Afirmación que, como hemos ya citado en varias ocasiones, ha sido también ampliamente refrendada por la gran mayoría de la doctrina jurídica que ha estudiado esta institución, subrayándose repetidamente la naturaleza contractual de la encomienda de gestión. Podemos mencionar nuevamente, entre otros, Huergo Lora, Alejandro: «El Derecho español de contratos públicos y el Derecho comunitario»,

reunirían los requisitos subjetivos y causales necesarios para poder hablar de la existencia de un negocio jurídico contractual, sino que, además, partiendo de la enorme amplitud con la que se expresa el artículo 15 de la LRJPAC, podríamos llegar a la conclusión de que, en la gran mayoría de supuestos, las actuaciones que dicho precepto permite encomendar serían también susceptibles de concordar plenamente con el objeto de los distintos tipos de contratos regulados por el TRLCSP[429].

En este sentido, la afirmación de la naturaleza contractual de las encomiendas de gestión interadministrativas que se desprende de nuestra argumentación nos llevaría, lógicamente, a tener que reconocer también la necesidad de sujetar dichas operaciones a las prescripciones del TRLCSP. Ante la imposibilidad de subsumir dichas encomiendas en el tipo previsto en el artículo 4.1 c) del TRLCSP –que excluye del ámbito de aplicación del TRLCSP solamente los negocios convencionales entre administraciones públicas que *no* tengan naturaleza contractual– deberíamos concluir afirmando la aplicabilidad a dichos negocios jurídicos del régimen legal previsto por el TRLCSP.

Las consecuencias que ello puede tener para el régimen jurídico de la encomienda de gestión, como fácilmente puede deducirse, son de una enorme transcendencia, hasta el punto de que pueden llevarnos a cuestionar la propia funcionalidad o supervivencia de este instrumento de colaboración administrativa en el momento actual. Si, como decíamos

---

op. cit., p. 239-240; GONZÁLEZ PÉREZ, Jesús y GONZÁLEZ NAVARRO, Francisco: *Comentarios a la Ley de Régimen Jurídico de las Administraciones Públicas y del Procedimiento Administrativo Común, op. cit.*, p. 761; FERNÁNDEZ FARRERES, Germán: «Las encomiendas de gestión» *op. cit.*, p. 674; HERNANDO OREJANA, Luis Carlos: *La encomienda de gestión, op. cit.*, p. 138 o BERNAL BLAY, Miguel Ángel: «Las encomiendas de gestión excluidas del ámbito de aplicación de la Ley de Contratos de las Administraciones Públicas. Una propuesta de interpretación del artículo 3.1. letra l) del TRLCAP», *op. cit.*, p. 89.

429. Y es que, como ya hemos mencionado, es habitual que las mismas actividades que, en algunas ocasiones, una determinada administración pública encomienda a otras administraciones diferenciadas en virtud del artículo 15.4 de la LRJPAC, en otras, en cambio, sean objeto de un auténtico contrato público con los particulares. A modo de ejemplo, podríamos recordar el supuesto resuelto por la Sentencia del Tribunal Supremo de 2 de febrero de 1996 (Ponente: Sr. Pedro Esteban Álamo, núm. recurso: 5250/1991) y el hecho de que, como ponía de relieve RODRÍGUEZ DE SANTIAGO, el encargo de las actuaciones materiales que, en esa ocasión, fueron adjudicadas como un contrato administrativo de asistencia por parte de la Consejería de Obras Públicas y Ordenación del Territorio de las Illes Balears al Instituto Cartográfico de Barcelona, fácilmente hubieran podido ser articuladas como una encomienda de gestión al amparo del artículo 15 de la LRJPAC. RODRÍGUEZ DE SANTIAGO, José María: *Los convenios entre Administraciones Públicas, op. cit.*, p. 365-366.

al inicio de nuestra exposición, uno de los argumentos que justificaba el desarrollo de esta institución era su flexibilidad y la posibilidad de acordar directamente con otra administración –siempre que concurrieran los presupuestos habilitantes previstos en el artículo 15.1 de la LRJPAC– la posibilidad de llevar a cabo determinadas actuaciones materiales al margen de los procedimientos competitivos previstos por la legislación contractual, ahora en cambio debemos afirmar que, cuando la actividad encomendada tenga carácter contractual, ello ya no será así, por cuanto en estos supuestos el TRLCSP –al igual que sucedía con la última modificación operada por el Real Decreto-Ley 5/2005, de 11 de marzo– limita de forma muy notable la posible actuación de los operadores administrativos. Las entidades públicas intervinientes ya no dispondrían de una libertad absoluta para escoger la forma jurídica más adecuada –formalización de un convenio de encomienda o adjudicación de un contrato público– para realizar sus fines, sino que, como decíamos, estas operaciones quedarían atraídas inexcusablemente hacia la legislación de contratos del sector público[430].

Solamente en el caso de que la encomienda de gestión no tuviera carácter contractual, por tratarse, por ejemplo, de una actuación cuyo contenido material no pudiera incluirse dentro de las prestaciones previstas por el TRLCSP –supuesto que, como hemos ya expresado, resulta altamente improbable–, podría considerarse como un convenio de colaboración amparada por el el artículo 4.1 c) del TRLCSP y, como tal, excluido del ámbito de aplicación directa de dicha Ley; rigiéndose entonces, tal y como prevé el artículo 4.2 del TRLCSP, por sus propias normas especiales, esto es, por la LRJPAC –y, en su caso, por la normativa autonómica de desarrollo– así como por los pactos y las cláusulas que las partes hubieran introducido en el instrumento de formalización del convenio de encomienda. En los restantes supuestos, insistimos, la naturaleza contractual del convenio de encomienda de gestión entre dos administraciones públicas diferenciadas implicaría la sujeción de dicho

---

430. BAÑO LEÓN, muy acertadamente, destaca esta misma idea al afirmar que la irrupción de las Directivas europeas ha marcado un antes y un después respecto a la libertad que tenían los países miembros de utilizar unas u otras técnicas jurídicas. Así, aunque formalmente puedan seguir utilizándose distintas fórmulas, los procedimientos de preparación y adjudicación de aquellas actividades administrativas que puedan considerarse contratos irremediablemente tendrán que ajustarse a las reglas de publicidad, libre concurrencia y criterios de selección previstos por la normativa europea sobre contratación pública. BAÑO LEÓN, José Mª: «La figura del contrato en el Derecho Público: nuevas perspectivas y límites», en AA VV: *La contratación pública en el horizonte de la integración europea. V Congreso Luso-Hispano de profesores de Derecho Administrativo*, INAP, Madrid 2044, p. 18.

negocio jurídico al TRLCSP. En este sentido, partiendo de esta última afirmación general, la siguiente pregunta que razonablemente se nos plantea es: ¿y cuál sería el efecto inmediato o concreto de esta *vis atractiva* de la encomienda de gestión hacia la legislación contractual?

D. La sujeción de las encomiendas de gestión interadministrativas al TRLCSP

Resulta ciertamente difícil poder dar una única respuesta a la pregunta anterior, puesto que ésta puede variar enormemente en función de las circunstancias concretas que concurran en cada caso[431]. No obstante, desde un punto de vista general, podemos afirmar que el resultado directo que derivaría de la sujeción de las encomiendas de gestión interadministrativas a lo establecido por el Texto Refundido de la Ley de Contratos del Sector Público consistiría en la introducción en la fase preparatoria de la encomienda de nuevas exigencias dirigidas a asegurar la publicidad, la libre concurrencia y la igualdad de todos los posibles interesados. De esta manera, la validez del convenio de encomienda de gestión ya no dependería solamente del acuerdo entre las dos partes interesadas, sino que, además, sería requisito inexcusable la tramitación de un expediente de contratación (art. 109 TRLCSP) en el que, una vez finalizado el procedimiento correspondiente (art. 138.2 TRLCSP), se adjudicara el contrato a aquel contratista, fuera éste una administración pública o un particular, que hubiera presentado la oferta económicamente más ventajosa (art. 150 TRLCSP).

En otras palabras, la aplicación práctica del TRLCSP supondría no admitir que, al amparo del artículo 15 de la LRJPAC y sin procedimiento de licitación alguno, una determinada administración pública pudiera acordar con otra administración diferenciada –respecto de la cual no pudiera hablarse de la existencia de una relación de instrumentalidad que permitiera calificar a esta última como un medio propio o servicio

---

431. Como hemos ya apuntado, el TRLCSP establece regímenes jurídicos diferenciados no sólo en función de la distinción entre *contratos administrativos* y *contratos privados* (art. 18 TRLCSP), sino también atendiendo a la concreta actividad que pretenda llevarse a cabo –distinguiéndose, en este caso, entre varios tipos contractuales (art. 5 TRLCSP)– o también en función de su cuantía –diferenciándose entonces entre los contratos *sujetos a regulación armonizada* o no (art. 13 a 17 TRLCSP)–.
Sobre todas estas cuestiones pueden verse, entre otros muchos, MORENO MOLINA, José Antonio: *La nueva Ley de Contratos del Sector Público. Estudio sistemático, op. cit.*; PAREJO ALFONSO, Luciano y PALOMAR OLMEDA, Alberto (Dir.): *Comentarios a la Ley de Contratos del Sector Público, op. cit.* o COLAS TENÁS, Jesús y MEDINA GUERRERO, Manuel (Coord.): *Estudios sobre la Ley de Contratos del Sector Público, op. cit.*

técnico del encomendante–, la realización de actividades materiales, técnicas o de servicios que puedan ser susceptibles de ser calificadas como uno de los contratos típicos previstos por el TRLCSP[432]. En estos casos, para poder articular válidamente dicho encargo, la administración pública encomendante tendría que acudir no sólo a los requisitos relativos a la preparación de los contratos del sector público previstos por el TRLCSP, sino también, y sobretodo, a los mecanismos de selección del contratista y para la adjudicación de los contratos públicos previstos en el Libro III de dicha Ley[433].

Como puede imaginarse, el impacto que este cambio de perspectiva puede tener –o, en realidad, tiene– en la praxis administrativa española es verdaderamente considerable pues debemos reiterar que muchas de las actuaciones que, hasta día de hoy, han venido concertándose a través de la celebración de un convenio de encomienda de gestión entre dos administraciones públicas diferenciadas deberían de pasar ahora a tramitarse y ejecutarse a través de las figuras contractuales previstas en la legislación de contratos del sector público.

Para poner de relieve más claramente los cambios que este nuevo entendimiento de la figura de la encomienda de gestión y la aplicación de los principios generales de la contratación pública pueden suponer en la actuación de las diferentes administraciones públicas españolas

---

432. En términos parecidos, PASCUAL GARCÍA afirma que cuando la encomienda de gestión entre dos administraciones públicas tenga la consideración de un contrato a efectos de la LCSP [referencia que se entiende hoy realizada al TRLCSP], entonces la regulación de la LRJPAC cederá ante lo dispuesto en la legislación contractual. PASCUAL GARCÍA, José: *Las encomiendas de gestión a la luz de la Ley de Contratos del Sector Público, op. cit.*, p. 98.

433. Si bien debemos tener presente que podrían seguir quedando al margen de la aplicación de dichos mecanismos aquellos encargos que, aún considerarse incluidos dentro del ámbito de aplicación del Texto refundido de la Ley de Contratos del Sector Publico, pudieran calificarse como un *contrato menor* en atención a su escasa cuantía (art. 111 y 138.3 TRLCSP) o cuando concurrieran los requisitos excepcionales para la tramitación de urgencia (art. 113 TRLCSP). Supuestos éstos en los que el TRLCSP habilita a las entidades del sector público a contratar directamente las prestaciones requeridas.

En este sentido, aun sin entrar más detalladamente en estas cuestiones, sí que conviene tener presente que algunos autores han puesto de relieve el riesgo de huida de la aplicación de los principios generales de la contratación por la amplia posibilidad de utilización de procedimientos de contratación de carácter excepcional como la contratación menor o urgente. Por ejemplo, MORENO MOLINA, José Antonio: «La falta de adecuación de la Ley española de Contratos del Sector Público al Derecho comunitario europeo», en AA VV: *Agua, territorio, cambio climático y Derecho Administrativo*, Monografías de la Revista Aragonesa de Administración Pública núm. 11, Zaragoza 2009, p. 347-349.

podemos acudir a un supuesto real, como puede ser el Convenio de encomienda de gestión entre la Consejería de Educación, Universidades, Cultura y Deportes del Gobierno de Canarias, el Cabildo Insular de Tenerife y el Ayuntamiento de Los Silos de 24 de mayo de 2005 (BOC núm. 111, de 8 de junio de 2005, p. 9826-9828). En este supuesto, y en virtud del artículo 15 de la LRJPAC, la Comunidad Autónoma de Canarias –titular de la competencia exclusiva en materia de construcción de centros docentes públicos no universitarios– acordaba directamente, mediante convenio de encomienda de gestión y sin ningún tipo de procedimiento previo de licitación, con una administración pública diferenciada –el Ayuntamiento de Los Silos– la ejecución de una determinada obra –la construcción de la cubierta del pabellón deportivo del Instituto de Educación Secundaria de dicha localidad– a cambio del abono de la cantidad de 605.055 euros, que serían financiados a partes iguales por la mencionada Consejería y por el Cabildo Insular de Tenerife.

A pesar de que dicha actuación era perfectamente válida y posible al amparo de la redacción inicial del TRLCAP y de la LRJPAC, en el momento actual no podría articularse del mismo modo. En la medida que la naturaleza de este acuerdo podría fácilmente calificarse como contractual –pues supone la realización de una prestación a cambio de un precio cierto–, dicha operación no podría seguir configurándose como un simple convenio de colaboración entre administraciones públicas excluido del ámbito de aplicación de la TRLCSP sino que, en atención a su objeto típico, debería de considerarse como un *contrato público de obras* (art. 6 TRLCSP)[434].

Al tratarse de un contrato administrativo (art. 19.1 TRLCSP)[435], su preparación, adjudicación, efectos y extinción quedarían sujetos obliga-

---

434. El artículo 6.1 del TRLCSP nos define a los *contratos de obras* como aquéllos que tienen por objeto la realización de una obra o la ejecución de alguno de los trabajos enumerados en el Anexo I de la Ley o la realización por cualquier medio de una obra que responda a las necesidades especificadas por la entidad del sector público contratante.
En este sentido, en el citado Anexo I del TRLCSP se incluyen específicamente dentro del objeto del contrato de obras la construcción de equipamientos de estadios u otras instalaciones deportivas, así como la construcción de cubiertas y estructuras de cerramiento, que comprendería, como en el mencionado Convenio de encomienda de gestión, la construcción de tejados.
435. La calificación de este negocio como un *contrato administrativo* –en contraposición a un *contrato privado* de la administración– nos vendría dada por el artículo 19.1 a) del TRLCSP que califica como tales a los contratos de obras siempre que, como en el Convenio de encomienda de gestión al que nos estamos refiriendo, se celebren por una administración pública.

toriamente a las prescripciones del TRLCSP que, entre otras cuestiones, no sólo exigiría la previa tramitación del expediente de contratación –en el que, por ejemplo, deberían constar las actuaciones preparatorias del contrato de obras previstas en los artículos 121 a 126 del TRLCSP–, sino que también, y sobretodo, se limitarían enormemente las posibilidades de la Comunidad Autónoma canaria de encomendar libremente la realización de dicha actuación al Ayuntamiento de Los Silos, pues, en todo caso, la formalización de este encargo tendría que someterse a los procedimientos de adjudicación de los contratos de las administraciones públicas previstos por dicha Ley. Procedimientos de adjudicación que, como es sabido, se basan en los principios de igualdad, publicidad y transparencia (art. 139 y art. 141 TRLCSP), exigiéndose, entre otras cuestiones, el anuncio de la convocatoria de licitación en los diarios oficiales correspondientes y la apertura del debido procedimiento de licitación dirigido a seleccionar como contratista a aquel operador económico, ya sea público o privado, que presente la oferta económicamente más ventajosa.

Como puede comprobarse, dichos trámites no sólo son difícilmente conciliables con la tradicional flexibilidad e inmediatez con la que ha venido configurándose la encomienda de gestión, sino que diluyen por completo algunos de los rasgos distintivos de dicha institución. En efecto, la apertura al sector privado y el hecho de que la selección del encomendado –en realidad del adjudicatario del contrato– pivote básicamente en criterios económicos no sólo resultan incompatibles con la redacción del artículo 15 de la LRJPAC –que limita su aplicación a las personas jurídico-públicas y hace depender su aplicación de la concurrencia de razones de eficacia y de insuficiente capacidad de gestión– sino que puede hacer desaparecer totalmente su consideración como un mecanismo dirigido a garantizar la eficacia de la actuación pública mediante el recurso a la colaboración entre administraciones. Y es que debemos de tener presente que el impacto de dichas modificaciones normativas no sólo se produciría en el ámbito de la realización de determinadas obras –que nos ha servido anteriormente de ejemplo– sino que podría extenderse fácilmente a todos los sectores de la actividad administrativa. Más si tenemos en cuenta la notable ampliación del ámbito objetivo de aplicación de los contratos del sector público operada por el TRLCSP y, muy especialmente, del *contrato de servicios*.

El carácter residual y tan amplio con el que el TRLCSP ha definido a este específico tipo contractual –que, según el artículo 10 del TRLCSP, comprende el desarrollo de cualquier prestación de hacer por parte de un operador económico consistente en el desarrollo de una actividad que tenga un resultado distinto a la realización de una obra o la prestación de un suministro– hace ciertamente difícil poder encontrar un espacio suficiente para situar la encomienda de gestión del artículo 15 de la LRJPAC –que, como hemos visto, consiste también en la realización de una actividad material–. Ante la amplitud del listado de *servicios* incluidos en el ámbito objetivo de este tipo contractual previsto en el Anexo II del TRLCSP –que se refiere, entre otros, a la prestación de servicios jurídicos, de servicios de investigación y desarrollo, de servicios de contabilidad, auditoria y teneduría de libros, de servicios editoriales y de imprenta, de servicios de educación y formación profesional, de servicios de mantenimiento y reparación, de servicios de telecomunicación, de servicios de investigación, de estudio y encuestas o de servicios sociales y de salud– uno podría preguntarse fácilmente qué clase de actividades no resultarían susceptibles de ser subsumidas, siquiera residualmente, dentro de esta categoría contractual.

Todo ello nos lleva a plantearnos qué papel queda entonces para la encomienda de gestión del artículo 15 de la LRJPAC. Si, como hemos visto, el tratamiento a efectos del TRLCSP que recibirían los acuerdos interadministrativos para la realización de una actividad de carácter material, técnico o de servicios no se diferenciaría en nada de los procedimientos de contratación previstos para los empresarios particulares ¿debemos resignarnos a entender que la posibilidad de encomendar directamente la gestión de determinadas actividades materiales, técnicas o de servicios debe quedar circunscrita solamente a las relaciones dentro de una *misma* administración pública o a actividades cuyo contenido no tenga carácter contractual? En definitiva, a partir de la nueva regulación contractual, ¿debemos renunciar a seguir considerando la encomienda de gestión como una técnica de traslación directa del ejercicio de determinadas actividades materiales entre administraciones públicas diferenciadas?

Ciertamente, a la vista de las consideraciones anteriores, parece difícil poder dar una respuesta negativa a estas preguntas. La consideración de la encomienda de gestión como un verdadero *contrato público* y la imposibilidad de excluir del ámbito de aplicación del TRLCSP a los negocios jurídicos convencionales celebrados entre administraciones públicas de naturaleza contractual [art. 4.1 c) TRLCSP] nos conduce directamente hacia esta conclusión[436]. No obstante, entendemos que, más allá

---

436. De hecho, algunas normas autonómicas aprobadas recientemente han empezado a hacer referencia a esta situación. Así, como ya señaláramos, la Ley 18/2011, de 23 de diciembre, de Presupuesto de la Comunidad Autónoma de Andalucía para 2012

de la posible configuración teórica de la encomienda de gestión como un *contrato público* a efectos del TRLCSP, la finalidad colaborativa y de búsqueda de una mayor eficacia en la actuación administrativa que fundamenta constitucionalmente dicha figura no puede quedar en un segundo plano, sino que debe ser un elemento a tener también muy en cuenta a la hora de valorar la necesidad de sujetar dicha institución a la legislación contractual. Y es precisamente a esta última cuestión a la que queremos dedicar el último *Capítulo* de nuestra exposición, en el que, a modo de conclusiones, intentaremos poner de relieve como la concreta finalidad de interés público perseguida por la encomienda de gestión –en definitiva, su elemento causal– podría llevarnos a modular su necesaria sujeción al TRLCSP.

ha introducido un nuevo apartado 6 al artículo 105 de la Ley andaluza 9/2007, de 22 de octubre, al efecto de subrayar que las encomiendas de gestión reguladas en dicho precepto no podrán incluir prestaciones propias de los contratos regulados por el TRLCSP; añadiéndose que, en caso, de que esto ocurra, las encomiendas solo podrán formalizarse con entidades que tengan la consideración de medio propio.

Conclusiones

Llegamos ya al momento de ir concluyendo nuestra exposición. En las páginas precedentes hemos intentado ofrecer un amplio repaso al concepto y al régimen jurídico de la encomienda de gestión, poniendo especial atención en sus elementos más característicos y en sus presupuestos habilitantes. Posteriormente, en el *Capítulo III*, nos hemos ocupado de analizar el tratamiento contractual de esta figura, examinando las repercusiones que la legislación europea y la regulación actual prevista en el TRLCSP podían tener sobre el tradicional entendimiento de la encomienda de gestión como un instrumento jurídico al margen de la aplicación de los principios generales y de los procedimientos de selección de contratistas previstos para el ámbito de la contratación pública. El examen conjunto de todas estas cuestiones nos ha permitido poner de relieve las conclusiones que, seguidamente, pasamos a comentar.

PRIMERA. LA ENCOMIENDA DE GESTIÓN SE DEFINE EN BASE AL PRINCIPIO CONSTITUCIONAL DE EFICACIA

Como hemos visto en el *Capítulo I*, la encomienda de gestión encontraría su justificación última en la voluntad de dotar al conjunto del sistema administrativo de una herramienta con la que poder garantizar el correcto funcionamiento de la actuación pública y hacer frente a la tan denunciada ineficiencia y obsolescencia de lo público; permitiendo, así, que en los supuestos en que una concreta administración carezca de los medios técnicos idóneos para ejecutar una determinada tarea o en aras a mejorar la eficacia en su gestión, pueda acudirse puntualmente al auxilio material de otro órgano o entidad pública que esté en mejores condiciones para su ejecución.

Es por ello que vinculábamos la encomienda de gestión directamente con nuestro marco constitucional, situándola dentro de los instrumentos con los que nuestro ordenamiento jurídico dota a la Administración Pública para garantizar la correcta consecución de los fines de interés general que tiene asignados (art. 103.1 CE). Y ello desde una doble perspectiva puesto que, como vimos, la figura de la encomienda de gestión no sólo nos aparece como un instrumento ligado a la potestad organizativa de las diferentes administraciones públicas, tendente a asegurar la existencia de unas estructuras administrativas capaces de cumplir con los valores y principios consagrados constitucionalmente sino que, además, esta institución pone en valor la idea de la Administración Pública como sistema[437].

En efecto, como mencionábamos anteriormente, la encomienda de gestión no es más que una consecuencia lógica de un modelo constitucional de organización territorial articulado sobre la idea de colaboración entre los distintos poderes públicos existentes en nuestro ordenamiento para la satisfacción de los fines sociales del Estado[438]. Partiendo de la constatación de que la Administración española no es más que una totalidad organizada[439] se llega a la conclusión de que la capacidad

---

437. Destacábamos anteriormente como la idea de «continuum administrativo», de sistema de conjunto que engloba a todas las administraciones públicas, había sido destacada de forma significativa por algunos autores como FONT I LLOVET, Tomàs: «La administración plural. Caracteres generales del régimen de las Administraciones Públicas», *op. cit.*, p. 58-61; ALBERTÍ ROVIRA, Enoch: «La inserción de los entes locales en un sistema complejo: las relaciones de colaboración entre administraciones», *op. cit.*, p. 127 o GALÁN GALÁN, Alfredo: «El sistema de administraciones públicas de Cataluña», en TORNOS MAS, Joaquín (Coord.): *Comentarios a la Ley 26/2010, de 3 de agosto, de Régimen Jurídico y Procedimiento de las Administraciones Públicas de Cataluña, op. cit.*, p. 135-186. Asimismo, se han referido específicamente a la consideración de la encomienda de gestión como un instrumento al servicio de la eficacia del conjunto de la actuación pública, entre otros, ORTEGA ÁLVAREZ, Luis: «Órganos de las Administraciones Públicas», *op. cit.*, p. 77; SÁNCHEZ SÁEZ, Antonio José: «Algunas reflexiones sobre la encomienda de gestión como instrumento racionalizador del ejercicio de las competencias administrativas», *op. cit.*, p. 241; MESEGUER YEBRA, Joaquín: «La encomienda de gestión como técnica de modulación competencial interorgánica. Régimen jurídico y aplicación práctica: virtudes y defectos», *op. cit.*, p. 125-126 o FERNÁNDEZ FARRERES, Germán: «La delegación de competencias y la encomienda de gestión», *op. cit.*, p. 148.

438. A la importancia de las relaciones de colaboración en nuestro Estado de las Autonomías y a su vinculación con los valores fundamentales de nuestro texto constitucional (art.2 CE) nos hemos ya referido también anteriormente. En este sentido, entre otras muchas, podemos recordar la Sentencia del Tribunal Constitucional núm. 18/1982, de 4 de mayo o la Sentencia del Tribunal Constitucional núm. 96/1986, de 10 de julio. Y, en el ámbito doctrinal, podemos destacar también, por ejemplo, FERNÁNDEZ MONTALVO, Rafael: *Relaciones interadministrativas de colaboración y cooperación, op. cit.*, p. 33 y sigs.; MENÉNDEZ REXACH, Ángel: «La cooperación, ¿un concepto jurídico?», en *Documentación Administrativa, op. cit.*, p. 21 o ALBERTÍ ROVIRA, Enoch: «Relaciones entre las Administraciones Públicas», *op. cit.*, p. 43.

439. De este modo es como GONZÁLEZ PÉREZ y GONZÁLEZ NAVARRO definen al sistema administrativo español, considerándolo como una «unidad de una pluralidad». GONZÁLEZ PÉREZ, Jesús y GONZÁLEZ NAVARRO, Francisco: *Comentarios a la Ley de Régi-*

para ordenar y gestionar sus respectivos intereses que nuestro ordenamiento jurídico reconoce a las diferentes administraciones públicas no se limita solamente a los propios medios humanos y materiales, sino que incluye también su necesaria proyección exterior, su contenido relacional externo mediante las relaciones de colaboración con otras entidades públicas[440]. De este modo, a través de la encomienda de gestión lo que se pretende principalmente es dar respuesta y concreción no sólo a la capacidad organizativa propia de las diferentes administraciones públicas sino también a la necesaria interacción entre los diferentes elementos que integran dicha unidad, dando cumplimiento al deber de auxilio mutuo que fundamenta todo nuestro sistema administrativo.

Es, precisamente, a partir de esta configuración constitucional de la encomienda de gestión de donde, como hemos visto, podíamos hacer derivar algunos de los elementos esenciales de su régimen jurídico previsto en el artículo 15 de la LRJPAC, en particular, la necesidad de hacer una interpretación restrictiva de esta institución –previéndola solamente en aquellos supuestos en que concurran los presupuestos de eficacia o de carencia de los medios materiales idóneos que habilitarían para su ejercicio– y, sobretodo, limitando su ámbito de aplicación subjetivo únicamente a las personas jurídico-públicas. La encomienda de gestión, como decíamos en el *Capítulo II*, en cuanto que instrumento de integración o interconexión entre los diferentes elementos de la organización administrativa y dirigido a la consecución de los fines de interés general asignados constitucionalmente a la Administración Pública en su conjunto (art.103.1 CE), supone que, de forma coherente, deban de quedar al margen de su utilización aquellas personas o entidades que se sitúan fuera de dicha organización y que pueden perseguir intereses de carácter privado, ajenos a los propios de la organización pública.

SEGUNDA. A EFECTOS DEL TRLCSP, LA ENCOMIENDA DE GESTIÓN INTERADMINISTRATIVA PUEDE CALIFICARSE COMO UN CONTRATO DEL SECTOR PÚBLICO

Sin perjuicio de lo anterior, a lo largo de la última parte de nuestra exposición hemos podido constatar también una situación ciertamente

---

men Jurídico de las Administraciones Públicas y del Procedimiento Administrativo Común, *op. cit.*, p. 468.

440.   Font i Llovet, Tomàs: «La diversificación de la potestad normativa: la autonomía municipal y la autoadministración corporativa», en *Derecho Privado y Constitución*, núm. 17, 2003, p. 264-265. En el mismo sentido, Parejo Alfonso, Luciano: «La potestad de autoorganización de la Administración Local», *op. cit.*, p. 15-16.

problemática y aparentemente difícil de compatibilizar con las afirmaciones precedentes. Y es que el hecho de que la encomienda de gestión se haya venido configurando tradicionalmente como un mecanismo organizativo dirigido a garantizar la eficacia de la actuación administrativa ha obviado el hecho de que, cuando ésta se formaliza entre administraciones públicas diferenciadas –e incluso con entidades públicas pertenecientes a la misma administración pero con un grado de autonomía tal en su actuación que no es posible hablar de la existencia de un vínculo de instrumentalidad entre ellas– y recae sobre actuaciones materiales susceptibles de encuadrarse dentro del ámbito de aplicación objetivo del TRLCSP (art. 2.1 TRLCSP), nos encontraríamos también ante un acuerdo administrativo que pudiera calificarse legalmente como un verdadero *contrato público*.

En efecto, aunque en el *Capítulo III* excluíamos de la calificación contractual a las relaciones de encomienda de carácter meramente interorgánico, considerando que en estos casos no resultaba posible hablar de un acuerdo entre dos personas distintas; y destacábamos también como, cuando la encomienda de gestión se formalizaba entre entidades *pertenecientes* a una misma administración pública que podían calificarse como medios propios o servicios técnicos de la propia administración, la doctrina y la jurisprudencia modulaban su posible consideración como un verdadero *contrato*, excluyendo dicha operación del ámbito de aplicación del TRLCSP; hemos constatado también como los restantes supuestos de encomienda de gestión entre administraciones públicas diferenciadas sí que pueden configurarse realmente como un acuerdo causal de voluntades entre dos personas jurídico-públicas diferenciadas, de carácter oneroso, sobre un determinado sector de la realidad social, esto es como un *contrato público* (art. 2.1 del TRLCSP). Por lo que su régimen jurídico debería de complementarse entonces también con la aplicación de las reglas específicas previstas para los contratos del sector público en nuestro ordenamiento jurídico[441].

Las consecuencias que esta *vis atractiva* hacia la legislación de contratos tiene sobre el régimen jurídico de la encomienda de gestión, como hemos visto, son muy significativas: ante la imposibilidad de excluir del

---

441. En el mismo sentido, como ya hemos visto, se expresaban, por ejemplo, Huergo Lora, Alejandro: «El Derecho español de contratos públicos y el Derecho comunitario», *op. cit.*, p. 239-242; Miguez Macho, Luis: «Las formas de colaboración público-privada en el Derecho español», *op. cit.*, p. 211-212 o Ávila Orive, José Luis: *Los convenios de colaboración excluidos de la Ley de Contratos de las Administraciones Públicas, op. cit.*, p. 146-158.

ámbito de aplicación del TRLCSP a los negocios jurídicos convencionales celebrados entre administraciones públicas de naturaleza contractual [art.4.1 c) TRLCSP] –como sería el caso de la encomienda de gestión–, llegábamos a la conclusión de que, en estos supuestos, la formalización y ejecución de la encomienda debería de someterse a toda una serie de exigencias de igualdad, publicidad, transparencia y concurrencia que limitarían de manera muy notable la flexibilidad e inmediatez con la que ésta se ha venido conceptuando. De manera que en estos supuestos de naturaleza contractual podríamos afirmar que la Administración Pública habría perdido la capacidad de acudir libremente a la figura de la encomienda de gestión con cualquier otra entidad jurídico-pública pues, en todo caso, el Derecho Positivo exigiría que dichos encargos se articularan a través de los procedimientos de licitación previstos a tal efecto.

TERCERA. ANTE LA DIFICULTAD DE COMPATIBILIZAR EL FUNDAMENTO CONSTITUCIONAL QUE DEFINE A LA ENCOMIENDA DE GESTIÓN Y SU VIGENTE TRATAMIENTO EN EL TRLCSP RESULTA NECESARIO UN REPLANTEAMIENTO DE SU RÉGIMEN JURÍDICO

La anterior conclusión nos ha puesto claramente de relieve la principal problemática que plantea hoy día la encomienda de gestión, a saber, la evidente contradicción que existe entre dos perspectivas diferentes acerca de una misma figura jurídica: esto es, entre la idea de eficacia y de colaboración administrativa que definiría constitucionalmente la encomienda de gestión y su consideración meramente contractual. Como hemos visto anteriormente, las importantísimas consecuencias que se derivan del actual tratamiento que el TRLCSP ofrece para esta figura –en particular, la necesidad de someterla a los procedimientos de adjudicación y de selección del contratista previstos a tal efecto– nos impide poder seguir considerando conjuntamente ambas perspectivas, pues la aplicación de la legislación contractual resulta completamente incompatible con la lógica de flexibilidad e inmediatez que ha venido inspirando su funcionamiento.

De esta manera, para poder dar una respuesta afirmativa a la pregunta que nos planteábamos como hipótesis de partida en nuestra *Introducción* –esto es, si las administraciones públicas españolas pueden seguir hoy día encomendando de un modo directo la realización de determinadas actividades materiales, técnicas o de servicios a otras entidades jurídico-públicas distintas– resulta necesario un replanteamiento del régimen jurídico de dicha institución que nos permita situar esta figura fuera del ámbito de aplicación de la legislación contractual. Replanteamiento que, en nuestra opinión, pasa simplemente por subrayar la vinculación directa que, como señalábamos anteriormente, une a la figura de la encomienda de gestión con nuestro concreto modelo constitucional de Administración Pública y de organización territorial del Estado. Y es que, más allá de su posible configuración teórica como un *contrato público* a efectos del TRLCSP, entendemos que dicha vinculación con nuestro marco constitucional nos permitiría modular el no siempre justificado peso del Derecho de la competencia en esta materia. Pues no puede pretenderse que los principios de libre competencia en el mercado que inspiran dicha regulación sean siempre prevalentes ante aquellas actuaciones administrativas que, como la encomienda de gestión, se fundamentan en otros objetivos o valores constitucionales, distintos de ésta, pero igualmente protegibles[442]. Por su importancia de cara a la conclusión de nuestra exposición, detengámonos un momento en analizar más detenidamente este posicionamiento.

1. EL ELEMENTO ECONÓMICO COMO DETERMINANTE DE LA DEFINICIÓN DE CONTRATO PÚBLICO

Si nos cuestionamos acerca del porqué del sometimiento de la figura de la encomienda de gestión a la vigente normativa contractual, podemos llegar a la conclusión de que el principal argumento que justificaría hoy día dicha sujeción se encontraría esencialmente en razones de tipo económico. Y es que, aunque tradicionalmente la contratación pública se ha venido sujetando siempre a toda una serie de limitaciones y especificidades dirigidas a asegurar tanto su adecuación al interés público como la atribución a la jurisdicción contenciosa-administrativa del conocimiento de los conflictos que pudieran generarse o a la preservación de la objetividad y transparencia en su adjudicación[443], el desarrollo del Derecho europeo en esta materia –como ya tuvimos ocasión de mencionar en el *Capítulo III*– ha terminado por imponer actualmente una visión marcadamente mercantilista de la contratación pública, que pone especial atención en su consideración como un instrumento econó-

---

442. En este mismo sentido, véase Martin-Retortillo Baquer, Sebastián (Dir.): *Derecho Administrativo Económico*, volumen I, Ed. La Ley, Madrid 1988, p. 89-90.
443. Acerca de la formación histórica del régimen contractual español y de su evolución normativa pueden verse, entre otros muchos, Parada Vázquez, Ramón: *Los orígenes del contrato administrativo en el Derecho español*, Instituto García Oviedo, Sevilla, 1963; Boquera Oliver, José María: «Los contratos de la Administración desde 1950 hasta hoy», en *Revista de Administración Pública*, núm. 150, septiembre-diciembre 1999, p. 13-32 o García de Enterría, Eduardo: «La figura del contrato administrativo», *op. cit.*, p. 99-128.

mico, dirigido a revitalizar la actividad productiva y comercial en el marco de la Unión Europea[444]. En efecto, partiéndose del enorme valor económico que representan los contratos adjudicados por los poderes públicos, el Derecho europeo pone especial atención en la preparación y adjudicación de dichos contratos, puesto que la apertura de la contratación pública a la libre competencia se ha venido considerando como un objetivo básico de cara a la efectiva consecución del mercado único interior. Vinculándose, de este modo, la figura del *contrato público* al juego del mercado competitivo que fundamenta el sistema económico europeo (art.3.3 TCE)[445].

Esta visión predominantemente mercantilista de la contratación pública, que ha impregnado también nuestra propia legislación[446], ha propiciado que, en los últimos años, el centro de gravedad de la institución contractual se haya venido situando casi exclusivamente en el objeto del

---

444. En este sentido, por ejemplo, GIMENO FELIÚ, José María: *La nueva contratación pública europea y su incidencia en la legislación española. La necesaria adopción de una nueva Ley de contratos públicos y propuestas de reforma, op. cit.*, p. 23-24 o PIÑAR MAÑAS, José Luis: «El Derecho Comunitario como marco de referencia del Derecho Español de contratos públicos», *op. cit.*, p. 27-28.

445. Así, se ha apuntado que, desde la perspectiva de las Directivas europeas en materia de contratación, resulta indiferente que los contratos públicos estén sometidos a la jurisdicción contenciosa-administrativa o a la civil o incluso que las administraciones públicas dispongan o no de ciertas prerrogativas, puesto que la ratio que inspira toda esta normativa europea se centra en conseguir dentro del ámbito territorial de la Unión Europea transparencia en la contratación e igualdad de trato entre los empresarios y profesionales. RAZQUÍN LIZARRAGA, Martín Mª: *Contratos públicos y Derecho Comunitario, op. cit.*, p. 185.
Sobre el fundamento europeo en la regulación de la contratación pública resultan de especial interés los diferentes documentos publicados por la Comisión Europea en esta materia y que vienen a complementar el panorama normativo configurado por las Directivas. En este sentido pueden verse, por ejemplo, la Comunicación de la Comisión Europea CO (1998)/143, de 11 de marzo, «La Contratación Pública en la Unión Europea» o la recientemente publicada Comunicación de la Comisión Europea COM (2011) 15, de 27 de enero, «Libro verde sobre la modernización de la política de contratación pública de la UE. Hacia un mercado europeo de la contratación pública más eficiente», a la que seguidamente tendremos que volver a referirnos.

446. La mencionada vinculación de la legislación contractual a la consecución de determinados objetivos económicos se hace patente también en nuestro propio TRLCSP cuando, por ejemplo, indica que su objeto es regular la contratación del sector público «a fin de garantizar que la misma se ajusta a los principios de libertad de acceso a las licitaciones, publicidad y transparencia de los procedimientos y no discriminación e igualdad de trato entre los licitadores», así como conseguir «una eficiente utilización de los fondos [...] la *salvaguarda de la libre competencia* y la selección de la oferta económicamente más ventajosa» (art. 1 TRLCSP). Las cursivas son nuestras.

contrato y en su carácter oneroso[447]; haciendo depender la sujeción de determinados negocios jurídicos bilaterales a la normativa contractual únicamente de su carácter económico y de la posibilidad de explotación por parte de los operadores económicos; prescindiéndose, sin embargo, de los demás elementos subjetivos o causales que podrían caracterizar un determinado negocio jurídico. La citada Sentencia del Tribunal de Justicia de la Unión Europea de 13 de enero de 2005, *Comisión de las Comunidades Europeas / Reino de España*, constituye, como hemos visto, una buena muestra de todo ello: el TJUE, al analizar el régimen jurídico de los convenios interadministrativos en España, entiende que cuando el encargo que una administración pública pretenda realizar a otra entidad pública sea susceptible de tráfico mercantil, su formalización debe vincularse indefectiblemente al cumplimiento de las exigencias de publicidad, transparencia y no discriminación impuestas por la legislación contractual y, muy especialmente, a los procedimientos de selección de los contratistas. De este modo, extendiéndose la consideración de *contratista* a cualquier persona –pública o privada– que pueda ofrecer sus servicios en el mercado y desentendiéndose de los objetivos concretos que se persigan con dicho acuerdo, cuando se trate de actividades susceptibles de contratación en el mercado, se eliminaría toda libertad de elección de la Administración Pública en cuanto a su forma de gestión, atrayéndose ésta hacia la figura del contrato público.

Y son, precisamente, estos mismos argumentos los que, en nuestra opinión, explicarían también la vigente sujeción de la encomienda de gestión a la legislación contractual. En efecto, en la medida en que la encomienda de gestión supone un traslado de la ejecución material de una determinada actividad de la Administración Pública a un tercero, susceptible de contraprestación –y, por lo tanto, pudiéndose configurar como una oportunidad de negocio para los empresarios de la Unión Europea–, se pretendería asegurar que su adjudicación se realizara mediante criterios objetivos, que favorecieran la competencia entre los posibles adjudicatarios y que, al mismo tiempo, permitieran eliminar tanto cualquier posible discriminación por razón de la nacionalidad como aquellas posibles tendencias proteccionistas que pretendieran beneficiar un determinado tipo de adjudicatarios.

---

447. Importancia del elemento objetivo que, como hemos visto, había sido ya apuntada tempranamente por ÁVILA ORIVE a la hora de cuestionar el tratamiento contractual de los convenios de colaboración prevista en el anterior TRLCAP. ÁVILA ORIVE, José Luis: *Los convenios de colaboración excluidos de la Ley de Contratos de las Administraciones Públicas, op. cit.*, p. 138.

El problema, sin embargo, es que esta interpretación –que, desde un punto de vista estrictamente económico y del Derecho de la competencia, puede parecer del todo razonable– se olvida por completo del hecho de que, como señalábamos, esta forma de proceder entre administraciones públicas debe contemplarse también desde otra perspectiva: la del necesario cumplimiento del deber constitucional de colaboración entre los poderes públicos para la búsqueda de una mayor eficacia en la gestión administrativa. Y es que, como hemos visto, no es menos cierto que la instrumentación concreta de este tipo de relaciones entre administraciones públicas y los objetivos que se persiguen son completamente diferentes a los que rigen el mundo de las relaciones mercantiles en el que se mueven los contratistas privados, por cuanto los intereses privados –ligados a finalidades lucrativas– quedan al margen de la figura de la encomienda de gestión, que debe moverse únicamente en el ámbito de lo público y sobre la base de consideraciones atenientes a la voluntad de mejora de la gestión de las competencias administrativas.

De ahí que entendamos que la consideración meramente mercantilista de la figura de la encomienda de gestión que resulta de la aplicación del TRLCSP, y que presta principalmente atención a la necesidad de garantizar un determinado nivel de contratación a los operadores económicos, resulte excesivamente limitativa y profundamente distorsionadora; debiéndose de introducir en el debate no sólo la lógica de la competencia en el mercado sino también, y sobretodo, la idea de colaboración administrativa y de búsqueda de eficacia en la gestión pública que fundamenta constitucionalmente dicha institución. Ideas que, sin negar la naturaleza contractual de esta figura –pues, como destacábamos en el *Capítulo III*, tanto desde un punto de vista formal como material, nos encontraríamos realmente ante una relación obligatoria entre dos personas jurídicas diferenciadas–, nos pueden ayudar a introducir modulaciones en el, a veces, desmesurado crecimiento de la figura del contrato público.

2. EL FUNDAMENTO CONSTITUCIONAL DE LA ENCOMIENDA DE GESTIÓN COMO ELEMENTO DEFINIDOR DE SU RÉGIMEN JURÍDICO

Como ya hemos destacado anteriormente, la encomienda de gestión encontraría su justificación última en la voluntad de dotar al conjunto del sistema administrativo de una herramienta con la que poder garantizar el correcto funcionamiento de la actuación pública y la consecución de los fines de interés general que tiene asignados (art. 103.1 CE). Por lo tanto, el acceso a los medios materiales propios de otras administraciones públicas en que consiste la encomienda de gestión no se nos presenta solamente como una forma de abastecerse de los recursos de los que no se dispone, sino que, en realidad, se configura como una manifestación de la capacidad organizativa y relacional del conjunto del sistema administrativo.

Aunque, efectivamente, la encomienda de gestión presupone una dualidad de sujetos que *acuerdan* entre sí la realización de una determinada prestación material, tanto el carácter público de las personas que intervienen en dicho negocio como, sobretodo, las específicas finalidades de interés general que se persiguen por ambas partes son los elementos que, en nuestra opinión, caracterizan esencialmente dicha figura y que nos permiten diferenciarla de los simples contratos de subordinación entre las administraciones públicas y los restantes operadores económicos. Como hemos afirmado, la causa genérica –o finalidad última– de la encomienda de gestión no responde a la satisfacción de las necesidades clientelares de una determinada administración pública sino que, desligada del mercado y de cualquier finalidad lucrativa, nos aparece como una consecuencia lógica de una determinada forma de organización del Poder Público, que atribuye al conjunto de entidades públicas la responsabilidad por el cumplimiento de las finalidades de interés general que les asigna el ordenamiento jurídico.

De este modo, la encomienda de gestión no puede contemplarse solamente como un instrumento de intercambio de prestaciones patrimoniales entre personas jurídicas, sino que se nos presentaría más bien como una forma de administrar o de ejercer las propias competencias que, reconduciendo el complejo organizativo público hacia una idea de conjunto o de sistema, permitiría lograr economías de escala en la organización del trabajo de las administraciones públicas y un mejor aprovechamiento de los recursos públicos[448]. Así, la encomienda de gestión se configuraría como una forma de intervención pública dirigida a alcanzar los objetivos de eficacia en la actuación administrativa propugnados por nuestro texto constitucional.

---

448. Nuevamente podemos citar, entre otros, ORTEGA ÁLVAREZ, Luis: «Órganos de las Administraciones Públicas», *op. cit.*, p. 77; SÁNCHEZ SÁEZ, Antonio José: «Algunas reflexiones sobre la encomienda de gestión como instrumento racionalizador del ejercicio de las competencias administrativas», *op. cit.*, p. 241; MESEGUER YEBRA, Joaquín: «La encomienda de gestión como técnica de modulación competencial interorgánica. Régimen jurídico y aplicación práctica: virtudes y defectos», *op. cit.*, p. 125-126 o FERNÁNDEZ FARRERES, Germán: «La delegación de competencias y la encomienda de gestión», *op. cit.*, p. 148.

Es por todo ello que nos parece, cuanto menos, discutible la total equiparación con los sujetos privados que el TRLCSP realiza de este tipo de negocios jurídicos, puesto que supone reconducir automáticamente las relaciones entre entidades públicas hacia los mismos planteamientos que rigen la gestión privada; olvidando que, como decíamos anteriormente, la maximización de los beneficios o la defensa de la libre competencia no son los únicos factores que deben de ser valorados al analizar una actividad administrativa con trascendencia económica[449]. Así, la aplicación a estos supuestos, sin más matices, de los mismos criterios que rigen las reglas de la competencia y del mercado parece desconocer no sólo la importancia de las relaciones de colaboración como un elemento inherente e irrenunciable a nuestro modelo constitucional de organización territorial, sino también que dichas relaciones persiguen unos objetivos públicos completamente ajenos a los intereses privados que guían la actuación de los diferentes operadores económicos en el mercado; moviéndose, por lo tanto, en una lógica completamente diferente a la del simple intercambio patrimonial de prestaciones.

De ahí que, en nuestra opinión, sea necesario plantear una revisión del tratamiento contractual de la encomienda de gestión interadministrativa en nuestro ordenamiento jurídico. Revisión que, como decíamos, no debe pasar necesariamente por la exclusión incondicionada y absoluta de la legislación contractual de cualquier relación entre administraciones públicas sino por el establecimiento de un régimen jurídico adecuado para aquellos supuestos en que dichas relaciones persiguen la consecución de intereses públicos ajenos al mercado. Y es que una cosa es que se promuevan las condiciones oportunas para que exista un verdadero mercado de la contratación pública y otra, muy distinta, entender que cualquier acuerdo que celebren las administraciones con un tercero, independientemente de las finalidades que se persigan o de la clase de sujeto de que se trate, deba de someterse siempre a las reglas de la libre competencia[450].

---

449. Aunque centrándose en el ámbito de las empresas públicas MUÑOZ MACHADO se refiere también a estas cuestiones, señalando que la aplicación de las reglas de la competencia a las decisiones normativas de los Estados miembros está llevando, en algunos casos, a incentivar de modo activo una política de eliminación del sector público y de favorecimiento de la privatización; añadiéndose, no obstante, que estas son opciones de política económica que no conciernen al Derecho europeo. MUÑOZ MACHADO, Santiago: «La noción de empresa pública, la libre competencia y los límites del principio de neutralidad», en PÉREZ MORENO, Alfonso (Coord.) *Administración instrumental. Libro homenaje a Manuel Francisco Clavero Arévalo*, volumen II, *op. cit.*, p. 1279.

450. Como se ha afirmado, con acierto, dada la irrenunciabilidad de la idea de colaboración administrativa en nuestro ordenamiento, el debate no debe situarse alrededor

CUARTA. LA ENCOMIENDA DE GESTIÓN, EN TANTO QUE INSTRUMENTO DE CARÁCTER COLABORATIVO DIRIGIDO A GARANTIZAR LA EFICACIA DE LA GESTIÓN PÚBLICA, DEBE QUEDAR EXCLUIDO DE LA APLICACIÓN DE LA LEGISLACIÓN CONTRACTUAL

Ante la imposibilidad de conjugar adecuadamente las dos perspectivas anteriores, la posible reinterpretación contractual de la figura de la encomienda de gestión debe partir de una idea fundamental: si entendemos que, como ha quedado dicho, el principal objetivo perseguido por la legislación en materia de contratación pública se dirige esencialmente a garantizar la apertura y la libre competencia en el mercado interior, debería darse un tratamiento diferenciado a aquellos negocios contractuales que –como la encomienda de gestión– se rigen por consideraciones constitucionales ajenas al mercado y se dirigen a la consecución de unos mismos objetivos de interés público. De modo que, como ya avanzábamos, más allá de su objeto, el tratamiento contractual de la encomienda de gestión debería de tener también muy presente el elemento causal de este negocio, es decir, la finalidad de colaboración y de búsqueda de mayor eficacia en la gestión pública que se persigue con esta figura y que, insistimos, liga esta figura con nuestro marco constitucional.

Como hemos visto, hoy en día tanto las Directivas europeas como el propio TRLCSP prescinden de cualquier consideración acerca de la finalidad perseguida por las partes a la hora de sujetar los convenios de colaboración entre administraciones públicas –entre ellos los convenios de encomienda de gestión– a su regulación. De modo que, en nuestro ordenamiento jurídico, y al margen de la causa que justifique dicho negocio, si la naturaleza del acuerdo entre dos administraciones públicas puede calificarse como contractual, su régimen jurídico quedará necesariamente atraído hacia el TRLCSP [art.3.1 c) TRLCSP].

Desde nuestro punto de vista, sin embargo, entendemos que ello no debería ser siempre así. Aunque teóricamente podamos englobar la encomienda de gestión dentro de una noción general de *contrato público*, la imposibilidad de desvincular su régimen jurídico de las finalidades de interés público que se persiguen, nos pone claramente de relieve la necesidad de dotar a dicha institución de un tratamiento contractual específico, que permita no sólo diferenciarla de los supuestos en que los

---

de si es conveniente o no dicha colaboración en la ejecución de tareas administrativas, sino en su adecuada formalización. PADRÓS REIG, Carlos: «La articulación del concepto de colaboración desde el punto de vista del ordenamiento administrativo», *op. cit.*, p. 253.

Poderes Públicos actúan como meros clientes de los mercados privados, sino también garantizar a las diferentes administraciones públicas la posibilidad de acudir a esta técnica de colaboración cuando las circunstancias materiales así lo requirieran.

En nuestra opinión, la defensa de la libre competencia –aunque sea también uno de los principios que inspiran el modelo económico contenido en la Constitución española de 1978 (art. 38 CE)– no puede considerarse como un fin absoluto que deba perseguirse en todo caso, sino que debe ponerse en relación con otros principios constitucionales que, al dirigirse a la consecución de otros objetivos de interés general que van más allá de la lógica mercantil, pueden suponer excepciones al funcionamiento del mercado[451]. Y es aquí donde debemos reiterar nuevamente la consideración de la encomienda de gestión como un instrumento dirigido a dotar a la Administración Pública de las herramientas con las que afrontar con garantías de eficacia el cumplimiento de las tareas que les han sido asignadas.

Aunque es verdad que la encomienda de gestión puede abarcar actividades materiales potencialmente competitivas, debemos insistir en el hecho de que ésta nos aparece como concreción de un valor constitucional suficientemente relevante como para justificar dicha excepción a la aplicación de las reglas del mercado. Y es que ésta se dirige exclusivamente a dar cumplimiento a la caracterización constitucional de la Administración como una organización servicial que debe orientarse con eficacia a la consecución de los intereses generales (art.103.1 CE). Por lo tanto, desde nuestro punto de vista, no son sólo simples argumentos de oportunidad o de conveniencia política los que pueden justificar dicho replanteamiento, sino que, como hemos destacado, se basan en una contradicción evidente entre la consideración meramente económica de la contratación pública que preside la regulación legal actual prevista por el TRLCSP y un modelo constitucional de Administración Pública basado en la idea de sistema y en la necesaria colaboración entre las diferentes unidades que lo componen y que, como hemos destacado en el *Capítulo I*, no sólo sirve de fundamento para la figura de la encomienda

---

451. En el mismo sentido se expresa, por ejemplo, CASES PALLARÉS cuando afirma que la defensa de la competencia no constituye un absoluto, sino que el propio ordenamiento jurídico dispone de sus propias correcciones a fin de evitar que la protección de la competencia se imponga en todo caso, de modo que no puedan ser atendidas otras circunstancias o perseguidos otros objetivos. CASES PALLARÉS, Lluis: *Derecho administrativo de la defensa de la competencia*, Ed. Marcial Pons, Madrid 1995, p. 400. Igualmente, BASSOLS COMA, Martín: *Constitución y sistema económico*, Ed. Tecnos, segunda edición, Madrid 1988, p. 141-143.

de gestión sino que inspira el funcionamiento del conjunto de la organización administrativa y de relaciones entre los diferentes niveles de gobierno y administración.

En este punto, debemos añadir que parece que estos mismos argumentos –que hasta ahora hemos planteado en clave interna– están empezando a ser tomados también en consideración por las instituciones europeas. Las muchas dudas expresadas por los Estados miembros acerca del ámbito de aplicación de la normativa contractual y las controversias jurisdiccionales derivadas de ellas, han contribuido a un despertar a nivel europeo acerca de la necesidad de prestar una especial atención a las relaciones de colaboración entre entidades públicas y, sobretodo, en lo que nos interesa a nosotros, en la necesidad de reconocerles también un tratamiento normativo específico. Así, se está empezando a cuestionar algo que, desde la Sentencia del Tribunal de Justicia de la Unión Europea de 13 de enero de 2005, *Comisión de las Comunidades Europeas / Reino de España*, parecía prácticamente indiscutible: esto es si las normas sobre contratación pública deben de aplicarse a los contratos celebrados entre entidades públicas y, en su caso, en qué medida. Y es que, como hemos apuntado, las instituciones europeas han empezado a darse cuenta de que las finalidades de colaboración e interés público perseguidas por las partes en algunos de estos contratos sí que deben de tomarse también en consideración.

La primera y más clara manifestación acerca de esta nueva tendencia a revalorizar el elemento causal del contrato público y las finalidades de colaboración perseguidas por las partes nos la ofrece el propio TJUE en la Sentencia de 29 de junio de 2009, asunto C-480/06, *Comisión de las Comunidades Europeas / República Federal de Alemania*[452]. En este caso, muy sintéticamente, la Comisión había planteado un recurso relativo a un contrato celebrado, sin procedimiento de licitación alguno, entre cuatro circunscripciones administrativas alemanas (*Landkreise*) y el servicio de limpieza de la ciudad de Hamburgo. A este respecto, la República Federal Alemana alegaba que el contrato controvertido se trataba, en

---

452. Una primera aproximación y valoración al contenido de dicha Sentencia puede verse en NOGUERA DE LA MUELA, Belén: «Los encargos *in house* en la Ley de Contratos del Sector Público (LCSP): especial referencia a los mismos en el ámbito local a la luz de la reciente jurisprudencia comunitaria», *op. cit.*, p. 172-174; PERNÁS GARCÍA, J. José: «La exigencia de control análogo en las encomiendas a medios propios», en *Revista de Estudios de la Administración Local y Autonómica* (REALA), núm. 311, septiembre-diciembre 2009, p. 253-261 o PEDERSEN, Kristian y OLSSON, Eric: «Commission vs. Germany – a new approach to in-house providing?», en *Public Procurement Law Review*, núm. 1, 2010, p. 33-45.

realidad, de «un acuerdo sobre la ejecución en común de una función de servicio público que incumbía a las circunscripciones administrativas y a la ciudad de Hamburgo», de modo que, al configurarse como un supuesto de cooperación municipal, debía de ser considerado como una relación de carácter interno (*in house providing*). Al mismo tiempo, se añadía que dicha operación tenía por objeto una actividad que se desempeñaba en la esfera estatal, sin que se afectara al mercado, de modo que no pertenecía al ámbito de aplicación de la normativa sobre contratación pública.

Por su parte, la Comisión Europea rechazaba todas las anteriores argumentaciones, alegando que en dicho supuesto nos encontrábamos ante un simple contrato de servicios en el sentido de las Directiva europeas que no podía ser considerado como constitutivo de una asistencia administrativa en la medida en que los servicios de limpieza de la ciudad de Hamburgo actuaban en base a un contrato. Asimismo, refutaba la posible concurrencia de una relación meramente interna, afirmándose que ninguna de las entidades adjudicadoras tenían poder de gestión alguno sobre la gestión de los mencionados servicios de limpieza de Hamburgo, por lo que, al no concurrir el criterio del control análogo, no podía invocarse la jurisprudencia *Teckal*.

A la vista de tales planteamientos, el Tribunal de Justicia de la Unión Europea pone de relieve que, aunque efectivamente en este supuesto no puede hablarse de un servicio de carácter interno –porque, a juicio del TJUE, resultaba acreditado que ninguno de los cuatro *Landkreise* ejercía un control análogo al que se ejerce sobre sus propios servicios (F.J. 36)–, sí que estaríamos ante otro supuesto susceptible de ser excluido de la legislación contractual, por cuanto el negocio jurídico controvertido no se configuraba como un mero contrato público sino que venía a establecer principalmente una cooperación entre entidades locales que tenía como finalidad garantizar la realización de una misión de servicio público común a las mismas (F.J. 37). Dicho contrato –sigue diciendo el Tribunal– debía analizarse, por lo tanto, como la culminación de una acción de cooperación intermunicipal del que se derivaban exigencias propias para garantizar la misión de interés público que se perseguía –que no era otra que la de permitir a la ciudad de Hamburgo construir y hacer explotar una instalación de tratamiento de residuos en las condiciones económicas más favorables–. De manera que el TJUE concluye añadiendo: «[...] tal colaboración entre entidades públicas no cuestiona el objetivo principal de la normativa comunitaria sobre contratación pública, a saber, la libre circulación de los servicios y su apertura a la competencia no falseada en todos los Estados miembros, siempre que la realización de dicha cooperación se rija únicamente por consideraciones y exigencias características de la persecución de objetivos de interés público [...]» (F.J. 38 y 47).

De este modo, el TJUE parece dar un paso más en el reconocimiento de una mayor autonomía organizativa de los Estados en el cumplimiento de sus responsabilidades de servicio público, admitiendo que, más allá de las operaciones estructuradas como una relación de carácter interno (o *in house providing*), pueden existir otras fórmulas de cooperación interadministrativa puramente contractuales o no institucionalizadas –en el sentido de que no suponen la creación en común de una nueva persona jurídica– que queden fuera del ámbito de aplicación del Derecho europeo de la contratación pública[453]. Al configurarse como una relación de cooperación o auxilio administrativa para el cumplimiento de una misión de servicio público común a las autoridades públicas intervinientes, como hemos dicho, se entiende que el acuerdo en cuestión va más allá del contenido propio de los contratos públicos.

Aunque es verdad que, hasta fecha de hoy, éste constituye el único pronunciamiento jurisprudencial en el que, de una forma directa, el TJUE se ha referido a esta nueva interpretación de la figura del contrato público, es también cierto que el Tribunal sí que ha hecho mención expresa de dicha doctrina en algunas de sus resoluciones posteriores, como por ejemplo, en la Sentencia de 22 de diciembre de 2010, asunto C-215/09, *Mehiläinen Oy y otros / Oulun Kaupunki* (F.J. 31).

Pero, sobretodo, hay que advertir que esta misma argumentación jurisprudencial parece haber sido, de forma muy reciente, plenamente asumida también por la propia Comisión Europea en dos momentos distintos[454]: en primer lugar, en el ya mencionado «Libro Verde sobre la

---

453. PERNÁS GARCÍA, J. José: «La exigencia de control análogo en las encomiendas a medios propios», *op. cit.*, p. 260 y PEDERSEN, Kristian y OLSSON, Eric: «Comision vs. Germany – a new approach to in-house providing?», *op. cit.*, p. 41.

454. Con anterioridad, el Parlamento Europeo se había hecho también eco de todas estas cuestiones, por ejemplo, en la Resolución Legislativa 2043/2006, de 23 de octubre, sobre la colaboración público-privada y el Derecho comunitario en materia de contratación pública y concesiones. En dicha Resolución, el Parlamento Europeo no sólo expresaba su satisfacción por el establecimiento, en beneficio del autogobierno local y de una administración eficiente, de formas de colaboración que podían permitir obtener efectos de sinergia (Ap. 42), sino que, además, partiendo de la inseguridad jurídica existente en materia de cooperación entre entidades públicas, opinaba que era preciso distinguir entre medidas de naturaleza meramente administrativa y/o organizativa y contratos públicos entre autoridades administrativas.

En términos similares, GIMENO FELIU cita también la sesión de la Comisión de Mer-

modernización de la política de contratación pública en la UE. Hacia un mercado europeo de la contratación pública más eficiente» [Comunicación de la Comisión Europea COM (2011) 15, de 27 de enero] y, de forma más detallada, en el Documento de trabajo de los servicios de la Comisión relativo a la aplicación de la normativa sobre contratación pública de la UE a las relaciones entre poderes adjudicadores, especialmente a la cooperación dentro del sector público [SEC (2011) 1169, de 4 de octubre de 2011].

En el Libro Verde de enero de 2011 se parte del principio de que una competencia leal y abierta en el mercado interior impide que los contratos celebrados entre entidades públicas queden automáticamente excluidos del ámbito de aplicación de las Directivas sobre contratación pública de la UE. Sin embargo, se admite que ello no obsta a que, en algunos supuestos, la aplicación de las normas contractuales a determinadas formas de cooperación entre entidades públicas no resulte del todo conveniente. En este sentido, y de forma similar a la que proponíamos anteriormente, la Comisión Europea destaca que debería trazarse una línea divisoria entre, por un lado, aquellos acuerdos entre poderes adjudicadores guiados exclusivamente por consideraciones de interés público y que deben de quedar al margen de la aplicación de la normativa contractual y, por otro, aquellas otras actividades de contratación de bienes, obras o servicios que, a diferencia de los anteriores, sí se someterían a legislación contractual y que deben beneficiarse de una competencia abierta entre todos los operadores económicos. Y para contribuir a dicha diferenciación la Comisión Europea nos avanza tres posibles criterios interpretativos a tener en cuenta[455]:

1) En primer lugar, y apoyándose en la jurisprudencia reiterada del TJUE en relación con los criterios *Teckal*[456], se afirma que cualquier

---

cado Interior y Protección del Consumidor del Parlamento Europeo celebrada en fecha 20 de abril de 2006, sobre la eficacia de las Directivas de contratación pública, en la que se ponía también de manifiesto la necesidad de diferenciar los acuerdos de cooperación entre los poderes públicos de los contratos de subordinación entre la Administración y los particulares. GIMENO FELIÚ, José María: «Problemas actuales de la Administración Municipal desde la perspectiva del derecho comunitario: incidencia en la organización de las normas de contratación pública», *op. cit.*, p. 186-187.

455. Véase la Comunicación de la Comisión Europea COM (2011) 15, de 27 de enero, especialmente el apartado 2.3 Cooperación dentro del Sector Público (p. 24 y 25).

456. En este sentido, debemos recordar como el TJUE, al analizar el requisito del control análogo que los poderes adjudicadores deben ejercer sobre un determinado ente instrumental para que los encargos directos puedan exceptuarse de la aplicación de la legislación contractual, ha subrayado expresamente que cualquier participación de capital privado, aunque sea minoritaria, en una determinada entidad obe-

cooperación dentro del sector público que pretenda eximirse de la aplicación de las normas de la UE sobre contratación pública debe ser siempre pública. De manera que la participación de capital privado en alguna de las entidades cooperantes impediría exceptuar dicho negocio de las Directivas europeas.

2) Otro elemento importante reside en lo que la Comisión denomina «vocación de mercado» de las entidades intervinientes, puesto que la cooperación exenta de la aplicación de la legislación contractual no puede alcanzar a entidades que estén activas en el mercado en competencia directa con los operadores privados.

3) Y, finalmente, debe estudiarse el tipo de conexión entre las entidades participantes puesto que, para distinguir la cooperación no institucionalizada de un contrato público normal, parece importante que la primera implique derechos y obligaciones que vayan más allá de la «realización de una tarea a cambio de una remuneración» y que el objetivo principal de la cooperación sea de naturaleza no comercial.

En términos similares se expresa también el ya mencionado Documento de trabajo de los servicios de la Comisión Europea publicado a finales del 2011. A pesar de que no puede olvidarse que el contenido de este documento es meramente orientativo y no vinculante, constituye una herramienta muy útil para contribuir a una mejor comprensión y aplicación del marco jurídico vigente. En este sentido, el Documento de trabajo insiste en la idea de que los diferentes poderes adjudicadores pueden establecer una cooperación horizontal entre sí, sin crear ninguna entidad conjunta, que comporte la celebración de acuerdos no comprendidos dentro del ámbito de aplicación de la normativa sobre contratación pública de la UE. Sin embargo, para ello, deben de cumplirse, cuando menos, las siguientes circunstancias[457]: que en la cooperación intervengan sólo poderes adjudicadores y no haya participación de capital privado, que el acuerdo revista el carácter de cooperación real con vistas al desempeño de una tarea común y que se rija solamente por

---

dece siempre a consideraciones características de los intereses privados y, por lo tanto, persigue objetivos distintos de los perseguidos por una autoridad pública. De ahí que, en estos supuestos, no pueda verificarse la existencia de dicho control análogo y, por lo tanto, el TJUE excluye automáticamente la posible existencia de una operación meramente interna. Véase, la citada Sentencia del TJUE de 13 de enero de 2005, *Stadt Halle, RPL Recyclingpark Lochau GMBH/Arbeitsgemeinschaft Termische Restabfall-und Enegieverwertungsanlage*, F.J. 49 o, más recientemente, la también citada Sentencia del TJUE de 18 de enero de 2007, asunto C– 200/05, *Jean Auroux y otros/Commune de Roanne*, F.J. 45.

457. Véase SEC (2011) 1169, de 4 de octubre, p. 14.

consideraciones de interés público, excluyéndose, por lo tanto, las relaciones entre poderes públicos que tengan vocación de mercado.

Pero más allá de poner de relieve este cambio de orientación interpretativa de las instituciones europeas en materia contractual, nos interesa destacar todos estos argumentos por dos razones muy concretas: en primer lugar, por cuanto es esta misma postura la que parece preverse en los diferentes proyectos de directivas en materia de contratación pública actualmente en preparación en el marco de la Unión Europea. Así, por ejemplo, el artículo 11.4 del Proyecto de Directiva del Parlamento europeo y del Consejo relativa a la Contratación Pública [COM (2011) 896, de 20 de diciembre] excluye de su ámbito de aplicación, al no considerarlos contratos públicos, los acuerdos celebrados entre dos o más poderes adjudicadores «cuando se cumplan, todas y cada una de las condiciones siguientes:

a) Que el acuerdo establezca una cooperación genuina entre los poderes adjudicadores participantes para el desempeño conjunto de sus tareas de servicio público e implique derechos y obligaciones mutuos de las partes;

b) que el acuerdo se rija exclusivamente por consideraciones de interés público;

c) que los poderes adjudicadores participantes no realicen en el mercado libre más del 10% en términos de volumen de negocios, de las actividades pertinentes en el contexto del acuerdo;

d) que el acuerdo no implique transferencias financieras entre los poderes adjudicadores participantes, excepto los correspondientes al reembolso de los costes reales de las obras, los servicios o los suministros;

e) que no exista participación privada en ninguno de los poderes adjudicadores participantes.»

Pero sobretodo nos interesa destacar estos argumentos por cuanto pueden adquirir ahora una relevancia especialmente importante en lo que a nuestro concreto objeto de estudio se refiere. Y es que, como podemos comprobar, parecen coincidir, a grandes rasgos, con nuestra consideración de la Administración Pública como una organización sistémica dirigida a la consecución de objetivos de interés general que van más allá de la lógica del mercado; permitiéndonos reforzar, aún más, la idea de que es necesario replantear el tratamiento contractual de los supuestos de colaboración entre entidades públicas –en el que incluiríamos la encomienda de gestión– en nuestro ordenamiento jurídico.

En efecto, si aplicamos este nuevo entendimiento de la figura contractual a la encomienda de gestión entre administraciones públicas diferenciadas (art. 15.4 LRJPAC) nos daremos cuenta de como ésta reúne todos los requisitos exigidos por las instituciones europeas –y muy especialmente por el TJUE– para que pueda considerarse como un supuesto exceptuable de la aplicación de la legislación contractual.

En primer lugar, porque, como ya ha quedado dicho anteriormente, el propósito que guía la utilización de esta figura se encuentra ligado exclusivamente a consideraciones de interés público, dirigidas a garantizar la eficacia en la ejecución de las competencias administrativas. El artículo 15.1 de la LRJPAC lo establece claramente al hacer depender la utilización de la encomienda de gestión de la carencia de medios técnicos idóneos o de la búsqueda de una mejor eficacia en la gestión de una determinada actividad administrativa. Por lo tanto, se vincula la figura de la encomienda de gestión a supuestos de colaboración entre autoridades públicas para la mejora en la ejecución de las competencias administrativas, pero sin que ello afecte a los objetivos que se pretenden proteger con la normativa sobre contratación pública, esto es la libre circulación de los servicios y su apertura a la competencia. En efecto, la encomienda de gestión pretende garantizar el desempeño de una tarea –una concreta competencia administrativa– de indudable trascendencia pública e interés general, cuya consecución interesa al conjunto del sistema administrativo (art.103.1 CE).

En realidad, esta argumentación no es del todo novedosa en nuestro ordenamiento jurídico. De hecho, en algunas ocasiones, nuestra jurisprudencia había venido ya haciendo referencia a consideraciones similares para excluir la figura de los convenios de colaboración interadministrativos de la aplicación de la legislación contractual. En este sentido, podemos citar, por ejemplo, la Sentencia de la Sala de lo Contencioso-administrativo del Tribunal Supremo de 16 de febrero de 2011, (Ponente: Sr. Santiago Martínez-Vares García, núm. recurso: 2569/2009) en la que se afirma que «[...] el enjuiciamiento de los convenios de colaboración de naturaleza interadministrativa debe partir de la consideración de su especial naturaleza pública, que les distingue y separa de los contratos privados (habida cuenta de los sujetos que los suscriben) e incluso de los contratos administrativos (habida cuenta de que, más allá de la concurrencia formal de voluntades, se trata de la asunción de objetivos orientados a un específico y relevante interés público que es el que justifica su suscripción y excede del sentido tradicional de la materia contractual [...]) y que, además, constituye, más allá del ámbito contractual, una técnica de cooperación entre administraciones públicas para la satisfacción del interés público y lleva –sin remisión– a que dichos convenios deban aplicarse e interpretarse desde la perspectiva predominante del interés público en juego [...]» (F.J. Tercero)[458].

En segundo lugar, para insistir en el carácter eminentemente colaborativo de la encomienda de gestión podríamos añadir, además, la idea de que, en nuestra opinión, el elemento económico implícito en la encomienda de gestión resulta un aspecto meramente accidental de dicha relación jurídica. Como decíamos en el *Capítulo II*, la retribución que la administración pública encomendante abona al encomendado no respondería a exigencias del mercado –considerándose simplemente una remuneración por las actuaciones materiales ofertadas– ni tendría un carácter lucrativo, sino que se dirige principalmente a sufragar los posibles gastos que la ejecución material de tareas ajenas puede comportarle. La actuación del órgano o entidad encomendada no respondería a pautas comerciales, en cuanto que la decisión de colaborar en el ejercicio de actividades materiales de otra administración pública que se adopta en estos supuestos no estará orientada por el mercado o por criterios de rendibilidad económica, sino que obedecerá a criterios de interés público[459]. Y resulta importante destacar esta idea por cuanto, como hemos visto, no sólo la Comisión Europea ha puesto el acento en la necesaria naturaleza no comercial que debe presidir las relaciones de colaboración

---

458. En el mismo sentido, se cita recurrentemente la Sentencia de la Sala de lo Contencioso Administrativo del Tribunal Supremo de 15 de julio de 2003 (ponente: Sr. Juan José González Rivas, núm. recurso 3604/1997), en la que se afirma que, aunque los convenios de colaboración interadministrativos tienen ciertas concomitancias con los contratos, en cuanto corresponden a una concurrencia de voluntades coincidentes sobre determinados objetivos orientados a una específica finalidad, rebasan o exceden el específico concepto de contrato (F.J. 2).

459. Por estas mismas razones se ha afirmado que la finalidad del encomendado –incluso aquellos que operan en el mercado– no vendrá determinada por el ánimo de lucro, en el sentido de que los beneficios que consiguiera repercutirían, de una forma u otra, en los presupuestos de las administraciones, siendo beneficios para la Hacienda Pública y quedando afectos a la consecución de los intereses generales; lo que, todo ello, aleja al encomendado de su consideración como empresario. ORTIZ MALLOL, José: «La relación de dependencia de las entidades instrumentales de la Administración Pública: algunas notas», *op. cit.*, p. 258.
Incluso, como se ha apuntado recientemente, el carácter no comercial implícito en los acuerdos de colaboración entre administraciones públicas supondría también admitir que habrá un menor interés por parte de los empresarios privados para participar en su ejecución, de modo que podría no producirse ninguna consecuencia negativa en el mercado como resultado de su adjudicación directa. PEDERSEN, Kristian y OLSSON, Eric: «Commission vs. Germany – a new approach to in-house providing?», *op. cit.*, p. 43.

entre entidades públicas sino que, además, los movimientos financieros entre las partes intervinientes en una determinada relación jurídica es uno de los aspectos que el TJUE ha tenido en cuenta, en la anteriormente citada Sentencia de 29 de junio de 2009, *Comisión de las Comunidades Europeas / República Federal de Alemania*, a la hora de valorar la necesidad de someter un determinado negocio jurídico entre entidades públicas a la legislación contractual[460].

Por otro lado, como ya hemos expuesto detalladamente en el *Capítulo II*, tampoco cabría efectuar ningún reproche a la figura de la encomienda de gestión desde el punto de vista subjetivo. Especialmente por el hecho de que, en la medida que entendíamos que a partir de la redacción del artículo 15 de la LRJPAC esta institución solamente podía formalizarse entre entidades jurídico-públicas, cuya creación responde indudablemente a consideraciones de interés general, estaríamos asegurando también que su ejercicio se rige exclusivamente por consideraciones de interés público y no de mercado, sin que se sitúe a ninguna empresa privada en una situación privilegiada respecto de sus competidores. Al circunscribirse sólo en el ámbito de la organización pública, podríamos entender que, en realidad, y a diferencia de las tradicionales formulas de gestión indirecta, no habría una disociación entre el titular de una determinada función administrativa y quien la gestiona materialmente a través de la encomienda, sino que es siempre el complejo organizativo público, la Administración, quien se ocupa de ello.

En este punto, debemos ahondar también en la ausencia de vocación de mercado de las posibles entidades públicas participantes en la relación de encomienda. Y es que, al margen de que, en algunos supuestos, su actividad –como en el caso de las entidades públicas empresariales (art.53 LOFAGE)– pueda tener también una vertiente mercantil o

---

460. En el fundamento jurídico 44 de la Sentencia de 29 de junio de 2009, y para valorar la compatibilidad con las Directivas europeas del contrato celebrado entre las cuatro circunscripciones administrativas alemanas y la ciudad de Hamburgo, el TJUE analiza pormenorizadamente el contenido concreto del contrato y muy especialmente las obligaciones derivadas para cada una de las partes. Así, entiende que la cooperación que se establece en dicho negocio no responde al típico carácter contractual de pago de un precio por la prestación de unos servicios, puesto que no da lugar a otros movimientos financieros más que aquellos dirigidos al reembolso de los gastos de las actuaciones que incumbían a los *Landkreise*.
Como implícitamente enuncia PERNÁS GARCÍA, parecería como si el TJUE estuviera modificando su interpretación anterior acerca del carácter oneroso de los contratos públicos, entendiendo que dicho elemento no concurriría en las relaciones de cooperación o auxilio administrativo. PERNÁS GARCÍA, J. José: «La exigencia de control análogo en las encomiendas a medios propios», *op. cit.*, p. 259.

industrial, e incluso ésta constituya una parte importante de las actividades realizadas, ello no impide entender que estamos en presencia de una relación de colaboración dentro del sector público, pues en cualquier caso, se trata siempre de entidades que resultan obligadas a satisfacer las necesidades públicas que se les asignan por el ordenamiento jurídico y que, por ello, actúan al margen de las consideraciones comerciales o lucrativas que pueden regir la actividad de los operadores económicos privados[461].

Y, en este punto, puede resultar conveniente recordar que no existe en nuestro ordenamiento jurídico un principio general de subsidiariedad que obligue a la Administración Pública a remitir al mercado o a los particulares el desarrollo de cualquier actividad con trascendencia económica, sino al contrario. Como ha señalado la doctrina, los artículos 38 y 128.2 de la Constitución diseñan un sistema económico que admite la existencia de un sector público, la participación de los poderes públicos en la actividad económica y la capacidad para gestionar directamente los servicios públicos. Se configura, por lo tanto, como un sistema dual en el que junto a los empresarios privados pueden participar también las entidades públicas[462]. Así, el hecho de que las administraciones públicas puedan desarrollar actividades de producción de bienes y servicios no tiene porque suponer una limitación de la libertad de empresa reconocida por nuestro texto constitucional pues ésta solo se dirige a garantizar el derecho de todo empresario a acceder en condiciones de igualdad con otros empresarios, públicos o privados, a los *contratos* de la Administración; pero no a aquellas operaciones que –como la encomienda de gestión– parece que, por su naturaleza y por las específicas finalidades que se persiguen, van más allá de la institución contractual.

---

461. En este sentido, puede recordarse que, en la Sentencia de 15 de enero de 1998, asunto C-44/96, *Mannesmann Anlagebau Austria y otros / Strohal Rotationsdruck GesmbH*, al interpretar el concepto de poder adjudicador previsto en las Directivas sobre contratación pública, el TJUE afirmó que la condición de organismo de derecho público no dependía de la importancia relativa en la actividad del organismo de que se tratara de la satisfacción de necesidades de interés general, pues si existe una función de interés general se produce una *vis atractiva* hacía ésta, independientemente del ejercicio de otras actividades mercantiles o industriales (Ap. 23-25).

462. En este sentido, al analizar el artículo 128.1 de la Constitución, BASSOLS COMA afirma que éste supone reconocer legitimación a las entidades públicas para ejercer empresarialmente actividades económicas, añadiendo que «de ello se deriva que constitucionalmente la actuación económica deja de ser una actividad inicialmente reservada a los particulares». BASSOLS COMA, Martin: *Constitución y sistema económico, op. cit.*, p. 170. Véase también HUERGO LORA, Alejandro: «La libertad de empresa y la colaboración preferente de las Administraciones con empresas públicas», *op. cit.*, p. 158 y 168-171 o REBOLLO PUIG, Manuel: «Los entes institucionales de la Junta de Andalucía y su utilización como medio propio», *op. cit.*, p. 379-385.

En definitiva, esta reinterpretación de la figura del contrato público que se plantea nos permitiría encontrar argumentos jurídicos suficientes, de *lege ferenda*, como para poder realizar una interpretación del TRLCSP más conforme a los postulados constitucionales que fundamentarían la figura de la encomienda de gestión, pudiendo llegar, así, a excluirla del ámbito de aplicación objetivo del TRLCSP. Y es que el análisis que estamos efectuando nos lleva a considerar a la encomienda de gestión, en cuanto que instrumento dirigido a garantizar la eficacia de la actuación pública y la necesaria colaboración entre el conjunto de administraciones, como una figura que trasciende la mera consideración como contrato público. En efecto, al perseguir finalidades que van mucho más allá del mero intercambio de prestaciones patrimoniales entre dos sujetos diferentes y responder, en cambio, a la voluntad de asegurar el correcto cumplimiento de finalidades de interés general asignadas por el ordenamiento, nos encontraríamos ante un supuesto singular que podría quedar fuera del ámbito de aplicación previsto por las Directivas y el TRLCSP.

Pero es que, además, no son sólo argumentos de tipo jurídico los que pueden llevarnos a dicha conclusión. Sino que, desde un punto de vista más general, podríamos entender también que en la actual coyuntura económica el mantenimiento de figuras como la encomienda de gestión, que permiten conjugar adecuadamente el cumplimiento por parte del conjunto de los Poderes Públicos de las competencias administrativas que tienen asignadas con un mejor aprovechamiento de los recursos públicos a su disposición, podría resultar una opción muy razonable de cara a dotar de más agilidad y eficacia, aunque fuera meramente temporal, a unas administraciones públicas fuertemente endeudadas, con poca o nula capacidad de acudir a fuentes de financiación externas. En tiempos de crisis económica, la correcta elección de los mecanismos de gestión de las diferentes actividades asumidas por las administraciones públicas es, aún más, un valor a tener en cuenta.

Obviamente para hacer efectivo el replanteamiento del tratamiento contractual de la figura de la encomienda de gestión será preciso introducir algunas importantes correcciones en su régimen jurídico, al efecto de evitar su posible utilización fraudulenta. La necesidad de limitar su uso a supuestos puntuales, debidamente justificados; la necesidad de establecer pautas transparentes en la asignación de los recursos o la obligación de definir mejor los criterios a utilizar para identificar su objeto y cuando nos encontramos ante un supuesto de colaboración entre entidades del sector público para la satisfacción de intereses generales a los que hemos aludido anteriormente, son algunas de los precauciones que podrían ir en esta línea[463].

En este sentido, nos gustaría reiterar nuevamente la importancia que, como poníamos de relieve en el *Capítulo II*, podría tener la motivación de la encomienda de gestión como elemento clave para justificar y controlar el recurso a esta figura; evitando, así, su posible utilización abusiva. Si, como hemos visto, la jurisprudencia, tanto del TJUE como del TS, modula el tratamiento contractual de los negocios jurídicos celebrados entre entidades públicas a partir del elemento causal de dicho acuerdo, resulta más que nunca imprescindible que en el instrumento convencional a través del cual se formalice la encomienda de gestión se expongan de manera clara todas las circunstancias que habilitan a la utilización de esta figura y las finalidades de interés público que pretenden conseguirse con ella. A tal efecto, podría resultar adecuado que la normativa reguladora de esta figura fuera mucho más detallada, exigiendo a las administraciones participantes la necesidad de acompañar el convenio de encomienda de los informes económicos y jurídicos necesarios para justificar no sólo los compromisos obligatorios que se asumen sino también su oportunidad y su vinculación con el cumplimiento de los fines de interés general. Incluso podría pensarse en la posible intervención de los diferentes órganos consultivos existentes en nuestro ordenamiento jurídico como medida para objetivar la concurrencia previa de dichos presupuestos habilitantes; teniendo presente que ésta no sería una medida completamente desconocida por nuestro Derecho sino que, por el contrario, hoy día algunos órganos consultivos autonómicos –como por ejemplo, la Comisión Jurídica Asesora de la Generalitat de Cataluña[464]– ejercen ya una competencia potestativa en esta materia, evaluando los convenios de colaboración que se celebren respecto de otras administraciones públicas.

La necesidad de corregir o mejorar la abusiva utilización de esta

---

463. La última jurisprudencia del TJUE y los recientes documentos de la Comisión Europea antes citados pueden darnos algunas pistas al respecto, cuando tratan, precisamente, de diferenciar los supuestos de contratación ordinaria de aquellos en los que se establece una «cooperación real» entre poderes adjudicadores. Véase, por ejemplo, el Documento de trabajo de los servicios de la Comisión SEC (2011) 1169, de 4 de octubre, p. 14-15.

464. El artículo 9.1 d) de la Ley catalana 5/2005, de 2 de mayo, de la Comisión Jurídica Asesora, atribuye a dicha institución la función de dictaminar, siempre que el órgano competente lo someta a su consideración, los convenios que la Administración de la Generalidad firma con la Administración General del Estado o con las administraciones de otras comunidades autónomas.

figura que se ha venido haciendo hasta ahora no debe suponer renunciar por completo a su utilización, sino que debe estimular al legislador a introducir todas aquellas modificaciones normativas pertinentes para la efectiva consecución de los objetivos que se persiguen. Estímulo que debería extenderse más allá de esta concreta figura para abarcar, en general, la regulación de la colaboración entre entidades públicas como técnica administrativa, poniendo remedio, así, al tradicional déficit de articulación de las relaciones administrativas que existe todavía en nuestro ordenamiento[465]. Desde nuestro punto de vista, carecería de sentido optar por una visión exclusivamente mercantilista de la figura de la encomienda de gestión, que recondujera inexcusablemente su preparación y adjudicación a la aplicación de las reglas previstas para los contratos del sector público. Ello, en nuestra opinión, simplemente se traduciría en un obstáculo más a la tan denunciada falta de agilidad en la actuación pública, imponiendo a las administraciones públicas la carga de tramitar complejos expedientes de contratación y procedimientos de licitación pero sin que, en la práctica, se pudiera garantizar que las actuaciones materiales que se precisan fueran a ser prestadas de un modo mejor o más eficiente que si éstas hubieran sido asumidas, mediante encomienda, por la propia Administración.

En cualquier caso, más allá de todas estas consideraciones concretas acerca del régimen jurídico de la encomienda de gestión, lo que se pone de relieve es que no nos encontramos solamente ante uno de los muchos supuestos en que la aplicación e interpretación del Derecho europeo determina de modo sustancial la aplicación e interpretación de nuestro propio ordenamiento jurídico, sino que, en realidad, la idea que late en el fondo de nuestra exposición es la del cuestionamiento de la propia concepción de la Administración Pública.

En efecto, la exposición del tratamiento contractual de la encomienda de gestión nos ha permitido poner de relieve como la necesidad de garantizar a los Poderes Públicos la capacidad para poder gestionar eficazmente sus propios servicios y competencias puede chocar, a veces, con la exigencia, a nivel europeo, de una economía de mercado alta-

---

465. Font i Llovet, Tomàs: «Cooperación bilateral y cooperación multilateral: el papel de los hechos diferenciales en la cooperación», en *Revista de Estudios Autonómicos*, núm. 1, enero-junio 2002, p. 37. Se refiere también específicamente a la conveniencia de regular adecuadamente la figura de la cooperación mediante colaboración para prestaciones con otras administraciones públicas Gimeno Feliú, José María: «Problemas actuales de la Administración Municipal desde la perspectiva del derecho comunitario: incidencia en la organización de las normas de contratación pública», *op. cit.*, p. 187.

mente competitiva. Planteándose, entonces, la discusión acerca de hasta donde debe llegar el ejercicio de funciones y actividades por parte de los Poderes Públicos[466]. O, más concretamente, sobre si las administraciones públicas están obligadas a satisfacer todas sus necesidades de bienes y servicios a través del mercado privado, limitándose, prácticamente, a fijar a través de sus normas las reglas del juego económico y social; o si, por el contrario, existen intereses públicos suficientemente relevantes como para permitirles sustraer del mercado, por vía convencional, la realización de determinadas actividades de contenido económico. De modo que, aunque la respuesta a estas preguntas va mucho más allá del objetivo inicial de nuestro trabajo, debemos finalizar nuestra exposición advirtiendo que no es sólo la dialéctica contrato-convenio la que se está planteando en estos momentos, sino que, aunque sea de una manera ciertamente discreta y velada, la verdadera *batalla* que se está librando es la de la tensión entre Administración Pública y Mercado, en definitiva, entre el papel que deben jugar el Estado y la Sociedad en la ejecución de actividades económicas.

---

466. Como se ha afirmado, detrás de una cuestión aparentemente técnica se encuentra otra de dimensión política, al esconder nada menos que la comprensión misma de la Administración contemporánea. Sosa Wagner, Francisco: «El empleo de recursos propios por las Administraciones Locales», *op. cit.*, p. 1340.

Bibliografía

AAVV: *Escritos Jurídicos en memoria de Luis Mateo Rodríguez*, tomo I: Derecho Público, Universidad de Cantabria, Santander 1993.

AAVV: *Las relaciones interadministrativas de cooperación y colaboración (Seminario celebrado en Barcelona el 7 de mayo de 1993)*, Institut d'Estudis Autonòmics, Barcelona 1993.

AAVV: *Scritti in onore di Constantino Mortati. Aspetti e tendenze del Diritto Costituzionale*, Giuffrè Editore, Varesse 1977.

ACÍN FERRER, Ángela: «La organización de los servicios de gestión en la Diputación de Barcelona», en FERREIRO LAPATZA, José Juan (Coord.): *Tratado de Derecho Financiero y Tributario Local*, Ed. Marcial Pons, Madrid 1993, p. 263-284.

AJA, Eliseo; FONT I LLOVET, Tomàs; PERULLES, Juan Manuel; ALBERTÍ ROVIRA, Enoch: *El sistema jurídico de las Comunidades Autónomas*, Ed. Tecnos, Madrid 1986.

ALBALADEJO, Manuel: *Derecho Civil II. Derecho de obligaciones*, volumen I, séptima edición, Ed. Bosch, Barcelona 1983.

ALBERTÍ ROVIRA, Enoch: «El régimen de los convenios de colaboración entre Administraciones: un problema pendiente», en AJA, Eliseo (Dir.): *Informe Comunidades Autónomas 1996*, volumen I, Institut de Dret Públic, Barcelona 1997, p. 616-636.

– «La inserción de los entes locales en un sistema complejo: las relaciones de colaboración entre administraciones», en FONT I LLOVET, Tomàs (Dir.): *Informe sobre el Gobierno Local*. Ministerio de Administraciones Públicas-Fundació Pi i Sunyer, Madrid 1992, p. 125-172.

– «La reforma de la Administración periférica: técnicas orgánicas, relacionales y competenciales», en AA VV: *La Administración del Estado en las Comunidades Autónomas*, Institut d'Estudis Autonòmics, Barcelona 1997.

– «Las relaciones de colaboración entre el Estado y las Comunidades Autónomas», en *Revista Española de Derecho Constitucional*, núm. 14, mayo-agosto 1985, p. 135-180.

– «Los convenios entre Comunidades Autónomas», en AA VV: *Las relaciones interadministrativas de cooperación y colaboración (Seminario celebrado en Barcelona el 7 de mayo de 1993)*, Institut d'Estudis Autonòmics, Barcelona 1993.

– «Relaciones entre las Administraciones Públicas», en LEGUINA VILLA, Jesús y SÁNCHEZ MORÓN, Miguel (Dir.): *La nueva Ley de Régimen Jurídico de las Administraciones Públicas y del Procedimiento Administrativo Común*, Ed. Tecnos, Madrid 1993, p. 41-70.

ALBI, Fernando: *Tratado de los modos de gestión de las corporaciones locales*, Ed. Aguilar, Madrid 1960.

ALMEIDA CERREDA, Marcos: *Gli accordi tra pubbliche amministrazioni nell'ordinamento locale*, Bononia University Press, Bolonia, 2004.

– «Los convenios interadministrativos en el Derecho italiano», en *Revista de Administración Pública*, núm. 163, 2004, p. 389-412.

ALMONACID LAMELAS, Víctor: *Entidades públicas y privadas vinculadas a la Administración Local*, Ed. Bosch, Barcelona 2008.

ÁLVAREZ RICO, Manuel: *Principios constitucionales de organización de las administraciones públicas*, Ed. Dykinson, segunda edición, Madrid 1997.

AMOEDO SOUTO, Carlos: «El nuevo régimen jurídico de la encomienda de ejecución y su repercusión sobre la configuración de los entes instrumentales de las administraciones públicas», en *Revista de Administración Pública*, núm. 170, mayo-agosto, 2006, p. 261-294.

– *TRAGSA. Medios propios de la Administración y huida del Derecho Administrativo*, Ed. Atelier-Ilustre Colegio Oficial de Veterinarios de A Coruña, Barcelona, 2004.

ARÉVALO GUTIÉRREZ, Alfonso: «El sistema Interrelacional de las Administraciones Territoriales», en *Asamblea: revista parlamentaria de la Asamblea de Madrid*, núm. 9, 2003, p. 49-149.

ARGULLOL I MURGADAS, Enric: «La administración de las Comunidades Autónomas», en *Revista Española de Derecho Constitucional*, núm. 15, septiembre-diciembre 1985, p. 93-120.

ARIMANY LAMOGLIA, Esteban y PICH FRUTOS, Eva: «Las Diputaciones Provinciales y su función como entes de auxilio a los Municipios. Confirmación jurisprudencial», en *Revista de Administración Pública*, núm. 140, mayo-agosto 1996, p. 175-192.

ARIMANY LAMOGLIA, Esteban: «La apertura al mercado de los encargos de ejecución de obras reurbanización conferidos directamente a sociedades del sector público (Crónica del caso "Centro de Ocio de la ciudad de Roanne")», en *Civitas. Revista española de Derecho Administrativo*, núm. 133, p. 65-88.

– «Ombres sobre els encàrrecs directes de gestió a les societats mercantils locals (crònica de la Sentència del TJCE de 13 d'octubre de 2005, assumpte C-458/03, Pàrquing Brixen GMBH)», en *Quaderns de Dret Local*, núm. 9, octubre 2005, p. 47-62.

ARIÑO ORTIZ, Gaspar (Dir.): *Comentarios a la Ley de Contratos de las Administraciones Públicas*, Tomo I, Ed. Comares, Granada 2002.

ARIÑO ORTIZ, Gaspar: *La Administración Institucional (Bases de su régimen jurídico). Mito y realidad de las personas jurídicas en el Estado*, Instituto de Estudios Administrativos, segunda edición, Madrid 1974.

– «Principios de descentralización y desconcentración», en *Documentación Administrativa*, núm. 214, abril-junio, 1988, p. 11-34.

– *Teoría del equivalente económico en los contratos administrativos*, Instituto de Estudios Administrativos, Madrid, 1968.

AVARKIOTI, Fotini: «The application of EU public procurement rules to in house arrangements», en *Public Procurement Law Review*, núm. 1, 2007, p. 22-35.

ÁVILA ORIVE, José Luís: «Encomienda de gestión y defensa de la competencia», en *Actualidad Administrativa*, núm. 12, 2003, p. 281-303.

– *Los convenios de colaboración excluidos de la Ley de Contratos de las Administraciones Públicas*, Ed. Civitas, Madrid 2002.

BAÑO LEÓN, José María: «La figura del contrato en el Derecho Público: nuevas perspectivas y límites», en AA VV: *La contratación pública en el horizonte de la integración europea. V Congreso Luso-Hispano de profesores de Derecho Administrativo*, INAP, Madrid 2004, p. 11-29.

– «La influencia del Derecho Comunitario en la interpretación de la Ley de Contratos de las Administraciones Públicas», *Revista de Administración Pública*, núm. 151, enero-abril 2000, p. 11-38.

– *Los convenios interadministrativos y los consorcios*, INAP, Madrid 1988.

BARBERA, Augusto y FUSARO, Carlo: *Corso di Diritto Pubblico*, Ed. Il Mulino, Bolonia 2001.

BARBERA, Augusto: *La regione come ente di governo*, Ed. Il Mulino, Bolonia 1974.

BARQUERO ESTEVAN, Juan Manuel: «Delegaciones, convenios y otras técnicas de colaboración en la gestión de los tributos locales», en *Revista de Hacienda Local*, núm. 86, 1999, p. 365-395.

BARTOLE, Sergio; BIN, Roberto; FALCON, Giandomenico y TOSI, Rosanna: *Diritto regionale. Dopo le riforme.* Ed. Il Mulino, Bolonia 2003.

BAS SORIA, José Juan y ORTS NEBOT, Raquel: «La encomienda de gestión como fórmula para profundizar las competencias locales», en AA VV: *Un pacto Local para el siglo XXI: una visión abierta desde la Comunidad Valenciana*, Fundació Vives per l'Humanisme i la Solidaritat, Valencia 2000, p. 261-277.

BASSOLS COMA, Martín: «Consideraciones sobre los convenios de colaboración de la Administración con los particulares para el fomento de actividades económicas privadas de interés público», en *Revista de Administración Pública*, núm. 82, enero-abril 1977, p. 61-112.

Constitución y sistema económico, Ed. Tecnos, segunda edición, Madrid 1988.

BENVENUTI, Feliciano: «L'organizzazione impropia della Pubblica Amministrazione», en *Rivista Trimestrale di Dirrito Pubblico*, 1956, p. 968-992.

BERCOVITZ RODRÍGUEZ-CANO, Rodrigo (Coord.): *Manual de Derecho Civil. Contratos*, Ed. Bercal, Madrid 2003.
– *Significación del contrato en las distintas ramas del ordenamiento*, Ed. Tirant lo Blanch, Valencia 2009.

BERMEJO VERA, José: *Derecho Administrativo Básico. Parte General*, Ed. Civitas-Thomson Reuters, novena edición, Madrid 2009.
– *Diccionario de Contratación Pública*, Ed. Iustel, Madrid 2009.

BERNADÍ GIL, Xavier: *El poder d'administrar en l'Estat Autonòmic: cap a una reconstrucció dogmàtica de les competències autonòmiques d'execució*, Institut d'Estudis Autonòmics, colección Institut d'Estudis Autonòmics, núm. 51, Barcelona 2007.

BERNAL BLAY, Miguel Ángel: «Acerca de la transposición de las directivas comunitarias sobre contratación pública. Comentario a la STJCE de 13 de enero de 2005, AS. C-84-03 (*Comisión vs. Reino de España*), y el Real Decreto-Ley 5/2005, de 11 de marzo», en *Revista de Administración Pública*, núm. 168, septiembre-diciembre, 2005, p. 167-185.
– «Las encomiendas de gestión excluidas del ámbito de aplicación de la Ley de Contratos de las Administraciones Públicas. Una propuesta de interpretación del artículo 3.1 letra l) TRLCAP», en *Civitas. Revista Española de Derecho Administrativo*, núm. 129, enero-mayo 2006, p. 77-90.

BETANCOR RODRÍGUEZ, Andrés: *Las Administraciones Independientes: un reto para el Estado Social y Democrático de Derecho*, Ed. Tecnos, Madrid, 1994.

BETTI, Emilio: *Teoría general del negocio jurídico*, Ed. Revista de Derecho Privado, Madrid, 1970.

BOQUERA OLIVER, José Mª: *Estudios sobre el acto administrativo*, Ed. Civitas, séptima edición, Madrid 1993.
– «La caracterización del contrato administrativo en la reciente jurisprudencia francesa y española», en *Revista de Administración Pública*, núm. 23, enero-abril 1957, p. 193-210.
– «Los contratos de la Administración desde 1950 a hoy», en *Revista de Administración Pública*, núm. 150, septiembre-diciembre 1999, p. 13-32.

BOTTARI, Carlo (Coord.): *La riforma dil Titolo V, parte II della Costituzione*, Maggioli Editore, Santarcangelo di Romagna, 2003.

BOVIS, Christopher: «Developing public procurement regulation: jurisprudence and its influence on Law making», en *Common Market Law Review*, núm. 43, 2006, p. 461-495.
– «Public procurement in the European Union: a critical analysis of the new regime», en *Legal Issues of Economic Integration*, núm. 33, 2006, p. 29-59.
– «The new public procurement regime: A different perspective on the integration of public markets of the European Union», en *European Public Law*, vol. 12, 2006, p. 73-109.

BUSQUETS LÓPEZ, Miguel Ángel y CASTRO RAIMÓNDEZ, Javier: «Algunas conclusiones sobre la naturaleza y régimen jurídico de las encomiendas o encargos de gestión a medios propios a que se refieren los artículos 4.1 n) y 24 de la Ley 30/2007, de 30 de octubre, de Contratos del Sector Público», en *Auditoría Pública*, núm. 51, septiembre 2010, p. 65-86.

BUSTILLO BOLADO, Roberto O.: *Convenios y Contratos Administrativos: Transacción, Arbitraje y Terminación Convencional del Procedimiento*, Ed. Thomson-Aranzadi, segunda edición, Madrid 2005.

CALAFELL FERRÁN, Vicente Juan: *Los convenios entre Comunidades Autónomas*, Centro de Estudios Políticos y Constitucionales, Madrid 2006.

CALONGE VELÁZQUEZ, Antonio: «Un exponente de la problemática actual entre Comunidades Autónomas y Provincias: la gestión ordinaria de los servicios periféricos propios de la Comunidad Autónoma a través de las Diputaciones Provinciales», en *Revista de Estudios de la Administración Local y Autonómica* (REALA), núm. 232, octubre-diciembre 1986, p. 703-720.

CAMMELI, Marco: «I raccordi tra i livelli istituzionali», en *Le Istituzioni del Federalismo*, anno XXII, núm. 6, 2001, p. 1079-1102.
– «Delega amministrativa», en AA VV: *Enciclopedia Giuridica Treccani*, Ed. Treccani, volumen X, Roma 1988.

CANALS AMETLLER, Dolors: *El ejercicio por particulares de funciones de autoridad*, Ed. Comares, Granada 2003.

CARBALLEIRA RIVERA, Mª Teresa: «La cooperación interadministrativa en la LBRL», en *Revista de Estudios de la Administración Local y Autonómica*, núm. 257, enero-marzo 1993, p. 45-76.
-*La provincia en el sistema autonómico español*, Ed. Marcial Pons-Universidad de Santiago de Compostela, Madrid 1993.

CARBONELL PORRAS, Eloísa: «El título jurídico que habilita el ejercicio de la actividad de las sociedades mercantiles estatales de infraestructuras viarias ¿Convenio o contrato administrativo?», en COSCULLUELA MONTANER, Luís (Coord.): *Estudios de Derecho Público Económico. Libro homenaje al Prof. Dr. D. Sebastián Martín-Retortillo*, Ed. Civitas, Madrid 2003, p. 377-394.
– «La cooperación intermunicipal en la realización de las obras y los servicios locales (reflexiones a propósito de algunos mecanismos distintos de la creación de entidades supramunicipales)», en *Anuario de Derecho Municipal 2010*, núm. 4, Madrid 2011, p. 57-96.

CARETTI, Paolo: «L'utilizzazione degli uffici degli enti locali», en AA VV: *Scritti in onore di Constantino Mortati. Aspetti e tendenze del Diritto Costituzionale*, volumen II, Giuffrè Editore, Varesse, 1977, p. 585-601.

CARINGELLA, Francesco (Dir.): *L'ordinamento degli enti locali nel Testo Unico*, IPSOA, segunda edición, 2001.

CARRETERO PÉREZ, Adolfo: «Causa, motivo y fin del acto administrativo», en *Revista de Administración Pública*, núm. 58, 1969, p. 127-147.

CARRO FERNÁNDEZ-VALMAYOR, José Luis: «Autoorganización autonómica y entidades locales», en *Revista de Estudios de la Administración Local y Autonómica* (REALA), núm. 270, abril-junio 1996, 305-326.

CASES PALLARÉS, Lluis: *Derecho administrativo de la defensa de la competencia*, Ed. Marcial Pons, Madrid 1995.

CASSESE, Sabino (Dir.): *Dizionario di Diritto Pubblico*, volumen I, Giuffrè Editore, Milán 2006.
– *Istituzioni di Diritto Administrativo*, Ed. Giuffrè, Milán, 2004.

CASTÁN TOBEÑAS, José: *Derecho Civil español Común y Foral*, tomo IV, Ed. Reus, decimoquinta edición, Barcelona 1995.

CASTELLS ARTECHE, José Manuel: «El papel de las administraciones locales como primer nivel de administración», en AA VV: *Función ejecutiva y administración territorial*, Institut d'Estudis Autonòmics-Generalitat de Catalunya, Barcelona 1997, p. 123-142.

CASTRO PASCUAL, José Mª: «Encomienda de gestión, contrato administrativo, encargo de ejecución», en AA VV: *La administración instrumental. VIII Jornadas de Estudio del Gabinete Jurídico de la Junta de Andalucía*, Instituto Andaluz de Administración Pública, Sevilla 2005, p. 155-169.

CAVALIERI, Paolo: *Diritto regionale*, Ed. Cedam, Padua, 2000.

CEBRÍAN ABELLÁN, Manuel: *Las relaciones de los entes locales con otras entidades públicas*, Ed. Bayer Hnos., Barcelona 2005.

CHIEFI, Lorenzo, CLEMENTE DI SAN LUCA, Guido (Coord.): *Regioni ed enti locali dopo la riforma del Titolo V della Costituzione. Fra attuazione ed ipotesi di ulteriore revisioni*. G. Giappicheli Editore, Torí 2004.

CHOLBI CHACHÁ, Francisco Antonio; LÓPEZ OCAÑA, Francisco Manuel y PÉREZ COMPANY, Jorge: «Una solución a la gestión en el ámbito sancionador: la gestión compartida en el Ayuntamiento de Benidorm», en *El Consultor de los Ayuntamientos y de los Juzgados*, núm. 23-24, diciembre 2011, p. 2804-2816.

CLAVERÍA GOSALBEZ, Luis Humberto: *La causa del contrato*. Publicaciones del Real Colegio de España. Studia Albornotiana, Bolonia, 1998.

CLAVERO ARÉVALO, Manuel Francisco: «Personalidad jurídica, Derecho general y Derecho singular en las Administraciones autónomas», en *Documentación Administrativa*, núm. 58, octubre 1962, p. 13-37.

COLÁS TENAS, Jesús y MEDINA GUERRERO, Manuel (Coord.): *Estudios sobre la Ley de Contratos del Sector Público*, Fundación Democracia y Gobierno Local, Madrid 2009.

COLÁS TENAS, Jesús: «La contratación en las entidades locales tras la Ley de Contratos del sector público: aspectos prácticos e informes de las juntas consultivas», en *Cuadernos de Derecho Local*, núm. 21, octubre 2009, p. 40-53.

CORPACI, Alfredo: «Revisione del título V della parte seconda della Costituzione e sistema amministrativo», en *Le Regioni*, núm. 6, noviembre-diciembre 2001, p. 1315-1356.

COSCULLUELA MONTANER, Luis: *Manual de Derecho Administrativo*, Ed. Civitas-Thomson Reuters, vigésimo-segunda edición, Navarra 2011.

CRUZ VILLALÓN, Pedro: «La doctrina constitucional sobre el principio de cooperación», en CANO BUESO, Juan (Coord.): *Comunidades Autónomas y instrumentos de cooperación interterritorial*, Parlamento de Andalucía-Ed. Tecnos, Madrid 1990, p. 119-133.

CUETO PÉREZ, Miriam: *Procedimiento administrativo, sujetos privados y funciones públicas*, Ed. Thomson-Civitas, Navarra 2008.

CUOCOLO, Fausto: «Aspetti della delega delle funzioni amministrative Della Regioni agli Enti locali», en AA VV: *Scritti in onore di Constantino Mortati. Aspetti e tendenze del Diritto Costituzionale*, Giuffrè Editore, volumen 2, Varesse 1977, p. 637-675.

D'ALESSANDRO, Daniele: «Il riparto costituzionale delle funzioni amministrative» en GAMBINO, Silvio (Coord.), *Diritto regionale e degli enti locali*, Giufrè Editore, Milán 2003, p. 118-145.

D'ATENA, Antonio: *Le Regioni dopo il Big Bang*. Giuffrè Editore, Milán 2005.

DE CASTRO Y BRAVO, Federico: *El negocio jurídico*, Instituto de Estudios Jurídicos, Madrid 1967.

DE LA CUÉTARA, Juan Miguel: *Las potestades administrativas*, Ed. Tecnos, Madrid 1986.

DE LA QUADRA SALCEDO, Tomás: «La ejecución de obras por la Administración», en GÓMEZ-FERRER MORANT, Rafael (Dir.): *Comentarios a la Ley de Contratos de las Administraciones Públicas*, Ed. Thomson-Civitas, segunda edición, Madrid 2004, p. 889-941.

DE LA VALLINA Y VELARDE, Juan Luis: *Transferencia de funciones administrativas*, Instituto de Estudios de la Administración Local, Madrid 1964.

DE LOS MOZOS DE LOS MOZOS, José Luis: *Estudios de Derechos de los contratos, integración europea y codificación*, Centro de Estudios Registrales, Madrid 2005.

DE MARCOS, Ana: «Jurisprudencia constitucional sobre el principio de cooperación», en *Documentación Administrativa*, núm. 240, octubre-diciembre 1994, p. 265-351.

DE MARTIN, Gian Candido: «La funzione amministrativa tra regioni ed enti locali», en *Diritto Pubblico*, núm. 3, 2005, p. 975-997.

DE PALMA DEL TESO, Ángeles: *Los acuerdos procedimentales en el Derecho Administrativo*, Ed. Tirant lo Blanch, Valencia 2000.

DE PAULA BLASCO GASCÓ, Francisco et alii: *Derecho Civil. Parte General.*

Derecho de la Persona, Ed. Tirant lo Blanch, cuarta edición, Valencia 2003.

DE SOLAS RAFECAS, José María: *Contratos administrativos y contratos privados de la Administración*, Ed. Tecnos, Madrid 1990.

DELL'ANNO, Paolo: «Utilizzazione di Uffici (Avvalimento)», en CASSESE, Sabino (Dir.): *Dizionario di Diritto Pubblico*, volumen VI, Giuffrè Editore, Milan 2006, p. 6141-6145.

DEL SAZ CORDERO, Silvia: «La huída del Derecho Administrativo: últimas manifestaciones. Aplausos y críticas», en *Revista de Administración Pública*, núm. 133, enero-abril 1994, p. 57-98.
– «La nueva Ley de contratos del sector público. ¿Un nuevo traje con las mismas rayas?», en *Revista de Administración Pública*, núm. 174, septiembre-diciembre 2007, p. 335-366.
– *Los colegios profesionales*, Ed. Marcial Pons, Madrid 1996.

DELGADO DE MIGUEL, Juan Francisco (Coord.): *Instituciones de Derecho Privado*, tomo III (Obligaciones y contratos), volumen segundo, Ed. Thomson-Civitas-Consejo General del Notariado, Madrid 2003.

DELGADO PIQUERAS, Francisco: «Algunas aportaciones de la Ley de Régimen Jurídico de las Administraciones Públicas y del Procedimiento Administrativo Común al debate actual sobre la conceptualización del Derecho administrativo», en *Civitas. Revista española de Derecho Administrativo*, núm. 85, 1995, p. 27-47.
– *La terminación convencional del procedimiento administrativo*, Ed. Aranzadi, Navarra 1995.

DESDENTADO DAROCA, Eva: *La crisis de identidad del Derecho Administrativo. Privatización, huída de la regulación pública y autoridades independientes*, Ed. Tirant lo Blanch, Valencia, 1999, p. 155-164.
– «La motivación de los actos administrativos y su control. Reflexiones críticas sobre las últimas orientaciones», en *Revista Vasca de Administración Pública*, núm. 84, 2009, p. 85-134.

DIEZ-PICAZO, Luís: *Fundamentos de Derecho Civil Patrimonial*, volumen I, Ed. Civitas, quinta edición, Madrid 1996.
– *La representación en el Derecho Privado*, Ed. Civitas, Madrid 1979.

ENTRENA CUESTA, Rafael: «Consideraciones sobre la teoría general de los contratos de la Administración», en *Revista de Administración Pública*, núm. 24, septiembre-diciembre 1957, p. 39-74.

ESCUIN PALOP, Vicente M.: «La delegación de competencias de las Comunidades Autónomas a las Diputaciones Provinciales», en Dirección

General de lo Contencioso del Estado: *Organización territorial del Estado (Administración Local)*, volumen II, Instituto de Estudios Fiscales, Madrid 1985.

ESEVERRI MARTÍNEZ, Ernesto: «La organización de los servicios de gestión. Delegaciones y colaboración administrativa», en FERREIRO LAPATZA, José Juan (Coord.): *Tratado de Derecho Financiero y Tributario Local*, Ed. Marcial Pons, Madrid 1993, p. 203-222.

FANLO LORAS, Antonio: *Fundamentos constitucionales de la autonomía local*, Centro de Estudios Constitucionales, Madrid 1990.

FERNÁNDEZ ALLES, José Joaquín: «Bases para una teoría constitucional española sobre relaciones intergubernamentales», en *Revista Española de Derecho Constitucional*, núm. 7, septiembre-diciembre, 2004, p. 51-86.

FERNÁNDEZ DE VELASCO, Recaredo: *Los contratos administrativos*, Librería General de Victoriano Suárez, Madrid 1927.

FERNÁNDEZ FARRERES, Germán: *La contribución del Tribunal Constitucional al Estado Autonómico*, Ed. Iustel, Madrid 2005.
– «La delegación de competencias y la encomienda de gestión», en *Anuario de Gobierno Local 1997*, Institut de Dret Públic –Marcial Pons– Diputació de Barcelona, Barcelona 1998, p. 119-152.
– «Las encomiendas de gestión» en AJA FERNÁNDEZ, Eliseo (Dir.): *Informe Comunidades Autónomas 1995*, volumen I, Institut de Dret Públic, Barcelona 1996, p. 667-685.
– «Los mecanismos para la ampliación de las competencias ejecutivas de las comunidades autónomas: la transferencia, la delegación, el encargo de gestión, los convenios y los consorcios», en AA VV: *Función ejecutiva y administración territorial. Seminario, Barcelona 9 de octubre de 1996*, Institut d'Estudis Autonòmics-Generalitat de Catalunya, Barcelona 1997, p. 11-30.

FERNÁNDEZ MONTALVO, Rafael: *Relaciones interadministrativas de colaboración y cooperación*, Ed. Marcial Pons-Diputació de Barcelona, Madrid 2000.

FERNÁNDEZ RODRÍGUEZ, Tomás Ramón: *Arbitrariedad y discrecionalidad*, Ed. Civitas, Madrid 1991.

FONT I LLOVET, Tomàs (Coord.): *Dret Local. Ordenances, activitats i serveis públics*, Departament de Dret Administratiu i Dret Procesal. Universitat de Barcelona-Edicions Universitat de Barcelona-Ed. Marcial Pons-Publicacions Universitat Autònoma de Barcelona, Barcelona 1997.

Font i Llovet, Tomàs (Dir.): *Informe sobre el Gobierno Local*, Ministerio de Administraciones Públicas-Fundació Pi i Sunyer, Madrid 1992.

Font i Llovet, Tomàs y Jiménez Asensio, Rafael (Coords.): *La Carta Municipal de Barcelona. Diez Estudios*. Fundació Carles Pi i Sunyer-Ed. Marcial Pons, Madrid 2007

Font i Llovet, Tomàs: «Cooperación bilateral y cooperación multilateral: el papel de los hechos diferenciales en la cooperación», en *Revista de Estudios Autonómicos*, núm. 1, enero-junio 2002, p. 37-54.

- *Gobierno local y Estado Autonómico*, Fundación Democracia y Gobierno Local, Madrid 2008.
- «La Administración institucional de las Comunidades Autónomas: notas sobre la Generalitat de Cataluña», en *Revista de Administración Pública*, núm. 93, 1980, p. 313-340.
- «La administración plural. Caracteres generales del régimen de las Administraciones Públicas», en Tornos Mas, Joaquín (Coord.): *Administración Pública y procedimiento administrativo. Comentarios a la Ley 30/1992*, Departamento de Derecho Administrativo y Derecho Procesal. Universidad de Barcelona-Ed. Bosch, Barcelona 1994, p. 57-78.
- «La diversificación de la potestad normativa: la autonomía municipal y la autoadministración corporativa», en *Derecho Privado y Constitución*, núm. 17, enero-diciembre, 2003, p. 253-268.
- «La evolución del gobierno local en España: de los nuevos principios a la geometría variable», en *Anuario del Gobierno Local 2000*, Institut de Dret Públic-Ed. Marcial Pons, Madrid 2000, p. 13-35.
- «La reconstrucción jurídica de la autonomía local: el gobierno local y la reforma de los estatutos», en *Anuario del Gobierno Local 2003*, Ed. Fundación Democracia y Gobierno Local-Instituto de Derecho Público, Barcelona 2004.
- «La simplificación de la Administración periférica estatal: técnicas para avanzar en el proceso y medios de supervisión», en AA VV: *La Administración del Estado en las Comunidades Autónomas*, Institut d'Estudis Autonòmics, Barcelona 1997.
- «Tendencias organizativas en la Administración de las Comunidades Autónomas» en *Revista Vasca de Administración Pública*, núm. 6, 1983, p. 217-236.

Franchini, Flaminio: *La delegazione amministrativa*, Giuffrè Editore, Milan, 1950.

Fuertes López, Mercedes: «De la libertad para configurar empresas pú-

blicas (A propósito de la sentencia del Tribunal Supremo de 30 de enero de 2008)», en *Civitas. Revista española de Derecho Administrativo*, núm. 138, abril-junio 2008, p. 331-340.
  - *El contratista y el subcontratista ante las Administraciones Públicas*, Ed. Marcial Pons, Madrid 1997.
  - «Personificaciones públicas y contratos administrativos. La última doctrina del Tribunal de Justicia de las Comunidades Europeas», en *Revista de Estudios de la Administración Local y Autonómica* (REALA), núm. 279, enero-abril 1999, p. 25-34

GALÁN DEL FRESNO, Juan Manuel: «Las encomiendas de gestión en la Ley de Contratos del Sector Público», en *Contratación Administrativa Práctica*, núm. 90, 2009, p. 29-36.

GALÁN GALÁN, Alfredo (Ed.): *La descentralització de competències de la Generalitat als ens locals de Catalunya*, volumen I, Fundació Carles Pi i Sunyer d'Estudis Locals i Autonòmics, Barcelona 2006.

GALÁN GALÁN, Alfredo y GRACIA RETORTILLO, Ricard en *Revista Catalana de Dret Públic. Especial Sentencia 31/2010 del Tribunal Constitucional, sobre el Estatuto de autonomía de Cataluña de 2006*, núm. Extra, 2010, p. 213-248.

GALÁN GALÁN, Alfredo y PRIETO ROMERO, Cayetano (Dirs.): *El ejercicio de funciones públicas por entidades privadas colaboradoras de la Administración*, Ed. Huygens-Ayuntamiento de Madrid, Barcelona, 2010.

GALÁN GALÁN, Alfredo y PRIETO ROMERO, Cayetano: «El ejercicio de funciones públicas por entidades colaboradoras de la Administración», en *Anuario de Derecho Municipal 2008*, núm. 2, Madrid 2009, p. 63-104.

GALÁN GALÁN, Alfredo: *El reglamento orgánico local*, INAP, Madrid 2004.
  - «El sistema de administraciones públicas de Cataluña», en TORNOS MAS, Joaquín (Coord.): *Comentarios a la Ley 26/2010, de 3 de agosto, de Régimen Jurídico y Procedimiento de las Administraciones Públicas de Cataluña*, Madrid 2012, p. 135-186.
  - *La potestad normativa autónoma local*, Ed. Atelier, Barcelona 2001.

GALLEGO ANABITARTE, Alfredo y DE MARCOS FERNÁNDEZ, Ana: *Derecho Administrativo I (Materiales)*, Ed. Molloy, Madrid 1989.

GALLEGO ANABITARTE, Alfredo: *Conceptos y principios del Derecho de Organización*, Ed. Marcial Pons, Madrid 2001.
  - «Transferencia y descentralización; delegación y desconcentración; mandato y gestión o encomienda», en *Revista de Administración Pública*, núm. 122, mayo-agosto 1990, p. 7-102.

GÁLVEZ, Javier: «Nulidad del convenio celebrado entre dos Ministerios y legitimación para recurrir», en *Civitas. Revista Española de Derecho Administrativo*, núm. 21, abril-junio, 1979, p. 286-288.

GAMBINO, Silvio (Dir.): *Diritto regionale e degli enti locali*, Giuffrè Editore, Milan, 2003.

GARAFOLI, Roberto y FERRARI, Giulia: *Manuale di Diritto Amministrativo*, Nel Diritto Editore, segunda edición, Roma 2009.

GARCÍA DE ENTERRÍA, Eduardo y FERNÁNDEZ RODRÍGUEZ, Tomás Ramón: *Curso de Derecho Administrativo I*, Ed. Civitas, undécima edición, Madrid 2002.

GARCÍA DE ENTERRÍA, Eduardo: «Ámbito de aplicación de la Ley (Arts. 1 a 9, inclusive», en GÓMEZ-FERRER MORANT, Rafael (Dir.): *Comentario a la Ley de Contratos de las Administraciones Públicas*, Ed. Thomson-Civitas, segunda edición, Navarra 2004, p. 81-122.
– «Estudio preliminar», en GARCÍA DE ENTERRÍA, Eduardo (Coord.): *La distribución de competencias económicas entre el poder central y las autonomías territoriales en el Derecho comparado y en la Constitución española*, Instituto de Estudios Económicos, Madrid 1980, p. 20-34.
– «La figura del contrato administrativo», en *Revista de Administración Pública*, núm. 41, mayo-agosto 1963, p. 99-128.
– *La Administración española: estudios de ciencia administrativa*, Ed. Civitas, sexta edición, Madrid 1999.

GARCÍA GÓMEZ DE MERCADO, Francisco (Coord.): *Manual de contratación del Sector Público. Estudio sistemático de las obligaciones de la Hacienda Pública, los contratos y convenios de la Administración y del resto del Sector Público*, Ed. Comares, Granada 2011.

GARCÍA MORALES, María Jesús: «la intervención de los Parlamentos en los convenios suscritos entre el Estado y las Comunidades Autónomas», en *Revista Jurídica de Navarra*, núm. 14, julio-diciembre 1992, p. 39-88.

GARRIDO FALLA, Fernando y FERNÁNDEZ PASTRANA, José Mª: *Régimen Jurídico y Procedimiento de las Administraciones Públicas (Un estudio de las Leyes 30/1992 y 4/1999)*, Ed. Civitas, tercera edición, Madrid 2000.

GARRIDO FALLA, Fernando, PALOMAR OLMEDA, Alberto y LOSADA GONZÁLEZ, Herminio: *Tratado de Derecho Administrativo*, volumen II, Ed. Tecnos, duodécima edición, Madrid 2006.

GIANNINI, Masimo Severo: «Autonomia», en *Rivista Trimestrale di Diritto Pubblico*, núm. 4, 1951, p. 851-883.

– *Diritto Administrativo*, volumen II, tercera edición, Ed. Giuffrè, Milán, 1993.

GIMENO FELIÚ, José María (Coord.): *Contratación de las Administraciones Públicas: análisis de la nueva normativa sobre contratación pública*, Ed. Atelier, Barcelona, 2004.

GIMENO FELIÚ, José María (Ed.): *El Derecho de los Contratos del Sector Público*, Monografías de la Revista aragonesa de Administración Pública, Gobierno de Aragón, Zaragoza 2008.

GIMENO FELIÚ, José María: «El ámbito objetivo de aplicación de la LCSP. Tipología contractual y negocios jurídicos excluidos», en *Cuadernos de Derecho Local*, núm. 22, febrero de 2010, p. 43-82.

– «El nuevo ámbito subjetivo de aplicación de la Ley de Contratos del Sector Público: luces y sombras», en *Revista de Administración Pública*, núm. 176, 2008, p. 9-54.

– «Encargos de ejecución a medios propios», en BERMEJO VERA, José (Dir.): *Diccionario de Contratación Pública*, Ed. Iustel, Madrid 2009, p. 313-321.

– «La problemática del encargo de prestaciones a entes instrumentales propios: alcance de la jurisprudencia comunitaria», en TORNOS MAS, Joaquín (Dir.): *Informe Comunidades Autónomas 2005*, Institut de Dret Públic, Barcelona 2006, p. 838-855.

– «Problemas actuales de la Administración Municipal desde la perspectiva del derecho comunitario: incidencia en la organización administrativa de las normas de contratación pública», en *Revista Andaluza de Administración Pública*, núm. 71-72, 2008, p. 139-188.

– *Contratos públicos: ámbito de aplicación y procedimiento de adjudicación (La incidencia de las Directivas comunitarias en el ordenamiento jurídico español)*, Ed. Civitas, Madrid 2003.

– *La nueva contratación pública europea y su incidencia en la legislación española. La necesaria adopción de una nueva ley de contratos públicos y propuestas de reforma*, Ed. Thomson-Civitas, Navarra 2006.

– *Novedades de la Ley 30/2007 de 30 de octubre en la regulación de la adjudicación de los contratos públicos*, Ed. Aranzadi, Madrid 2010.

GONZÁLEZ ENCINAR, José Juan: *El Estado unitario-federal*, Ed. Tecnos, Temas clave de la Constitución española, Madrid 1985.

GONZÁLEZ GARCÍA, Julio V.: «Medios propios de la Administración, colaboración interadministrativa y sometimiento a la normativa comunitaria de contratación. Comentario a la sentencia del Tribunal de Justicia de las Comunidades Europeas de 19 de abril de 2007: cuestión prejudicial planteada por el Tribunal Supremo en el asunto *Asemfo c. Tragsa y Administración General del Estado*», en *Revista de Administración Pública*, núm. 173, mayo-agosto 2007, p. 217-237.

GONZÁLEZ IGLESIAS, Miguel: *El contrato administrativo de consultoría y asistencia*, Ed. Marcial Pons, Madrid 2002.

GONZÁLEZ PÉREZ, Jesús y GONZÁLEZ NAVARRO, Francisco: *Comentarios a la Ley de Régimen Jurídico de las Administraciones Públicas y del Procedimiento Administrativo Común*, volumen I, Ed. Thomson-Civitas, cuarta edición, Navarra 2007.

GONZÁLEZ NAVARRO, Francisco: «De la delegación, avocación y sustitución interorgánica, y de algunos de sus falsos hermanos», en MUÑOZ MACHADO, Santiago (Dir.): *Tratado de Derecho Municipal*, volumen I, Ed. Civitas, segunda edición, Madrid 2003, p. 302-378.
   – «Transferencia del ejercicio de competencias administrativas», en *Documentación Administrativa*, núm. 135, abril-junio 1970, p. 35-88.

GONZÁLEZ-ANTÓN ÁLVAREZ, Carlos: *Los convenios interadministrativos de los entes locales*, Ed. Montecorvo, Madrid 2002.

GONZÁLEZ-VARAS IBÁÑEZ, Santiago: *El contrato administrativo*, Ed. Civitas, Madrid 2003.
   – «¿Una tesis sustancialista del contrato administrativo?», en *Revista de Estudios de la Administración Local y Autonómica*, núm. 279, enero-abril 1999, p. 35-68.
   – «Claves del nuevo Derecho administrativo económico», en *Civitas. Revista Española de Derecho Administrativo*, núm.135, 2007, p. 421-424.

GOSÁLBEZ PEQUEÑO, Humberto: *El contratista de la Administración Pública*, Ed. Marcial Pons, Madrid 2000.

GRACIA RETORTILLO, Ricard y VILALTA REIXACH, Marc: «Las relaciones interadministrativas de las administraciones públicas de Cataluña», en TORNOS MAS, Joaquín (Coord.): *Comentarios a la Ley 26/2010, de 3 de agosto, de Régimen Jurídico y Procedimiento de las Administraciones Públicas de Cataluña*, Madrid 2012, p. 663-717.

GRACIA RETORTILLO, Ricard: «El nivel supramunicipal de gobierno local en Alemania», en *Revista d'Estudis Federals i Autonòmics*, núm. 11, octubre 2010, p. 83-141.
   – *La veguería como gobierno local intermedio en Cataluña. Encaje constitucional de su regulación estatutaria*, Ed. Huygens, Barcelona 2008.

GRIFO BENEDICTO, Mª Amparo: *Las Entidades Locales y las Relaciones Inte-radministrativas*, Ed. Iustel, Madrid 2009.

GROPPI, Tania y OLIVETTI, Marco (Dir.): *La Repubblica delle Autonomie. Regione ed enti locali nel nuovo Título V*, G. Giappichelli Editore, Torino, 2001.

HERNANDO OREJANA, Luis Carlos: *La encomienda de gestión*, Colegio Universitario de Segovia, Segovia 1998.
  – «La encomienda de gestión», en *Actualidad Administrativa*, núm. 2, 1998, p. 17-42.

HUERGO LORA, Alejandro: «El derecho español de contratos públicos y el Derecho comunitario», en *Civitas. Revista española de Derecho Administrativo*, núm. 126, abril-junio 2005, p. 217-247.
  – «La libertad de empresa y la colaboración preferente de las administraciones con empresas públicas», en *Revista de Administración Pública*, núm. 154, enero-abril 2001, p. 129-171.
  – *Los contratos sobre los actos y las potestades administrativas*, Ed. Civitas, Madrid 1998.

JIMÉNEZ APARICIO, Emilio (Coord.): *Comentarios a la Legislación de Contratación Pública*, Tomo I, Ed. Aranzadi-Thomson Reuters, tercera edición, Navarra, 2009.

JIMÉNEZ ASENSIO, Rafael: *La «Administración única» en el Estado Autonómico*, Institut d'Estudis Autonòmics-Marcial Pons, Madrid 1998.

JIMÉNEZ BLANCO CARRILLO DE ALBORNOZ, Antonio: «Convenios de colaboración entre el Estado y las Comunidades Autónomas», en *Documentación Administrativa*, núm. 240, octubre-diciembre 1994, p. 93-106

KOTSONIS, Totis: «Co-operative arrangements between public authorities in the pursuit of a public interest task: Commission of the European Communities v Federal Republic of Germany (C-480-06)», en *Public Procurement Law Review*, núm. 6, 2009, p. 212-216.

LAGUNA DE PAZ, José Carlos: *Servicios de interés económico general*, Ed. Civitas-Thomson Reuters, Navarra 2009.

LEGUINA VILLA, Jesús y SÁNCHEZ MORÓN, Miguel (Dir.): *La nueva Ley de Régimen Jurídico de las Administraciones Públicas y del Procedimiento Administrativo Común*, Ed. Tecnos, Madrid 1992.

LLISET BORRELL, Francesc: «Los convenios interadministrativos de los entes locales», en *Civitas. Revista española de Derecho Administrativo*, núm. 67, julio-septiembre 1990, p. 389-400.

– «El convenio de cooperación institucional del área metropolitana de Barcelona», en *Civitas. Revista Española de Derecho Administrativo*, núm. 76, octubre-diciembre 1992, p. 645-650.

LLISET CANELLES, Annabel: «Incidencia de la figura de los convenios de cooperación interadministrativa en la teoría de las formas de gestión de los servicios públicos», en *El Consultor de los Ayuntamientos y de los Juzgados*, núm. 11, Junio 1997, p. 1619-1628.

LÓPEZ GONZÁLEZ, Enrique: «Una aproximación de la Ciencia de la Administración al análisis conceptual del principio de eficacia como guía reacción de la Administración Pública», en *Documentación Administrativa*, núm. 218-219, 1989, p. 67-96.

LÓPEZ MENUDO, Francisco: «Los organismos públicos», en CANO CAMPOS, Tomás (Coord.): *Lecciones y materiales para el estudio del Derecho Administrativo*, volumen II, Ed. Iustel, Madrid 2009, p. 223-251.
– «Tipología de entes de la Administración Institucional. Régimen Jurídico de los Organismos Autónomos y de las Entidades Públicas Empresariales», en *Cuadernos de Derecho Judicial*, núm. 8, 2004, p. 93-162.

LÓPEZ RAMÓN, Fernando: «Reflexiones sobre el ámbito de aplicación de la Ley de Régimen Jurídico de las Administraciones Públicas», en *Revista de Administración Pública*, núm. 130, enero-abril 1993, p. 97-130.

LUCAS MURILLO DE LA CUEVA, Enrique: «Órganos de las Administraciones Públicas (Artículos 11 a 29)», en PENDAS GARCÍA, Benigno (Coord.): *Administraciones Públicas y ciudadanos (Comentario sistemático de la Ley 30/1992, de 26 de noviembre, de Régimen Jurídico de las Administraciones Públicas y del Procedimiento Administrativo Común)*, Ed. Praxis, Barcelona, 1993, p. 219-272.

MAGIDE HERRERO, Mariano: *Límites constitucionales de las Administraciones Independientes*, INAP, colección Estudios, Madrid 2000.

MALARET I GARCÍA, Elisenda: «El Derecho de la Administración Pública», en AA VV: *Derecho público y Derecho Privado en la actuación de la Administración Pública*, Ed. Marcial Pons. Madrid 1999.
– *Público y privado en la organización de los Juegos Olímpicos de Barcelona 1992*, Ed. Civitas, Madrid 1992.

MALARET GARCÍA, Elisenda y MARSAL FERRET, Marc: *Las fundaciones de iniciativa pública: un régimen jurídico en construcción*, Fundació Carles Pi i Sunyer, Barcelona 2005.

MANTECA VALDELANDE, Víctor: «La encomienda de gestión (I)», en *Actualidad Administrativa*, núm. 4, febrero 2009.
– «La encomienda de gestión (y II), en *Actualidad Administrativa*, núm. 5, marzo 2009, p. 615-623.

MARCHEGIANI, Giannangelo: «La Cour de Justice Européenne ignore sa jurisprudence en matière d'organismes de droit public lorsqu'ell examine des cas des marches in-house», en *Revue du Marché Commun et de l'Unnion Européenne*, núm. 512, octubre-noviembre 2007.

MARTÍN HUERTA, Pablo: *Los convenios interadministrativos*, Instituto Nacional de Administración Pública, Madrid 2000.

MARTÍN MATEO, Ramón: «El Gobierno municipal» en *Revista de Estudios de la Administración Local y Autonómica*, núm. 227, 1985, p. 409-430.
– *Los consorcios locales*, Instituto de Estudios de la Administración Local, Madrid 1970.
– *Los entes locales complejos: mancomunidades, agrupaciones, consorcios, comarcas áreas metropolitanas*, Ed. Trivium, Madrid 1987.

MARTÍN REBOLLO, Luis: «La Administración en la Constitución (art.103 a 107)», en *Revista de Estudios Políticos*, núm. 37, 1992, p. 51-82.
– «Las nuevas formas de Administración autónoma y las Empresas Públicas en las relaciones de colaboración entre Comunidades Autónomas», en AA VV: *Las relaciones interadministrativas de cooperación y colaboración. Seminario celebrado en Barcelona el 7 de mayo de 1993*, Institut d'Estudis Autonòmics, Barcelona 1993, p. 87-110.
– «Sociedad, economía y Estado (A propósito del viejo regeneracionismo y el nuevo servicio público)», en COSCULLUELA MONTANER, Luis (Coord.): *Estudios de Derecho Público Económico: libro homenaje al Prof. Dr. D. Sebastián Martín-Retortillo*, Ed. Civitas, Madrid 2003, p. 611-648.

MARTÍN REBOLLO, Luis y PANTALEÓN PRIETO, Fernando: «Exigibilidad de los convenios interadministrativos y consecuencias patrimoniales de su incumplimiento», en AA VV: *Escritos Jurídicos en memoria de Luis Mateo Rodríguez*, tomo I: Derecho Público, Universidad de Cantabria, Santander 1993, p. 305-329.

MARTIN-RETORTILLO BAQUER, Sebastián (Dir.): *Derecho Administrativo Económico*, volumen I, Ed. La Ley, Madrid 1988.

MARTÍN-RETORTILLO BAQUER, Sebastián (Dir.): *Descentralización administrativa y organización política*, tomo II, Ed. Alfaguara, Madrid 1973.

MARTÍN-RETORTILLO BAQUER, Sebastián: «De la simplificación de la Administración Pública», en *Revista de Administración Pública*, núm. 147, septiembre-diciembre 1998, p. 7-37.

– *El Derecho Civil en la génesis del Derecho Administrativo*, Ed. Civitas, Madrid 1996.

– «La institución contractual en el Derecho Administrativo: en torno al problema de la igualdad de las partes», en *Revista de Administración Pública*, núm. 29, 1959, p. 59-102.

– «Reflexiones sobre la huida del Derecho Administrativo», en *Revista de Administración Pública*, núm. 140, 1996, p. 25-68.

MARTÍN-RETORTILLO, Lorenzo (Coord.): *Los colegios profesionales a la luz de la Constitución*, Ed. Civitas, Madrid 1998.

MARTÍNEZ DE AGUIRRE ALDAZ, Carlos (Coord.): *Curso de Derecho Civil*, volumen II (Derecho de obligaciones), Ed. Colex, Madrid 2008.

MARTÍNEZ-ALONSO CAMPS, José Luis: «La encomienda de la gestión informatizada de los padrones municipales de habitantes: un ejemplo de colaboración entre Administraciones Públicas», en *Revista de Estudios de la Administración Local y Autonómica* (REALA), núm. 276, enero-abril 1998, p. 151-177.

MARTÍNEZ-ALONSO CAMPS, José Luis y ROIG MOLÉS, Eduard: «Mecanismes i procediments d'increment competencial», en GALÁN GALÁN, Alfredo (Ed.): *La descentralització de competències de la Generalitat de Catalunya als ens locals*, volum I: estudi general, Fundació Carles Pi i Sunyer, Barcelona 2006, p. 155-182.

MARTÍNEZ-ALONSO CAMPS, José Luis y YSA FIGUERES, Tamiko: *Les personificacions instrumentals locals a Catalunya: organismes autònoms, consorcis, mancomunitats i societats públiques*, EAPC, segunda edición, Barcelona 2003.

MAURI MAJÓS, Joan: «Administraciones públicas, sus relaciones y los órganos administrativos», en TORNOS MAS, Joaquín (Coord.): *Administración Pública y procedimiento administrativo. Comentarios a la Ley 30/1992*, Ed. Bosch-Departamento de Derecho Administrativo y Procesal. Universidad de Barcelona, Barcelona, 1994, p. 79-120.

MEILÁN GIL, José Luis: «La actuación contractual de la Administración Pública española. Una perspectiva histórica», en *Revista de Administración Pública*, núm. 99, septiembre-diciembre 1982, p. 7-36.

– *Las estructura de los contratos públicos. Norma, acto y contrato*, Ed. Iustel, Madrid 2008.

MENÉNDEZ REXACH, Ángel: «La aplicación de la Ley 30/1992 a las entidades públicas empresariales», en *Cuadernos de Derecho Judicial*, núm. 18, 1997, p. 13-50.

– «La cooperación, ¿un concepto jurídico?», en *Documentación Administrativa*, núm. 240, octubre-diciembre, 1994, p. 11-49.

– *Los convenios entre Comunidades Autónomas: comentario al artículo 145.2 de la Constitución*, Instituto de Estudios de Administración Local, Madrid 1982.

MESEGUER YEBRA, Joaquín: *La competencia administrativa y sus modulaciones (I)*, Ed. Bosch, Barcelona 2001.

– «La delegación de firma como técnica de modulación competencial interorgánica: régimen jurídico y aplicación práctica: virtudes y defectos», en *Revista Aragonesa de Administración Pública*, núm. 25, 2004, p. 265-284.

– «La encomienda de gestión como técnica de modulación competencial interorgánica. Régimen jurídico y aplicación práctica: virtudes y defectos», *Revista Galega de Administración Pública* (REGAP), núm. 38, Septiembre-Diciembre 2004, p. 123-143.

– «Las técnicas *menores* en la flexibilización competencial interorgánica: encomienda de gestión, delegación de firma y suplencia», en *Revista Jurídica de Castilla-La Mancha*, núm. 33, septiembre, 2002, p. 113-137.

MIGUEZ MACHO, Luis: «Las formas de colaboración público-privada en el Derecho español», en *Revista de Administración Pública*, núm. 175, enero-abril 008, p. 157-215.

MINTZBERG, Henry: *La estructuración de las organizaciones*, Ed. Ariel, octava reimpresión, Barcelona 2005.

MONEDERO GIL, José Ignacio: *Doctrina del Contrato del Estado*, Instituto de Estudios Fiscales, Madrid 1977.

MONTOYA MARTÍN, Encarnación: «La reciente jurisprudencia del Tribunal de Justicia de la Unión Europea acerca del concepto de poder adjudicador en las Directivas de contratación pública, servicios, suministros y obras», en *Revista Andaluza de Administración Pública*, núm. 41, 2001, p. 121-154.

– *Las empresas públicas sometidas al Derecho Privado*, Ed. Marcial Pons, Madrid 1996.

– *Las entidades públicas empresariales en el ámbito local*, Ed. Iustel, Madrid 2006.

– *Los medios propios o servicios técnicos en la Ley de contratos del sector público. Su incidencia en la gestión de los servicios públicos locales*, Fundación Democracia y Gobierno Local, Serie Claves del Gobierno Local 9, Barcelona 2009.

MORALES GUTIÉRREZ, Alfonso Carlos: *Análisis y diseño de sistemas organizativos*, Ed. Civitas, Madrid 2004.

MORELL OCAÑA, Luis: «Encomiendas de funciones», en *El Consultor de los Ayuntamientos y de los Juzgados*, núm. 19, Octubre 2004, p. 3132-3140.
– *Curso de Derecho Administrativo, I*, Ed. Aranzadi, tercera edición, Pamplona 1998.
– «Una teoría de la cooperación», en *Documentación Administrativa*, núm. 240, octubre-diciembre 1994, p. 51-70.
– *La delegación entre entes públicos en el Derecho español*, Instituto de Estudios de la Administración Local, Madrid 1972.
– «La provincia en la configuración y ordenación territorial de las Comunidades Autónomas», en *Civitas. Revista Española de Derecho Administrativo*, núm. 31, 1981, p. 613-630.

MORENO MOLINA, José Antonio: «El ámbito objetivo de aplicación de la Ley de Contratos del Sector Público», en *Documentación Administrativa*, núm. 274-275, enero-agosto 2006, p. 45-92.
– «La falta de adecuación de la Ley española de Contratos del Sector Público al Derecho comunitario europeo», en AA VV: *Agua, territorio, cambio climático y Derecho Administrativo*, Monografías de la Revista Aragonesa de Administración Pública núm. 11, Zaragoza 2009, p. 337-354.
– *La nueva Ley de Contratos del Sector Público. Estudio sistemático*, Ed. La Ley, Madrid 2009.
– *Los principios generales de la contratación de las Administraciones Públicas*, Ed. Bomarzo, Albacete, 2006.
– «Reciente evolución del derecho público en el ámbito de la contratación pública. La tendencia hacia la formación de un derecho común», en *Contratación Administrativa Práctica*, núm. 34, 2004, p. 28-53

MORENO MOLINA, José Antonio y PLEITE GUADAMILLAS, Francisco: *Nuevo régimen de contratación administrativa*, Ed. La Ley, Madrid 2003.

MORENO REBATO, Mar: «Circulares, instrucciones y órdenes de servicio», en *Revista de Administración Pública*, núm. 147, septiembre-diciembre 1998, p. 159-200.

MORTATI, Constantino: «Considerazioni su alcuni aspetti dell'ordinamento regionale», en AA VV: *Studi sulla Costituzione*, volumen III, Giuffrè Editore, Milan 1958, p. 816-817.

MUÑOZ MACHADO, Santiago (Dir.): *Tratado de Derecho Municipal*, volumen I, Ed. Thomson-Civitas, segunda edición, Madrid 2003.

MUÑOZ MACHADO, Santiago: *Derecho Público de las Comunidades Autónomas*, volumen II, Ed. Civitas, Madrid 1982.
– «La noción de empresa pública, la libre competencia y los límites del principio de neutralidad», en PÉREZ MORENO, Alfonso (Coord.): *Administración instrumental: libro homenaje a Manuel Francisco Clavero Arévalo*, volumen II, Ed. Civitas-Instituto García Oviedo, Madrid 1994, p. 1251-1282.

MUÑOZ MACHADO, Santiago: *Tratado de Derecho Administrativo y Derecho Público General*, volumen III, Ed. Iustel, Madrid 2009.

NIETO GARCÍA, Alejandro: «La jerarquía administrativa», en *Documentación Administrativa*, núm. 229, enero-marzo 1992, p. 11-64.

NIETO GARRIDO, Eva: *El consorcio administrativo*, Ed. Marcial Pons, Barcelona 1997.

NOGUERA DE LA MUELA, Belén: «Los encargos *in house* en la Ley de Contratos del Sector Público (LCSP): especial referencia a los mismos en el ámbito local a la luz de la reciente jurisprudencia comunitaria», en *Revista de Administración Pública*, núm. 182, mayo-agosto 2010, p. 159-190.
– *El ámbito subjetivo de aplicación de la nueva Ley de Contratos de las administraciones públicas*, Ed. Atelier, Barcelona 2000.

ORRIOLS I SALLÉS, Maria Àngels: «Los consorcios legales previstos en la Carta Municipal de Barcelona», en FONT I LLOVET, Tomàs y JIMÉNEZ ASENSIO, Rafael (Coords.): *La Carta Municipal de Barcelona. Diez Estudios*, Fundació Carles Pi i Sunyer-Ed. Marcial Pons, Madrid 2007, p. 199-214.

ORTEGA ÁLVAREZ, Luis y PUERTA SEGUIDO, Francisco: «Artículo 8», en REBOLLO PUIG, Manuel (Dir.): *Comentarios a la Ley Reguladora de las Bases del Régimen Local*, tomo I, Ed. Tirant lo Blanch, Valencia 2006, p. 197-206.

ORTEGA ÁLVAREZ, Luis: «El reto dogmático del principio de eficacia», en *Revista de Administración Pública*, núm. 133, enero-abril 1994, p. 7-16.
– «Órganos de las Administraciones Públicas», en LEGUINA VILLA, Jesús y SÁNCHEZ MORÓN, Miguel (Dir.): *La nueva Ley de Régimen Jurídico de las Administraciones Públicas y del Procedimiento Administrativo Común*, Ed. Tecnos, Madrid, 1993, p. 71-83.
– «Pluralidad de administraciones y técnicas organizativas», en CANO

Campos, Tomás (Coord.): *Lecciones y materiales para el estudio del Derecho Administrativo*, tomo II, Ed. Iustel, Madrid 2010, p. 39-74.

Ortiz Mallol, José: «La causa como elemento definidor del contrato de consultoría y servicios: contrato *versus* convenio interadministrativo y entre Administración Pública y una entidad sin ánimo de lucro», [En línea] en *Diario la Ley*, 2000.
– «La relación de dependencia de las entidades instrumentales de la Administración Pública: algunas notas», en *Revista de Administración Pública*, núm. 163, enero-abril, 2004, p. 245-278.

Ortiz Vaamonde, Santiago: *El levantamiento del velo en el Derecho Administrativo. Régimen de contratación de los entes instrumentales de la Administración, entre sí y con terceros.* Ed. La Ley, Madrid 2004.

Ossorio Morales, Juan: «Notas para una teoría general del contrato», en *Revista de Derecho Privado*, 1965, p. 1071-1108.

Pacchiarotti, Andrea: *Federalismo amministrativo e riforma costituzionale delle autonomie*, Maggioli Editore, Santarcangelo di Romagna, 2004.

Padrós Reig, Carlos: «La articulación del concepto de colaboración desde el punto de vista del ordenamiento administrativo», en *Civitas. Revista española de Derecho Administrativo*, núm. 142, abril-junio, 2009, p. 251-287.

Parada Vázquez, Ramón: *Los orígenes del contrato administrativo en el Derecho español*, Instituto García Oviedo, Sevilla, 1963.
– *Régimen Jurídico de las Administraciones Públicas y Procedimiento Administrativo Común (Estudio, comentarios y texto de la Ley 30/1992, de 26 de noviembre)*, Ed. Marcial Pons, Madrid 1999.

Parejo Alfonso, Luciano: «El Estado social administrativo: algunas reflexiones sobre la crisis de las prestaciones y los servicios públicos», en *Revista de Administración Pública*, núm. 153, Septiembre-diciembre 2000, p. 217-250
– *Derecho Administrativo. Instituciones generales: Bases, Fuentes, Organización y Sujetos, Actividad y Control*, Ed. Ariel, Barcelona, 2003.
– *Eficacia y Administración. Tres estudios.* Instituto Nacional de Administración Pública-Boletín Oficial del Estado, Madrid 1995.
– *Estado Social y Administración Pública. Los postulados constitucionales de la reforma administrativa*, Ed. Civitas, Madrid 1983.
– «La potestad de autoorganización de la Administración Local», en *Documentación Administrativa*, núm. 228, octubre-diciembre 1991, p. 13-44.

- «Notas para una construcción dogmática de las relaciones interadministrativas», en *Revista de Administración Pública*, núm. 174, septiembre-diciembre 2007, p. 161-191.
- «Objeto, ámbito de aplicación y principios generales», en LEGUINA VILLA, Jesús y SÁNCHEZ MORÓN, Miguel (Dir.): *La nueva Ley de Régimen Jurídico de las Administraciones Públicas y del Procedimiento Administrativo Común*, Ed. Tecnos, Madrid 1993, p. 21-40.

PAREJO ALFONSO, Luciano y PALOMAR OLMEDA, Alberto (Dir.): *Comentarios a la Ley de Contratos del Sector Público*, Ed. Bosch, Barcelona, 2009.

PASCUAL GARCÍA, José: *Las encomiendas de gestión a la luz de la Ley de Contratos del Sector Público*, Estudios Jurídicos 13, Ministerio de la Presidencia-Boletín Oficial del Estado, Madrid 2010.

PEDERSEN, Kristian y OLSSON, Eric: «Commission vs. Germany – a new approach to in-house providing?», en *Public Procurement Law Review*, núm. 1, 2010, p. 33-45.

PENDÁS GARCÍA, Benigno (Coord.): *Derecho de los contratos públicos (Estudio sistemático de la Ley 13/1995, de 18 de mayo, de Contratos de las Administraciones Públicas)*, Ed. Praxis-Wolters Kluwer, Barcelona, 1995.

PÉREZ MORENO, Alfonso: «Las entidades instrumentales en las Comunidades Autónomas», en PÉREZ MORENO, Alfonso (Coord.): *Administración instrumental. Libro homenaje a Manuel Francisco Clavero Arévalo*, volumen II, Ed. Civitas-Instituto García Oviedo, Madrid 1994, p. 1439-1457.

PERNÁS GARCÍA, J. José: «Las exigencias de control análogo en las encomiendas a medios propios», en *Revista de Estudios de la Administración Local y Autonómica (REALA)*, núm. 311, septiembre-diciembre 2009, p. 229-276.
- «Exigencias y límites a la configuración y a la actuación de los medios propios, como entes encomendados en el marco de las relaciones *in house*», en *Actualidad Administrativa*, núm. 12, junio 2010, p. 1427-1448.
- *Las operaciones in house y el Derecho comunitario de contratos públicos. Análisis de la jurisprudencia del TJCE*, Ed. Iustel, Madrid 2008.

PILLADO QUINTANS, Manuel: «TRAGSA: un caso irresuelto convertido en modelo legal de los encargos de las administraciones a sus medos instrumentales», en *Documentación Administrativa*, núm. 274-275, enero-agosto 2006, p. 279-377.

PIÑAR MAÑAS, José Luis: «El Derecho Comunitario como marco de referencia del Derecho Español de contratos públicos», en GÓMEZ-FERRER MORANT, Rafael (Dir.): *Comentarios a la Ley de Contratos de las Administraciones Públicas*, Ed. Thomson-Civitas, segunda edición, Madrid 2004, p. 27-79.

– «Las fundaciones sanitarias. De la perplejidad a la confusión, pasando por la demagogia», en *Revista General de Legislación y Jurisprudencia*, núm. 1, 2000, p. 73-100.

PITA GRANDAL, Ana Mª: «L'empresa pública en l'ordenament jurídic de Catalunya», en *Autonomies. Revista Catalana de Dret Públic*, núm. 2-3, 1985, p. 70-84.

POTOTSCHING, Umberto: «La delega di funzioni amministrative regionali agli enti locali», en *Foro Amministrativo*, III, 1971, p. 435-482.

PUIG BRUTAU, José: *Fundamentos de Derecho Civil*, tomo II, volumen I, decimotercera edición, Ed. Bosch, Barcelona 1988.

PUIG FERRIOL, Lluis y GETE-ALONSO CALERA, María del Carmen: *Manual de Derecho Civil*, volumen III, Ed. Marcial Pons, Madrid 1996.

QUINTANA LÓPEZ, Tomás: «Algunes consideracions sobre la gestió dels serveis universitaris a Espanya», en *Autonomies. Revista Catalana de Dret Públic*, núm. 23, 1998, p. 15-27.

– *Las mancomunidades en nuestro Derecho Local*, Ministerio de Administraciones Públicas, Madrid 1990.

RAMALLO MASSANET, Juan: «Las relaciones interadministrativas en la aplicación de tributos», en *Documentación Administrativa*, núm. 240, octubre-diciembre 1994, p. 165-196.

RAMIÓ, Carles y BALLART, Xavier: *Lecturas de Teoría de la Organización*, Ministerio de Administraciones Públicas, Madrid 1993.

RAZQUIN LIZARRAGA, José Antonio: «Las encomiendas a entes instrumentales en la legislación foral de contratos públicos de Navarra: contraste con el Derecho comunitario europeo y la legislación básica estatal», en *Revista Jurídica de Navarra*, núm. 47, enero-junio 2009, p. 39-86.

RAZQUÍN LIZARRAGA, Martín Mª: *Contratos públicos y Derecho Comunitario*, Ed. Aranzadi, Pamplona 1996.

REBOLLO PUIG, Manuel: «El consorcio entre entes locales como forma de cooperación», en *Anuario del Gobierno Local 1997*, Ed. Marcial Pons-Institut de Dret Públic, Madrid 1997, p. 203-256.

– «Los entes institucionales de la Junta de Andalucía y su utilización como medio propio», *Revista de Administración Pública*, núm. 163, 2003, p. 359-393.

– «Principio de legalidad y autonomía de la voluntad en la contratación pública», en AA VV: *La contratación pública en el horizonte de la integración europea. V Congreso Luso-Hispano de profesores de Derecho Administrativo*, INAP, Madrid 2004, p. 41-59.

RIVERO YSERN, Enrique: «Las relaciones interadministrativas», en *Revista de Administración Pública*, núm. 80, mayo-agosto 1976, p. 39-81.

RIVERO ORTEGA, Ricardo: ¿Es necesaria una revisión del régimen de los contratos administrativos en España?, en *Civitas. Revista Española de Derecho Administrativo*, núm. 121, enero-mayo 2004, p. 25-47.

RODRÍGUEZ DE SANTIAGO, José Mª: *La administración del Estado social*, Ed. Marcial Pons, Madrid 2007.

– *Los convenios entre Administraciones Públicas*, Ed. Marcial Pons, Madrid 1997.

ROLLA, Giancarlo: *Il sistema costituzionale italiano. L'organizzazione territoriale della Reppublica*, Giuffrè Editore, Milan 2005.

ROMANO, Santi: *Principi di diritto amministrativo*, Giuffrè editore, tercera edició, Milan 1912.

ROVERSI-MONACO, Fabio: *La delegazzione administrativa nel quadro dell'ordinamento regionale*, Giuffrè Editore, Milan 1970.

SABORIDO SÁNCHEZ, Paloma: *La causa ilícita: delimitación y efectos*, Ed. Tirant lo Blanch, Valencia 2005.

SALAS, Javier: «El tema de las competencias: instrumentación de las relaciones entre la Administración local y la del Estado», en MARTÍN-RETORTILLO BAQUER, Sebastián (Dir.): *Descentralización administrativa y organización política*, tomo II, Ed. Alfaguara, Madrid 1973, p. 575– 678.

SALOM PARETS, Aina: *Los colegios profesionales*, Ed. Atelier, Barcelona 2007.

SÁNCHEZ BLANCO, Ángel: *Organización intermunicipal*, Ed. Iustel, Madrid 2006.

SÁNCHEZ MORÓN, Miguel: *Derecho Administrativo. Parte General*, Ed. Tecnos, quinta edición, Madrid 2009.

SÁNCHEZ SÁEZ, Antonio José: «Algunas reflexiones sobre la encomienda de gestión como instrumento racionalizador del ejercicio de las competencias administrativas», en *Revista Andaluza de Administración Pública*, núm. 53, 2004, p. 227-265.

SANTAMARÍA PASTOR, Juan Alfonso: «La teoría del órgano en el Derecho Administrativo», en *Civitas. Revista Española de Derecho Administrativo*, núm. 40-41, 1984, p. 43-86.
- *Principios de Derecho Administrativo General*, volumen I, Ed. Iustel, Madrid 2004.

SANTOS BRIZ, Jaime. (Dir.): *Tratado de Derecho Civil*, tomo III, Ed. Bosch, Barcelona, 2003.

SANZ RUBIALES, Íñigo: «Refuerzo competencial», en *Revista Jurídica de Castilla y León*, número extraordinario, octubre 2006, p. 57-96.

SCHMIDT-ASSMAN, Eberhard, *La teoría general del Derecho Administrativo como sistema*, Ed. Marcial Pons, Madrid 2003.

SEVERO SEVERI, Fabio: «Delegazione amministrativa e utilizzazione degli uffici», en AA VV: *Digesto delle discipline pubblicistiche*, volumen IV, Ed. UTET, Torino 1989, p. 552-557.

SOCIAS CAMACHO, Joana M.: *Fundaciones del Sector Público. En especial, el ámbito sanitario*, Ed. Iustel, Madrid 2006.

SOSA WAGNER, Francisco: «El empleo de los recursos propios por las administraciones locales», en COSCULLUELA MONTANER, Luís (Coord.): *Estudios de Derecho Público Económico. Libro homenaje al Prof. Dr. D. Sebastián Martín-Retortillo*, Ed. Civitas, Madrid 2003, p.1309-1341
- *La gestión de los servicios públicos locales*, Ed. Thomson-Civitas, séptima edición, Madrid 2008.
- «Mancomunidades y otras formas asociativas», en MUÑOZ MACHADO, Santiago (Dir.): *Tratado de Derecho Municipal*, Ed. Civitas, segunda edición, Madrid 2003, p. 1209-1218.
- *Manual de Derecho Local*, Ed. Thomson-Aranzadi, novena edición, Navarra, 2005.
- «¿Pueden los contratos quedar en casa? (La polémica europea sobre la contratación in house)», *Diario La Ley*, núm. 6715, 17 de mayo de 2007.

SOSA WAGNER, Francisco y DE MIGUEL GARCÍA, Pedro: *Las competencias de las Corporaciones Locales*, Instituto de Estudios de la Administración Local, Madrid 1985.

SOSA WAGNER, Francisco y FUERTES LÓPEZ, Mercedes: «¿Pueden los contratos quedar en casa? (la polémica europea sobre la contratación in house)», [En línea] en *Revista la Ley*, núm. 6715, 17 mayo 2007.

STADERINI, Francesco: *Diritto degli enti locali*, Ed. Cedam, decimotercera edición, Padua, 2009.

SUAY RINCÓN, José: «Organització instrumental de les corporacions locals», en *Quaderns de Dret Local*, núm. 9, 2005, p. 7-15.

TARDIO PATO, José Antonio: *El derecho de las universidades públicas españolas*, Promociones y Publicaciones Universitarias PPU, Barcelona 1994.

TORNOS MAS, Joaquín (Coord.): *Administración Pública y procedimiento administrativo. Comentarios a la Ley 30/1992, de 26 de noviembre*, Ed. Bosch-Departamento de Derecho Administrativo y Procesal. Universidad de Barcelona, Barcelona, 1994.
  – *Comentarios a la Ley 26/2010, de 3 de agosto, de Régimen Jurídico y Procedimiento de las Administraciones Públicas de Cataluña*, Madrid 2012.

TORNOS MAS, Joaquín: «La reforma de la Administración periférica del Estado», en AA VV: *La Administración del Estado en las Comunidades Autónomas*, Institut d'Estudis Autonòmics, Barcelona 1997, p. 17-76.

VALCÁRCEL FERNÁNDEZ, Patricia: «Sociedades mercantiles y realización de obras públicas: incumplimiento de la normativa comunitaria de contratación, extralimitación del margen constitucional de reserva de Derecho Administrativo e incongruencia en el empleo de las técnicas de autoorganización para la gestión de actuaciones administrativas», [En línea] en *Revista General de Derecho Administrativo*, núm. 12, junio 2006.

VANDELLI, Luciano: *El ordenamiento español de las Comunidades Autónomas*, Instituto de Estudios de la Administración Local, Madrid 1982.
  – *Il sistema delle autonomie locali*. Ed. Il Mulino, tercera edición, Bolonia 2007.
  – «La colaboración entre Estado y autonomías: el caso italiano», en *Anuario del Gobierno Local 1998*, Instituto de Derecho Público, Barcelona 1999, p. 189-198.
  – «Le problematiche prospettive del regionalismo italiano», en *Istituzioni del Federalismo: rivista di studi giuridici e politici*, núm. 1-2, 2010, p. 201-211.
  – «Le Regione, le Province, i Comuni», en BRANCA, Giuseppe: *Comentario Della Costituzione*, Ed. Nicola Zanichelli, Bolonia 1985, p. 267-336.

VAQUER CABALLERIA, Marcos: *Fundaciones Públicas y Fundaciones en mano pública*, Ed. Marcial Pons, Madrid 1999.

VÁZQUEZ IRAZUBIETA, Carlos: *Procedimiento Administrativo Común: Comentarios a la Ley 30/1992, de 26 de noviembre, de Régimen Jurídico de las*

Administraciones Públicas y del Procedimiento Administrativo Común, EDERSA, Madrid 1993.

VELASCO CABALLERO, Francisco (Dir.): *Gobiernos Locales en Estados federales y descentralizados: Alemania, Italia y Reino Unido*, Institut d'Estudis Autonòmics, colección Contextos, núm. 12, Barcelona 2010.

VELASCO CABALLERO, Francisco y RODRÍGUEZ DE SANTIAGO, José María: «Limites a la transferencia o delegación del artículo 150.2 CE», en *Revista Española de Derecho Constitucional*, núm. 55, 1999, p. 97-132.

VELÁZQUEZ CURBELO, Fernando: *Manual Práctico de Contratación Administrativa*, Ed. Marcial Pons, Madrid 2003.

VILALTA REIXACH, Marc: «El ámbito subjetivo de aplicación de la encomienda de gestión (Su concreción en la Ley catalana 26/2010, de 3 de agosto, de Régimen Jurídico y Procedimiento de las Administraciones Públicas de Cataluña)», en *Cuadernos de Derecho Local*, núm. 28, febrero 2012, p. 77-94.

– *El Consejo de gobiernos Locales. La nueva participación de los entes locales en las Comunidades Autónomas*, Ed. Iustel, Madrid, 2007.

XIOL RÍOS, Juan Antonio: «La utilización de técnicas de relación con particulares entre administraciones públicas: concesión; licencias; sanciones. La ejecutividad entre administraciones públicas», en *Cuadernos de Derecho Local*, núm. 8, junio 2005, p. 50-74.